AUTEURS ET DIRECTEURS DES COLLECTIONS
Dominique AUZIAS & Jean-Paul LABOURDETTE

DIRECTEUR DES EDITIONS VOYAGE
Stéphan SZEREMETA

RESPONSABLES EDITORIAUX VOYAGE
Patrick MARINGE et Morgane VESLIN

EDITION ✆ 01 53 69 70 18
Caroline Hemery, Pauline WALCKENAER, Sophie CUCHEVAL, Cédric COUSSEAU, Pierre-Yves SOUCHET, Emmanuelle BLUMAN et Hélène DEBART

ENQUETE ET REDACTION
Sarah PICCIOLI, Maïssa BENMILOUD, Jean-Moïse BRAITBERG et Michel POMAREDE

MAQUETTE & MONTAGE
Sophie LECHERTIER, Marie AZIDROU, Delphine PAGANO, Gilles BESSARD DU PARC, Julie BORDES et Nathalie PALOUS

CARTOGRAPHIE
Philippe PARAIRE, Thomas TISSIER

PHOTOTHEQUE ✆ 01 53 69 65 26
Elodie SCHUCK

REGIE INTERNATIONALE ✆ 01 53 69 65 34
Karine VIROT, Jessica SANTOS-PEREIRA et Virginie BOSCREDON

PUBLICITE ✆ 01 53 69 70 61
Pascal FERT, Jérôme de NONANCOURT, Caroline GENTELET, Perrine de CARNE-MARCEIN et Virginie WUITHIER

RELATIONS PRESSE ✆ 01 53 69 70 19
Jean-Mary MARCHAL

DIFFUSION ✆ 01 53 69 70 06
Eric MARTIN, Bénédicte MOULET, Jean-Pierre GHEZ, Antoine REYDELLET et Sandrine CHASSEIGNAUX

DIRECTEUR ADMINISTRATIF ET FINANCIER
Gérard BRODIN

RESPONSABLE COMPTABILITE
Isabelle BAFOURD assistée de Bérénice BAUMONT, Angélique HELMLINGER et Elisabeth de OLIVEIRA

DIRECTRICE DES RESSOURCES HUMAINES
Dina BOURDEAU assistée de Sandrine DELEE et Sandra MORAIS

LE PETIT FUTE SRI LANKA
■ 4e édition ■

NOUVELLES ÉDITIONS DE L'UNIVERSITÉ©
Dominique AUZIAS & Ass
18, rue des Volontaires -
Tél. : 33 1 53 69 70 00
Petit Futé, Petit Malin, G
et City Guides sont des
© Photo de couverture
Mickael David
Légende : Temple Hind
ISBN - 978274692283
Imprimé en France par
14110 Condé-sur-Noire

Pour nous contacter par email, indiquez le nom de famille en minuscule suivi de @petitfute.com
Pour le courrier des lecteurs : country@petitfute.com

Bienvenue au Sri Lanka !

Ceylan... Nom évocateur d'un paradis perdu niché au centre du monde. Ses montagnes semblaient si hautes que les explorateurs d'autrefois croyaient y voir pointer un passage vers le ciel. Et en effet, une fois là-bas, difficile de ne pas se sentir littéralement pousser des ailes à la vue d'un paysage. Lequel ? A vous de le choisir, les possibilités sont si vastes sur cette si petite île : des plateaux de rizières alignées aux collines verdoyantes de théiers si parfaitement taillés qu'on croirait un jardin anglais ; des savanes africaines du nord du pays aux jungles luxuriantes de son cœur montagnard ; de ses plages enfin, ces étendues de sable fin, blanc, chaud qui crisse sous les pieds... Et les lagons, ah ces merveilleux lagons qui posent une délicate touche de romantisme sur le littoral sri lankais ! Et pourtant, l'histoire de ce pays, son passé moult fois millénaire qui impose le respect dans le monde entier, ses royaumes si puissants, ses sites archéologiques classés, comment les oublier ! On ne passe pas sans sourciller auprès de sept patrimoines mondiaux, on ne peut qu'être profondément touché par cette civilisation qui nous est si peu connue. Des ruines, oui, mais quelles ruines ! Mais le Sri Lanka n'est rien sans ses animaux que l'on croisera un peu partout alors qu'on s'y attendait le moins : là un éléphant indolent se baigne dans la rivière ; ici une famille de singes chapardeurs avale la banane qui se trouvait dans votre sac il y a une seconde encore ; des varans énormes aussi. Et ses oiseaux qui sont le rêve des ornithologues de tout poil, ses oiseaux chamarrés de si belles couleurs que même le voyageur le plus indifférent ne peut que tomber sous le charme. Ici la vie est riche, elle bourdonne, elle bouillonne, elle barrit comme sa terre multiple qui se décline en plusieurs humeurs. Ceylan est un poème, mais l'homme est son auteur, qui a façonné son pays, qui le vit à son image et le représente peut-être mieux que quiconque. Cette terre ne serait pas si le cœur de ses gens n'était si plein de soleil, grand ouvert comme leurs bras à notre venue. Une simplicité sans pareille, une générosité rare. Ici, pas de place pour l'artifice, la méchanceté, l'arrogance. On se laisse totalement bercer par la musique de la douceur et de la tolérance. Le peuple sri lankais, malgré toutes les catastrophes qui l'a frappé de plein fouet, continue de se battre et conserve le sourire. Toujours. Une belle leçon d'humanité.

L'équipe de rédaction

mana (ACME Travel), K.A Santha
our leur soutien. Alfred, Evelyne,
Vinodh... Merci à ma famille, à
une, à Beryl, à Linda et Alix.

é fabriqué chez un imprimeur bénéficiant
PRIM'VERT.
Cette démarche implique le respect de nombreux critères contribuant à préserver l'environnement.

Sommaire

■ INVITATION AU VOYAGE ■

■ DÉCOUVERTE ■

■ COLOMBO ■

■ LA CÔTE SUD-OUEST ■

Polonnaruwa, Bouddha de Gul Vihara

LES HAUTES TERRES

LE TRIANGLE CULTUREL

Fleurs pour offrandes

LE NORD ET LA CÔTE EST

LA CÔTE OUEST

ORGANISER SON SÉJOUR

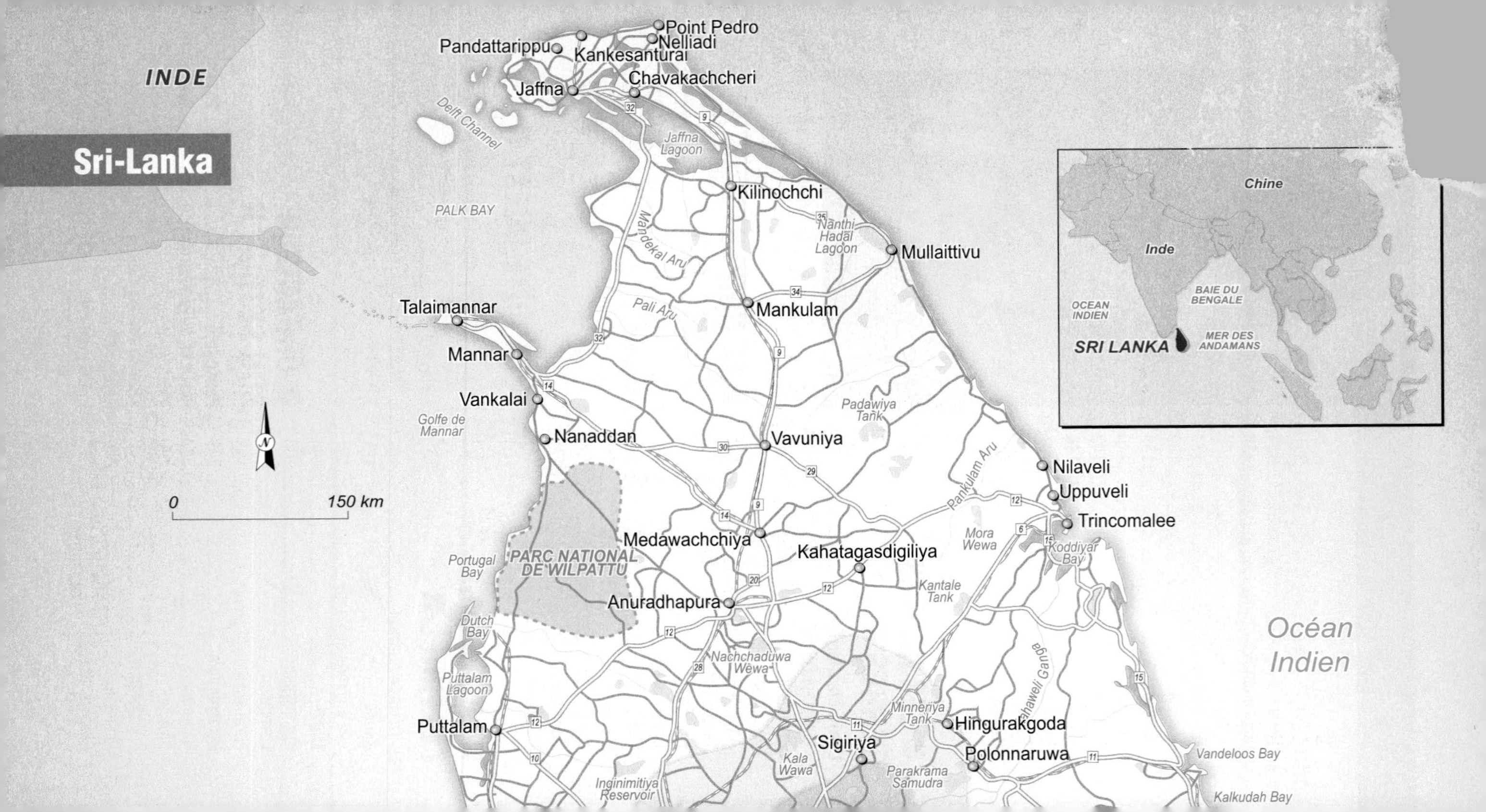

Sri-Lanka

INDE
PALK BAY
Delft Channel
Point Pedro
Nelliadi
Pandattarippu
Kankesanturai
Chavakachcheri
Jaffna
Jaffna Lagoon
Kilinochchi
Mandekal Aru
Nanthi Hadal Lagoon
Mullaittivu
Pali Aru
Mankulam
Talaimannar
Mannar
Vankalai
Golfe de Mannar
Nanaddan
Padawiya Tank
Vavuniya
0
150 km
Nilaveli
Uppuveli
Pankulam Aru
Trincomalee
Mora Wewa
Koddiyar Bay
Medawachchiya
Kahatagasdigiliya
Portugal Bay
PARC NATIONAL DE WILPATTU
Kantale Tank
Anuradhapura
Dutch Bay
Nachchaduwa Wewa
Mahaweli Ganga
Océan Indien
Puttalam Lagoon
Minneriya Tank
Hingurakgoda
Puttalam
Sigiriya
Polonnaruwa
Vandeloos Bay
Kala Wawa
Parakrama Samudra
Inginimitiya Reservoir
Kalkudah Bay

Chine
Inde
OCEAN INDIEN
BAIE DU BENGALE
SRI LANKA
MER DES ANDAMANS

Altitude (en mètre)
1000
500
200
Capitale
Ville
Route principale
Route secondaire
Parc National
Océan Indien
Chilaw
Kurunegala
Matale
Kandy
Kochchikade
Negombo
Kegalla
Mawanella
Gampola
Ja-Ela
Ragama
Gampaha
Nawalapitiya
Pidurutalagala 2524 m.
Nuwara Eliya
Badulla
COLOMBO
Kotte
Avissawelta
Dehiwala-Mount Lavinia
Moratuwa
Pandura
Wadduwa
Kalutara
Matugama
Ratnapura
Adam's Peak 2243 m
Balangoda
Bandarawela
Ella
Haputale
Beruwela
Bentota
Balapitiya
Ambalangoda
Hikkaduwa
Galle
Unawatuna
Koggala
Weligama
Weligama Bay
Mirissa
Matara
Dondra
Tangalle
Ambalantota
Hambantola
Tissamaharama
Kataragama
Yala
Great Basses
Little Basses
Okandawara Bay
Kirigalla Bay
Arugam Bay
Pottuvil
Omari
K lapu
Ampara
Kalmunai
Samanturai
Kattankudi
Batticaloa
Parc National de Maduru Oya
Maduru Oya Reservoir
Ulhitiya Reservoir
Victoria Reservoir
Senanayaka Samudra
Parc National de Gal Oya
Wila Oya
PARC NATIONAL DE YALA
Luguganwehera Reservoir
Udawalawe Reservoir
Parc National de Uda Walawe
Walawe Ganga
Nilwala Ganga
Deduru Oya
Attanagalu

Polonnaruwa, moine

Anuradhapura, bouddha du Sri Maha Bodhi

Nuwara Eliya, récolte du thé

Plage sur la côte sud-ouest

Les plus du Sri-Lanka

Un accueil chaleureux

Qu'ils soient tamouls, cinghalais ou musulmans, les Sri Lankais cultivent le sens de l'hospitalité. Partout, vos hôtes et vos interlocuteurs essaieront de vous venir en aide ou de vous informer autant que possible. Il est bien rare de voir quelqu'un s'emporter ou se mettre en colère ; le légendaire sourire des Sri Lankais est sur toutes les lèvres.

Une destination abordable

Le Sri Lanka demeure l'une des destinations les moins onéreuses au monde. Cependant, les prix ont légèrement augmenté en raison du tsunami qui a provoqué des coûts de reconstruction importants, d'une part, et de la baisse du tourisme (l'une des ressources premières du pays) due à la catastrophe dont a été victime la population, d'autre part.

Une culture millénaire

L'île abonde en sites archéologiques de premier plan. Pagodes, dagoba monumentaux et sites exceptionnels y sont légion. La culture bouddhiste a produit depuis plus de 2 300 ans des trésors d'architecture et de sculpture que l'on rencontre dans les musées, parcs nationaux et sur les sites un peu partout sur l'île.

Une nature et un environnement protégés

La monoculture du thé, offrant un panorama exceptionnel sur une bonne partie du centre de l'île, a quelque peu modifié l'environnement naturel, mais le gouvernement sri lankais a eu l'heureuse initiative de créer des parcs nationaux où la faune et la flore sont protégées. Il faut d'ailleurs savoir que le Sri Lanka est le premier pays au monde à avoir instauré des réserves naturelles préservant sa nature, près de 400 ans avant notre ère !

Une cuisine colorée et épicée

La cuisine sri lankaise est délicieuse. Elle est réputée pour ses currys, assortiments de légumes et de viandes très raffinés, mêlant épices et saveurs orientales. La cuisine populaire est très épicée, mais en général elle n'est pas proposée aux touristes en raison de sa haute teneur en piment. Dans les villes, on trouve de nombreux restaurants servant une cuisine occidentale correcte.

Temple de Nalanda

Nuwara Eliya, cueillette du thé

Le pays du thé

Le Sri Lanka est réputé pour ses variétés de thé que l'on boit partout et en toute occasion. Mais on y trouve aussi de bonnes bières, servies dans des bouteilles de 50 cl et toujours fraîches, chaleur oblige. On se rafraîchit aussi aisément sur le bord des routes avec le jus des noix de coco vertes que l'on sirote avec une paille.

Des activités sportives d'eau et de terre

Les plages de sable fin bordées de cocotiers constituent l'un des charmes les plus populaires du Sri Lanka ; les amateurs de sports nautiques s'y régaleront entre plongée, snorkeling, surf, etc.

▸ **Au sud de l'île,** elles constituent un décor de carte postale en bordure d'une mer azuréenne qui enchantera les fans de plongée. Même si les coraux ont souffert du vandalisme et des modifications climatiques de ces dernières années, ils renaissent doucement, et l'on trouve encore de beaux spots où abondent récifs coralliens et poissons multicolores.

▸ **A l'est,** le littoral moins fréquenté de la région de Trincomalee jusqu'au sud de l'île est bordé de lagons sur toute sa longueur ; c'est là que les fonds sous-marins ont été le mieux préservés. Si vous ne pratiquez pas la plongée en bouteille, vous pouvez admirer les fonds marins par snorkeling avec des palmes, un masque et un tuba que l'on trouve en général à louer sur place pour un prix modique.

▸ **Au sud-est,** les rouleaux d'Arugam Bay attirent les surfeurs du monde entier. Les rouleaux y sont abondants en toute saison et les hôtels, spécialisés dans l'accueil des amoureux de la glisse, proposent la location de planches pour presque rien. Les amateurs de randonnée apprécieront les hauteurs de l'île où de nombreux itinéraires permettent de découvrir des paysages fantastiques comme à Horton Plains ou, mieux encore, dans les Knuckles. L'ascension du pic d'Adam, lieu de pèlerinage universel, est à ne pas manquer.

Un artisanat soigné et bon marché

L'artisanat est riche, mais ce n'est pas toujours le meilleur qui est proposé dans les magasins pour touristes de Colombo et de Kandy. Le travail du bois est très intéressant, notamment en ce qui concerne les éléphants, le mobilier ou encore les masques de *sani* représentant les figures grimaçantes du panthéon sri lankais. On trouve aussi de belles étoffes brodées, des *batiks* et quantité d'épices que l'on achète sur les marchés ou dans les *spice gardens*. Enfin, le thé se décline en de multiples variétés et senteurs, de quoi faire plaisir à tout le monde !

Fresque des Demoiselles de Sigiriya

Polonnaruwa, Kalu Gul Vihara

Polonnaruwa

Anuradhapura, monastère de Puliyankulama

Kandy, fête de la Perahera, temple de la Dent illuminé

Fiche technique

Argent

- **Monnaie :** la roupie sri lankaise (Rs).
- **Taux de change :** il varie en fonction du cours du dollar. A l'automne 2008, il fallait compter environ 165 Rs pour 1 € et 103 Rs pour 1 $.

Il est impossible de se procurer des roupies avant le départ. Vous pouvez emporter des traveller's chèques faciles à échanger dans toutes les banques. Mais une carte Visa ou MasterCard vous permet de retirer directement des roupies dans les nombreux distributeurs situés dans toutes les villes. Le marché noir n'existe pas.

Attention tout de même aux détenteurs de MasterCard, seules deux banques autorisent le retrait au distributeur : Commercial Bank et Sampath Bank, en sachant que les Commercial Bank se trouvent uniquement dans les villes importantes. On peut également retirer de l'argent dans les distributeurs ATM dans les HSBC, mais il y a assez peu d'agences dans le pays. La carte Visa est acceptée partout.

Idées de budget

On peut aisément se nourrir et se loger avec 1 200 Rs par jour et par personne. Les transports en commun, en particulier le train, sont incroyablement bon marché. En revanche, l'accès aux musées et principaux sites culturels est un peu plus cher. Pour une location de voiture avec chauffeur, il vous faudra compter environ 3 000 Rs par jour. Ce prix comprend la voiture, l'essence, les services d'un chauffeur toute la journée, le kilométrage selon ce que vous avez négocié, mais aussi l'hébergement et la nourriture du chauffeur. Le pourboire n'est en rien obligatoire, mais n'hésitez pas à en user si vous avez été satisfait du service rendu, c'est généralement la seule rétribution correcte reçue par les chauffeurs. De même, réclamez un autre conducteur à votre agence si le vôtre ne vous convient pas, le changement se fait très rapidement (24 heures en moyenne), selon leur disponibilité.

Le Sri Lanka en bref

Le pays

- **Nom du pays :** République socialiste démocratique du Sri Lanka. Sri Lanka, « île sacrée », a été adopté en 1972, bien que le premier nom du pays fût Lanka. Auparavant le pays s'appelait Ceylan (Ceylon, pour les Anglais). Vers le IIe siècle av. J.-C., le nom sanskrit était Tamraparni, « feuille de cuivre ». Les Grecs puis les Romains en ont fait Taprobane. Ceylan vient du pâli : *sinhala* ou *sihala*, « lion », abréviation de *sihaladvipa*, « île des lions ».
- **Capitale :** Sri Jayewardenepura Kotte est la capitale politique officielle. Colombo est la capitale commerciale.
- **Superficie :** 65 525 km^2 (soit l'équivalent de l'Irlande).
- **Langues parlées :** le cinghalais, le tamoul et l'anglais.
- **Régime :** république socialiste démocratique, démocratie présidentielle. Président : Mahinda Rajapakse. Premier ministre : Ratnasiri Wickremanayake.
- **Religions :** bouddhisme 69,1 %, islam 7,6 %, hindouisme 7,1 %, christianisme 6,2 %, et 10 % ne sont pas renseignés.

La population

- **Population :** 19,7 millions d'habitants (2007).
- **Densité de population :** 292 hab./km^2.
- **Population urbaine :** 15 %.
- **Espérance de vie :** 74 ans pour les femmes, 69 pour les hommes.
- **Mortalité infantile :** 13 ‰ (2007).
- **Alphabétisation :** 91,8 %

L'économie

- **PNB/hab. :** 1 300 $ (2007).
- **Structure de l'économie :** agriculture 17,7 %, industrie 27,1 %, services 55,2 % (2007).
- **Croissance :** 7 % (2007).
- **Salaire moyen :** 6 000 Rs/mois (50 €).

Téléphone

- **Indicatif du Sri Lanka :** 94.

Attention, la numérotation a changé en 2003, soyez vigilant en composant d'anciens numéros.

Indicatifs téléphoniques

- **Aluthgama, Bentota** 034
- **Ambalangoda, Galle, Hikkaduwa et Unawatuna** 091
- **Ampara, Arugam Bay** 063

Anuradhapura, Dagoba de Ruvanvelisaya

Téléphone, mode d'emploi

Coût du téléphone. Il existe partout des Communication Centres qui proposent des communications nationales ou internationales (IDD) à prix abordable. Le prix de la communication est variable d'un endroit à l'autre, mais il faut compter en moyenne 50 Rs/min pour l'Europe et 15 Rs/min en local. Evitez en revanche de téléphoner depuis les grands hôtels qui pratiquent des tarifs prohibitifs.

Pour appeler le Sri Lanka à partir de l'étranger, composez le 00, suivi du code 94 mais omettez le 0 qui débute tout numéro local. Pour appeler la France depuis le Sri Lanka, composez le 00 et le 33, puis omettez le 0 qui débute le numéro local.

Internet

Les Communication Centres proposent des connexions Internet plus ou moins rapides dans toutes les villes. Comptez environ 50 à 100 Rs de l'heure.

Le drapeau sri lankais

Sur fond jaune, un grand carré rouge foncé avec, en son centre, un lion doré tenant une épée, et, dans chaque coin, une feuille de l'arbre sacré des bouddhistes, le bo (ou figuier des pagodes).
Deux bandes verticales, verte et orange, à la gauche du carré, représentent les musulmans et les Tamouls.

Décalage horaire

+ 5 heures en hiver et + 4 heures en été par rapport à la France.

Climat

Le climat du Sri Lanka est tropical. Saisons humides (la « petite » de novembre à janvier et la « grosse » de juin à septembre) et saisons sèches (le reste du temps) se succèdent au rythme des moussons mais avec de petites variantes locales. Il est plus sec au nord et plus humide au sud, en particulier au centre du pays.

Saisonnalité

Le pic de la saison touristique se situe entre la mi-décembre et la mi-mars. Les températures de la saison sèche sont agréables et les prix des chambres d'hôtel sont majorés en conséquence, notamment lors de manifestations culturelles ou sportives renommées. Ils sont multipliés par deux ou trois. Mais on peut aussi visiter le pays pendant l'été si l'on ne craint pas la mousson ou si l'on veut profiter de tarifs plus avantageux.

Colombo

Janvier	Février	Mars	Avril	Mai	Juin	Juillet	Août	Sept.	Octobre	Nov.	Déc.
22°/ 30°	22°/ 31°	23°/ 29°	24°/ 31°	26°/ 31°	25°/ 29°	25°/ 29°	25°/ 29°	25°/ 29°	24°/ 29°	23°/ 29°	22°/ 29°

Citadelle de Sigiriya

Sud, pêcheurs sur échasse

Anuradhapura, le dagoba Mirisaweti

Idées de séjour

Petite île offrant un grand nombre d'activités et de sites à visiter, le Sri Lanka permet un choix très vaste en matière d'itinéraires et ce, quelle que soit la durée de votre séjour.

Rester sur place combien de temps ?

On peut avoir un bon aperçu du Sri Lanka en deux ou trois semaines. Il est possible de moduler cette durée comme on le souhaite car l'avantage de cette île est de présenter des aspects très variés, tant au niveau des paysages que des centres d'intérêt. Bref, il y en a pour tous les goûts. Attention simplement à prendre en compte la difficulté des routes où l'on n'avance pas à plus de 35 km/h.

Séjour d'une semaine

- **Jour 1 :** arrivée à l'aéroport de Colombo situé à environ 1 heure 30 de route de la capitale. Commencez votre séjour par une journée à Negombo, à 30 minutes de l'aéroport en taxi. La plage n'est pas extraordinaire, mais on y trouve un grand choix d'hôtels.
- **Jour 2 :** visite de bonne heure du pittoresque marché aux poissons, le plus important de l'île. Partez pour Colombo en train ou en taxi vers 8h30, comptez de 1 heure à 1 heure 30 de route selon la circulation. Vous pouvez prendre un *tuk-tuk* à la journée pour visiter la capitale en déterminant à l'avance le prix. Assurez-vous cependant que votre chauffeur parle suffisamment l'anglais pour comprendre où vous voulez aller. Vous pouvez flâner dans l'incroyable dédale des rues de Pettah, le quartier commerçant du Fort. Faites un tour au magasin Cargills pour son ambiance surannée. A midi, vous pouvez déjeuner au buffet d'un grand hôtel, puis dirigez-vous vers le Musée national qui mérite bien 2 heures de visite pour ses masques et ses splendides sculptures bouddhiques. En fin de journée, pour un repos bien mérité, allez piquer une tête dans la piscine du Galle Face Hotel, le plus beau palace colonial de la ville où vous pouvez choisir de dîner face à la mer sur une splendide terrasse.
- **Jour 3 :** quittez Colombo pour Kandy. En train, comptez de 2 heures 30 à 3 heures de trajet et de 4 heures à 5 heures en bus ou en voiture. Visite du temple de la Dent. Il vous faudra compter près d'une demi-journée pour en faire le tour.
- **Jour 4 :** départ le matin pour l'orphelinat des éléphants de Pinnawela. Les jeunes éléphants sont nourris au biberon, ce qui offre l'occasion de prendre de belles photos. Au retour, arrêtez-vous au jardin botanique de Peradeniya, le plus beau de l'île, avec toutes sortes d'essences ramenées des quatre coins de l'Empire britannique et des groupes entiers de singes.
- **Jour 5 :** départ tôt le matin pour les grottes de Dambulla et leurs sculptures bouddhiques puis la forteresse de Sigiriya par la route des épices. Comptez entre 4 et 5 heures de route pour arriver à Sigiriya. Attendez la fin de la journée que le soleil soit moins ardent pour entreprendre l'ascension vers les grottes ornées de magnifiques fresques.
- **Jour 6 :** départ de Sigiriya et retour vers la capitale. Comptez bien 6 heures de route. Vous pouvez loger à Mount Lavinia, agréable station balnéaire, plus tranquille que Negombo et qui compte plusieurs bons restaurants sur la plage.
- **Jour 7 :** emplettes à Colombo et retour à l'aéroport.

Séjour de deux semaines

- **Jour 1 :** Mount Lavinia pour une journée de farniente sur la plage.
- **Jours 2 à 6 :** descendez doucement la côte vers le sud pour profiter des plages. Arrêtez-vous à Bentota pour faire une excursion sur la rivière, à la rencontre des varans et des crocodiles. Arrêtez-vous pour flâner dans Galle, belle cité coloniale fortifiée, puis profitez des belles plages d'Unawatuna et de Mirissa avant de poursuivre jusqu'à Tangalle.
- **Jour 7 :** départ pour Hambantota où l'on aperçoit parfois quelques pêcheurs juchés sur un pilotis, puis partez à la découverte de la réserve naturelle de Bundala, au bord d'une lagune fréquentée par des milliers d'oiseaux. Nuit à Tissamaharama.
- **Jour 8 :** arrêtez-vous à Kataragama pour découvrir le sanctuaire visité par les bouddhistes, les hindouistes, les chrétiens et les musulmans, puis partez à la découverte des éléphants et autres animaux sauvages dans le parc national de Yala.

▸ **Jour 9 :** partez pour le centre de l'île, en traversant des plantations de thé qui tapissent le flanc des montagnes. De 4 à 5 heures de route pour rejoindre Nuwara Eliya, vieille station climatique fondée par les Anglais qui y ont laissé de nombreux palaces un peu décatis mais plein de charme qui constituent la principale attraction de la localité.

▸ **Jour 10 :** départ de bonne heure pour Horton Plains pour voir le « bout du monde », World's End. Retour à Nuwara Eliya vers midi et départ en début d'après-midi pour Kandy.

▸ **Jour 11 :** visite de Kandy et du temple de la Dent.

▸ **Jour 12 :** le jardin botanique de Peradeniya, l'orphelinat des éléphants de Pinnawela et retour sur Colombo. Arrêtez-vous pour acheter quelques noix de cajou aux vendeuses sur le bord de la route.

▸ **Jour 13 :** visite de Colombo et du Musée national.

▸ **Jour 14 :** emplettes de dernière minute et retour vers l'aéroport.

Séjour de trois semaines

Il faut bien trois semaines pour goûter pleinement des charmes de l'île sans se presser.

▸ **Jours 1 et 2 :** farniente sur la plage à Negombo, visite du marché aux poissons et balade en mer avec les pêcheurs à bord d'un catamaran.

▸ **Jour 3 :** départ vers le nord en longeant la côte pour faire connaissance avec le pays catholique dont la ferveur culmine dans la petite église de Marawila. Comptez 5 bonnes heures de route pour rejoindre Anuradhapura.

▸ **Jour 4 :** visite d'Anuradhapura, l'un des joyaux du Triangle culturel avec ses immenses dagoba de plus de 100 m de hauteur. Comptez une petite journée pour visiter la cité sacrée en prenant votre temps.

▸ **Jour 5 :** visite de Mihintale, à environ une heure de route d'Anuradhapura. Ce lieu étonnant consacré au culte bouddhique offre de merveilleux paysages de rocaille au-dessus de la jungle et mérite bien de 3 à 4 heures de visite. Comptez ensuite environ 2 heures 30 de route pour rejoindre Trincomalee.

▸ **Jours 6 à 8 :** farniente sur la plage de Nilaveli, à quelques kilomètres au nord de Trincomalee. L'endroit possède plusieurs hôtels très agréables et vous y trouverez des kilomètres de plages désertes bordées de récifs coralliens, certes touchés par le tsunami mais qui refont doucement peau neuve et raviront les amateurs de snorkeling.

▸ **Jour 9 :** départ pour le circuit des anciens royaumes, avec une halte aux ermitages de Ritigala, jalonnés par une chaussée dallée en pleine jungle dans une réserve où abondent les éléphants sauvages. Arrivée à Polonnaruwa en fin de journée.

▸ **Jour 10 :** visite de Polonnaruwa, ancienne capitale religieuse et culturelle de l'île au XIIe siècle. La visite complète du site historique, avec ses temples, ses monastères, son musée et les bords du lac méritent bien une journée.

Unawatuna

© AUTHOR'S IMAGE - MICKAEL DAVID

Pinnawala, orphelinat pour éléphants

Le soir, partez pour Sigiriya afin de pouvoir entreprendre l'ascension de la citadelle dès l'aube.

- **Jour 11 :** visite de la forteresse de Sigiriya suivie d'un après-midi repos.
- **Jour 12 :** direction la réserve naturelle de Minneriya le matin pour partir à la découverte des éléphants sauvages, puis départ vers Kandy. En chemin, arrêt aux grottes peintes de Dambulla. Avant d'arriver à Kandy, promenez-vous dans un des nombreux *spice gardens* qui bordent la route, pour faire connaissance avec les différentes variétés d'épices à l'état naturel. Arrivée le soir à Kandy.
- **Jour 13 :** visite de Kandy, du temple de la Dent et des musées, flânerie en ville.
- **Jour 14 :** visite du jardin botanique de Peradeniya et de l'orphelinat des éléphants de Pinnawela. Retour à Kandy le soir.
- **Jour 15 :** départ en train (recommandé) ou en voiture pour Nuwara Eliya. Visite en route des plantations de thé avec de très beaux paysages. Promenade dans Nuwara Eliya et découverte des anciens palaces coloniaux.
- **Jour 16 :** départ le matin pour les Knuckles et découverte de l'un des plus beaux panoramas de l'île dans un environnement naturel splendide. Retour à Nuwara Eliya et départ pour Adam's Peak (Sri Pada). Nuit au pied de la montagne.
- **Jour 17 :** dans la nuit, départ pour l'ascension de Sri Pada, lieu de pèlerinage sacré fréquenté par toutes les confessions de l'île. Arrivée au sommet de la montagne au petit matin pour assister au lever de soleil et retour en bas en début d'après-midi. Repos bien mérité à Nuwara Eliya.
- **Jour 18 :** départ pour la réserve naturelle de Yala. Safari découverte à la rencontre des éléphants sauvages, léopards, oiseaux et autres espèces protégées.
- **Jours 19 et 20 :** plage à Unawatuna.
- **Jour 21 :** retour à Colombo et départ pour l'aéroport.

Séjours thématiques

Mordus du surf et de la plongée

Les amateurs de vagues se retrouvent à Arugam Bay dans le sud-est du pays. La meilleure période pour surfer s'étale entre les mois d'avril et d'octobre. Vous pouvez également vous rendre sur les spots d'Hikkaduwa au sud de la capitale. Les rouleaux sont moins généreux qu'à Arugam Bay, mais l'accès en est plus facile. Généralement, les surfeurs utilisent la totalité de leur premier visa, à savoir un mois, pour profiter au mieux de leur sport favori.
Si vous préférez la plongée, dans la plupart des villages du littoral de Bentota à Mirissa, vous trouverez des écoles de plongée qui vous proposeront des cours et du matériel. Vous pouvez aussi découvrir de très belles choses avec des palmes, un masque et un tuba. On en trouve à louer, mais il vaut mieux apporter votre matériel. Dans le sud, les coraux ont été assez dégradés, mais à Nilaveli, près de Trincomalee sur la côte nord-est, ils sont paradoxalement restés intacts à cause de la guerre qui a ralenti le tourisme.

Passionnés de temples et de sites archéologiques

Vous pouvez commencer par recenser les multiples lieux de culte de la capitale : cela vous occupera deux bonnes journées. Rendez-vous ensuite vers le centre du pays pour l'ascension d'Adam's Peak, lieu saint pour bouddhistes, musulmans et chrétiens. En remontant vers le nord, allez visiter le temple de la Dent de Bouddha à Kandy, puis passez par Matale avant d'arriver à Dambulla. Ensuite, dirigez-vous vers Polonnaruwa en visitant au passage les Demoiselles de Sigiriya. En rebroussant chemin pour remonter vers Anuradhapura, bifurquez vers le bouddha d'Aukana puis, après la visite de la deuxième cité antique du pays, n'oubliez pas les ruines de Mihintale. Sur la route vers Colombo, vous pouvez vous arrêter aux temples hindous de Chilaw. En août, vous serez accompagné par une armée de fidèles. Enfin, avant de reprendre l'avion, jetez un coup d'œil aux églises chrétiennes de Negombo. Pour les personnes désireuses de retrouver une paix spirituelle, pourquoi ne pas passer une nuit dans un des nombreux monastères bouddhiques du pays ? Comptez de 8 à 10 jours pour ce circuit spirituel.

Amateurs de thé et joueurs de golf

Pas de doute, vous allez adorer la petite ville de Nuwara Eliya avec ses maisons au look *british*, ses collines verdoyantes couvertes de champs de thé et son 18-trous situé à 1 890 m au-dessus du niveau de la mer. Idéal en période sèche, il est assez détrempé pendant la saison des pluies. Un autre golf vous attend à Colombo qui, bien qu'un peu défraîchi (c'est, à 127 ans, le plus vieux parcours de l'île), offre l'opportunité, entre autres, de voir son fairway traversé par le passage du train ! A Kandy enfin, probablement le plus joli parcours avec de très beaux paysages ; le plus récent également puisqu'il a ouvert ses portes en 1999, et le plus long aussi : 6 290 m quand les autres ne dépassent pas 5 800 m de parcours.

Amoureux de la nature

Les férus de nature à la recherche d'authenticité ne seront pas non plus déçus. Passer une nuit dans une cabane nichée dans un arbre ou dans la forêt de Sinharaja, classée Patrimoine mondial par l'Unesco... Entre deux excursions dans la jungle ou dans une réserve naturelle, se retrouver dans un des nombreux écolodges présents à Kitulgala, Buttalam, Kandy, Ella et bien d'autres encore. Admirer la simplicité de vie des pêcheurs de Mannar Island, où nul étranger ne semble avoir posé le pied ; vivre au rythme des Sri Lankais dans les huttes d'Arugam Bay ou se promener des heures dans les Knuckles sauvegardées du tourisme de masse. Au Sri Lanka, les occasions de passer un séjour authentique au contact de la population sont non seulement nombreuses, mais en outre vous permettront de vivre un voyage inoubliable.

Mihintale

Buduruwagala, site bouddhique

Le Sri Lanka sur Internet

Sites officiels (en anglais)

Les informations fournies par ces sites sont traitées du point de vue gouvernemental.

■ **www.srilanka.fr**
Site de l'office du tourisme, assez fourni en informations détaillées sur le pays.

■ **www.diplomatie.gouv.fr**
Site du ministère des Affaires étrangères français, pour s'informer des conseils de sécurité et autres conseils aux voyageurs dispensés par la cellule de veille.

■ **www.slwcs.org/**
Sri Lanka Wildlife Conservation Society, site des protecteurs de la nature, avec toutes sortes d'infos sur les éléphants et la faune sauvage.

■ **www.ambafrance-lk.org**
Site officiel de l'ambassade de France à Colombo (en français et en anglais).

■ **www.gov.lk**
Site officiel du gouvernement du Sri Lanka.

■ **www.statistics.gov.lk/**
Les statistiques les plus complètes sur la vie économique, sociale et la démographie du Sri Lanka.

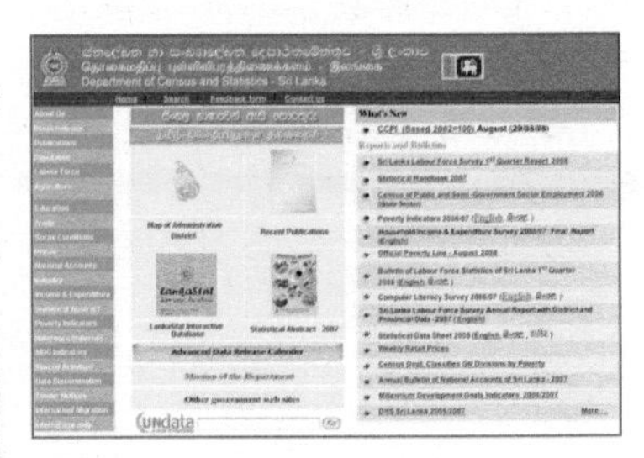

■ **www.cia.gov/cia/publications/factbook/geos/ce.html**
Site de la CIA avec les informations pratiques et économiques très complètes sur le pays.

Médias (en anglais)

Deux journaux, proposant leur contenu en ligne, se distinguent par la qualité de leurs informations. Les journalistes sri lankais n'ont pas les coudées franches pour rendre compte de la guerre civile. Ils sont interdits de séjour sur le terrain des combats et leurs articles – comme ceux de la presse étrangère depuis peu – sont soumis à une stricte censure gouvernementale.

■ **www.dailynews.lk**
Organe de presse n°1 du pays, c'est le *Daily News* que l'on trouvera dans tous les kiosques. Ceux-ci sont d'ailleurs sponsorisés par le journal.

■ **www.island.lk**
Le vénérable Island est le principal concurrent du *Daily News*.

■ **www.peaceinsrilanka.org**
site gouvernemental faisant le point au jour le jour sur le processus de paix.

■ **www.lanka.net/tnl**
Pour écouter en ligne les programmes de la radio sri lankaise TNL.

Sites tamouls

■ **www.tamilnation.org**
Le site de la Tamil National Foundation (en anglais).

■ **www.tamoul.net**
Le site de la communauté tamoule de France, proche des tigres du LTTE.

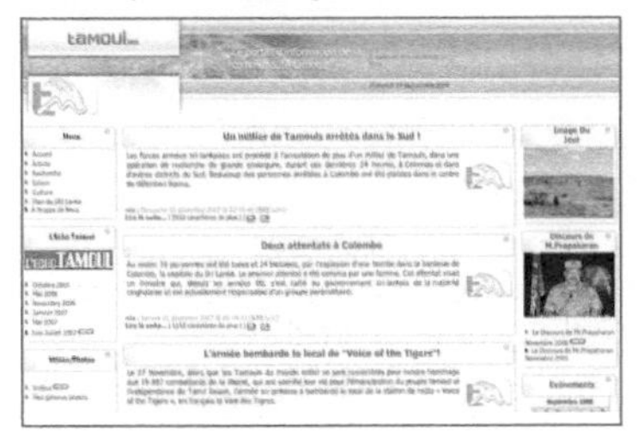

■ **www.eelam.com**
Site des nationalistes tamouls du Sri Lanka.

Sites personnels

■ **http ://srilankatour.free.fr/carnet.htm**
Récit de voyages très bien documenté et très détaillé réalisé par quatre Français en 2002.

■ **www.chez.com/suriyakantha/**
Site bilingue (français-anglais) très complet sur la vie culturelle en France et au Sri Lanka.

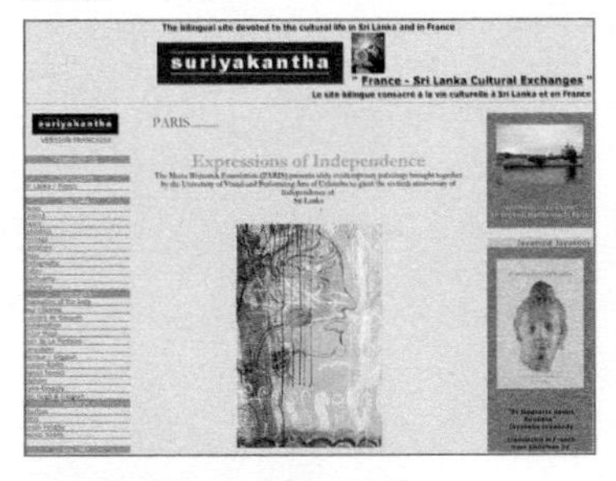

Sites pratiques (en anglais)

■ **www.boutiquesrilanka.com**
Une multitude d'informations sur l'hébergement, le shopping et autres activités au Sri Lanka. Toujours au courant des derniers changements et des nouvelles découvertes à faire, ce site a été proclamé « site Internet de la semaine » par *The Times*.

■ **www.journeywoman.com**
Premier site s'intéressant aux femmes voyageant seules, fait par les voyageuses pour les voyageuses. Un tas de conseils malins et de rubriques plein d'infos sur un meilleur « voyager seule ».

■ **www.infolanka.com**
Principal portail généraliste avec des centaines de liens concernant tous les sujets sur le pays.

■ **www.tripadvisor.com**
Très utile avant de choisir son hôtel ou pour avoir plus de renseignements dessus, ce site d'échange d'opinions met en revue les commentaires de ses membres sur les établissements classés ville par ville. Les avis sont subjectifs, bien entendu, mais permettent après comparaison de se faire une idée générale de l'endroit où l'on va.

■ **www.virtualtourist.com**
Le même que le précédent, avec en plus des astuces (*tips*) des membres sur le transport, les restaurants, les choses à ne pas faire, etc. Indispensable avant de partir.

■ **www.ecotourismsrilanka.com**
Excellent site sur l'écotourisme, les parcs et toutes les ressources naturelles de l'île.

■ **www.meteo.slt.lk**
La météo en temps réel avec images satellite à l'appui.

■ **www.exploresrilanka.com**
Un tas d'informations historiques et actuelles sur les villes, régions, avec description des hôtels, villas à louer, etc.

■ **www.lankalibrary.com**
Site un peu brouillon, mais c'est la tonne d'informations qui fait ça. Finalement, on s'y retrouve plutôt vite et l'on apprécie le travail de recherche qui a été fait sur des sujets aussi variés que les récentes découvertes archéologiques au Sri Lanka, le dernier hôtel ouvert ou la blague du mois ! Le forum est également une mine d'infos.

■ **www.atsrilanka.com**
Portail regorgeant de bons plans et informations pour les voyageurs.

DÉCOUVERTE

Weligama, pêcheurs

Le Sri Lanka en 50 mots-clés

Vous trouverez ci-dessous un petit aperçu pour aborder le Sri Lanka. Certains mots recensés reviendront régulièrement à vos oreilles. Au milieu des sonorités rondes du tamoul et celles plus dentales du cinghalais, les mots sambol, dagoba, poya et autre arrack vous deviendront vite familiers.

Adam's Bridge

Petite chaîne d'îles entre le Sri Lanka et l'Inde. Avant le début de la guerre au nord, il y a plus de vingt ans, un ferry faisait la traversée entre Rameswharam au Tamil Nadu et Talaimannar au Sri Lanka. Plus loin dans le temps encore, au XVe siècle, Adam's Bridge, qui était vraiment un pont entre les deux pays, fut détruit par des tempêtes successives. Les croyances chrétiennes veulent qu'il ait été détruit par Dieu lorsqu'il chassa Adam du Paradis (le Sri Lanka, donc). Enfin, les Hindous l'appelent Rama's Bridge car c'est grâce à ce pont que Rama, septième avatar de Vishnou, put sauver sa Sita des griffes du monstre alors gardien de l'île, Rawana. C'est aujourd'hui une zone où patrouillent les forces armées qui coulent les bateaux transportant les armes du LTTE vers la péninsule de Jaffna.

Adam's Peak

Montagne sacrée du centre de l'île vénérée par les bouddhistes, les chrétiens et les musulmans. Pour les uns, son sommet porte l'empreinte du pied de Bouddha, pour les autres c'est celle d'Adam. On la gravit au terme d'une ascension nocturne de plusieurs milliers de marches. En mars, et pour une raison tout à fait inexpliquée, des milliers de papillons s'y donnent rendez-vous après un envol très spectaculaire.

Arbre Bo

C'est un banian, ou *Ficus religiosa*, importé d'Inde au IIIe siècle av. J.-C. par Sangamitta, la sœur de Bouddha. C'est l'arbre sacré du bouddhisme. Il est célébré avec ferveur par les adeptes du bouddhisme dans presque tous les temples et on le décore avec des bandelettes de tissu censées porter les vœux de fidèles.

Arbre Na

Connu sous son nom scientifique en tant que *Mesua nagassarium*, et *Ironwood Tree* pour les Anglais, le *Na Tree* a été officiellement désigné le 26 février 1986 comme l'arbre national du Sri Lanka. De par sa solidité, son bois est fréquemment employé dans la construction de temples bouddhiques.

Arrack

Eau-de-vie très populaire obtenue par la distillation de la sève de fleur de cocotier fermentée. Les Sri Lankais en font une grande consommation, notamment à l'occasion des fêtes du Nouvel An. On en trouve de qualités très variables et c'est dans le centre montagneux du pays, en raison de la fraîcheur du climat, que l'on trouvera le plus de boutiques à spiritueux.

Ayubowan

Ce mot, qui reviendra souvent comme un « bonjour » dans les brochures des hôtels luxueux, n'est absolument jamais employé par la population locale. Expression plutôt ampoulée signifiant « que les dieux te protègent », elle ne sort pas de l'enceinte des resorts. Evitez donc de l'employer à tour de bras. Pour se saluer les Sri Lankais utilisent le plus simple *hello*.

Ayurvédique

Ce terme désigne la médecine traditionnelle qui utilise uniquement les plantes médicinales. Certains grands hôtels proposent des séances de remise en forme à base de bains et de massages qui suivent les mêmes préceptes.

Beach boys

Au Sri Lanka, ce terme ne désigne pas les membres du groupe californien mais une réalité plus dérangeante. Les jeunes hommes que l'on nomme ainsi se trouvent donc généralement sur les plages et proposent toutes sortes de services dont drogues, sexe et histoires d'amour supposées font largement partie. Arnaques en tout genre sont aussi de mise, méfiance donc.

Bonze

En pâli, le moine bouddhique est appelé *bhikku*, littéralement « mendiant ». En effet, il est sans foyer ni emploi et ne doit pas, en théorie, posséder d'argent selon l'une des nombreuses règles du Vinaya, la discipline monastique. Parmi les autres règles, il doit s'abstenir de tuer, de voler, de mentir (en particulier de faire semblant d'avoir atteint les étapes de l'Eveil), de boire de l'alcool, d'avoir des relations sexuelles, de manger l'après-midi, de s'asseoir sur un siège confortable ou d'assister à un spectacle de danse ou de musique. Il se doit aussi de s'habiller simplement. Lors de son ordination, il se rase la tête et reçoit de sa famille sa robe très caractéristique couleur safran.
Son emploi du temps quotidien dans le monastère est partagé entre l'étude des textes bouddhiques, la méditation et les éventuelles cérémonies de bénédiction organisées à la demande d'un laïc. Il prend deux repas quotidiens, le premier à l'aube et le second avant midi. Lors des jours de *poya*, traditionnellement fériés au Sri Lanka, les fidèles se rassemblent dans les monastères pour assister à une cérémonie qui dure du lever au coucher du soleil. Elle est l'occasion pour les bonzes d'assister les fidèles dans leur méditation, alors que ceux-ci leur offrent de la nourriture, des vêtements, des médicaments et d'autres objets usuels. Le don est d'ailleurs l'action méritoire la plus répandue parmi les fidèles et constitue un autre héritage ancestral puisque la communauté originelle et Bouddha lui-même survécurent grâce aux dons des laïcs.

Burgher

Ce terme d'origine hollandaise désigne les blancs métissés, descendants de colons, qui ont longtemps constitué une ethnie à part mais sont à présent presque tous partis.

Cargills

Le magasin le plus ancien au Sri Lanka a fait des petits ; datant de la colonisation britannique, cette chaîne commerciale dont le premier établissement, et le plus connu, est toujours en activité à Colombo sur York Street, possède maintenant une succursale (au moins) dans chaque petit village de l'île. Inratable donc, il fait à présent partie du patrimoine du pays.

Polonnaruwa, moine

Castes

Les Tamouls du Sri Lanka, comme leurs voisins indiens, sont soumis au système des castes. Tout en haut de la hiérarchie sociale se trouvent les brahmanes (prêtres), puis les cultivateurs. En principe, les Tamouls musulmans et chrétiens ne reconnaissent pas le système des castes. Chez les bouddhistes (*voir « Cinghalais »*), les différences sociales sont aussi très présentes.

Ceylan

Les Cinghalais se réfèrent à leur île en parlant de Lanka. Les Tamouls qui ont lu le *Ramayana* connaissent l'île aussi sous ce nom : c'est là que Rawana, le démon de l'île, tint prisonnière Sita, la compagne de Rama. Les Portugais appelaient l'île *Ceilao* qui devint dans la bouche des Hollandais *Ceylan*, puis dans celle des Britanniques *Ceylon*. En 1970, le gouvernement décida d'abandonner, vingt-deux ans après l'indépendance, le nom hérité des colons de sa Très Gracieuse Majesté pour Lanka. Deux ans plus tard, on ajouta le préfixe sri qui signifie « resplendissante » en cinghalais. On utilisera l'adjectif *ceylanais* pour qualifier l'économie ou la faune de l'île. En revanche, *cinghalais* désigne la communauté majoritaire de l'île (les bouddhistes) qui a sa langue et sa religion propre.

Chaussures

Portez des chaussures qui se retirent facilement car vous aurez l'occasion de les enlever plusieurs fois par jour dans les différents lieux de culte.

Check points

Les points de contrôle, omniprésents sur les routes durant le conflit interethnique, disparaissent peu à peu. Il en subsiste sur les routes du nord et de l'est de l'île mais les militaires, s'ils sont pointilleux avec les autochtones, laissent passer les touristes sans problème.

Cinghalais

Ils représentent 74 % de la population et se disent les descendants du roi Vijaya, qui arriva du Bengale au VIe siècle av. J.-C. Ils sont particulièrement fiers de parler une langue lointainement dérivée du sanscrit qui n'est parlée par personne d'autre dans le monde. Bien que bouddhistes, ils ont intégré une forme de caste et font la nette différence entre les Cinghalais des Basses Terres et ceux des Hautes Terres appelés aussi Kandyan.

Cocotier

C'est l'arbre à tout faire du Sri Lanka. Il en existe plusieurs espèces. Le bois du tronc sert à construire des charpentes, les palmes recouvrent les toits, et leurs nervures servent à confectionner des balais. La sève est utilisée pour la préparation de l'arrack, la noix de coco jaune contient un jus rafraîchissant, le lait de coco et la noix de coco râpée entrent dans la confection de plats délicieux, et la noix de coco séchée donne le *coprah* dont on extrait l'huile à usage alimentaire ou industriel.

Côte sud-ouest

Coraux

Ils ont été pillés et détruits par des hordes de plongeurs. Le tsunami n'a pas non plus aidé à leur sauvegarde ; en revanche, du nouveau corail se crée doucement près des plages de Nilaveli, par exemple, qui vaut le coup d'œil. Ne contribuez pas à leur complète disparition en vous servant dans un coin où il en subsisterait un banc.

Curry

Le mot désigne tout à la fois une plante et un mélange d'épices. Le *rice and curry* est le plat le plus populaire du Sri Lanka. Il s'agit d'un assortiment de petites assiettes contenant différentes préparations de légumes, de viande ou de poisson, accompagnées de riz.

Dagoba

C'est le nom donné à la forme architecturale de lieux spirituels bouddhiques typiques au Sri Lanka. En Inde, on emploie le terme de *stupa* ; ailleurs en Asie du Sud-Est, de pagode. Sa forme varie selon l'architecte, la période et le courant religieux prédominant au moment de sa construction : en forme de cloche, ronde ou plus effilée, son style permet de connaître assez précisément sa date de création et quelle mouvance bouddhiste elle incarne.

Eelam

C'était, du XIIIe au XIVe siècle, le nom de l'ancien royaume tamoul constitué au nord du Sri Lanka. Depuis 1983, la revendication principale du LTTE est toujours la même : un Etat tamoul indépendant, dont les limites comprendraient la péninsule de Jaffna et une partie des territoires à l'est du pays.

Éléphant

L'éléphant est l'animal sacré par excellence. Il est souvent mieux protégé que les humains. On distingue les éléphants sauvages que l'on aperçoit parfois le long des routes des éléphants domestiqués pour transporter les troncs d'arbres. Mais ils sont de plus en plus rares.

Pinnawala, orphelinat des éléphants

Horoscope

L'horoscope occupe une place considérable dans la tradition des Cinghalais. Toutes les décisions importantes – mariage, affaires – ne se prennent qu'après avoir consulté les astres. Bien que l'astrologie n'ait rien à voir avec le bouddhisme, la plupart des bonzes arrondissent leurs fins de mois en consultant les astres.

Hotel

Ce terme désigne, dans 95 % des cas, un endroit où l'on peut se restaurer sur le pouce et pour quelques dizaines de roupies seulement. Il y en a partout, difficile de les rater ! Ne confondez donc pas avec un hébergement, ceux-ci prennent plutôt le nom de *inn, guesthouse, resthouse, village* ou encore *resort*. Ne vous en faites pas pour les 5 % restants, vous saurez tout de suite que vous avez affaire à un hôtel, ce sont généralement des établissements de luxe.

Jungle fowl

Déclaré oiseau national du Sri Lanka, cet ancêtre de nos poulets se trouvera plus précisément dans la forêt de Sinharaja. On le verra là à l'état sauvage, ce qui peut surprendre tant il est proche du coq domestique tel qu'on le connaît.

Kolam

Ce mot désigne à la fois un masque du théâtre populaire traditionnel et le théâtre lui-même.

Kovil

C'est le nom donné au temple hindou au Sri Lanka. Shiva est le dieu le plus vénéré dans l'île. Cette divinité symbolise autant la destruction de l'univers que sa renaissance.

Loterie

Après le cricket, il semble que ce soit le deuxième sport national : tous les jours, à tous les coins de rues, les vendeurs s'époumonent dans leur micro promettant des millions de roupies aux passants. On trouvera généralement le sol jonché de tickets de loterie par endroits.

LTTE

Les Liberation Tigers of Tamil Eelam. Le sigle de cette organisation terroriste revient quotidiennement dans les quotidiens sri lankais. Constitué comme une petite armée, financé par les immigrés tamouls européens et canadiens, le LTTE s'est fait une spécialité : utiliser des enfants pour aller se battre, le AK-47 à la main, et des femmes comme bombes vivantes. Villupilai Prabakaran, le leader charismatique du LTTE, qui tient tête avec 7 000 hommes à l'armée sri lankaise forte de 25 000 soldats dans la péninsule de Jaffna, est comparé au sinistre Pol Pot. Il a supprimé tout représentant tamoul modéré et s'est lancé dans une lutte armée qui a déjà coûté la vie à plus de 20 000 personnes. Un militaire confiait récemment à un journaliste indien : « Les soldats sri lankais combattent pour rester en vie, les hommes du LTTE, eux, combattent pour mourir. »

Nil Mahanel

Nympheae stellata de son nom en botanique, également appelée *blue water lily*, cette fleur de lotus est depuis 1986 l'emblème national du Sri Lanka.

Papadam

Délicieuses galettes de farine de pois chiches, cuites dans l'huile de coprah et qui accompagnent généralement le *rice and curry* mais aussi bien d'autres plats.

Pédophilie

Voilà bien une rubrique qui ne devrait pas figurer dans un guide de voyage. Pourtant, il ne faut pas fermer les yeux face à la réalité d'une forme de tourisme sexuel qui prévaut sur certaines plages du sud-ouest et notamment aux environs des plages d'Hikkaduwa et de Negombo. La police sri lankaise réprime très sévèrement toute personne suspectée de pédophilie ; elle en a d'ailleurs fait une priorité dans sa lutte contre la criminalité. L'abus sexuel d'enfant existe aussi dans les monastères bouddhistes, mais c'est un sujet tabou.

Pierres précieuses

Au même titre que l'Afrique du Sud, la Birmanie, le Brésil ou la Thaïlande, le Sri Lanka est un gros producteur de pierres précieuses. Ratnapura, la « ville des gemmes » est la destination incontournable pour ceux que saphirs, rubis et autres chrysobéryls intéressent. Si vous êtes connaisseur, vous pouvez faire des affaires. Pour les autres, méfiance : nombreux sont les revendeurs et autres spécialistes qui proposent des fausses pierres.

Poya

Dans le calendrier sri lankais, ce terme désigne le changement de phase de la lune, la pleine lune autrement dit. Généralement, un jour férié et des processions sont associés à cette période importante pour les bouddhistes qui se rendent en masse aux temples.

Puja

A ne pas confondre avec les *poya*, les *puja* sont les offrandes ; l'offrande a un sens beaucoup plus large qu'en Occident. A l'origine, c'est le don non seulement matériel mais également spirituel. On offre des objets d'art, fleurs, de l'encens, de la nourriture aussi ; on peut offrir une prière ou un chant mais surtout un peu de son temps, en d'autres termes un peu de sa vie. Pour les moines, quatre sortes d'offrandes sont possibles : nourriture, habits, linge de maison et médicaments. De nos jours encore, l'offrande de nourriture aux moines-mendiants est considérée comme un honneur attirant la bénédiction sur le donateur. On ne s'étonnera donc pas que les moines-mendiants ne remercient pas leurs bienfaiteurs. Par extension, les *puja* désignent aussi les horaires de prière dans les temples.

Rizières

On en trouve beaucoup dans les zones marécageuses ou les régions de montagnes ;

Temple de Kataragama, offrandes à Shiva

Kandy, champ de riz

elles offrent avec les plantations de thé une dualité de paysages assez agréable à l'œil.

Sani

Ce sont des esprits malfaisants porteurs de maladies que l'on représente par des masques grimaçants dans le théâtre et la danse traditionnels. Ces masques permettent ainsi d'éloigner les mauvais esprits qui voudraient s'introduire dans un foyer.

Sari

Au Sri Lanka comme en Inde, les femmes de confession hindoue portent cette pièce de tissu ceinte autour des reins et drapée au-dessus de l'épaule. Les Sri Lankaises bouddhistes s'habillent à l'occidentale, dans la capitale notamment. L'usage du sari reste largement répandu dans le reste du pays.

Sarong

C'est l'habit traditionnel des hommes, une sorte de jupe très large qu'on attache en coinçant le pan à sa ceinture. Il est toujours très majoritairement porté par la quasi-totalité des hommes, à la maison comme à l'extérieur.

String hoppers

Galettes de nouilles cuites à la vapeur que l'on consomme le plus souvent au petit déjeuner ou au dîner. Elles sont servies avec une sauce qui varie selon les régions et les repas.

Tamoul

Le mot *tamoul* en français (*tamil* en anglais) désigne à la fois un peuple et une langue du sud de l'Inde. Les Tamouls du Sri Lanka sont soit autochtones, soit les descendants de populations amenées par les Anglais pour travailler dans les plantations de café, puis de thé.

Tank

On ne parle pas ici de chars d'assaut mais des réservoirs d'eau artificiellement créés par l'homme. Ces lacs, parfois gigantesques, témoignent d'une politique hydraulique très sophistiquée mise en place par le roi Parakramabahu dès le XIIe siècle ! Une des premières menées au monde.

Terrorisme

Le terrorisme aveugle a sévi au Sri Lanka durant près de vingt ans. Le fait qu'il ait été causé par les Tigres tamouls a conduit les autorités, à une certaine époque, à assimiler tous les Tamouls à des terroristes. Certaines zones du pays sont toujours déconseillées aux voyageurs.

Thé

Originaire de Chine, le thé a été apporté par les Anglais au XIXe siècle. Il a longtemps constitué la principale richesse de l'île et offre aujourd'hui, grâce à ses plantations, des paysages exceptionnels.

Faire / Ne pas faire

Les Sri Lankais sont des gens extrêmement accueillants et aimables avec les étrangers. Si vous commettez des impairs involontaires, ils ne vous en tiendront pas rigueur et se garderont de vous le faire remarquer. Toutefois, par simple savoir-vivre, quelques règles spécifiques s'ajoutent aux principes de respect et de politesse que l'on se doit de pratiquer partout dans le monde.

Faire

▶ **La fréquentation des lieux religieux** obéit à quelques règles simples. Même s'il s'agit de ruines où l'on ne pratique plus de culte, les Sri Lankais bouddhistes considèrent comme sacré tout lieu où se trouve une effigie de Bouddha.

▶ **Partout, vous retirerez vos chaussures,** y compris dans les églises chrétiennes et les mosquées, et vous vous découvrirez la tête, sauf dans les mosquées, si vous êtes un homme. Les femmes en revanche peuvent garder partout la tête couverte. Dans tous les lieux de culte, une tenue décente est conseillée. Pour les hommes, le port du bermuda est autorisé s'il descend jusqu'aux genoux, mais pas question de se promener torse nu ou en débardeur. Pour les femmes, jambes et épaules doivent être couvertes. Une astuce : emportez partout avec vous un paréo ou un sari.

▶ **Parler à voix haute dans les lieux de culte n'a rien d'indécent,** mais on évitera les chahuts intempestifs. Dans un temple bouddhiste ou hindou, on tourne dans le sens des aiguilles d'une montre, et il est recommandé d'être discret pendant les puja des fidèles. Evitez absolument, bien entendu, de grimper sur une statue de Bouddha.

▶ **Si vous vous adressez à un moine,** ayez toujours une attitude polie et déférente. Les femmes éviteront de lui serrer la main. Dans le bus, les moines ont priorité pour s'asseoir, même si cela peut choquer lorsque les femmes et les personnes âgées restent debout.

▶ **Certains touristes exagèrent avec leur appareil photo.** Que ce soit dans une rue ou dans un temple, respectez la sensibilité des passants ou des fidèles en ne vous cachant pas systématiquement derrière votre téléobjectif. Demandez d'abord si cela ne pose pas de problème si vous immortalisez la scène sur pellicule. Cela ne vous sera jamais refusé, sauf s'il s'agit de vous faire prendre en photo à côté d'une statue de Bouddha. En règle générale, on ne tourne pas le dos à l'Eveillé, encore moins pour photographier.

Ne pas faire

▶ **Sur la plage,** ne vous laissez pas aller à des débordements et conservez une tenue décente. Le topless pour les femmes n'est pas vraiment de mise, sauf si vous voulez être le centre d'attraction du littoral. Quant au naturisme, il est possible sur certaines plages isolées de la côte sud, mais c'est une pratique en général mal vue.

▶ **Si on vous invite à dîner,** ne venez pas les mains vides, mais évitez les fleurs et l'alcool. Préférez des sucreries. Là aussi, déchaussez-vous avant d'entrer dans la maison. Si à table, il n'y a pas de couvert, utilisez votre main droite et jamais la gauche, qui est associée à des fonctions impropres. Cette règle prévaut également quand vous donnez de l'argent à quelqu'un lors d'un achat ou dans un taxi.

▶ **Ne craignez pas de parler de politique ou de religion** avec vos interlocuteurs qui sont souvent avides de connaître votre

Polonnaruwa, Bouddha

Weligama, plage

point de vue, mais n'insistez pas si vous réalisez que vos paroles peuvent blesser une conviction, surtout religieuse. Les Sri Lankais sont toujours patients et désireux de vous informer le mieux possible, si vous sentez de l'agacement dans leur réponse, changez de sujet, vous êtes allé trop loin.

- **Ne maltraitez pas les animaux,** les chiens errants et galeux sont nombreux. Vous êtes dans un pays à dominante bouddhiste où l'on respecte tous les êtres vivants. Vous remarquerez d'ailleurs qu'ils ne sont jamais agressifs ou apeurés, ce qui témoigne du bon traitement dont ils font l'objet. Exception peut éventuellement être faite pour les moustiques : même les bouddhistes les plus convaincus n'hésitent pas à les écraser entre leurs paumes : « Comme il est mort jeune, il aura probablement un meilleur karma dans sa prochaine vie. »

- **Ne marchandez pas de manière disproportionnée** si l'objet que vous convoitez ne vaut que quelques roupies ; cela peut paraître incongru. Dans les régions non touristiques, le marchandage n'est pas vraiment de mise, et l'on ne comprendra pas que vous souhaitiez faire baisser le prix. De la même manière, si vous laissez un pourboire, ne soyez pas humiliant en laissant moins de 10 roupies.

- **Si vous louez une voiture avec chauffeur,** ne soyez pas vexé si votre chauffeur décline votre invitation à manger avec vous. En général, ceux-ci préfèrent partager leur repas avec le personnel de l'hôtel ou du restaurant car leur nourriture, en général très relevée, est plus populaire chez les Sri Lankais que la nourriture plus fade servie aux touristes.

- **Evidemment, ne touchez à aucun produit stupéfiant** même si vous avez affaire à quelqu'un de confiance et que la « fumette » vous semble être une pratique courante. N'oubliez pas que les Sri Lankais sont pauvres, y compris les policiers, et cela peut vous valoir de très gros ennuis en termes de racket et de chantage à la prison.

Pussellawa, habitation

Negombo

Three-wheelers

Prononcer *trivila*. C'est le nom de ces tricycles à moteur que l'on appelle à tort *rickshaws* ou encore *tuk-tuk*. Demander un *tuk-tuk* est le meilleur moyen de passer pour un touriste ; si vous recherchez un *three-wheeler*, vous sympathiserez d'emblée avec son chauffeur.

Toddy

Sève de fleurs de cocotier fraîches, elle ne se conserve pas et doit donc se consommer sur place. Fermentée, elle donne l'arrack. Si on lève le nez en l'air, on verra parfois des cordes semblant tenir les palmiers, mais qui sont en fait les dispositifs de récolte du *toddy*.

Tsunami

Ce mot japonais (*tsu* « port », *nami* « vague ») désigne le raz-de-marée, mondialement médiatisé, qui a ravagé les côtes est et sud du Sri Lanka le 25 décembre 2004. Aujourd'hui, où l'on reconstruit doucement mais sûrement le pays, les Sri Lankais souhaitent tourner la page et oublier cet événement meurtrier pour aller vers l'avenir. Mais la situation est compliquée, entre ce désastre et la guerre qui sévit depuis 22 ans, le pays a bien du mal à se relever... Ce qui est dommage pour une île aussi belle qui recèle une variété de paysages impressionnante et une population gentille qui garde toujours le sourire. Une grande leçon d'humilité et d'humanité.

Vatadage

Structure architecturale typiquement sri lankaise. Le *vatadage* désigne un temple de forme circulaire posé sur plusieurs disques ornés de fresques et doté de quatre portes dirigées vers les points cardinaux. Un bouddha surveille chaque direction, et l'on y pénètre pour vénérer l'Eveillé. La particularité de ces temples vient du fait que, selon les croyances populaires, ils auraient forcément contenu une relique de Bouddha. Et leur rareté tendrait à confirmer cette légende.

Veddas

Ce nom désigne les aborigènes chasseurs du Sri Lanka, repoussés vers l'intérieur des terres au cours des siècles. Ils ne sont plus aujourd'hui que quelques centaines, pour la plupart métissés, qui vivent dans une réserve à l'est du pays. Il y a quelques dizaines d'années de cela, les Veddas vivaient encore dans la jungle, mais le gouvernement, par souci de préservation de la faune locale, les a quelque peu forcés à se sédentariser. Leur religion est l'animisme.

Vihara

C'est ainsi que l'on nomme les temples bouddhistes au Sri Lanka. Information utile si vous faites un parcours spirituel ou tout simplement si vous vous intéressez au bouddhisme : dès que vous verrez *vihare* inscrit quelque part, c'est qu'une place religieuse se cache dans les environs. En anglais, ce sera *shrine*, et parfois on entendra parler de *dagoba*, mais il faut garder à l'esprit que le *dagoba* ne désigne qu'une forme architecturale, généralement celle d'un autel, mais pas d'un temple à proprement parler quand *vihare* signifie véritablement « temple ».

Survol du Sri Lanka

Perle d'émeraude ou larme au milieu de la mer, le Sri Lanka se trouve sur la même plaque continentale que le sous-continent indien dont il est séparé par le détroit de Palk à une distance de 32 km de son voisin. L'île est située entre 5° 51' et 9° 43' de latitude nord et 81° 51' de longitude est, longue de 435 km et large de 225 km, et sa superficie atteint 65 610 km², soit la superficie du Benelux.

Le pays est découpé en huit ou neuf provinces – selon la situation politique – dotées chacune d'une capitale : celle du Nord (Jaffna), du Nord-Ouest (Puttalam), de l'Est (Trincomalee), du Centre-Nord (Anuradhupara), du Sud (Galle), de l'Ouest (Colombo), du Centre (Kandy), d'Uva (Badulla) et de Sabaramaguwa (Ratnapura). Les provinces du Nord et de l'Est pouvant selon les rebondissements politiques être regroupées sous la forme d'une seule province.

Si on faisait une coupe géologique du sol de l'île, après avoir écarté son revêtement luxuriant, on découvrirait un agencement de schistes et de granites, eux-mêmes dominés par des couches de graphite et de calcaire cristallin. L'île offre un relief varié : de larges plaines bordées de lagons sur le littoral et au sud un centre montagneux avec le Pidurutalagala (mont Pedro) qui culmine à 2 524 m, le Kirigalpotta à 2 392 m et le Thotupola qui atteint 2 350 m. Adam's Peak quant à lui, le sommet le plus réputé de l'île, caresse les nuages à 2 243 m. Ces montagnes sont entourées de plateaux ondulés formés de roches anciennes dont l'altitude oscille entre 300 et 900 mètres. Les plaines côtières qui bordent le pourtour de l'île sont d'origine alluvionnaire ou lagunaire. Elles sont frangées de cocotiers ou de mangrove à palétuviers. Le paysage de l'île se compose de savanes à acacias, jungle, rizières et de plantations de thé à partir de 400 mètres, mais ce paysage varie fortement selon les régions en fonction des moussons et de l'influence humaine. Au nord-ouest et au sud-ouest de l'île, d'immenses travaux hydrauliques effectués dès avant l'ère chrétienne ont permis la réalisation de canaux et de lacs de retenue artificiels, afin de compenser le manque d'eau en saison sèche. Au fil des siècles, ce système s'est progressivement dégradé, laissant place à des marécages infestés par la malaria. Dans les années 1970, un gigantesque projet pour l'aménagement de la région de Mahaweli a permis l'assainissement et l'irrigation de 270 000 ha de terres dans le sud de l'île, mais il a été interrompu par la guerre interethnique.

Cultures coloniales, cultures vivrières et déforestation

Le paysage du Sri Lanka a été profondément modifié au XIXe siècle, avec l'apparition des cultures importées par les Anglais. Après la chute du royaume de Kandy, en 1815, les colonisateurs introduisent la culture du café dont ils recouvrent les montagnes du centre de l'île. Mais en moins de deux générations une maladie détruisit la totalité des plantations de café qui furent alors remplacées par le thé. Ce bouleversement profond entraîna la déforestation du cœur de l'île et accentua l'érosion. Et de fait, la forêt couvre à peine le quart du pays aujourd'hui alors qu'elle occupait la moitié de sa surface dans les années 1950. Le riz, principale culture vivrière, est lui aussi d'importation relativement récente puisque sa culture ne fut généralisée qu'à la fin du XVIIIe siècle sous l'impulsion des rois de Kandy qui encouragèrent le défrichement des pentes de moyenne altitude. Des plantations de cocotiers, de poivriers et de cacaoyers cohabitent parfois avec les rizières dans les zones basses et de moyenne altitude. L'hévéa et la canne à sucre, autres cultures coloniales introduites par les Hollandais et les Anglais, ont fortement diminué en superficie et ne subsistent que dans le sud de l'île.

Climat

Le climat du Sri Lanka est tropical. Saisons humides et sèches se succèdent mais avec des petites variantes locales : il y a deux régimes de mousson.

- **De juin à octobre,** la grande mousson du sud-ouest arrose les côtes occidentales du pays, mais également le centre montagneux de l'île.

- **De décembre à mars,** la petite mousson sévit sur le nord et l'est de l'île, mais elle est assez insignifiante, voire absente certaines années.
- **De mars à juin,** les températures flirtent avec les 35 °C, mais il fait nettement moins chaud dans les montagnes du centre.

Environnement et écologie

Le Sri Lanka est aujourd'hui considéré comme l'un des pays d'Asie qui a su le mieux préserver sa biodiversité car, dès l'époque coloniale, la création d'une centaine de zones de protection et de douze parcs nationaux a permis au pays de sauvegarder l'essentiel de son patrimoine faunique. Jusqu'au début du processus de paix, seuls quatre des parcs nationaux étaient ouverts au tourisme, mais à présent ils ont presque tous été rouverts et, contrairement à ce qui s'est passé dans certains pays africains, la guerre aurait plus eu tendance à les préserver qu'à les détruire. Afin de protéger les richesses naturelles du pays, le Département gouvernemental de protection de la nature (Department of Wildlife Conservation) dispose d'infrastructures qualifiées en personnel et en matériel s'appuyant sur les populations locales qui ont compris tout le parti qu'elles pouvaient tirer de la préservation des sites naturels. Cette politique intelligente s'appuie sur les traditions culturelles et religieuses de l'île. En effet, la faune et la flore jouent un rôle central dans la médecine traditionnelle que ce soit avec la thérapie ayurvédique qui utilise les plantes et les essences naturelles, ou au niveau des croyances respectant toute forme de vie. Ces traditions font que le Sri Lanka se classe au premier rang de presque tous les critères retenus par les organisations internationales en matière de biodiversité. Ainsi y trouve-t-on 3 368 espèces de plantes à fleurs, 314 sortes de fougères, 575 mousses différentes, 896 algues, 1 920 champignons, 400 sortes d'arachnides, 242 de papillons, 117 de libellules, 266 espèces d'escargots terrestres, 78 sortes de poissons d'eau douce, 250 variétés d'amphibiens, 92 sortes de serpents, 35 de crabes d'eau douce, 21 de geckos, 322 espèces endémiques d'oiseaux et 86 de mammifères ainsi que 5 sortes de tortues marines classées parmi les espèces menacées.

On compte quatre principaux types de zones protégées, selon leur fonction, leur but et leur ouverture au public :

- **Strict Nature Reserves (SNR) :** réserves exclusivement dédiées à la nature, interdiction formelle d'y introduire la moindre activité humaine. On peut y observer et/ou étudier les animaux, mais sous le contrôle strict du Department of Wildlife Conservation. Il y en a trois dans tout le pays : Hakgala SNR (depuis 1938), Yala SNR (depuis 1939) et Ritigala SNR (depuis 1941).
- **National Parks (NP) :** ce que l'on connaît le mieux, les parcs nationaux permettent au public de venir contempler les animaux dans leur habitat naturel. On doit cependant observer les règles en vigueur pour protéger la vie animale. Ils sont au nombre de quatorze : Yala West-Ruhana (depuis 1938), Wilpattu (1938), Galoya (1954), Yala East-Kumana (1970), Udwalawa (1972), Lahugala Kitulana (1980), Maduruoya (1983), Wasgomuwa

(1984), Flood Plains (1984), Somawathi (1986), Horton Plains (1988), Bundula (1993), Lunugamvehera (1995) et Minneriya (1997).

▶ **Nature Reserves (NR) :** ici, ni observation ni étude ne sont permises, exception faite pour les études scientifiques. La différence notable avec les précédents est que, ici, les activités humaines traditionnelles déjà présentes se poursuivent dans une coexistence avec la vie animale ; cependant, elles ne sont pas transmissibles. On en trouve quatre : Thriconamadu (1986), Minneriya-Giritale (de 1988 à 1997, selon les lieux), Flood Plains (1991) et Hikkaduwa (1998).

▶ **Sanctuaries :** dans les sanctuaires, quelle que soit leur nature (oiseaux, mammifères, vie marine, etc.), la protection de l'habitat de la faune va de pair avec la vie humaine. Les animaux cohabitent avec l'homme qui vaque à ses activités. On trouve même des propriétés privées à l'intérieur de sanctuaires. Il y en a 56 dans toute l'île.

Les parcs nationaux

On situe le premier système de conservation faunique de l'île au IIIe siècle av. J.-C., à Mihintale, sous le règne de Devanampiyatissa. On peut lire sur une pierre gravée dans le dagoba Ruwanweli d'Anuradhapura ce décret prévu par le roi Nissanka Malla de Polonnaruwa : « interdiction formelle de tuer un animal sur un rayon de 35 km de la ville », afin d'accorder une forme de protection aux animaux. Il protégea également les poissons des grands lacs et accorda aux habitants tous les biens (or, habits, etc.) nécessaires sous réserve de laisser les oiseaux en liberté. Depuis toujours, l'éléphant est considéré comme le plus important des animaux à sauvegarder, puisqu'il était la possession de la famille royale. Le Sri Lanka est réputé pour sa modernité en matière de protection des animaux. C'est notamment le fait d'un bouddhisme prédominant qui croit en la réincarnation.

A l'époque où les Européens, les Britanniques notamment, investirent l'île, tout cela changea du tout au tout : on rasa la forêt pour y créer des plantations, on investit des terrains auparavant territoires des animaux.

Enfin, et surtout, on se mit à jouer au jeu préféré au XIXe siècle, le massacre d'éléphants à grande échelle. Un Britannique en tua près de 1 300 à lui tout seul. Il existe donc aujourd'hui un grand nombre d'espèces menacées au Sri Lanka, et c'est pourquoi ces réserves (plus d'une vingtaine en tout) sont capitales : elles les protègent.

■ **RENSEIGNEMENTS AU DEPARTMENT OF WILDLIFE CONSERVATION (DWC)**
18 Gregory Road, Colombo 7
✆ (011) 694 241 – Fax : (011) 698 556
wildlife@set.lk

Parc national de Bundula

Situé dans un milieu lagunaire humide, près de Hambantota sur la côte sud, ce parc de 62 km² est surtout une halte pour les oiseaux migrateurs qui y font principalement escale entre août et avril.

Premier site du Sri Lanka inscrit sur la liste de la convention de Ramsar, le parc national du Bundula, d'une superficie de 6 216 ha, est un sanctuaire qui relève de l'Ordonnance sur la protection de la flore et de la faune. Quatre lagons d'eaux saumâtres, peu profondes, forment la plus grande partie du parc. Bundula est la zone d'hivernage la plus importante du sud du Sri Lanka pour les oiseaux migrateurs de rivage : elle abrite parfois plus de 20 000 oiseaux.

On y dénombre environ 150 espèces de volatiles, parmi lesquels de superbes flamants roses. Le parc compte également des crocodiles des marais, quelques éléphants, des ours et des léopards. Enfin, les tortues marines – une des nombreuses espèces menacées d'extinction – viennent déposer leurs œufs sur ses vingt kilomètres de plage lors de la saison de ponte, entre octobre et janvier.

▶ **Renseignements pratiques.** L'entrée coûte 1 056 Rs/personnne avec un guide obligatoire, plus une Jeep pour 2 500 Rs/jour que l'on peut louer à Hambantota. Le parc compte deux terrains de camping.

Parc national de Gal Oya

Situé à l'ouest d'Ampara, ce parc de 64 000 ha présente le formidable attrait, pour les animaux, de ses multiples points d'eau. La particularité de cette réserve vient de sa proximité directe avec plusieurs lacs dont notamment l'immense réservoir Senanayake Samudra. On peut y voir boire les éléphants, parfois jusqu'à 150 individus en un seul troupeau. L'excursion vraiment intéressante de ce parc est la balade en bateau pour une perspective originale sur les pachydermes s'abreuvant ou en pleine toilette. La meilleure période pour le visiter se situe entre mai et juillet.

Carte administrative

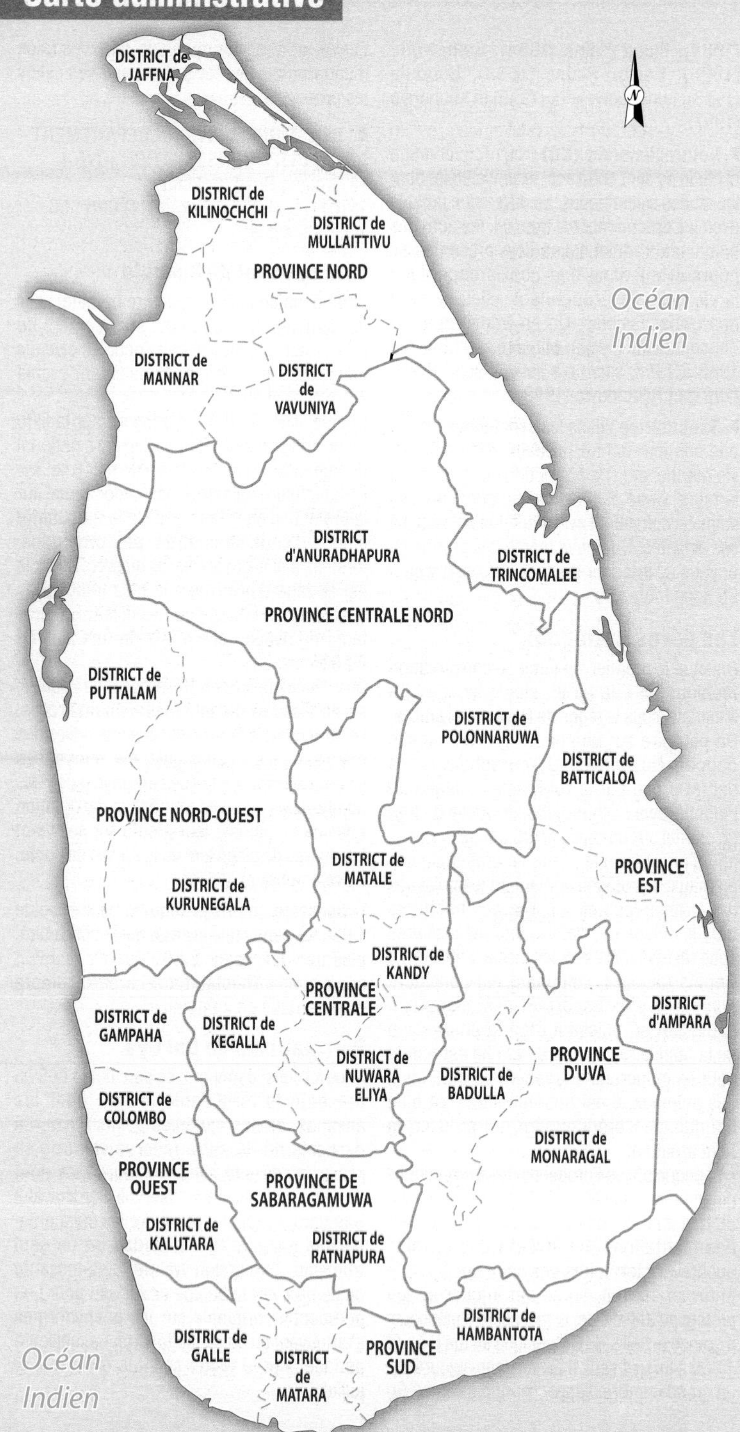
DISTRICT de JAFFNA
DISTRICT de KILINOCHCHI
DISTRICT de MULLAITTIVU
PROVINCE NORD
Océan Indien
DISTRICT de MANNAR
DISTRICT de VAVUNIYA
DISTRICT d'ANURADHAPURA
DISTRICT de TRINCOMALEE
PROVINCE CENTRALE NORD
DISTRICT de PUTTALAM
DISTRICT de POLONNARUWA
DISTRICT de BATTICALOA
PROVINCE NORD-OUEST
DISTRICT de MATALE
PROVINCE EST
DISTRICT de KURUNEGALA
DISTRICT de KANDY
PROVINCE CENTRALE
DISTRICT d'AMPARA
DISTRICT de GAMPAHA
DISTRICT de KEGALLA
DISTRICT de NUWARA ELIYA
PROVINCE D'UVA
DISTRICT de BADULLA
DISTRICT de COLOMBO
DISTRICT de MONARAGAL
PROVINCE OUEST
PROVINCE DE SABARAGAMUWA
DISTRICT de KALUTARA
DISTRICT de RATNAPURA
DISTRICT de HAMBANTOTA
DISTRICT de GALLE
DISTRICT de MATARA
PROVINCE SUD
Océan Indien

Parc national de Horton Plains

Situé dans les montagnes du centre de l'île près de Nuwara Eliya, Horton Plains possède un écosystème de type subtropical. Horton Plains couvre 3 160 ha dans un amphithéâtre de montagnes. C'est un endroit idéal pour la randonnée et le camping. On y trouve une forêt à feuilles persistantes aux arbres tordus sous l'effet du vent. L'endroit est d'autant plus impressionnant qu'il se casse net au bord d'une falaise haute de 884 m appelée le Bout du monde (World's End). Depuis 1988, c'est un parc national qui accueille 52 espèces d'oiseaux endémiques et 11 espèces d'oiseaux migrateurs qui y font halte entre novembre et mars. Les papillons y sont très nombreux. On y rencontre aussi des daims, des ours, des singes et des lézards cornus.

C'est le seul parc où il est possible de faire du trekking sans être accompagné par un garde.

Renseignements pratiques. Droit d'entrée : 17 $/personne et par jour. Pour vous y rendre, le plus simple est de vous rendre à Nuwara Eliya où tous les hôtels proposent des excursions avec départ le matin et retour à midi. L'endroit dispose de deux bungalows de dix lits chacun à réserver longtemps à l'avance. Les prix sont chers : 24 $/jour/personne, plus 2,50 $ pour les draps et 30 $/jour pour frais de service pour l'ensemble des occupants. Il vaut mieux se rabattre sur l'un des deux terrains de camping où l'on s'en tire pour 11 $/personne en plus du droit d'entrée. Dans tous les cas, apportez votre nourriture et vos boissons.

Parc national de Kaudulla

Située au sein du Triangle culturel, près d'Habarana, cette réserve, qui a ouvert ses portes en 2002, est en fait un couloir pour éléphants. Là, comme pour Gal Oya, on pourra tenter l'excursion fluviale pour observer tranquillement les animaux dans leur habitat naturel sans trop les perturber pour autant.

Meilleure période pour visiter la réserve : d'août à décembre.

Parc national de Maduru Oya

Créée en 1977, c'est cette réserve qui était à l'origine le terrain de chasse privilégié des Veddas, les premiers habitants du Sri Lanka. Aujourd'hui, les chasseurs se sont vus forcés de se sédentariser pour éviter de dépeupler la réserve de sa faune. Finalement, c'est la préservation de la nature qui met ici en danger la survie d'une des plus anciennes sociétés tribales encore présentes au monde. La réserve est d'ailleurs principalement connue pour cela.

Cependant, la faune y est là aussi intéressante : varan (*land monitor*), éléphants, reptiles (dont le cobra), etc. Mais également, fait remarquable, des ruines bouddhiques datant du Ve siècle av. J.-C. se trouvent au sein même du parc.

Parc national de Minneriya

Situé près de Polonnaruwa, c'est le dernier en date des parcs nationaux du Sri Lanka qui couvre seulement – comparativement avec les autres parcs – 8 890 ha de forêt et de brousse près d'un lac artificiel.

La meilleure saison de visite va de juin à septembre, durant la saison sèche, pendant laquelle on peut observer des éléphants sauvages, des macaques couronnés, des centaines d'espèces d'oiseaux et des cervidés. Il faut savoir que ce parc a été hissé au statut de réserve en raison de la fréquentation assidue par les touristes de cette région, située idéalement au cœur du Triangle culturel. Offre cependant un spectacle réjouissant qui permet d'éviter les réserves bondées du sud du pays.

Renseignements pratiques. Il n'y a pas d'hébergement dans ce parc, mais on en trouve aisément dans les environs (Habarana, Giritale ou encore Polonnaruwa). L'entrée du parc se trouve à Ambagaswewa. En dehors de la saison sèche, durant laquelle vous pouvez pénétrer dans le parc avec un véhicule lambda, il vous faudra louer un véhicule tout-terrain pour 1 500 Rs la demi-journée, 3 000 Rs la journée entière. L'entrée du parc coûte 12 $/personne, plus 120 Rs pour l'entrée du véhicule et 6 $ pour un guide obligatoire.

La réserve forestière Sinharaja

La forêt de pluie de Sinharaja, arrosée par plus de 4 000 mm de pluie par an, est une zone protégée depuis 1988 et déclarée Patrimoine mondial par l'Unesco. Située près de Kudawa à 60 km au sud de Ratnapura, dans les Basses Terres du sud-ouest de l'île, le parc couvre 11 187 ha sur le dernier témoignage de la forêt tropicale qui couvrait jadis une grande partie du Sri Lanka.

C'est aussi une réserve faunique puisqu'on y trouve de nombreuses espèces endémiques de papillons, d'oiseaux, de reptiles et de batraciens.

Unawatuna, jungle et plage

En revanche, il ne reste plus qu'un seul éléphant dans cette zone. C'est le domaine des mammifères carnassiers : civettes, mangoustes et léopards, ainsi que des cervidés et des singes qui s'y trouvent en abondance. Du fait de l'humidité, les sangsues y sont omniprésentes. Evitez donc de faire vos besoins dans la nature ou, pire, de faire du camping sauvage dans un lieu que vous ne connaissez pas. Pour se débarrasser de ces bestioles, il suffit de passer sa jambe au savon et à l'eau avant de se désinfecter avec un coton imbibé d'alcool.
L'endroit est surtout spectaculaire pour sa flore, avec des arbres immenses qui peuvent atteindre 50 m de hauteur. Au total, la végétation y est si dense que l'on estime le nombre de plantes par hectare à 240 000, en incluant les herbes, les buissons et les lianes.

Renseignements pratiques. La meilleure période pour visiter Sinharaja va de décembre à début avril, mais un vêtement de pluie est conseillé tout de même. Au départ de Ratnapura, l'accès en bus n'est pas facile car ceux-ci s'arrêtent aux bureaux des gardes à 6 km de Kudawa et il faut parcourir cette distance à pied. La meilleure solution consiste donc à louer une Jeep avec chauffeur au départ de Ratnapura. Comptez environ 2 000 Rs/jour plus 50 Rs/personne de droit d'entrée et 200 Rs pour un guide obligatoire. En principe il est interdit de filmer, mais on peut toujours négocier.
Il est possible de se loger dans un bungalow sommaire appartenant au bureau des gardes forestiers de Kudawa ou chez M. Martin, un ancien garde qui connaît la forêt comme sa poche et propose quelques chambres sommaires (*voir chapitre sur Sinharaja Forest*). Pour le contacter, il faut lui écrire à Forest View, Kudawa, Weddagala.

Parc national d'Uda Walawe

Ce parc de 31 000 ha situé sur la rivière Walawe, au nord d'Embilipitiya, est une des principales réserves animalières de l'île, sur une zone de végétation ouverte, avec de la savane, mais pas de forêt. C'est la raison pour laquelle on l'appelle « la réserve (presque) africaine du Sri Lanka ».
On y vient surtout pour observer les éléphants qui sont au nombre de 500 individus, ainsi que le nourrissage des bébés qui sont rendus à l'état sauvage au bout de deux ans. On y rencontre aussi des ours, des buffles et des sangliers, ainsi que 30 espèces de serpents.

Renseignements pratiques. L'entrée du parc est située à 21 km au nord d'Embilipitiya. L'entrée coûte 2 700 Rs pour 1 personne et 1 600 Rs pour la 2e personne. Il faut compter 1 200 Rs pour une Jeep qui vous balade pendant une demi-journée. La réserve compte 4 bungalows où l'on peut loger en réservant au Department of Wildlife Conservation. Si vous souhaitez seulement assister au nourrissage des jeunes éléphants, dispensez-vous de rentrer dans le parc et allez un peu plus loin, à l'Elephant Transit Home, à 8 km de l'entrée principale où l'entrée est libre pour assister au nourrissage qui a lieu toutes les trois heures de 6h à 18h.

Le parc national de Yala

Ce parc, appelé aussi Ruhuna pour sa partie ouest (Yala West), est le plus renommé du pays. Situé près de Tissamaharama et de Kataragama, au sud-est de l'île, il couvre une superficie de 1 570 km² sur une zone de savane et de marais où vivent près de 400 éléphants sauvages, de nombreuses espèces d'oiseaux, des singes, des ours noirs, des buffles sauvages et des daims musqués. On y va surtout pour tenter d'apercevoir des léopards qui, d'habitude très timides et discrets, se sont fait ici à la présence humaine et sont donc plus hardis. C'est à peu près le seul endroit du Sri Lanka où l'on a une bonne chance de les approcher.

C'est l'un des plus grands parcs nationaux du pays, et également le plus visité de l'île. Une partie de la réserve s'étend d'ailleurs à l'extérieur des bassins de Ruhana, qui sont les plus utilisés pour l'approvisionnement hydraulique de la région. On peut y accéder par la partie est, moins connue (forcément, elle est située en zone tamoule), l'entrée est moins chère mais il y a aussi moins de vie animale à observer. Afin d'apercevoir le plus grand nombre d'animaux, le mieux est encore de visiter Yala à la tombée de la nuit ou le matin de bonne heure. Le parc possèdait un équipement hôtelier assez délabré, mais plaisant pour les amoureux de la nature, mais le tsunami a tout emporté. A notre passage, il n'y avait pas de projet en cours sur la reconstruction des bungalows, donc se renseigner auprès du DWC pour savoir où ça en est.

Renseignements pratiques. Le parc est fermé un mois en été, en général du 15 juillet au 15 août. On peut s'y rendre en bus depuis Tissamaharama avec un départ à 5h30 et un retour à 15h30. Une Jeep vous coûtera entre 1 500 Rs et 1 800 Rs pour la journée. Vous devez rajouter 14 $/pers pour le droit d'entrée plus 6 $ de charge de service et 120 Rs par véhicule. On peut loger au Yala Safari Beach Hotel ✆ (047) 390 75 – Fax : (047) 204 71. Hôtel très confortable avec piscine (comptez entre 50 $ et 70 $ la nuit, petit déjeuner compris). Il y a aussi deux terrains de camping. Réservations au Department of Wildlife Conservation.

Parc national de Wasgamuwa

Ce parc est situé au nord-est de Kandy, à 50 km de là et 10 km de Polonnaruwa, dans la région de Dambulla. Il couvre près de 40 000 ha de forêts, de savane et de marais. Créé sous sa première forme en 1907 pour être transformé en 1938 en réserve vouée à la nature exclusivement, puis en parc national en 1984, c'est aujourd'hui un des endroits les plus riches de l'île en ce qui concerne les gros mammifères : éléphants sauvages, buffles sauvages, léopards, cervidés, sangliers et ours. On y trouve aussi de nombreuses espèces d'oiseaux et de reptiles ainsi que quelques crocodiles.

Renseignements pratiques. Compte tenu de sa réouverture récente, les conditions d'accès et de logement dans les trois bungalows du parc sont à demander auprès du Department of Wildlife Conservation.

Situé en dehors du parc, le Willys Safari Hotel offre des chambres très correctes et organise des excursions. N° 1 Ela Handungamuwa, Wasgamuwa ✆ (066) 342 68 – ✆ 072 555 777 – willys@webstation.lk

Parc national de Wilpattu

Le plus ancien et le plus important en taille (1 320 km^2) du pays, Wilpattu fut fermé pendant dix-sept longues années pour cause de guerre civile. Il a été rouvert fin 2005, proposant enfin ses splendeurs naturelles aux yeux du public. Il vaut particulièrement le détour entre les mois de février et octobre, où il offre beaucoup de possibilités. C'est surtout un lieu pour les amateurs d'oiseaux, mais on peut également y trouver le plus long serpent de l'île, le python, avec certains spécimens dont la taille peut aller de 6 à 10 m de longueur. La création de trois bungalows à l'intérieur du parc permet de profiter pleinement de la faune et de la flore sri lankaise : on les trouve à Manawila, Talawila et Thanikkawila. L'ancien bungalow de Kokmottai, abîmé par des années d'abandon, sera bientôt en état d'accueillir du monde. Le parc a été fermé de nouveau cette année à cause de la reprise des affrontements, de plus cette zone est vraiment sauvage peu de Jeeps s'y aventurent...

Faune

La faune terrestre du Sri Lanka est relativement bien préservée, pour des raisons essentiellement culturelles et religieuses. Car même si la chasse se pratique, elle est contraire aux pratiques bouddhistes de stricte observance. Le plus grand ennemi de la faune a cependant été la déforestation, générée dans sa grande partie par les colons britanniques.

Les animaux que vous avez le plus de chance d'observer sont les singes de différentes espèces qui fréquentent en toute impunité les temples et autres ruines et sont toujours présents aux abords des hôtels où ils trouvent de quoi se nourrir à bon compte, y compris en allant jusqu'à se servir dans votre assiette.

Les éléphants sauvages sont nombreux et en bonne santé, ce qui n'arrange pas les agriculteurs, notamment dans la région de Ritigala où vous observerez des cabanes dans les arbres, au-dessus des rizières, pour se protéger en urgence en cas d'arrivée intempestive des pachydermes. L'autre animal mythique du pays est le léopard que l'on appelle souvent panthère, mais vous aurez très peu de chance d'en apercevoir, car ces félins ne sortent que la nuit et sont aussi discrets que rapides. En revanche, daims et cervidés divers, chacals et porcs-épics sont plus faciles à apercevoir dans les réserves naturelles. Vous serez sans doute très impressionné la première fois que vous apercevrez un varan du Bengale (*land monitor*), énorme lézard qui peut mesurer plus d'un mètre de longueur mais est inoffensif pour l'homme même si son régime est carnassier. Les serpents de type cobra ou vipère ne sont pas rares, mais on a bien peu de chance d'en apercevoir en dehors des routes où ils se font parfois écraser.
On peut aussi voir des crocodiles vivant dans les eaux saumâtres de la mangrove, à l'occasion d'une excursion en bateau dans la région de Bentota ou dans ces nombreux parcs proposant une excursion par bateau. Les tortues marines, principalement tortue carette et tortue luth, sont nombreuses et bien protégées, mais vous aurez peu de chance d'en apercevoir sur terre, sauf à l'occasion d'une sortie nocturne à l'époque de la ponte.
En revanche, les écloseries de tortues, sur la côte sud, sont tout à fait fascinantes.

▶ **La faune marine** peut être tout à fait extraordinaire dans les régions où l'eau est claire et où les récifs coralliens n'ont pas été détruits. C'est encore le cas sur la côte est et dans la région de Trincomalee, en revanche, si vous vous attendez à trouver le *Monde du silence* près des plages de la côte sud, vous risquez d'être déçu, à moins de prendre un bateau pour aller plonger sur les récifs éloignés de la côte. Enfin, les amoureux des oiseaux seront enchantés. Il y a 400 sortes d'oiseaux : corneilles, moineaux, pies, mainates, pigeons, perruches, perroquets, martins-pêcheurs, paons, aigles..., et leur ramage y est aussi fascinant que leur plumage.

Flore

Au nord, dans la zone sèche, le sol est aride. C'est un paysage de fourrés, de broussailles d'épineux ou de savanes à herbes hautes. L'ensemble est mis à mal depuis plusieurs siècles par les brûlis qui précèdent la culture de champs éphémères appelés *chenas*. Cette zone, qui comprend les villes historiques des anciens royaumes, n'est en rien propice à une agriculture digne de ce nom. Les cultivateurs doivent se battre contre la progression de la jungle : celle-ci abrite nombre de mares où prolifèrent les moustiques vecteurs du paludisme.

▶ **La presqu'île de Jaffna** jouit d'une nappe phréatique suffisamment abondante pour permettre des cultures irriguées (riziculture) pendant toute l'année. Même si les sols ne sont pas d'une grande qualité, ils n'hébergent ni mares ni cours d'eau stagnants qui attirent les redoutables anophèles.

▶ **Le sud offre des paysages** radicalement différents : cultures en étages propices aux champs de thé, riziculture dans les vallées et bandes côtières où croissent sans peine les cocotiers et également des essences rares comme l'ébène, le teck et toute une gamme de plantes médicinales utilisées dans la médecine ayurvédique. Le pays possède plusieurs jardins botaniques très bien entretenus comme celui de Peradeniya, dans la banlieue de Kandy. Vous y verrez non seulement les plantes autochtones de l'île mais aussi toutes sortes d'essences ramenées par les anciens colons des quatre coins de l'Empire britannique.

▶ **Si vous souhaitez voir à quoi ressemblait le cœur de Ceylan** avant la déforestation, il vous faudra vous rendre dans la forêt de Sinharaja, près de Ratnapura. Son accès difficile l'a protégée des dégâts causés par l'homme et l'on peut y admirer des ébéniers, des tecks, des fromagers et d'infinies variétés d'arbres gigantesques parfois plusieurs fois centenaires. Enfin, les jardins d'épices, les Spice gardens, qui jalonnent les routes aux environs de Kandy vous donneront l'occasion d'observer sur pied le poivre, la vanille, le girofle, la muscade et la plupart des épices utilisées en cuisine.

Polonnaruwa

Pinnawala, orphelinat pour éléphants

Nuwara Eliya, plantations de thé

Histoire

Des origines du peuplement de l'île jusqu'au Sri Lanka actuel, en passant par la colonisation, voici quelques repères utiles pour mieux comprendre l'histoire de ce petit pays.

De l'arrivée des Cinghalais à l'abandon de Polonnaruwa

Comme l'Inde avec le *Ramayana* et le *Mahabharata*, le Sri Lanka possède ses livres sacrés : le *Mahavamsa* et le *Culavansa*. On les doit aux efforts des moines bouddhistes du VIe siècle apr. J.-C. A en croire ces textes, les Cinghalais, d'origine indo-aryenne partirent du nord de l'Inde au IVe siècle av. J.-C. pour s'installer sur l'île. Les Tamouls, d'origine dravidienne, quittèrent quant à eux le sud de l'Inde au IIIe siècle av. J.-C. et s'installèrent au nord comme au sud. L'île héberge donc à l'origine une société multi-ethnique. C'est sur cette île qu'arrive au IIIe siècle av. J.-C. Mahinda, le fils d'Ashoka, le roi indien converti au bouddhisme. Mahinda, accompagné de quelques moines, va répandre les enseignements de Bouddha sur l'île. Sangamitta, la sœur de Mahinda, plante à son arrivée un rejeton de Ficus religiosa, l'arbre Bo sous lequel Bouddha a eu son Illumination. C'est cet arbre que l'on continue de vénérer aujourd'hui à Anuradhapura. Cette cité est la capitale des royaumes cinghalais, du IVe siècle av. J.-C. jusqu'au Xe siècle de notre ère. Mais c'est une capitale souvent mise à mal par les invasions répétées des rois du sud de l'Inde. La plupart des rois cinghalais restent fidèles à Anuradhapura. Cependant, au XIe siècle apr. J.-C., Vijaya Bahu Ier décide le transfert de la capitale dans la cité de Polonnaruwa. Les ruines, mises au jour au début du XXe siècle et particulièrement intéressantes, méritent une visite. Polonnaruwa restera à l'apogée de sa gloire pendant deux siècles et verra le roi Parakrama Bahu Ier (qui occupa le trône au XIIe siècle) se lancer dans une série de grands travaux dont des réservoirs artificiels pour l'irrigation encore en activité actuellement. Mais c'est surtout son successeur Nissanka Malla, qui marquera durablement la capitale de son empreinte, entre autres, en imposant la protection de l'environnement, de la nature et des animaux à tous les habitants de son royaume. Ensuite, la chute de la capitale s'avère inexorable et les rois cinghalais de moindre envergure délaissent Polonnaruwa entre le XIIIe et le XVe siècle. Les royaumes cinghalais s'implantent alors dans le sud-ouest de l'île, mais sont harcelés par les envahisseurs venus de la lointaine Asie comme les Malaisiens et les Chinois. Ces derniers laisseront progressivement la place aux envoyés des empires coloniaux européens au début du XVIe siècle.

Polonnaruwa, Kalu Gul Vihara

Hikkaduwa, maison coloniale

De l'ère coloniale à l'indépendance

Quand les Portugais arrivent sur l'île en 1505, celle-ci est composée de trois royaumes. Au nord se trouve le royaume tamoul de Jaffna ; au centre du pays, le royaume cinghalais de Kandy ; dans le sud-ouest, près de l'actuelle Colombo, le royaume de Kotte. Les Portugais coopèrent avec le roi de Kotte et obtiennent l'autorisation d'entreprendre le commerce des épices vers l'Europe. Avec le royaume de Kandy, les rapports resteront conflictuels et malgré des tentatives d'annexion, les Portugais ne parviendront pas à soumettre ce petit royaume installé en altitude. En 1658, les Hollandais débarquent à leur tour sur l'île. Alors que les Portugais convertissaient au christianisme par la force les populations locales, les Bataves s'intéressent surtout au commerce. La prospérité de ces derniers dure jusqu'en 1796. L'arrivée des Britanniques met un terme à la suprématie hollandaise. Ils administrent l'île depuis Madras en Inde jusqu'en 1802. A cette date, Ceylan devient une colonie du Raj. En 1815, les sujets de Sa Majesté parviennent là où Portugais et Hollandais avaient échoué : ils prennent le contrôle du royaume de Kandy et dominent l'ensemble de l'île. La langue anglaise se répand dans tout le pays et les constructions routières et ferroviaires se développent. Les plantations de café fleurissent sur l'île jusqu'à ce qu'une épidémie les décime en 1870. A partir de cette date, le thé est planté massivement au flanc des collines du centre de l'île. La population cinghalaise refusant de servir de main-d'œuvre pour la cueillette des précieuses feuilles, les Britanniques font appel à des ouvriers venus de l'Etat indien du Tamil Nadu. En 1948, quelques milliers de Tamouls ont obtenu la nationalité sri lankaise à l'indépendance, mais certains sont restés apatrides.

De l'indépendance aux troubles ethniques

Le prestige des colons britanniques s'atténue pendant les deux guerres mondiales ; le 4 février 1948, échaudés par l'expérience indienne, les représentants de Sa Très Gracieuse Majesté octroient à l'île de Ceylan son indépendance. Cette dernière devient de facto membre du Commonwealth. Le premier gouvernement de l'indépendance est formé par Stephen Senanayake, fondateur de l'United National Party (UNP).

La principale force d'opposition vient alors de la gauche marxiste trop peu soudée pour présenter une réelle menace pour le pouvoir. En 1952, Dudley Senanayake succède à son père tué dans un accident. Une de ses premières initiatives, visant à supprimer les rations alimentaires en riz à la population, va mettre le feu aux poudres en 1953. Des émeutes ont lieu, elles sont matées dans le sang.

Chronologie

- **Vers 500 av. J.-C >** l'île, déjà habitée par les Veddas, est colonisée par des riziculteurs indiens venus du nord (d'origine aryenne) et par des Tamouls (d'origine dravidienne).
- **Vers 250 av. J.-C. >** apparition du bouddhisme à Ceylan. Tissamaharama, la capitale, est fondée dans le sud du pays. Les invasions tamoules continuent.
- **Vers 60 av. J.-C. >** Dambulla devient la capitale sous le règne de Vattagamini Abhaya.
- **Vers 200 apr. J.-C. >** introduction du sanskrit sous le règne de Voharikatissa.
- **Vers 330 >** arrivée de la dent de Bouddha sur l'île.
- **350 >** essor de la civilisation cinghalaise. Anuradhapura devient la capitale.
- **480 >** les Tamouls sont repoussés hors de Lanka.
- **490 >** révolte de Kasyapa, la capitale est établie à Sigiriya.
- **772-777 >** invasions tamoules. Polonnaruwa devient la capitale.
- **831-851 >** les Tamouls pillent Anuradhapura.
- **1055-1110 >** le roi Vijaya Bahu Ier chasse les envahisseurs tamouls.
- **153-1186 >** Parakrama Bahu Ier restaure le bouddhisme mis à mal par de nouvelles invasions tamoules.
- **1215-1240 >** le nord de l'île est occupé par les Tamouls.
- **1505 >** les Portugais dominent l'île, sauf le royaume de Kandy.
- **1550 >** l'île est divisée en quatre royaumes : Kotte, Sitavaka, Kandy et Jaffna.
- **1602 >** arrivée des Hollandais sur l'île.
- **1604-1636 >** alliance des Hollandais et des Kandyens.
- **1658 >** essor du commerce des épices, construction de canaux.
- **1687-1739 >** le roi de Kandy, Vimaladharmasuriya II, entre en résistance contre les Hollandais.
- **1796 >** colonisation britannique des côtes.
- **1815 >** Kandy subit la domination britannique.
- **1817 >** révolte du royaume de Kandy. Les Britanniques s'emparent de la dent de Bouddha.
- **1828 >** introduction de la culture du café.
- **1850 >** restitution de la dent aux moines de Kandy.
- **1867 >** introduction de la culture du thé.
- **1948 >** indépendance de l'île de Ceylan. Instauration d'un Etat laïque.
- **1956 >** le cinghalais est introduit comme langue officielle.
- **1957 >** le tamoul, reconnu comme langue minoritaire, est parlé dans l'administration dans le nord et l'est.
- **1959 >** assassinat du président Solomon Bandaranaike.
- **1960 >** Sirimavo Bandaranaike, la veuve du président, devient Premier ministre.
- **1964 >** accord avec l'Inde sur le retour de Tamouls indiens. 75 000 repartiront jusqu'en 1975.
- **1970 >** réforme constitutionnelle : le pays devient bouddhiste.
- **1971 >** 15 000 morts dans l'insurrection marxiste menée par le Front de libération du peuple (JVP).
- **1972 >** Ceylan devient la république du Sri Lanka. Création des Tamils New Tigers (TNT).
- **1976 >** les TNT deviennent le mouvement des Liberation Tigers of Tamil Eelam (LTTE).
- **1982 >** affrontements dans le sud du pays après un an d'état d'urgence.
- **1983 >** attaque d'un bus de militaires par les rebelles du LTTE : 13 morts. En représailles, les quartiers tamouls de Colombo sont incendiés. Bilan : 600 morts.
- **1984 >** les bonzes bouddhistes lancent une campagne de guerre totale contre les Tigres tamouls.
- **1985 >** attaque du LTTE à Anuradhapura : 148 morts.
- **1987 >** attentat à Colombo : 117 morts. Accord Inde-Sri Lanka pour l'envoi d'une force de paix indienne dans la péninsule de Jaffna pour désarmer les rebelles tamouls.
- **1988 >** élection de Ranasinghe Premadasa au poste de président.

- **1989 >** 542 assassinats politiques.
- **1990 >** départ des derniers soldats indiens.
- **1991 >** assassinat du Premier ministre indien Rajiv Gandhi. On dénombre plus de 2 000 morts dans les affrontements entre les rebelles tamouls et l'armée sri lankaise.
- **1993 >** assassinat du président Premadasa.
- **1994 >** Chandrika Kumaratunga, d'abord Premier ministre, est élue présidente. Sa mère, Sirimavo, est nommée Premier ministre.
- **1995 >** un cessez-le-feu de trois mois avec les Tamouls est rompu. Offensive de l'armée dans le nord et attentats du LTTE à Colombo.
- **1996 >** instauration de l'état d'urgence. Affrontements dans le nord : 12 000 morts.
- **1998 >** offensive victorieuse de l'armée dans la péninsule de Jaffna.
- **1999 >** contre-offensive du LTTE. Attentat raté contre Kumaratunga, qui est réélue deux jours plus tard présidente.
- **2000 >** des attentats devant le bureau du Premier ministre et à Baticaloa font plusieurs dizaines de morts. En août, nomination de Ratanasiri Wickremanayake au poste de Premier ministre. La présidente propose de former un Etat fédéral. Arrivée au Sri Lanka des diplomates norvégiens choisis pour servir de médiateurs dans les négociations avec les partis tamouls. Le 24 décembre, le LTTE annonce un cessez-le-feu unilatéral.
- **2001 >** en avril, le LTTE annonce la fin du cessez-le-feu unilatéral, considérant qu'il n'y a pas eu réciprocité de la part du gouvernement qui a multiplié les bombardements aériens sur les positions tamoules dans la péninsule de Jaffna. Les élections générales de décembre 2001 voient le triomphe du parti d'opposition, le United National Party, et la nomination de Ranil Wickremasinghe comme Premier ministre. Celui-ci est un fervent partisan de la négociation.
- **2002 >** en février, signature d'un cessez-le-feu réciproque et début des pourparlers de paix sous l'égide des émissaires norvégiens. Les premières négociations officielles s'ouvrent en octobre en Thaïlande, suivies d'une conférence en Norvège en décembre. Les parties s'acheminent vers une autonomie très large des régions sous contrôle tamoul.
- **2003 >** poursuite des pourparlers de paix en Thaïlande, en Allemagne et au Japon. En avril et mai, plusieurs incidents dans des zones musulmanes ont causé la mort de civils. Fin avril, le front tamoul a annoncé la suspension de sa participation aux négociations, tandis que la présidente du Sri Lanka reprochait au Premier ministre ses concessions à l'égard des Tamouls. Durant toute l'année, des contacts non officiels ont cependant été maintenus entre les parties et aucun incident majeur n'a rompu la trêve. Fin octobre, les leaders du LTTE se sont déclarés favorables à une solution transitaire d'administration autonome des territoires sous leur contrôle, ce qui devrait permettre la reprise des négociations officielles. Reste que l'inquiétude grandit au sein de la population musulmane sous contrôle tamoul, celle-ci craignant d'être sacrifiée dans l'actuel processus de paix.
- **2004 >** un tsunami dévastateur au large de Sumatra emporte près de 30 000 Sri Lankais, fait des milliers de disparus, et près d'un million de personnes sur l'île a été directement touché. L'aide internationale se précipite, mais toutes les zones touchées ne sont pas également secourues.
- **2005 >** l'année de reconstruction du pays ne se déroule pas comme prévu : au lieu de voir se rassembler les camps ennemis dans l'adversité, elle témoigne de la différence de traitement porté aux régions cinghalaise et tamoule. L'état d'urgence est décrété en août, après une escalade de violence aboutissant à l'assassinat du ministre des Affaires étrangères.
- **2006 >** après un début d'année relativement calme, des attentats de grande envergure reprennent et le gouvernement décide de bombarder les positions militaires tamoules. La situation est véritablement critique.
- **2008 >** le gouvernement en place depuis trois ans renforce ses attaques et souhaite mettre fin au conflit. Il déclare que « la fin de la guerre est une question de mois ». Le nord du pays est toujours sous haute sécurité, on peut voir des barrages partout le long de la route qui mène à Trincomalee et celle qui mène à Anuradhapura. Le but est d'éviter de laisser descendre des terroristes et d'éviter ainsi les attentats à la bombe comme il y en a eu une dizaine depuis le début de l'année 2008. Généralement, ces attaques visent les bus publics, les touristes ne sont pas du tout pris pour cible mais on recommande de ne pas emprunter les transports publics par précaution. Cette guerre macabre, dont on parle peu en Occident et qui a déjà coûté la vie à des centaines de milliers de personnes depuis une vingtaine d'années, ne semble pas prête de s'arrêter…

L'état d'urgence est imposé, des tensions religieuses et linguistiques secouent l'île. Après la démission de Dudley Senanayake, son oncle lui succède. Il sera battu aux élections de 1956 par Solomon Bandaranaike, qui a réussi à rallier à lui les déçus de l'UNP et ceux qui ne voulaient pas voter communiste. Bandaranaike avait promis de s'occuper du problème des minorités et des langues dans un pays où l'on continue de parler officiellement anglais et où l'élite est majoritairement chrétienne. La loi, qui va marquer un tournant dans l'histoire de Ceylan, est connue sous le nom de « Sinhala Only Act ». Elle institue, l'année de la célébration du 25e centenaire de la mort de Bouddha, le cinghalais comme langue officielle dans l'administration et l'éducation. Les Tamouls, devenant du jour au lendemain des citoyens de seconde zone, réagissent avec violence : les émeutes meurtrières se multiplient. Dans le même temps, l'économie est massivement nationalisée. Les bouleversements linguistiques se doublent de changements sociaux : les troubles continuent. Après l'assassinat de Bandaranaike en 1959 par un extrémiste bouddhiste, le pays connaît une période d'instabilité gouvernementale. Dudley Senanayake retrouve son poste de Premier ministre, puis est chassé du pouvoir à l'occasion des élections anticipées de 1960. La veuve de Bandaranaike va reprendre le flambeau de sa politique d'unification linguistique. Au cours des années 1960 et 1970, le pays s'enfonce dans le marasme économique, les Tamouls sont de plus en plus isolés. Une loi de 1970 instaure des quotas à l'université qui défavorise les Tamouls, et la nouvelle Constitution de 1972 reconnaît presque le bouddhisme comme religion d'Etat. Le gouvernement a le devoir de « la protéger et de la renforcer ». C'est à cette époque que de jeunes militants tamouls commencent à militer au sein du Tamil United Liberation Front (TULF) pour un Etat tamoul indépendant, l'Eelam. Le nouveau chef du gouvernement Junius Jayawardene, élu en 1977, libéralise l'économie du pays rebaptisé Sri Lanka en 1972. Si ces mesures s'avèrent efficaces pour réduire le chômage et favoriser l'entrée de devises étrangères dans le pays, l'inflation, cependant, atteint 40 % au début des années 1980. Les disparités sociales s'accentuent : certains profitent du commerce et du tourisme pour s'enrichir, d'autres vivent chichement ne parvenant pas toujours à faire trois repas par jour. En 1978, la troisième Constitution du pays crée le poste de président de la République et promeut la langue tamoule comme langue nationale. Cependant, il est trop tard pour calmer les antagonismes ethniques qui vont aboutir à l'explosion de 1983.

Des émeutes de 1983 à la guerre civile permanente

Une embuscade, dans laquelle tombent des soldats tués par des membres des Liberation Tigers of Tamil Eelam (LTTE) dans le nord du pays, va mettre le feu aux poudres. Sur toute l'île, des bandes armées pourchassent les Tamouls et les massacrent. Colombo est en état de siège. Le bilan des massacres est lourd : 2 000 Tamouls sont tués. L'armée et la police sont impuissantes. Parfois, elles laissent même perpétrer ces actes de vengeance. C'est l'engrenage. En 1985, à Anuradhapura, 150 Cinghalais sont tués par des rebelles tamouls.

Le LTTE déclenche plusieurs attaques contre la population cinghalaise, qui conduisent à leur tour à des représailles contre les Tamouls. Ces derniers fuient le nord du pays pour émigrer en Europe ou en Amérique du Nord.

Aujourd'hui, on estime que quelque 700 000 personnes ont fui leur pays. Les musulmans font les frais des affrontements : ils sont chassés de l'est du pays par des rebelles tamouls. Actuellement, plus d'un million de personnes ont été déplacées et se sont retrouvées dans des camps au Sri Lanka ou en Inde.

Même avec l'intervention indienne entre 1987 et 1990, les troubles ne s'arrêtent guère. Dans l'intervalle, une rébellion d'origine marxiste, menée par le Front de libération du peuple (JVP), éclate dans le centre et le sud du pays ; les grèves se multiplient et mettent en péril une économie déjà sérieusement affectée par l'effort de guerre. En 1988, Ranasinghe Premadasa bat Chandrika Kumaratunga aux élections présidentielles. Les militants du JVP sont arrêtés ou abattus, certains disparaissent. Le bilan de cette révolte est particulièrement lourd : il y a environ 15 000 tués. Après le départ des forces indiennes en 1990 et l'assassinat par le LLTE du Premier ministre indien, la violence recommence. En 1993, le président sri lankais Premadasa est tué dans un attentat. Au cours des années qui suivent, la guerre s'enlise. C'est la période des mouvements victorieux des forces armées dotées de 75 000 hommes en 1995 et des contre-offensives fulgurantes du LTTE qui mobilise environ 5 000 combattants.

Elue en 1994 et réélue en 1999, la présidente Kumaratunga alterne la politique de la main tendue et celle de la fermeté. Kumaratunga est d'ailleurs une miraculée : lors de la dernière campagne électorale, en décembre 1999, elle a échappé de justesse à un attentat revendiqué, cette fois-ci, par le LTTE. Elle y a perdu un œil mais pas la foi en son pays...

En août 2000, elle a proposé un projet de nouvelle Constitution visant à fédéraliser l'Etat de manière à donner plus d'autonomie aux provinces du nord et de l'est à majorité tamoule.

Les partis nationalistes cinghalais ont refusé de soutenir le texte. Le LTTE n'y a rien vu de « substantiel pour former la base d'une solution permanente à la question tamoule ». Pourtant, le 24 décembre 2000, le LTTE annonce un cessez-le-feu unilatéral. Mais en avril 2001, l'aviation sri lankaise bombarde les positions rebelles dans la péninsule de Jaffna, et celles-ci ripostent en coulant un navire de guerre.

Les choses vont cependant évoluer avec la victoire de l'United National Party, de Ranil Wickremasinghe lors des élections de décembre 2001. Le nouveau Premier ministre est un ferme partisan de la négociation. Et, en février 2002, la signature d'un cessez-le-feu réciproque marque le début des pourparlers de paix sous l'égide des Norvégiens.

Au fil des négociations, les parties s'acheminent vers une autonomie très large des régions sous contrôle tamoul. Toutefois, en avril 2003, plusieurs incidents dans des zones tamoules à population majoritairement musulmane vont menacer le processus de paix. Le LTTE annonce la suspension de sa participation aux négociations officielles.

Cependant, des contacts non officiels se sont poursuivis tout au long de l'année 2003 et, fin octobre, les leaders du LTTE se sont déclarés favorables à une solution transitoire d'administration autonome des territoires sous leur contrôle.

Mais les frictions actuelles entre un gouvernement ouvertement hostile au mouvement et une organisation séparatiste qui ne veut pas céder un pouce de terrain rouvrent les chemins vers une guerre que tout le monde croyait agonisante. Après une année mouvementée en attentats de toutes sortes, toutefois, les négociations semblent reprendre. On ne conseillera tout de même pas de s'aventurer trop vers les régions à risques comme certaines zones du nord ou de l'est du pays. Se renseigner sur le site du ministère des Affaires étrangères avant de partir.

Avertissement !

A l'heure où nous achevons le montage de ce guide (automne 2008), le Sri Lanka a connu un regain de violence inégalé depuis la trêve décrétée en 2002.

Entre fin juillet et mi-août 2006, les combats entre les Tigres tamouls et l'armée gouvernementale avaient repris et auraient causé la mort de près de 200 rebelles et d'une trentaine de militaires. Les victimes civiles sont nombreuses (plusieurs dizaines), principalement dans la région de Trincomalee, point d'entrée stratégique vers la péninsule de Jaffna, épicentre des combats.

L'horreur de ces combats a culminé le 9 août avec le massacre à Muttu (nord-est) de 17 travailleurs humanitaires sri lankais de l'ONG française Action contre la Faim, chaque camp se renvoyant la responsabilité de cet odieux forfait. L'exécution de ces volontaires qui portaient assistance aux populations défavorisées qui fuyaient les zones de conflit restera comme l'un des plus tragiques événements de l'histoire de l'aide humanitaire.

Les autorités sri lankaises annoncent toujours une rapide reprise de contrôle du territoire, mais nous ne saurions trop conseiller aux personnes envisageant de séjourner au Sri Lanka de se tenir informées au plus près des évolutions de la situation. Pour ce faire, deux sources sont incontournables :

- **L'ambassade de France au Sri Lanka :** www.ambafrance-lk.org
- **Les recommandations aux voyageurs du site du ministère des Affaires étrangères :** www.diplomatie.gouv.fr/fr/conseils-aux-voyageurs_909/

Politique

Lors de l'accession à l'indépendance, le Sri Lanka a été décrit comme un modèle de décolonisation.

Il n'y a pas eu de massacres à grande échelle comme en Inde et au Pakistan mais une transition en douceur au profit d'une classe politique désireuse de conserver des liens culturels, politiques et économiques avec la Couronne britannique.

Dix ans plus tard, le développement d'un sentiment national va voir se dresser les différentes communautés non pas contre une puissance extérieure mais les unes contre les autres. Les événements sanglants de 1956, puis ceux de 1970 et enfin de 1983 ont provoqué l'instabilité sur l'île qui a, depuis, totalement perdu cet équilibre interne qui en avait fait un modèle de paix civile.

Les institutions

Etablies au moment de l'indépendance en 1948, elles ont été modifiées deux fois. En 1972, un régime républicain a été mis en place ; en 1978, un système présidentiel avec représentation à la proportionnelle a été instauré.

Depuis cette date, le Sri Lanka est une république démocratique socialiste. Le président est élu pour six ans au suffrage universel. La chambre des députés comprend 225 membres également élus pour 6 ans. Le président, ou la présidente, n'a qu'un rôle honorifique, il (elle) est à la fois le chef de l'Etat et le chef du gouvernement. Le Premier ministre dirige le cabinet. Il nomme les membres du gouvernement en accord avec le président. Il est responsable devant le Parlement, mais le président peut dissoudre l'Assemblée. La seule procédure possible contre le président est, comme aux Etats-Unis, celle de *l'impeachment*. Cette procédure, signifiant « mise en accusation », permet au pouvoir législatif de destituer un haut fonctionnaire de l'Etat.

Ce régime présidentiel peut prendre un visage autoritaire lors de la proclamation de l'état d'urgence, qui limite le champ des libertés individuelles et collectives.

Le Parlement est une chambre unique élue pour 6 ans qui comprend 225 membres élus selon un mélange de proportionnelle et de scrutin par arrondissement.

La justice est indépendante, mais les membres de la Cour suprême sont désignés par le président.

Statut

Le Sri Lanka est une république démocratique socialiste depuis la Constitution de 1978. Depuis 1988, le pays est divisé en huit provinces – qui disposent d'assemblées régionales élues – et en vingt-cinq districts qui bénéficient d'une certaine autonomie dans leur gestion locale par rapport à Colombo.

Acteurs de la scène politique

Si, à l'indépendance, la politique était surtout concentrée autour d'une élite anglophone, la scène s'est élargie à partir de 1977 avec l'alternance politique et l'arrivée au Parlement de députés d'origine provinciale. Les mouvements extrémistes comme le JVP, côté cinghalais, ou le LTTE, côté tamoul, s'ils ne participent pas au jeu démocratique, influencent largement une vie politique dominée par un bipartisme (UNP contre SLFP).

Les principaux partis

- **L'UNP (United National Party) :** ce parti de centre droit fut fondé en 1946 pour assurer la transition avec la colonisation britannique. Sa base idéologique reposait sur l'anticommunisme, la défense du libéralisme ainsi que sur la poursuite de liens forts avec le Royaume-Uni.
- **Le SLFP (Sri Lanka Freedom Party) :** ce parti, fortement influencé à l'origine par les trotskistes, a été créé en 1951 par Solomon Bandaranaike pour rivaliser avec l'UNP et attirer des forces de gauche non marxistes. Il se déclare en faveur d'une politique d'étatisation et de justice sociale. Son cheval de bataille sera la défense du bouddhisme et de la culture cinghalaise, ce qui contribuera à partir de 1956 à créer des tensions communautaires qui vont s'aggraver dans les années 1970. Le SLFP fit partie de l'Alliance populaire, la coalition créée en 1993 par l'ancienne présidente Chandrika Kumaratunga. C'est une coalition de centre gauche qui regroupait alors huit partis.
- **Le TULF (Tamil United Liberation Front) :** ce parti modéré tamoul a été fondé en 1976

après la fusion de deux organisations rivales. Son leader modéré, V. Anandasangaree, est largement débordé par les revendications séparatistes du LTTE, qui est devenu le centre de ralliement des aspirations des Tamouls.

Les autres partis

- **Les partis tamouls :** All Ceylon Tamil Congress (ACTC) – Eelam People's Democratic Party (EPDP) – l'Eelam People's Revolutionary Liberation Front (PRLF) – Tamil Eelam Liberation Organization (TELO) – Tamil National Alliance – Upcountry People's Front (UPF) – Janatha Vimukthi Peramuna (JVP) – People's Liberation Organization of Tamil Eelam (PLOTE).
- **Les partis de gauche :** Ceylon Workers Congress – Communist Party – Sri Lanka Progressive Front (SLPF).
- **Les partis d'unité nationale :** Democratic United National Front (DUNLF) – National Unity Alliance (NUA).
- **Les partis religieux nationalistes :** Sihala Urumaya (bouddhiste) – Sri Lanka Muslim Congress (musulman).

Les enjeux

Le Parti communiste, le Congrès des musulmans du Sri Lanka et autres Ceylon Worker's Congress n'ont pas de réel poids dans la vie politique du pays. Sur le plan chronologique, on note simplement une alternance entre le SLFP et l'UNP. De 1948 à 1956, l'UNP gère tranquillement l'après-indépendance ; ensuite, de 1956 à 1965, le SLFP joue la surenchère cinghalaise en prenant des mesures anti-tamoules : le cinghalais devient la langue officielle, c'est le début des troubles. En 1966, de retour aux affaires, l'UNP décrète que le tamoul est la langue administrative dans le Nord et l'Est. En 1970, la veuve de l'ancien Premier ministre et mère de la future présidente s'installe au pouvoir avec le SFLP. En 1972, Ceylan deviendra la République de Sri Lanka. En 1977, l'alternance a lieu de nouveau et l'UNP est au pouvoir, une nouvelle Constitution, toujours en vigueur aujourd'hui, instaure un régime présidentiel. Jusqu'en 1993, l'UNP reste au pouvoir, mais la guerre civile déclenchée en 1983 s'intensifie. En 1994, Chandrika Kumaratunga gagne facilement les législatives, puis l'année suivante les présidentielles avec 62 % des voix. Faire la paix, tel est son programme. Cinq ans plus tard, en décembre 1999, elle est réélue de justesse dans des élections anticipées avec 51,12 % des voix. Ce vote était largement dû à un mouvement de sympathie dans l'opinion à la suite de l'attentat qui la visait le dernier jour de la campagne électorale. Des élections législatives ont eu lieu en octobre 2000, dans un climat de violence, pour renouveler le Parlement. Le parti de la présidente, l'Alliance populaire, avait recueilli 107 sièges sur 255. Il lui manquait donc 6 sièges pour obtenir la majorité absolue à la Chambre et réformer la Constitution pour transformer le pays en Etat fédéral en donnant plus d'autonomie aux populations tamoules. C'est finalement son rival, Ranil Wickramasinghe, qui a le premier réussi à réunir la majorité requise en remportant les élections de 2001.

Hikkaduwa

Kalkudah, pêcheurs

On commence enfin des négociations sérieuses entre gouvernement et LTTE sous l'égide de la Norvège, qui conduiront en 2002 au cinquième cessez-le-feu en 18 ans de guerre civile. Le LTTE ne demande plus l'indépendance, mais l'autonomie régionale, ce qui simplifie grandement le dialogue. La trêve tient, parfois interrompue par quelques incidents, mais elle tient néanmoins malgré les désaccords, notamment lors des pourparlers relatifs au désarmement, en 2003, où les dirigeants tamouls quittent la table des négociations. Mais le processus de paix continue. La catastrophe du tsunami, en revanche, pose un problème de taille : après un élan humanitaire qui rassembla les deux communautés au lendemain du raz-de-marée, les Tamouls se sentirent relégués au second plan lors de la distribution d'aide. Le Sud et l'Ouest touristiques cinghalais furent rapidement reconstruits pendant que le Nord et l'Est tamouls, plus durement touchés, ne bénéficièrent pas de secours équivalent. Aujourd'hui encore, on peut nettement observer la différence de traitement en comparant l'état de leurs plages et populations. Ce qui aurait dû ressouder un peuple face à l'adversité n'a été finalement qu'un déclencheur de plus dans une guerre sans merci. Le LTTE reprend alors la lutte armée, de manière plus significative cette fois, et c'est le ministre des Affaires étrangères, Lakshman Kadirgamar, qui le paiera de sa vie, le 12 août 2005. L'état d'urgence est décrété. Les élections présidentielles de novembre 2005 donnent la victoire à l'ancien Premier ministre, Mahinda Rajapakse, appelé « candidat de la guerre », qui, pour l'emporter, noue des alliances avec les partis les plus farouchement opposés au LTTE. Sa victoire est, ironiquement, aussi due à l'abstention de la population tamoule (taux de participation de Jaffna, la capitale tamoule par excellence : 0,014 % !). Ironiquement ? Pas si sûr, car il pourrait aussi être dans l'intérêt du LTTE de laisser passer un candidat fermé au dialogue et va-t-en-guerre.

Le mois de décembre ne verra pas célébrer le triste anniversaire du tsunami, mais se terminera dans un bain de sang d'un côté comme de l'autre : 81 morts pour ce seul mois. Jaffna, Mannar, Trincomalee, Batticaloa, toutes les grandes places de la région tamoule ont connu depuis novembre des événements sanglants. En 2006, le Sri Lanka se fatigue de cette guerre, et tout un chacun souhaite voir les négociations reprendre : on fonde de grands espoirs sur les pourparlers de Genève, des messes collectives s'organisent. Le négociateur norvégien revient à la charge, celui de Sin Fein, l'aile politique de l'IRA, souhaite faire profiter de son expérience le LTTE, rien n'y fait. Le LTTE provoque un nouvel attentat à Colombo visant le chef d'état-major de l'armée nationale, qui en sortira grièvement blessé le 25 avril. C'est la déclaration de guerre, et le gouvernement bombarde les positions militaires du LTTE situées au nord. Le mouvement séparatiste fait courir des rumeurs folles sur des dizaines de milliers de civils en exode sur les routes, de nouvelles attaques à la grenade sont perpétrées contre les bureaux d'ONG présents dans l'Est. C'en est trop pour la communauté internationale : les Etats-Unis déclarent le LTTE mouvement terroriste, de même que l'Inde et le Royaume-Uni, et l'Union européenne vient tout juste, le 29 mai 2006, d'ajouter l'organisation aux listes de mouvements terroristes. A l'heure du bouclage de ce guide (automne 2008) il n'y a pas d'avancées significatives… si ce n'est que le gouvernement a récupéré Trincomalee et Arugam Bay et repousse toujours les Tigres plus au nord. La LTTE a demandé une trêve, que le gouvernement refuse car il est hors de question qu'il laisse encore une fois la chance et le temps au mouvement de se renforcer en recrutant de nouveaux combattants.

Économie

Centrée sur un système intensif de plantations pendant les années coloniales, nationalisée dans les années 1960, libéralisée à la fin des années 1970, l'économie du Sri Lanka aurait pu rivaliser avec celles des NPI (Nouveaux Pays industrialisés) de l'Asie du Sud-Est, si vingt ans de guerre civile n'avaient gravement affecté les investissements et le développement de l'île.
A partir de 1832, l'île de Ceylan est soumise à la colonisation britannique. Contrairement aux Portugais et aux Hollandais qui ont échoué dans leurs tentatives d'extension de leur influence sur l'ensemble de la population, les Britanniques vont obtenir la sujétion du royaume de Kandy. La première route qui mène de Colombo à Kandy – mise en service en 1831 – et l'achèvement de la voie ferrée qui suivra la même destination en 1867 vont grandement leur faciliter la tâche.
Au niveau économique, les sujets de sa Très Gracieuse Majesté développent un système éducatif en langue anglaise, qui favorise les élites, et mettent en place une économie libérale centrée sur les plantations. De nouveau, ils se différencient des puissances coloniales qui les ont précédés : les Britanniques ne se contentent pas de commercialiser les épices vers l'Europe, ils organisent au nom de la rentabilité leur production, leur transport et leur distribution. C'est l'essor de grandes firmes marquées du sceau de la royauté sur l'île. Quand la cannelle n'offre pas un marché suffisamment intéressant, on la remplace par le café. Dès 1838, les plantations dans la région des Hautes Terres atteignent les 100 000 ha. Les bénéfices sont énormes pour les propriétaires-planteurs qui s'expriment avec un gros accent écossais. La prospérité durera jusque dans les années 1880. La crise mondiale, qui a commencé dix ans auparavant, et surtout la propagation d'une épidémie ruinent en un rien de temps ce négoce lucratif. Les plantations de caféiers sont anéanties. Le café est à son tour remplacé par des cultures plus spéculatives comme l'hévéa et le thé. Les colons s'enrichissent, mais cette économie de plantations profite également aux Ceylanais qui contrôlent au début du XXe siècle environ un quart de la production de café, un cinquième de celle du thé, la moitié des hévéas et la plupart des cocoteraies des côtes.
Socialement aussi, l'influence britannique se fait sentir : les travailleurs des plantations sont majoritairement des immigrés tamouls indiens. Ce sont des travailleurs de basse caste qui n'ont pas trouvé d'emploi dans les exploitations du sud de l'Inde. Ils ne répugnent pas, contrairement aux paysans ceylanais, à être quasi-asservis à une exploitation pendant plusieurs générations. L'exode en provenance du sud de l'Inde, d'abord saisonnier pendant la culture du café, devient permanent. En 1911, on compte 531 000 immigrés et, au lendemain de la Seconde Guerre mondiale, ils seront 780 000. Des entités indiennes se recréent ainsi sur l'île de Ceylan (qui deviendront ensuite des villages) centrées sur l'exploitation où l'on parle tamoul, où le système des castes perdure et où les dieux de l'hindouisme sont vénérés souvent dans des temples de fortune. Petit à petit, une hiérarchie sociale se met en place sur l'île. Les Britanniques trônent tout en haut, inaccessibles dans leurs clubs fermés et leurs églises anglicanes. Les Ceylanais se divisent en plusieurs sous-castes : ceux des Basses Terres (Colombo et les environs), ceux des Hautes Terres (la région de Kandy), les Tamouls de Jaffna et les Burghers (descendants des colons hollandais). Les immigrés tamouls indiens se trouvent au dernier échelon de la pyramide.

Des enfants sans droits

Aucune étude officielle ne recense le nombre d'enfants travailleurs au Sri Lanka. Cependant, selon des estimations non officielles, entre 100 000 et 500 000 enfants sont employés illégalement. Dans les plantations de thé, où les travailleurs vivent dans une grande pauvreté, « leurs enfants sont comme des esclaves », affirme une personne impliquée dans une clinique médicale au sein d'une plantation de thé. Elle ajoute que « les enfants n'ont pas de droits, ni de liberté. L'éducation est un luxe et le travail est obligatoire ».

L'économie du Sri Lanka en chiffres

- **Taux de croissance annuel :** 1,019 % (estimation sur l'année 2007).
- **Population de plus de 64 ans :** 7,9 %.
- **Taux de fécondité :** 2,02 (2008).
- **Répartition par secteur économique :** agriculture 17,7 %, industrie 27,1 %, services 55,2 % (2005).
- **PIB :** 26 967 millions de dollars (estimation 2007).
- **Inflation des prix :** 19,7 % par an (2007).
- **Densité de population :** 322 hab./km^2.
- **Population en dessous du seuil de pauvreté :** 22 % (2004).
- **Dépenses militaires :** 2,7 % du PIB, 93e rang mondial.
- **Taux de chômage :** 7,6 % (estimation sur 2008).
- **Budget.** Revenus : 3,804 milliards de dollars. Dépenses : 5,469 milliards de dollars (estimation sur 2007).
- **Exportations :** 8,139 billions de dollars (estimation sur 2007). Etats-Unis 23,1 %, Royaume-Uni 11,5 %, Inde 10,1%, Belgique 4,7%. Principaux partenaires : Etats-Unis 32,4 %, Royaume-Uni 13,5 %, Inde 6,8 %, Allemagne 4,8 % (2007).
- **Importations :** 10,61 billions de dollars (2007). Principaux partenaires : Inde 18 %, Singapour 8,7 %, Hong Kong 7,7 %, Chine 5,7 %, Iran 5,2 %, Japon 5,1 %, Malaisie 4,1 %.
- **Dette extérieure :** 11,59 milliards de dollars (estimation 2007).
- **Nombre de Français enregistrés au Sri Lanka :** 488 (2007).

Après la Seconde Guerre mondiale, l'île de Ceylan accède à l'indépendance. Son économie est alors centrée sur l'agriculture grâce à ses plantations de thé, de caoutchouc, de canne à sucre et de noix de coco. Le pays jouit du plus haut niveau de vie d'Asie du Sud-Est, et son équipement scolaire et hospitalier est de tout premier plan. Dans les années 1960, les ressources provenant des exportations ne rivalisent pas avec la croissance démographique. Le chômage est en hausse, les infrastructures vieillissent. Le sous-développement menace. Deux voies antinomiques vont se succéder. D'abord, le choix de l'autosuffisance sous contrôle étatique de 1960 à 1965 et de 1970 à 1977, puis le libéralisme à partir de 1977.

Le dirigisme, mis en place par le SLFP de Solomon Bandaranaike (le père de celle qui sera plus tard le premier président femme du Sri Lanka), repose sur la nationalisation des banques, des plantations, des transports ainsi que des industries textiles et d'énergie. Création d'entreprises nationales, diminution des importations et autosuffisance alimentaire sont les maîtres mots des gouvernements qui ne parviennent pas à réaliser leurs objectifs. On rencontre encore aujourd'hui au Sri Lanka des personnes d'un certain âge qui évoquent ces années de « famine ».

A la faveur de l'alternance politique, l'UNP renverse la vapeur : l'aide étrangère est massivement mise à contribution pour le développement d'infrastructures et la création de zones franches. L'investissement étranger, qui atteignait 64 millions de dollars en 1970, est multiplié par dix en vingt ans, et s'élève en 1990 à 625 millions de dollars. Dans l'agriculture, la riziculture atteint de bons niveaux de productivité grâce à la réalisation des travaux hydrauliques sur le fleuve principal – le Mahaweli – qui favorisent l'irrigation de milliers d'hectares dans le centre du pays. L'inflation galopante des années 1980, qui flirtait avec les 20 %, a été ramenée en dessous de 5 % dans les années 1990 avant de rebondir. Complètement immergé dans une économie libérale, le pays consacre plus de 20 % de son budget aux intérêts de la dette, 13,5 % aux dépenses militaires, 9 % à l'éducation et 5 % pour la santé. Mais le Sri Lanka est pris entre la pression du

Fonds monétaire international et de la Banque mondiale et celle de son opinion publique, habituée naguère à un Etat-providence fort. L'équilibre de la balance des paiements est dû notamment au montant des devises rapatriées par les émigrés (320 millions de dollars), un montant qui égale celui des exportations de thé et qui est trois fois supérieur à ce que rapporte le tourisme.

50 % des devises viennent des pays du Golfe, 20 % des Etats-Unis et 15 % de l'Europe, qui abrite une forte population d'émigrés tamouls.

Le Sri Lanka exporte aujourd'hui davantage de produits industriels dérivés du caoutchouc et de produits textiles (63 % des exportations) que de produits de ses plantations. Le thé, qui représentait 55 % des exportations en 1970, n'en représente aujourd'hui que 20 %. Côté importations, la part des denrées alimentaires a diminué pour passer de 46 % en 1970 à 16 % dans les années 1990.

Au hit-parade des partenaires, il faut noter le déclin du Royaume-Uni au profit des Etats-Unis, le premier client de l'industrie (principalement textile), puis l'Union européenne et le Japon. Le Moyen-Orient vend son pétrole au Sri Lanka et lui achète la majeure partie de sa production de thé.

Les grands secteurs de l'économie du pays

L'agriculture. Au début des années 1990, 3 millions de personnes, soit 48 % de la population active, travaillaient dans l'agriculture. Un tiers était employé dans la riziculture. Aujourd'hui, l'agriculture représente toujours près de 20 % du Produit national brut (PNB). Le thé est la principale production du pays avec l'hévéa et la noix de coco. La production de riz ne couvre que les deux tiers des besoins de la population, et le pays doit importer la précieuse denrée qui constitue la base alimentaire des Sri Lankais.

D'autres cultures existent sur l'île, comme le cacao, le café, la citronnelle, la cardamome et le tabac.

Le secteur de la pêche ne permet pas au pays l'autosubsistance : 60 % des besoins sont assurés par de petites entreprises familiales. Là aussi, le pays doit faire appel à l'importation.

La pêche est un secteur sinistré depuis le début du conflit ethnique de 1983. Avant cette date, la moitié des 180 000 tonnes annuelles de poisson étaient prises dans le nord et l'est de l'île par les populations à majorité tamoule qui vendaient le contenu de leurs filets dans le sud. Pendant vingt ans, la zone de pêche a été une zone de guerre dans laquelle la Marine nationale coulait les chalutiers qui transportaient des armes pour les rebelles du LTTE. En conséquence, le Sri Lanka doit importer chaque année plus de 40 000 tonnes de poissons et il est trop tôt pour dire si le pays va retrouver une activité de pêche normale.

L'industrie. Le sous-sol de l'île ne recelant pas de réserve d'or noir, le Sri Lanka a développé depuis trente ans des projets hydroélectriques sur le fleuve principal, le Mahaweli. En plus de produire de l'électricité pour un peu moins d'un Sri Lankais sur deux, ces projets favorisent l'irrigation de milliers d'hectares.

L'industrie emploie 12,5 % de la population active.

Hikkaduwa

Si le secteur des biens d'équipement n'est pas du tout compétitif avec les produits d'importation, celui des biens de consommation tire son épingle du jeu. L'industrie textile, qui emploie 300 000 personnes, occupe le premier rang. 63 % des exportations du Sri Lanka en valeur sont aujourd'hui issues de ce secteur. Associées à des capitaux étrangers qui ont investi dans les zones franches du pays, les firmes du textile, qui importent encore la grande majorité de leurs fils et tissus, ne sont compétitives que grâce à une main-d'œuvre bon marché et à leur talent artistique.

Les services et le tourisme. Le tourisme a profité des atouts de l'île : une nature luxuriante, de beaux vestiges archéologiques, une population accueillante. Avant 1983, on comptait plus de 400 000 personnes par an en vacances sur l'île. Quelques années plus tard, lors de l'aggravation du conflit ethnique, on ne comptait que 180 000 personnes pour remonter à plus de 300 000 personnes dans les années 1990 : 60 % en provenance de l'Europe et 30 % de l'Asie. Ce secteur emploie de manière directe et indirecte presque 1 million de personnes et commence à connaître un nouveau boum depuis le début du processus de paix.

Dans un pays qui connaît une inflation annuelle de près de 10 %, l'apport de devises étrangères grâce au tourisme est primordial. Avec l'industrie textile et les envois d'argent des émigrés à leurs familles, le tourisme est une pompe à argent frais.

Polonnaruwa, Bouddha de Gul Vihara

Au cours du 1er trimestre 2006, le Sri Lanka a vu le nombre de touristes en provenance de l'étranger croître de 27,5 %, soit un total de 159 664 arrivées contre 125 250 en 2005. Au cours du 1er trimestre de l'année 2004, le Sri Lanka n'avait reçu que 131 952 visiteurs.

L'Inde reste le premier pays émetteur de touristes pour l'île. Pour les trois premiers mois de l'année, 33 704 visiteurs indiens se sont rendus au Sri Lanka, soit une fréquentation en hausse de 31,9 % par rapport à la même période l'année dernière (25 551 arrivées). Rien que durant le mois de mars 2006, le Sri Lanka a accueilli 13 159 Indiens, soit + 12,7 % par rapport à 2005.

Le Royaume-Uni est le second marché touristique pour le Sri Lanka. Sur les trois premiers mois de l'année, l'île a enregistré l'arrivée de 24 302 Britanniques contre 19 671 l'an passé. En mars, leur fréquentation (8 178 individus) a crû de 2,4 % par rapport à 2005.

Au regard des chiffres enregistrés au cours du premier trimestre 2006, le palmarès des pays émetteurs de touristes au Sri Lanka se présente donc comme suit : Inde, Royaume-Uni, Allemagne, France, Etats-Unis, Maldives, Pays-Bas, Australie, Japon et Chine. La forte progression du nombre de ses touristes (4 419 sur les trois premiers mois de 2006 contre 1 584 touristes pour la même période en 2005) permet également à la Chine de se hisser dans le top 10 des pays émetteurs.

En France, le Sri Lanka a fait l'objet d'une importante couverture médiatique depuis le début de l'année, ce qui a contribué au bond de + 39,8 % de touristes en provenance de l'Hexagone enregistré au cours du premier trimestre 2006 (8 069 arrivées). Les prévisions actuelles de réservations sont d'ailleurs très encourageantes pour le reste de l'année.

L'armement. Le pays n'ayant pas d'industrie d'armement, le gouvernement privilégie l'achat de matériels militaires auprès de la Chine, du Pakistan ou d'Israël. (Les relations diplomatiques ont été rétablies avec Israël après dix-sept ans d'interruption.) Pour trouver un financement, le gouvernement a instauré une *war tax*, une taxe de guerre. Introduite pour un an en 1991 et affectée aux alcools et tabac à un taux de 1 %, elle perdure encore aujourd'hui et atteint 6,5 %. Elle est désormais perçue sur les savons et autres produits de première nécessité... La part des dépenses militaires avoisine les 15 % du budget national et constitue le principal frein au développement du pays.

Population

Le Sri Lanka compte une population de 20 millions d'habitants dont un tiers est âgé de moins de 15 ans. C'est une population fortement divisée entre les groupes ethniques tamoul et cinghalais.

Une forte identité cinghalaise

Il est difficile pour un habitant de l'île de se définir comme un Sri Lankais, votre interlocuteur se présentera d'abord en fonction de sa langue et de sa religion – donc de sa communauté. On est un Tamoul de Jaffna, un Cinghalais de Colombo ou un musulman de Galle avant de se reconnaître citoyen du Sri Lanka.

75 % des habitants sont cinghalais dont 70 % de bouddhistes. Le bouddhisme est un des dénominateurs – mais pas le seul – qui permet de définir l'identité cinghalaise et de transcender les différences sociales notamment entre Kandyens et habitants des Basses Terres.

Les Cinghalais sont fiers d'avoir protégé leur religion contre les missions portugaises, hollandaises et britanniques qui voulaient les convertir au christianisme, ainsi que d'avoir lutté contre le géant indien et ses visées expansionnistes. On remarquera parfois une tendance de la part de certains à se présenter souvent comme des victimes, ce qui se traduit parfois par des prises de position violentes à l'encontre des autres minorités.

La mosaïque tamoule

Un peu plus de 15 % des habitants sont des Tamouls. Les Tamouls autochtones sont majoritaires dans la péninsule de Jaffna, dans le nord-ouest et dans l'est.

Les Tamouls indiens, qui représentent 5 % de la communauté, se concentrent surtout dans les plantations du centre du pays. Introduits en masse au début du XXe siècle par les colons britanniques, ces travailleurs tamouls ont été rapatriés dans leur pays d'origine ou ont été naturalisés suivant les termes d'un accord signé en 1964 avec l'Inde.

A la suite du nettoyage ethnique opéré par les Cinghalais à partir de 1983, on estime à 800 000 le nombre de Tamouls qui ont été chassés de la côte ouest, de Colombo et des régions du centre pour partir se réfugier au nord de l'île ou à l'étranger. Au sein des Tamouls, le système des castes est encore très vivace : les familles des hautes castes de Jaffna méprisent les ouvriers des basses castes qui font la cueillette du thé. Les Tamouls indiens se tiennent à l'écart des revendications autonomistes de ceux du nord. Il est donc difficile de parler d'une identité tamoule sur l'île. Par ailleurs, il existe d'importantes différences religieuses au sein de la communauté tamoule. Si celle-ci est majoritairement hindouiste, il existe également de nombreux Tamouls chrétiens catholiques (*roman catholic*) ou protestants, de même que musulmans.

Les minorités musulmane et chrétienne

- **Les musulmans** représentent 7,5 % de la population. Ils sont, en grande majorité, sunnites et sont les descendants des immigrants venus du Kerala (Etat du Sud-Ouest de l'Inde) ou des pays arabes.

Appelés Maures par les colons, et Marakkal par les Cinghalais, ils sont établis au nord-ouest de l'île et parlent le tamoul. Ils se sont affrontés en 1915 aux Cinghalais bouddhistes, mais depuis vivent en harmonie avec eux.

En revanche, ils ont été massacrés et chassés par le LTTE dans le nord et l'est à partir du début des années 1980. Mieux représentés sur le plan politique que les Tamouls, ils sont opposés à toute partition sur l'île et redoutent de se retrouver minoritaires en pays tamoul sur la côte est.

- **Les chrétiens** représentent également 7,5 % de la population. La plupart sont catholiques car les protestants, et en particulier les Burghers, descendants des colons hollandais, ont largement émigré vers l'Australie.

Les chrétiens se divisent en deux sous-groupes : ceux qui sont issus d'Indiens de basses castes convertis par les colonisateurs et établis sur les côtes du sud-ouest du pays se sentent cinghalais alors que ceux qui vivent dans le nord et l'est du pays revendiquent une identité tamoule.

Langues

Si le cinghalais, employé par la majorité de la population, fait partie de la famille des langues indo-aryennes (parlées dans le nord de l'Inde), le tamoul quant à lui appartient au groupe des langues dravidiennes (utilisées dans le sud de l'Inde).

Plantation de thé de Pussellawa, cueilleuse tamoule

Les langues indo-aryennes constituent la branche orientale, ou indienne, du sous-groupe indo-iranien de la famille linguistique indo-européenne. La plus ancienne de ces langues est le sanskrit védique.

Elles comprennent aujourd'hui les langues principales parlées aujourd'hui en Inde et dans des pays voisins : assamais, gujarati, hindi, marathi, oriya, pendjabi, sindhi, bengali (en Inde et au Bangladesh), ourdou (en Inde et au Pakistan), cinghalais (au Sri Lanka) et népali (au Népal). On sait aussi que la langue originelle des Tsiganes fut une langue indo-aryenne.

Le cinghalais a été marqué par la colonisation et comprend des mots d'origine étrangère, comme *iskola*, mot d'origine portugaise signifiant « école », ou *advakat* (avocat), d'origine hollandaise.

C'est une langue complexe, dont certaines formes changent en fonction notamment du statut social, du sexe ou de l'âge des interlocuteurs. Le cinghalais du nord est légèrement différent de celui du sud. L'alphabet cinghalais est particulier et a été composé au XIIIe siècle à partir du pâli, l'écriture des moines bouddhistes.

Le tamoul est une langue dravidienne très ancienne, parlée dans le sud de l'Inde. Le tamoul sri lankais ressemble beaucoup au tamoul indien, bien que sa prononciation soit différente. En outre, il possède son alphabet propre.

En cinghalais comme en tamoul, on peut déterminer la caste de quelqu'un à partir de la façon dont il s'exprime. Les Cinghalais qui sont très superstitieux modifient leur façon de parler dans certaines situations. Ainsi, à la chasse ou dans la forêt, ils parleront le kele bhahava, sorte de verlan dans lequel on désigne les objets par des mots différents. Leur but est de déjouer les esprits maléfiques, qui pourraient comprendre leur conversation et leur porter malheur.

L'anglais est enseigné à l'école et permet de se débrouiller partout, même s'il faut un certain temps pour s'habituer à l'accent local. Vous remarquerez que les personnes des classes les plus aisées parlent anglais entre elles et avec leurs enfants. Il est difficile lors d'un court séjour de retenir quelques mots de tamoul ou de cinghalais. Vous vous débrouillerez partout avec l'anglais, mais si vous pouvez émailler votre discussion de quelques formules idiomatiques même mal prononcées, le visage de votre interlocuteur s'illuminera. Veillez toutefois à ne pas froisser les susceptibilités en voulant trop en faire et en lançant un sonore *vanakkam* à un moine bouddhiste !

Politesse

Les habitants du Sri Lanka ne disent ni bonjour ni bonsoir, encore moins merci. Ici, comme ailleurs dans le sous-continent indien, les formules de politesse sont ignorées. Utilisez donc l'anglais *hello*, pour dire bonjour.

Si vous arrivez à prononcer correctement *aayu-bowan* pour dire bonjour, les Sri Lankais apprécieront, ou se moqueront de vous, c'est selon. Personne n'utilisant cette formule, certains trouveront ça ampoulé mais touchant, on ne vous comprendra pas bien si vous vous trouvez dans un endroit reculé, mais la majorité, sachant que c'est le terme régulièrement employé dans les hôtels et par les tour-opérateurs, se contenteront de sourire.

Oui se dit *owu* et non *naeh*. S'il vous plaît se dit *karuna kara*, mais il est inutile de remercier. Un sourire suffira.

Si vous devez vous présenter, retenez la formule *maaghe nama* (mon nom est). En revanche, si vous voulez vous débarrasser d'un importun – de nombreux faux guides cherchent à arnaquer le touriste en goguette –, essayez le redoutable *mata maghe paduweh inna arinna* (laissez-moi). Si vous joignez le geste à la parole, ça peut être efficace…

Enfin, si vous cherchez votre hôtel, utilisez la formule *inna hotalaya koheda* ? – *koheda* veut dire « où est ? ».

Religion

Mosaïque ethnique, le Sri Lanka offre une large palette de religions. 70 % des habitants sont bouddhistes, 15 % vénèrent les dieux de l'hindouisme, 7,5 % sont de confession musulmane, 7,5 % sont chrétiens (il s'agit de Tamouls et de Cinghalais qui se sont convertis). Cette répartition chiffrée ne rend pas compte d'une réalité plus complexe dans les faits. Les Sri Lankais, toutes religions confondues, se retrouvent parfois dans les mêmes pèlerinages : c'est le cas notamment en décembre pour l'ascension de l'Adam's Peak dans le centre du pays et également au temple hindou de Kataragama dans le sud-est de l'île.

Bouddhistes

Au Sri Lanka, depuis son arrivée sur l'île avec l'arbre Bo, le bouddhisme touche 70 % de la population. Les fidèles de Siddharta Gautama, devenu le quatrième bouddha, se séparent en deux branches. Ceux qui se réclament du theravada, ou hinayana, appelé aussi doctrine du Petit Véhicule, professent que l'objectif de tout bouddhiste est le nirvana et que chacun doit travailler de son vivant pour le salut de son âme. Cette école représente le bouddhisme tel qu'il est pratiqué au Sri Lanka mais aussi en Thaïlande, au Vietnam, au Cambodge, au Laos et en Birmanie.

Originaire du Nord-Est de l'Inde, le bouddhisme est l'une des principales croyances au monde avec plus de 300 millions de pratiquants. Son principe repose sur l'enseignement de Siddharta Gautama, plus connu sous le nom de Bouddha, qui signifie « celui qui a reçu la lumière ». Il est fondé sur un triptyque appelé les *Trois Joyaux* : les bouddhistes y déclarent prendre refuge dans le Bouddha (le fondateur du bouddhisme), dans le Dharma (la doctrine de Bouddha) et dans le Sangha (la communauté des croyants).

Généralement, le bouddhisme en soi n'est pas considéré comme une religion mais comme une philosophie, une manière d'appréhender l'existence et d'atteindre un niveau spirituel supérieur en se détachant de ses contingences. A présent cependant, le comportement des fidèles se rapproche plus de la dévotion (prières, offrandes, etc.) que du respect de l'éthique prônée par Bouddha.

La doctrine de base, commune à toutes les différentes formes de bouddhisme, englobe les quatre « nobles vérités » : toute existence est souffrance (*dukkha*) ; la souffrance a des causes, qui sont le désir et l'attachement (*samudaya*) ; il y a un terme à la souffrance (*nirodha*), et il y a un chemin menant à la fin de la souffrance (*magga*), chemin respectant huit principes – une vision juste de la réalité, une pensée juste, un discours juste, une action juste, un mode de vie juste, un effort juste, un esprit juste et une attention toujours en éveil. La dernière étape du chemin est la sagesse, qui passe par l'attention en éveil, c'est-à-dire une vision directe de la réalité.

Les cinq préceptes du bouddhisme sont les suivants :

- **Ne pas nuire** ou tenter de détruire une forme de vie.
- **Ne pas prendre** ce qui n'est pas offert.
- **Conserver la maîtrise** de ses sens et ne pas tomber dans la luxure.
- **Ne pas user** de discours mensongers.
- **Ne pas ingérer** de substances nocives ou altérant notre conscience des choses.

Temple de Kandy

Ces préceptes ne sont pas des commandements ou des règles de vie absolues, mais des principes composant une éthique de vie comportementale ; leur application varie donc selon les régions mais aussi les personnes, ce qui explique des différentes formes de bouddhisme existantes.

Chaque bouddhiste est responsable de son karma qui obéit à la loi de la causalité : chaque renaissance, qui entraîne un nouveau cycle de vie, est le résultat des actions de l'individu. L'accès au nirvana, qui signifie la fin des renaissances, est l'objectif ultime. C'est la seule réalité dans un monde où tout est illusion.

Un système de castes hérité de l'Inde

Fondé en Inde, le bouddhisme s'est peu à peu fondu dans l'hindouisme au point qu'au pays de Gandhi, les bouddhistes ne sont plus aujourd'hui qu'une minorité insignifiante – d'où la fierté du Sri Lanka qui a permis l'épanouissement du Theravada dans le reste de l'Asie du Sud-Est. Le système des castes, qui perdure aujourd'hui sur l'île, est un autre legs indien. On compte au moins quatorze castes qui régissent les comportements des individus. Autre complexité héritée des années de colonisation, les Cinghalais se divisent entre les Kandyens et ceux qui sont issus des plaines. Même chez les moines bouddhistes, on compte trois sectes qui accueillent leurs membres en fonction de leur caste.

Les uns et les autres se distinguent par la manière de porter leur robe orange (sur une ou deux épaules) ou de s'abriter du soleil avec une ombrelle ou un parasol en feuilles de palmier. Ce monde d'amour et de compassion, vanté par les moines, n'est pas toujours évident au Sri Lanka. L'implication de plus en plus grande du clergé dans la vie politique et son intolérance vis-à-vis des autres religions au nom de la sauvegarde d'un bouddhisme érigé en dogme officiel sont particulièrement manifestes. Curieusement, le drapeau du pays juxtapose le jaune bouddhiste au vert des musulmans et à l'orange des hindous.

Le culte dans la vie de tous les jours

Les bouddhistes se rendent généralement au temple quatre fois par mois pour chaque *poya*, qui sont les changements de phase de la lune. Les jours de pleine lune sont l'occasion d'actes de ferveur. Les fidèles apportent en offrandes des fleurs au temple, brûlent de l'encens en signe de pureté et allument de petites lampes à huile qui sont le symbole de la sagesse. Après la *puja* (les offrandes) généralement effectuée à l'aube, le fidèle poursuit sa journée au temple avec des séances de méditation. Faire des donations aux moines, continuer sur la voie d'une moralité irréprochable (en suivant les préceptes suivants : ne pas tuer, ne pas voler, ne pas mentir, ne pas être débauché, ne pas boire d'alcool) et pratiquer la méditation, tel est le devoir de tout bouddhiste qui aspire au nirvana.

Hindoustes

La religion hindouiste est majoritaire en Inde. Alors qu'on peut se convertir à l'islam ou au christianisme, on n'est hindou que par la naissance. Les hindous croient en certains dogmes comme le *samsara*, le cycle des naissances, le *karma*, le destin individuel et le *dharma*, le comportement de chacun en fonction de ce *karma*. L'hindouisme est également intimement lié au système des castes qui fédère la société de bas en haut dans une savante interdépendance fondée sur l'inégalité. L'objectif de tout hindou est de suivre le mieux possible son *dharma* en espérant échapper après de multiples réincarnations au cycle des naissances : c'est la libération ou *moksha*. Généralement les hindous sont déistes et vénèrent les trois grands dieux du panthéon hindou. Brahma, le dieu de la création, est généralement représenté avec quatre têtes. Son animal-support est le cygne. Sa compagne est la déesse Sarasvati, qui préside aux arts et aux lettres. Vishnou, le dieu de l'équilibre, est représenté avec quatre bras et accompagné de Garuda, moitié oiseau, moitié bête sauvage. Vishnou a vingt-deux avatars (ou réincarnations) dont Rama, le héros du *Ramayana*, Krishna, le dieu espiègle à la flûte de Pan et Bouddha. Sa *shakti*, ou divinité féminine associée, est Lakshmi, qui représente la richesse. Shiva, le dieu de la destruction mais aussi de la renaissance de l'univers, est sans aucun doute la divinité la plus vénérée au Sri Lanka. Il apparaît sous de multiples formes et sous des centaines de noms. Son symbole est le trident. Son animal-support est Nandin le bœuf. Parvati est sa compagne. Shiva et Parvati ont deux fils. L'un, joufflu et pacifiste, s'appelle Ganesh. Il a une tête d'éléphant. On le vénère avant de partir en voyage. L'autre, guerrier, est représenté avec des couleurs rouges. On l'appelle Skanda ou Murugan. Dans le sud-est du Sri Lanka, à Kataragama, un temple qui attire au mois d'août des milliers de fidèles de toutes les religions lui est dédié.

Fêtes

Les dates des fêtes chrétiennes, bouddhistes, hindoues ou musulmanes correspondent au calendrier lunaire. Il est donc difficile de vous donner des indications très précises. Sachez seulement qu'il ne se passe pas un mois sans que l'on vénère le jour de la pleine lune, ou l'arrivée de Bouddha, ou Skanda le dieu guerrier du panthéon hindou.

Janvier

- **La visite de Bouddha** sur l'île (Duruthu Perahera) est commémorée en grande pompe le jour de la pleine lune.
- **A la mi-janvier,** les hindous honorent Surya, le dieu du soleil, lors de la fête des Récoltes.

Février

- **Le 4 février :** c'est la fête de l'Indépendance.
- **A la fin du mois,** les noces de Shiva et Parvati sont fêtées par les hindous au cours de Maha Shivarathri.

Avril

- **Pâques** est une date importante dans le calendrier chrétien. L'importante communauté catholique de Negombo et de la côte ouest célèbre la fête avec faste.
- **Le 14 du mois** marque la nouvelle année pour les Cinghalais et pour les Tamouls. La veille est aussi un jour férié.

Mai

- **Le 1er mai** est férié comme partout dans le monde. Le jour de la pleine lune, Vesak, est l'occasion de fêter toute la vie de Bouddha : sa naissance, son illumination et sa mort.
- **Le 22 mai,** c'est la fête nationale des Héros. On y honore les soldats morts depuis le début du conflit ethnique.

Juin

- **Mihintale.** C'est la Poya Poson, fête de la pleine lune. On célèbre l'arrivée du bouddhisme sur l'île. La montagne sacrée de Mihintale, près d'Anuradhapura, est prise d'assaut par des milliers de fidèles.

Juillet et août

- **Esala Perahera.** La célébration, qui se déroule pendant dix jours à Kandy, est une des fêtes les plus colorées de toute l'Asie. Toute une ville, autant dire tout un pays, marche en procession pour vénérer la dent de Bouddha. Eléphants, danseurs et musiciens offrent un spectacle chatoyant.
- **Hindu Vel.** Vel, c'est le trident symbole de Skanda, le dieu guerrier que l'on promène d'un temple à l'autre dans Colombo.
- **Kataragama.** Les célébrations, très festives, offrent un spectacle des plus courus de l'île : on s'enfonce des aiguilles dans la bouche ou le corps, on court pieds nus sur des braises ardentes. Ames sensibles s'abstenir.

Octobre

- **Deepawali.** La fête des Lumières est pour les hindous l'occasion d'allumer des lampes à huile dans chaque maison tamoule et de vénérer le retour d'exil de Rama et la déesse de la prospérité Lakshmi.

Décembre

- **C'est le début des processions** de fidèles vers l'Adam's Peak et également la célébration de l'arrivée de l'arbre Bo sur l'île.

Kataragama, festival hindouiste

Musulmans

Les musulmans sri lankais, à la différence des fidèles des autres religions dont le culte confine – souvent – à l'idolâtrie, obéissent aux rites édictés dans le Coran. Les musulmans de l'île sont soit les descendants de marchands venus d'Arabie installés au VIIIe siècle, soit des Indiens venus du Kerala, ou encore des Tamouls convertis pour échapper au système des castes. On les appelle communément les Maures ou *muslims*. Leur système communautaire diffère des autres ethnies, leur rôle prépondérant dans le commerce tend à en faire la communauté la plus détestée, par les Cinghalais comme les Tamouls. Ils parlent comme les hindous le tamoul. Dans le sud du pays, dans les environs d'Hambantota, subsiste une communauté musulmane issue de Malaisie. Les fidèles obéissent aux rites édictés par le prophète Mahomet, mais continuent à parler le malais.

Chrétiens

Les Portugais convertirent au catholicisme les fidèles de Bouddha et de Shiva au XVIe siècle principalement dans les régions côtières de l'Ouest et du Sud, alors que le protestantisme s'implanta à Ceylan avec l'arrivée des colons hollandais. Les deux cultes subsistent au Sri Lanka. Les jours de messe, les églises de toute obédience sont remplies de fidèles. Parmi ces derniers, on comptait bon nombre de Burghers avant que ceux-ci ne s'expatrient principalement vers l'Australie. Ce terme signifie « citadins » en néerlandais et désigne les descendants des Hollandais qui colonisèrent l'île de 1658 à 1796.

Par extension, tous les descendants de colons européens sont appelés ainsi. Ils ont la peau blanche, dans un pays où les habitants ont une pigmentation foncée, et portent des vêtements occidentaux. Leur culture et leur éducation leur ont donné après la décolonisation britannique une influence notable dans le monde politique et économique. Cette influence n'a cessé de décliner avec l'instauration du cinghalais comme langue officielle dans les années 1950.

Vous remarquerez les nombreuses églises qui jalonnent votre trajet vers les plages du Sud ou en remontant vers Negombo. Mais ici, on ne vous parlera pas de chrétiens, mais de *roman catholic*, nuance énorme pour ces habitants qui tiennent à cette distinction.

L'écrivain burgher Carl Muller, qui vit à Kandy dans le centre du pays, a consacré une trilogie à sa minorité. Les trois ouvrages *The Jam Fruit Tree, Yakada, Yaka et Once Upon a Tender Time* ont été publiés chez Penguin, mais n'ont pas été traduits en français. Du même auteur, on peut lire le roman historique intitulé sobrement *Colombo*. C'est un portrait sans concession des vices et des turpitudes des habitants de la capitale sri lankaise.

Animistes

Chez les bouddhistes, les chrétiens et les hindouistes, la croyance populaire attribue un rôle important aux esprits et laisse une large place à la superstition. Combien parmi les Veddas sont encore animistes ? Leur nom, en cinghalais, est plutôt péjoratif. Il désigne « qui ne sont pas civilisés », ce qui n'est pas totalement faux puisqu'ils vivaient de manière tribale et sauvage il y a encore quelques dizaines d'années de cela. Les Wanniyala-Aettooo, « peuple de la forêt », sont des citoyens de seconde zone, bien qu'ils soient pourtant les premiers habitants de l'île. Au fil des années, ils sont devenus bouddhistes. Sur les quelques milliers recensés il y a quelques décennies, la quasi-totalité a été contrainte à abandonner la chasse pour devenir agriculteurs et se fondre dans la société.

Guerre ethnique ou guerre de religion ?

Quelle est la place exacte de la religion dans le conflit interethnique du Sri Lanka ? Il n'est pas facile de répondre à cette question tant les ethnies se confondent ici avec une identité religieuse. Toutefois, il est certain que la religion joue un rôle plus important dans l'identité cinghalaise que dans l'identité tamoule. D'une certaine manière, les Tamouls sont plus « laïcs » que les Cinghalais dans la mesure où ils considèrent que l'on peut être tamoul tout en étant chrétien ou musulman. Ce qui n'est pas le cas de la plupart des Cinghalais qui ne dissocient pas le bouddhisme de leur identité et considèrent tous les pratiquants ou croyants des autres religions comme des citoyens à part. Du reste, la Constitution du pays donne une place particulière au bouddhisme et précise que seul un bouddhiste peut assumer les fonctions de chef de l'Etat.

Mode de vie

Comportement démographique

Ceylan en 1871 ne comptait que 2,4 millions d'habitants. A la veille de l'indépendance, le pays était peuplé par près de 7 millions d'individus. Depuis l'indépendance, la population a été multipliée par trois. Mais depuis le début des années 1990, le Sri Lanka affiche des chiffres qui rappellent ceux de certains pays d'Europe.

- **Indice de fécondité :** 1,85 enfant par femme ; mortalité infantile : 14,35 ‰ ; espérance de vie : 73 ans.
- **Age du mariage :** 24 ans pour les femmes, 28 ans pour les hommes.

Ces données démographiques sont en étroite corrélation avec un accès généralisé à l'enseignement pour les deux sexes et une volonté de réussir dans la société, surtout chez les jeunes.

« Famille nombreuse » ne rime pas forcément avec « famille heureuse » pour de jeunes couples qui ont recours pour certains (environ un demi-million dans tout le pays) à la contraception.

Plantation de thé de Pussellawa, cueilleuse tamoule

Éducation et enjeu linguistique

Le Sri Lanka est l'un des pays les plus alphabétisés d'Asie. Il doit ce rang à la Couronne britannique qui imposa dès 1911 l'enseignement scolaire. En 1945, l'enseignement primaire et supérieur était gratuit, excepté quelques écoles anglophones réservées à l'élite de la bourgeoisie. Tout le monde sait lire et écrire dans sa langue d'origine mais aussi, le plus souvent, en anglais. On admirera ici l'intérêt constant, voire le sacrifice des parents pour l'éducation de leurs enfants : quel que soit le niveau de vie des familles, on se débrouillera toujours, même dans les régions les plus pauvres et les plus reculées du pays, pour que les enfants aient le nécessaire scolaire et un uniforme impeccable.

La première université fut ouverte en 1942. Aujourd'hui, le pays compte douze campus ouverts aux filles et aux garçons. Le résultat est encourageant : environ 92,3 % des Sri Lankais savent lire et écrire, 94,8 % pour les hommes et 90 % pour les femmes.

Cependant, un problème demeure : le Sinhala Only Act, qui institua le cinghalais comme langue officielle à l'école en 1958, est toujours en vigueur. Cette loi pénalise les Tamouls (ce qui était le but recherché) en instituant des quotas linguistiques, et elle oblige aussi les Cinghalais à avoir recours à des professeurs privés pour dispenser des cours en anglais.

Or, l'essor de l'enseignement a créé des aspirations qui ne peuvent être satisfaites, ce qui a conduit également à des tensions intercommunautaires.

Ainsi, de jeunes Cinghalais épousèrent les mots d'ordre radicaux du JVP, responsables de deux insurrections en 1971 et en 1989, et de jeunes Tamouls ont rejoint les rangs du LTTE, déçus par les modalités d'accès dans l'enseignement supérieur.

Les procédures de recrutement à la fonction publique favorisent les Cinghalais qui veulent, en outre, imposer leur langue, leur culture, voire leur religion aux minorités.

Cela est suffisant pour que des fils de la bourgeoisie tamoule de Jaffna choisissent la lutte armée plutôt que la bataille des diplômes. L'alcoolisme – de plus en plus généralisé chez les étudiants – et surtout un taux de suicide qui atteint un pourcentage de 0,29 ‰, le plus haut d'Asie, attestent cette frustration.

Emploi et émigration

Avec une forte croissance démographique et un système scolaire de plus en plus inadapté, la situation de l'emploi, au début des années 1990, s'avérait particulièrement difficile.

Aujourd'hui, 1 million de personnes sont sans emploi, soit 17 % de la population active. La moitié des personnes au chômage sont issues de régions rurales et recherchent du travail dans le secteur tertiaire. L'émigration, notamment en direction des pays du Golfe, constitue une solution pour de nombreux Sri Lankais.

49 % des départs sont le fait de femmes qui voient dans Dubaï ou le Liban, la terre promise. La réalité est souvent plus triste ; il y a quelques années, le quotidien beyrouthin *L'Orient – Le Jour* a mentionné l'annonce suivante relevée dans un quartier de la capitale libanaise : « offre spéciale pour le mois du shopping : au lieu de 2 000 $, on vous remet une bonne sri lankaise pour 1 111 $ ». Les 170 000 Sri Lankaises qui travaillent au pays du Cèdre pour moins de 100 $ mensuels ne sont pas toutes traitées comme des esclaves mais leur situation n'est guère enviable.

La famille au centre de la vie sociale

La famille, comme dans le reste du sous-continent indien, est la valeur essentielle dans la société (quelle que soit la religion considérée par ailleurs).

La naissance d'un enfant, et particulièrement d'un fils, est un des événements qui donnent lieu à des réjouissances où voisins et amis sont invités. C'est aussi le cas au moment des anniversaires. Ne soyez pas étonné si vos interlocuteurs se montrent curieux. Ils vous poseront souvent d'innombrables questions sur votre famille.

Le mariage est une des étapes essentielles dans la vie de tout individu (garçon ou fille) au Sri Lanka. Comme en Inde, les mariages d'amour sont rares et les unions sont le plus souvent arrangées. Les journaux locaux contiennent des pages entières d'annonces où il est question de caste, d'ethnie, de religion, d'horoscope et de dot. Les jeunes femmes se doivent bien évidemment d'être vierges pour leur mariage, et leurs futurs époux ont intérêt à avoir une « bonne situation ». Bouddhistes, hindouistes, musulmans et chrétiens suivent

Voyager seule

Voir « Voyager seule » dans la partie « Organiser son séjour ».

- **Les Sri Lankais** sont très accueillants et pas agressifs pour un sou. Cependant, ne tentez pas le diable ! Nous vous déconseillons les tenues trop découvertes même lorsque les températures sont au plus haut, ainsi que les guesthouses isolées sur les plages. Préférez les plages où s'ébattent déjà des Occidentaux plutôt que des étendues de sable fin désertes, en apparence. La pratique du topless vous tente ? Personne ne vous dira rien, mais votre baignade sera probablement le centre d'attraction de toute la gent masculine locale.
- **Evitez de prendre les trains de nuit,** même accompagnée, ou vous serez le centre des regards et de l'attention, ce qui n'est pas très commode pour dormir. Encore moins en robe ou en jupe, bien évidemment.
- **Ne rentrez pas en marchant à votre hôtel** dès la nuit tombée, même si les rues sont plutôt sûres, prenez un *three-wheeler* ; en effet, en terrain inconnu vous ne distinguez pas les lieux sûrs des quartiers difficiles, la désinvolture est donc à proscrire à partir d'une certaine heure.
- **Evitez une trop grande familiarité** avec le personnel masculin de votre hôtel, en particulier dans les régions d'Hikkaduwa, Negombo et Arugam Bay. Sachant que ces régions ont vu fleurir tourisme sexuel, pédophilie, consommations de drogues, etc., il sera même préférable de ne pas sortir seule le soir, ou en tout cas de ne pas accepter un verre offert par un inconnu. Sinon attendez-vous à recevoir des propositions toutes plus indécentes les unes que les autres, on vous aura prévenue !

Toutefois, ceci est valable sous toutes les latitudes, où l'on considère qu'une femme seule recherche automatiquement de la compagnie ; le principal étant de respecter les coutumes locales en s'abstenant de choquer ou de provoquer.

des rites propres à leurs croyances, mais partagent des règles communes : plus les célébrations seront longues, plus il y aura de monde, et plus elles impressionneront l'entourage et le voisinage ; c'est la renommée de la famille de la mariée qui est en jeu.
Généralement, la mariée habite dans la maison de son époux avec ses parents, ses frères, ses cousins, etc.
En ce qui concerne les funérailles, chaque groupe religieux suit également ses rites : hindouistes et bouddhistes incinèrent souvent les morts, mais ils les enterrent aussi parfois. Les musulmans les enterrent alors que les chrétiens n'ont pas de règle stricte en la matière. Si pendant vos voyages, vous traversez un village pavoisé de blanc, sachez que c'est la couleur utilisée pour les enterrements par les bouddhistes.

Sexualité

La société sri lankaise est encore très pudique. Beaucoup plus en tout cas que la société indienne où l'érotisme, voire la pornographie, s'affiche au grand jour. Au Sri Lanka, les relations sexuelles restent en principe réservées au mariage, quelles que soient les communautés. Toutefois, il y a une grosse différence d'approche entre Colombo et le reste du pays. Dans la capitale, si les couples « illégitimes » ne s'affichent guère, il y règne une certaine hypocrisie car on tolère que ces couples aillent passer le week-end dans les hôtels de Mount Lavinia, la station balnéaire toute proche, où on loue des chambres à la journée ou à l'heure pour abriter les amours passagères. C'est d'ailleurs la raison principale d'un séjour là-bas, qui offrent les seuls établissements à accepter des couples locaux non mariés.
Dans le reste du pays, la morale est beaucoup plus stricte. Il existe peu de discothèques et dans les fêtes en plein air, on est toujours surpris de voir des orchestres animer des soirées dansantes où les femmes restent sur le bord de la piste pour regarder les hommes danser entre eux.
L'homosexualité est illégale et constitue un délit. Pour les deux sexes, c'est un sujet totalement tabou, notamment en ce qui concerne les moines bouddhistes. Mais si vous discutez de cette question avec une personne de confiance, elle reconnaîtra sans peine qu'il s'en passe de belles dans les monastères... y compris avec les jeunes enfants confiés par leur famille.

Sigiriya, fresque

L'avortement demeure illégal, même si la législation tend à accepter cette solution en cas de danger pour la vie de la mère. La contraception est autorisée mais réservée aux couples mariés, ce qui pose un grave problème pour la prévention du sida. Jusqu'à très récemment, il était pratiquement impossible de se procurer des préservatifs si l'on n'était pas marié. Ce qui explique que le principal vecteur du sida soit les prostituées et leurs clients. La presse commence tout juste à lever le voile sur cette question et l'on recenserait environ 8 000 cas de sida dans le pays.

Place des femmes

Ne vous fiez pas aux grandes villes comme Colombo ou Kandy où vous apercevrez des jeunes femmes qui attendent seules le bus à la sortie du travail, habillées à l'occidentale. Certes l'alphabétisation massive des femmes leur permet d'accéder d'abord à l'université puis au monde du travail, mais le Sri Lanka n'a pas le même mode de fonctionnement qu'une société occidentale. On n'aborde pas une femme dans la rue pour demander son chemin ou l'heure, encore moins pour l'inviter à boire un verre...
Evitez également, si vous êtes un homme, de vous asseoir à côté d'une femme dans un bus ou dans un train, cela serait jugé très déplacé.

Si vous êtes invité à dîner, complimentez la maîtresse de maison pour la décoration de sa maison ou ses plats cuisinés mais pas sur sa coiffure ou sa robe seyante. Si vous voyagez à la campagne, vous vous apercevrez vite d'ailleurs que les femmes sont peu visibles dans les rues des villages – sauf au marché – pendant la journée.

Santé : entre modernité et tradition

Avec l'éducation, la santé est le point fort du système social Sri Lankais. Même si les ménages assurent environ 50 % des dépenses de santé, le reste est financé par l'Etat et les entreprises. En principe, tout le monde a accès aux soins dans des conditions variables selon les régions, notamment en raison de la guerre qui a sévi dans le nord-est de l'île durant dix-sept ans. Le niveau de formation des médecins et plus particulièrement des médecins hospitaliers est très satisfaisant et l'accès aux médicaments de base est possible pour l'immense majorité des Sri Lankais. Dans certaines entreprises, comme les plantations de thé, l'accès aux soins et les médicaments sont totalement gratuits pour le personnel. Enfin on remarque sur place le nombre impressionant d'hôpitaux et de cliniques ; difficile de ne pas trouver où se soigner au Sri Lanka, chaque petit village ayant son dispensaire.

Cabriolet

Pour toutes ces raisons, le Sri Lanka arrive en tête pour l'espérance de vie parmi les pays du Sud-Est asiatique, avec 70,6 ans pour les hommes et 75,86 ans pour les femmes. La mortalité infantile, qui est de 13,07 ‰ pour les filles et de 15,57 ‰ pour les garçons, y est la plus faible d'Asie. Reste que la situation sanitaire demeure précaire pour les populations déplacées du nord-est de l'île et celles-ci n'ont pu satisfaire jusqu'à présent leurs besoins sanitaires qu'avec le concours des organisations internationales comme Médecin sans Frontières qui a été très actif dans le secteur.

A côté de la médecine occidentale, la médecine traditionnelle ou médecine ayurvédique (de *ayurveda*, le « savoir de la vie ») joue un rôle très important dans toutes les couches sociales. Cette thérapie fait largement appel aux plantes sauvages en se basant sur l'observation de la nature. Elle prend en compte les données relatives à la personnalité du patient, son mode de vie, son alimentation et son horoscope. En outre, la médecine ayurvédique ne cherche pas l'efficacité par la rapidité et l'intensité d'un traitement, mais plutôt à soigner sur le long terme : changement d'habitudes alimentaires et de vie, thérapie, le processus de guérison dépendant du rythme biologique de chaque être. Ayant largement recours aux onctions et aux massages, cette médecine connaît un succès croissant auprès de nombreux touristes étrangers, et des centres de soins ayurvédiques existent dans la grande majorité des grands hôtels.

Logement : une situation de crise permanente

La majorité des Sri Lankais vivent dans des conditions de logement le plus souvent précaires. A Colombo le manque de logements est patent et plusieurs générations s'entassent dans des espaces très réduits.

L'accès à la construction reste réservé à une classe privilégiée de commerçants ou de hauts fonctionnaires et la libéralisation croissante de l'économie n'a rien arrangé. Les bidonvilles sont nombreux aux abords des grandes villes tandis que dans les campagnes, l'habitat se réduit souvent à une seule pièce pour toute la famille, sans eau courante et sans électricité. La situation est encore plus dramatique dans les zones affectées par la guerre civile. Là, les réfugiés vivent depuis des années dans des huttes et n'ont qu'un point d'eau disponible pour plusieurs centaines de personnes.

Architecture, sculpture et peinture

Au Sri Lanka, l'architecture est influencée par la religion. Les temples consacrés à Bouddha fascinent particulièrement le visiteur. Les *dagoba* se déclinent en « tas de riz », en « bulle », en « cloche » ou en « lotus ». Avec l'arrivée des envahisseurs indiens, l'architecture classique cinghalaise a évolué en donnant naissance aux *devala*, ces sanctuaires (plus modestes) déistes dédiés au panthéon hindou. Les autres édifices religieux sont les *pirivena* (monastères) et les *padhanaghara* (cellules de méditation). Au cours du XXe siècle, des monuments ont été mis au jour dans la cité d'Anuradhapura.

A l'intérieur des sanctuaires, les statues de Bouddha n'ont pas toutes résisté au temps, car elles ont été édifiées en calcaire. Heureusement dans les autres temples, le marbre, l'émeraude, le gneiss, le bois et même le quartz rose ont été également utilisés. Les postures de Bouddha sont au nombre de trois. Il peut être assis dans la posture de l'Illumination sous l'arbre Bo, debout avec des gestes d'apaisement, et couché avec deux variantes. Si le bouddha a les pieds joints, il est en position de repos, si ses orteils sont disjoints, il accède au *parinibhana* (autre nom du nirvana).

Les sages bouddhistes se méfiaient de la peinture. Selon eux, c'était une source de distraction qui menaçait la méditation. Les scènes peintes représentaient la vie de Bouddha. On trouve, toutefois, une exception notable : la représentation des jeunes filles de Sigiriya, qui ornent la forteresse du roi Kasyapa. Sur les cinq cents portraits, il n'en reste que vingt-neuf encore visibles. Ces femmes n'ont rien de prudes dévotes, ce sont de belles courtisanes nues, affichant des poitrines généreuses. A Polonnaruwa, on trouve sur les murs des sanctuaires des peintures murales en abondance mais dans un registre religieux.

Artisanat

Les graveurs sur bois qui sculptent les masques destinés au *kolam* (théâtre populaire traditionnel) attirent les curieux à Ambalangoda. La dextérité de leur travail est remarquable : en quelques heures, ils font émerger d'un morceau de bois la tête d'un démon avec des traits grimaçants et des couleurs vives. Ils se sont mis aussi à la confection d'éléphants et de bouddhas afin de satisfaire à la demande des touristes. Attention tout de même, cette ville est devenue un passage obligé pour les touristes et les prix ont subi une violente inflation depuis quelques années.

A la sortie de Kataragama, en direction de Tissa, on trouve des petites huttes qui ne paient pas de mine a priori mais elles proposent un mobilier de bois artisanal très original et aux prix locaux, bien qu'ils soient un peu élevés pour les habitants. Ce travail est d'autant plus impressionnant qu'il respecte la forme naturelle du bois, et généralement chaque meuble est réalisé à partir d'une seule pièce. Evitez de marchander, d'une part les artisans n'apprécient pas, d'autre part ils n'ont pas l'habitude de négocier le prix de leur travail (peu de tourisme dans les environs).

Ailleurs, certains travaillent la laque avec autant d'adresse, notamment dans les villages d'Angalmaduwa également dans le sud du pays. Dans certains endroits, on trouve également des orfèvres spécialisés dans le travail de l'ivoire pour la création d'objets religieux (interdits à l'importation en Europe) mais aussi dans celui de l'or, de l'argent. L'artisanat de la poterie et celui des textiles sont également présents. Batiks et dentelles sont produits en usine, mais on trouve encore de vieilles grands-mères dans le sud, vers Galle, qui vendent leur production. Enfin pour ce qui est de la vannerie, le tressage des nattes fait le bonheur des vendeurs dans les multiples marchés de la côte sud-ouest. Près des plages, les vanniers qui confectionnent en un tour de main des paniers vous proposeront sans doute des couvre-chefs en feuilles de palmier fort utiles si vous vous baladez tête nue en plein soleil. Enfin, le Sri Lanka est mondialement connu pour sa production de pierres précieuses (il figure parmi les cinq plus gros producteurs dans le monde derrière la Birmanie, le Brésil, l'Afrique du Sud et la Thaïlande). Les environs de Ratnapura, dans le centre du pays, sont percés de puits où l'on part à 10 m de profondeur à la récolte des gemmes dans le lit de graviers appelé *illam*. La ville de Ratnapura vit essentiellement du commerce des saphirs et autres alexandrites.

Les tailleurs de pierres ont donc pignon sur rue. Il ne vous coûtera rien de les regarder, mais attention à l'achat ! Les amateurs pourront faire de belles affaires, mais les néophytes risquent de payer une fortune un simple caillou.

Cinéma

Contrairement à celle de son grand voisin, l'Inde, l'industrie cinématographique du Sri Lanka ne retient pas l'attention. Certes, on produit sur l'île des romances à l'eau de rose en cinghalais et en tamoul, mais elles sont de piètre qualité. Nombreuses sont les salles dans les grandes villes à diffuser les films en provenance de Madras, voire les grosses productions commerciales d'Hollywood. Les Sri Lankais rappellent souvent avec fierté que le célèbre film *Le Pont de la rivière Kwaï* a été tourné sur l'île par le cinéaste David Lean (on peut visiter les lieux du tournage dans la petite ville de Kitulgala, dans le centre-est du pays, sur les bords de la rivière Kelaniya Ganga.)

Danse

Une des plus célèbres est sans conteste le *kolam*. Cette danse, qui s'apparente à du théâtre, serait originaire du sud de l'Inde. Les protagonistes (des hommes uniquement) revêtent pour la circonstance des costumes et surtout des masques qui représentent des démons. C'est alors un véritable exorcisme qui commence à la nuit tombée devant la maison de la personne envoûtée. Au son frénétique d'un tambour, le *yak bera* (le tambour du démon), les danseurs s'expriment à travers des mimes et échangent des répliques. C'est un spectacle à la frontière de la magie que l'on peut voir une fois par an à Ambalangoda, petit village situé sur la côte au sud-ouest de l'île. La danse officielle du Sri Lanka est la *kandyan*. Au contraire des danses de l'Inde comme le *bharata natyam ou le kathakali*, la danse des Hautes Terres n'utilise pas, pour exprimer l'univers divin, les expressions faciales mais des mouvements du corps tout entier. L'inspiration religieuse de cette danse a laissé place parfois à des expressions plus profanes, notamment dans les dix-huit *vannama*, qui miment les mouvements des animaux. Si vous êtes à Kandy pour l'Esala Perahera (*voir le calendrier des fêtes dans la partie « Religions »*), vous pourrez ainsi admirer la virtuosité des danseurs dans le *gajaga vannama,* danse de l'éléphant ou dans le *mayura vannama,* dédié au paon.

Littérature

On ne peut pas dire que le renom des auteurs sri lankais ait franchi les frontières de l'île. Cependant, les romans de Romesh Gunesekera ou de Shyam Selvadurai ont été traduits en français. Ce n'est pas de la très grande littérature mais des tentatives plutôt poétiques de raconter l'histoire de l'île. A notre connaissance, ni Carl Muller, ni Jean Arasanayagam, ni A. Sivanandan, lauréat du prix des Auteurs du Commonwealth, n'ont vu leurs œuvres traduites dans notre langue. Seul Michael Ondaatje, né à Ceylan en 1943, élevé en Angleterre et installé au Canada, a une renommée internationale. Son roman *L'Homme flambé* (Booker Prize, 1992), réédité sous le titre *Le Patient anglais*, a connu un immense succès surtout depuis son adaptation cinématographique.

En septembre 2000, son dernier roman, *Le Fantôme d'Anil,* a été publié en France par les Editions de l'Olivier. C'est l'histoire d'Anil Tissera, femme médecin légiste, née au Sri Lanka, élevée en Grande-Bretagne et aux Etats-Unis, dont la mission est d'autopsier les cadavres pour révéler une certaine vérité sur la guerre civile.

Danseurs traditionnels

Cuisine sri lankaise

Hot, hot, hot !

La cuisine sri lankaise est relevée, voire très épicée. Ceux qui n'aiment pas quand « ça pique » ont mal choisi leur destination s'ils veulent s'essayer à la cuisine locale. Palais et estomacs délicats s'abstenir…

United Colors of… Ceylon

Ceux qui connaissent et apprécient les plats indiens auront la tentation d'y comparer la cuisine sri lankaise et d'essayer d'en retrouver les saveurs. C'est inutile. En effet, il y a tout un monde qui sépare la gastronomie indienne de la cuisine sri lankaise. Cette dernière est très simple, mais peut provoquer néanmoins d'heureuses surprises. On remarquera des influences au détour de certaines recettes : les Hollandais ont laissé le *broeder* (un gâteau de Noël très consistant), les Portugais le *bolo fiaod* (recette de viande relevée), les Arabes le *roti* (sorte de crêpe non levée et pliée à plusieurs reprises), les Indiens le *thali* (plat de riz et différentes sortes de légumes, le *dhal*) ainsi que le *biriyani* (mélange de riz et légumes). On goûtera avec plaisir le délectable et sucré *watalappam* (pudding au lait de noix de coco agrémenté de noix de cajou, de cannelle et de muscade).

La cuisine chinoise, indienne et thaïlandaise est également présente, surtout dans les villes. La cuisine chinoise, sans doute plus adaptée aux palais occidentaux, est très présente à Colombo ; elle est souvent copieuse et bon marché. On ne la trouve pas nécessairement dans des restaurants chinois et il est fréquent de trouver un plat chinois à la carte de la plupart des restaurants.

Les amateurs de fruits de mer seront ravis. Tous les restaurants de la côte en proposent, mais avec une qualité inégale. Personne ne vous en voudra si vous demandez à voir la bête avant qu'elle ne vous soit servie. Attention à la taille de la bête car poissons, homards et langoustes sont vendus au poids.

Rice and curry

On en mange trois fois par jour. Si vous aimez les petits restaurants, vous vous familiariserez très vite avec l'inévitable *rice and curry*. On ne compte pas moins de quinze sortes de riz : grain court, long, rond et gros grain, blanc, rouge, rose, jaune, etc. Vous n'y retrouverez guère le goût du délectable basmati indien… Pour ce qui est des currys, on ne les compte pas. Surveillez simplement la couleur. S'ils sont blancs, vous pouvez savourer sans crainte : ils ne sont pas épicés. S'ils sont marron, vous commencez à ressentir des petites contrariétés au niveau des papilles ; à la couleur rouge vif, faites attention : piment en vue. Les currys, savant mélange de cumin, de safran, de poivre, de cardamome et de cannelle, ont tous un dénominateur commun (comme les autres plats d'ailleurs) : le lait de coco, dans lequel ils sont cuits. Viandes, poissons et légumes sont susceptibles d'être préparés en curry.

▸ **Attention : piment !** Autour du plat de riz, vous découvrirez également le *mallung* (mélange de légumes en tranches, d'épices et de l'inévitable noix de coco). Une cuillerée de *parripu* ? Ce *dhal* de lentilles rouges est également incontournable.

On sert également des *papadam* (galettes craquantes bien huileuses) et des *pickles* (condiments très relevés) et autres *chutneys* (souvent à base de mangues et un peu épicés), mais la spécialité de l'île reste les *sambol*. Ces derniers sont redoutables. Le plus populaire est le *pol sambol* confectionné à base de piment rouge, de noix de coco, d'oignons, de sel, de citron, et accompagné parfois de filets de poisson séché. La seule parade efficace (même un litre d'eau ne pourra vous soulager) est une grosse bouchée de riz accompagné ou non de yaourt. Si la plupart des Sri Lankais mangent le sempiternel *rice and curry* trois fois par jour, ils savent varier les plaisirs et s'offrir au petit déjeuner des *appa* (crêpes de farine de riz et de noix de coco) qu'ils accompagnent de currys et de *sambol*.

Lipton, une success story made in Sri Lanka

Né le 10 mai 1950 à Glasgow de parents irlandais, le petit Thomas Lipton abandonne très tôt ses études pour se familiariser avec le monde du travail. Attiré par les Etats-Unis, il réalisera son rêve à 15 ans et y découvrira rapidement l'intérêt de la promotion et de la réclame pour un commerce viable. De retour en Ecosse, il met en pratique ces enseignements et connaît un succès fulgurant : la clientèle afflue dans son épicerie, attirée par des produits vendus moins cher grâce à la suppression des intermédiaires. Précurseur en terme de réclame, il est un des premiers à utiliser les hommes sandwichs et à peindre ses camions aux couleurs de sa boutique.

En 1880, il possède vingt magasins, mais demeure en quête de nouveaux défis. A cette époque, la consommation de thé en Grande-Bretagne connaît un essor considérable surtout auprès des classes aisées, car il constitue encore un produit de luxe.

En 1890, Lipton part pour Colombo avec un but bien précis : rendre le thé accessible à tous, même aux plus démunis. Ceylan est alors une île réputée pour ses plantations de café. Une maladie vient cependant de contraindre les caféiers à choisir une nouvelle plante : le théier. Thomas Lipton a trouvé son nouveau défi : démocratiser le thé. Sa méthode commerciale, qui a fait son succès, ne change pas : aller à la source pour supprimer les intermédiaires. En achetant et en faisant fructifier des plantations au lieu de s'approvisionner auprès de courtiers, il réduit ainsi considérablement le prix du thé. En trois semaines de séjour, il achète sept plantations de thé, dont celle de Dambatenne, faisant de lui le principal propriétaire foncier privé de l'île pratiquant la vente au détail à une telle échelle. Lipton ne connaît rien au thé, mais constitue tout de même une menace pour ses concurrents, en raison de son profond désir de réduire les prix. Cependant, son sens du commerce et de la diplomatie lui permettent de se faire des alliés. Il applique au thé les mêmes stratégies de marketing qu'il utilise pour ses épiceries. Lorsque le thé Lipton arrive sur le marché, avec son emballage soigné, ses étiquettes parfaites, son coût plus bas, ce n'est pas le succès, c'est la ruée. Avec pour slogan « direct from the tea garden to the tea pot » (directement du théier à la théière), Lipton cesse d'être le nom d'une chaîne d'épicerie pour devenir celui d'une marque. Nous sommes en 1893. Il retourne aux Etats-Unis en conquérant et ouvre quatre boutiques à Chicago où il possède déjà une usine pour l'emballage de la viande. Suivront la Suède, le Danemark et l'Allemagne à la fin du XIXe siècle, le Japon en 1905. Fournisseur officiel de la reine Victoria depuis 1895, Thomas Lipton est anobli, le 18 janvier 1898, pour son action envers les associations caritatives.

Lipton est le premier à vendre le thé dans des boîtes et à indiquer sur l'étiquette, dès 1910, la méthode à suivre pour bien infuser ! L'aventure du thé représente le tournant de la carrière de Thomas Lipton. Ses épiceries l'avaient rendu millionnaire, avec le thé, il devient multimillionnaire.

Nuwara Eliya, cueillette du thé

Un peu de douceur...

Desserts

Le riz se retrouve aussi en dessert. Le *kiribath* est un riz cuit dans du lait de coco. Si vous avez envie de mets plus sucrés, essayez les gâteaux au miel – comme le *panivalalu* – ou aux fruits séchés comme le *bibikan*.

Fruits

Pour vous rafraîchir, vous aurez l'embarras du choix parmi les fruits tropicaux tels que papayes, goyaves, mangues et bananes.

Boissons

Faites attention à l'eau ! Vous avez retenu le principal conseil concernant la santé pendant votre voyage, donc ne tentez pas le diable et ses acolytes (les amibes).
Ne buvez que de l'eau bouillie ou servie en bouteille encapsulée. Evitez aussi les glaçons pour les mêmes raisons.

Si vous cherchez une boisson désaltérante, consommez du thé (*voir rubrique ci-après*) ou tentez le *thambili*, le jus de la noix de coco. On y ajoute, au gré de ses envies, sucre, sel ou jus de citron. Bien sûr, vous trouverez dans le pays les incontournables sodas américains, mais essayez plutôt la *ginger beer* locale. Comme son nom ne l'indique pas, il s'agit d'un soda sucré à base de gingembre.

Chaque pays a son tord-boyaux. Au Sri Lanka, c'est l'arrack. Attention ! Cet alcool de palme peut provoquer des céphalées persistantes. Les autochtones apprécient ce breuvage populaire – un de leurs passe-temps favoris est de chercher, sur un cordage à 20 m du sol, à atteindre le sommet du palmier pour leur précieuse récolte de nectar de feuilles, le célèbre *toddy*.

Vous trouverez également des bières produites par les brasseurs locaux installés à Nuwara Eliya. Elles se boivent comme du petit-lait tant leur amertume est peu prononcée. La *stout*, brune épaisse, est particulièrement agréable mais assez difficile à trouver. Elles portent les doux noms de Lion et de Royal. Vous pouvez essayer également la Tree Coins, brassée à Negombo.

Le thé, boisson nationale

Avec le cricket, le thé est l'une des fiertés du Sri Lanka. La minuscule île de 65 610 km² arrive en deuxième position au rang des

Negombo, ananas

producteurs du monde entier, juste derrière l'Inde et ses 3 287 263 km².
On entend souvent des rumeurs extérieures disant qu'au niveau de la qualité, le thé de Ceylan (commercialisé sous ce nom) est inférieur à celui qui est produit sur les collines de Darjeeling.
En effet, à partir de la fin des années 1980, la chute des cours du thé aurait conduit les planteurs à investir dans des arbustes plus grossiers, ce qui n'empêcherait pas le Sri Lanka d'exporter 95 % de sa production, principalement à destination du Moyen-Orient, du Japon, des Etats-Unis. Question de goût probablement.
En 1867, James Taylor, un Ecossais défriche 8 ha de forêt dans le district de Bas Hewaheta, au sud-est de Kandy. Il y repique les premiers plans de thé. La Loolecondera Estate naîtra un peu plus tard. D'abord limité à quelques plantations, le thé va s'ancrer sur l'île au fil des années.
Dans la même période, l'épidémie qui ravage les récoltes de café, jusqu'alors la culture d'exportation, donnera de façon définitive la prééminence au thé. Aujourd'hui, on distingue sur l'île trois sortes de thés. On pratique les basses cultures jusqu'à 600 m d'altitude, les moyennes entre 600 m et 1 200 m, les hautes cultures au-delà.

De la plante à la tasse

© ICONOTEC.COM - ÉRIC MARTIN

Nuwara Eliya, récolte du thé

Par Nafissa Saïah

Le théier

Ceylan deviendra « l'île du thé » seulement après l'introduction de plants d'Assam, région indienne, par le directeur du jardin botanique de Calcutta. C'est James Taylor qui créera avec succès la première plantation de thé dans son domaine de Loolecondera. Mais quid de la plante elle-même ?
Camelia sinensis de la variété d'Assam a une durée de vie de cinquante ans au plus. Comme tous les théiers, il naît d'abord par bouturage dans des pépinières protégées pendant deux ou trois ans avant transplantation. Adulte, un théier peut atteindre plus de vingt mètres de hauteur, ce qui rendrait impossible la cueillette des bourgeons. Tout au long de l'année, les femmes tamoules détachent donc, en les sectionnant entre majeur et index, les rameaux supérieurs des théiers, en rejetant derrière l'épaule les poignées de feuilles. On distingue dans l'arbuste : la feuille, la fleur, la pousse et le bourgeon. La feuille est brillante sur sa face supérieure et mate sur sa face intérieure ; plus elle est jeune et haute, plus elle est goûteuse et recherchée. Les fleurs, blanches à pistil doré, pourront être conservées dans des mélanges parfumés pour des raisons esthétiques essentiellement. Enfin, les bourgeons sont recouverts d'un duvet blanc appelé *pakho* en chinois (désignant au sens propre les cheveux du nourrisson), terme qui a donné naissance à la valeur « Pekoe ». A Ceylan, le bourgeon terminal est nommé *tip*. Le choix, dans l'arbuste, de ce qui sera récolté détermine le type de cueillette et donc le grade dans la classification. La cueillette se pratique plusieurs fois par an jusqu'à quatre fois ou plus suivant les régions. Elles s'organisent par round de quatre à quatorze jours le temps que le théier se renouvelle. La « cueillette impériale », qui à l'origine se pratiquait par des vierges, consiste à ne prélever que le bourgeon final et parfois la première feuille qui suit. La « cueillette fine » se compose du bourgeon terminal et des deux premières feuilles. Les cueillettes qui prélèvent le *tip* et les trois premières feuilles restent de très bonne qualité. On comprend ainsi mieux en quoi ce type de récolte ne peut pas être mécanisé. Les paniers remplis sont par la suite portés vers les manufactures proches où les feuilles sont traitées suivant des normes strictes : flétrissage, roulage, fermentation, dessication et enfin l'étape du criblage qui permet, après un tamisage scrupuleux, de séparer les brisures des feuilles entières. Seule la fermentation est un processus aléatoire, elle repose sur le talent et l'expérience du planteur qui décide de sa durée. Du processus entier dépendront la qualité et la finesse de la récolte obtenue. Ainsi, d'année en année jamais deux lots d'un même jardin ne seront identiques.

La classification

Les différences de traitement, qualité, préparation et période de récolte se présentent comme autant de critères à une classification. Alors qu'en Chine prévaut une classification très tôt établie sur la couleur de l'infusion : blanche, verte, jaune ou rouge, au Sri lanka et comme pour tous les thés fermentés dits thés noirs, elle dépend de grades. Ceux-ci sont hiérarchisés selon le type de cueillette et le goût plus ou moins corsé du thé qui relèveront des différents degrés de fermentation et de procédés de fabrication. Les thés puissants se retrouvent dans les thés à feuilles brisées, symbolisées par le « B » de *Broken* ; le « P » de *Pekoe* signifie que la cueillette s'est faite autour du bourgeon. Quant au « O », abréviation d'« Orange », il est une indication de qualité donnée par les marchands néerlandais à la gloire des Nassau devenus princes d'Orange. Au moment du roulage, le suc des feuilles va donner aux bourgeons une teinte dorée ou argentée, d'où les indications *Golden* ou *Silver*. Plus les *tips* sont nombreux, plus finement les feuilles sont roulées, plus le goût est raffiné et le prix élevé.

Les FOP

Thés fins peu corsés pour l'après-midi :

- **FOP :** Flowery Orange Pekoe.
- **GFOP :** Golden Flowery Orange Pekoe.
- **TGFOP :** Tippy Golden Flowery Orange Pekoe.
- **TGFOP 1 :** Tippy Golden Flowery Orange Pekoe One.
- **FTGFOP :** Finest Tippy Golden Flowery Orange Pekoe.
- **FTGFOP 1 :** Finest Tippy Golden Flowery Orange Pekoe One.
- **SFTGFOP :** Special Finest Tippy Golden Flowery Orange Pekoe.
- **SFTGFOP 1 :** Special Finest Tippy Golden Flowery Orange Pekoe One.

Les OP

Ils résultent aussi d'une cueillette dite fine mais plus tardive, ce qui explique que l'on ne retrouve pas de *tip*.

- **OP :** Orange Pekoe.

Les BOP

Thés puissants corsés souvent pris au petit déjeuner. Ils sont composés de feuilles brisées et peuvent contenir des tips.

- **BOP :** Broken Orange Pekoe.
- **FBOP :** Flowery Broken Orange Pekoe.
- **GBOP :** Golden Broken Orange Pekoe.

Les FP

Suivent les FP : Flowery Pekoe, feuilles roulées en boule puis surtout les Dust et les Fannings, thés à feuilles broyées qui ne sont finalement que de la poussière de thé et qui sont bien plus forts, moins chers. C'est celui que consomment les Sri Lankais.
La classification et donc le prix s'établissent aussi selon le moment de la récolte et la région de production. Afin de conserver la fraîcheur du thé, toutes les étapes de fabrication se font sur place, dans les manufactures, ou Tea Factories, situées à proximité des plantations ou jardins ; seuls les mélanges et l'ajout d'essences aromatiques pouvant s'effectuer plus tard, généralement dans les pays importateurs. Il faut noter que le nom du jardin n'est précisé que si le thé est produit sur place et sans mélange.

Nuwara Eliya, récolte du thé

Pussellawa, plantation de thé, cueillette

A chaque altitude correspond un thé, au goût particulier. En bas de l'échelle, le thé est âpre en bouche et peu coloré. C'est ainsi qu'on l'aime au Sri Lanka.
Les thés de haute culture ont un goût plus subtil, tel que l'apprécient les Occidentaux qui prisent un jus épais et foncé. Les thés intermédiaires sont à mi-chemin des deux précédents, mais ne sauraient ravir les vrais amateurs.
Avant de terminer en sachet ou mieux en vrac, les deux feuilles et le bourgeon cueillis par les mains des travailleuses tamoules suivent un cheminement codifié.

Quelques chiffres en vrac

- **Le thé** est la boisson chaude la plus consommée au monde. Plus de 2 milliards de tasses sont bues par jour.
- **Sa production mondiale** globale avoisine les 3 millions de tonnes par an (3,197 t en 2004).
- **Le thé noir** représente 75 % de la production globale. Il représente 90 % du marché occidental.
- **En 2010,** on devrait atteindre 2,7 millions de tonnes de production annuelle.
- **Le thé** est cultivé dans 36 pays tropicaux et semi-tropicaux.
- **En 2004,** le Sri Lanka a produit 303 000 tonnes de thé derrière l'Inde avec 845 000 tonnes et la Chine 821 000 tonnes.
- **Les 6 plus gros pays producteurs** sont l'Inde, la Chine, le Sri Lanka, le Kenya, l'Indonésie et la Turquie. Ils représentent 80 % de la production mondiale.
- **Les plus gros consommateurs** sont l'Inde, la Chine, le Royaume-Uni, la fédération de Russie, les pays de la CEI, le Pakistan et le Japon. 85 % de la production est vendu par un très petit nombre de multinationales : Unilever (Lipton, Eléphant, Tchaé), le groupe indien Tata (Tetley) et l'Associated British Foods (Twinnings).
- **Lipton** est toujours la marque la plus vendue dans le monde.

Restaurants

Véritable fourre-tout, l'appellation « restaurant » recouvre une réalité multiple dans le pays. Au gré de vos voyages, vous trouverez aussi bien les petites gargotes qui s'appellent souvent *hotels*, où l'on ne sert que du *rice and curry* pour 50 Rs, que les établissements chics de Colombo où l'on peut s'en mettre plein la panse pour des sommes variables.
Sachez qu'en règle générale, les *hotels* vous proposeront un repas local, donc fortement épicé. Vous pouvez toujours demander sans épice *no chili* et *no pepper* (ils aiment aussi beaucoup le poivre), mais on ne vous promet pas que le plat sera moins pimenté pour autant. Une valeur sûre, les *roti* ou *hoppers* à l'œuf, mais précisez l'œuf seul (et *no pepper*). Le *fried rice* est assez peu épicé généralement, mais c'est tout de même plus risqué.

- **Un petit conseil pour les allergiques aux épices fortes :** éviter toute sauce d'aspect plus ou moins rouge (*chili* !) ainsi que tout plat agrémenté de petits bouts d'un légume vert, finement coupé mais tout à fait reconnaissable, un légume qu'on aurait tendance à prendre pour du poivron mais qui n'en est pas.

Quelques recettes

Poulet au curry

Couper au hachoir un poulet entier en petits morceaux que l'on frottera avec du sel, de la poudre de piment, de la poudre de curry et du safran. Mettre ensuite les morceaux à rissoler dans une casserole, en y ajoutant un oignon coupé en morceaux, quelques feuilles de curry, 3 poivrons verts coupés en morceaux, quelques graines de fenouil, 2 gousses d'ail écrasées, un morceau de gingembre écrasé, un peu de poudre de cannelle, un demi-verre de vinaigre, trois gousses de tamarin que l'on aura au préalable ébouillantées. Laisser cuire à feu doux pendant 45 minutes en remuant de temps à autre. Retirer les morceaux de poulet et rajouter aux ingrédients restants 30 cl de lait de coco. Laisser frémir la sauce pendant 10 minutes en remuant, puis en recouvrir les morceaux de poulet et décorer avec quelques feuilles de coriandre ciselées.

Poisson à la Moligatanni

Prendre une bonite d'environ 1 kg dont on enlèvera la tête et les nageoires avant de la couper en tranches épaisses. Ebouillanter deux tomates, les peler et les écraser pour faire un coulis que l'on versera sur le poisson. Faire chauffer dans une casserole de l'huile de coco et de la margarine, y faire frire un gros oignon coupé en morceaux auquel on rajoutera une dizaine de feuilles de curry, une cuillère à soupe de poudre de curry, une cuillerée à café de graines de cumin, une demi-cuillerée à café de graines de fenugrec et une pincée de curcuma. Saler, rajouter le poisson et la tomate, faire cuire le poisson à feu doux en rajoutant un demi-verre d'eau pour éviter qu'il n'attache, presser le jus d'un citron vert, rajouter 25 cl de lait de coco et laisser épaissir pendant 10 minutes à feu doux en remuant légèrement. Verser dans un plat et garnir avec du riz blanc.

Negombo, retour de pêche

Poudre de curry Tuna-Paha

Placer dans une casserole une demi-livre de grains de coriandre, deux cuillerées à soupe de graines de fenouil et la même quantité de graines de fenugrec. Faire chauffer doucement à sec sur une plaque pendant 10 minutes, puis faire refroidir en plaçant le fond de la casserole dans un récipient d'eau froide. Rajouter trois graines de cardamome et une cuillerée à café de clous de girofle. Mélanger le tout et moudre dans un moulin à café.

Kandy, marché central

Jeux, loisirs et sports

Sports

Les jeux, les loisirs et les sports se résument pratiquement à un seul mot : cricket. Ce jeu, qui demeure une énigme pour les continentaux que nous sommes, est la trace la plus durable de la présence britannique sur l'île. Pas le moindre village reculé qui n'ait son green, où des enfants parfois dépenaillés s'entraînent à lancer la balle. Sur la plage ou même parfois sur la route, toute surface plane est bonne pour s'entraîner !
Tous les matchs ayant lieu dans les quatre coins du monde sont retransmis en permanence à la télévision et mobilisent l'attention des Sri Lankais des après-midi entières, y compris sur les lieux de travail.
Le Sri Lanka a remporté la Coupe du monde de cricket en 1996 et, depuis ce temps, les joueurs sont considérés comme des dieux vivants. Les principaux matchs ont lieu à Colombo au Premadasa Stadium (Col. 10) et au Sinhalese Sports Club (Col. 7).

Après le cricket, le tennis est relativement populaire et presque tous les hôtels possèdent un court. On pratique aussi le volley et le basket.

Quant au football, il se pratique un peu mais passionne beaucoup moins les foules. Les autres sports sont pratiquement inexistants.

Kandy, pendant la Perahera, pénitente hindouiste

Le golf est réservé à l'élite et se pratique essentiellement à Nuwara Eliya et à Kandy. On ne compte d'ailleurs que trois 18-trous dans toute l'île, à Colombo, Kandy et à Nuwara Eliya. Ces derniers sont considérés comme parmi les plus beaux de toute l'Asie.

Jeux de hasard

Les jeux de hasard sont en principe interdits. Mais les Sri Lankais raffolent des courses de chevaux et de lévriers organisées en Angleterre, et des bookmakers plus ou moins clandestins prennent les paris sur les courses qui se déroulent à 10 000 km de là et que l'on suit à la télévision par satellite.

On joue aussi beaucoup aux cartes dans les tripots des grandes villes.

Les billets de la Loterie nationale et les jeux à gratter, très populaires, sont vendus à chaque coin de rue par des marchands ambulants.

Temps libre

Les Sri Lankais de toutes conditions passent l'essentiel de leur temps libre en famille. Ils se rendent à la plage lorsque celle-ci n'est pas trop éloignée et se détendent lors de la sortie familiale.

Toutes les villes possèdent au moins une salle de cinéma. C'est un loisir très populaire. Les salles sont surtout fréquentées par la jeunesse qui manifeste bruyamment son émotion devant les productions à la guimauve ou hyperviolentes du cinéma indien.

Pèlerinages

Les pèlerinages constituent souvent les seules vacances de beaucoup de Sri Lankais. Ceux-ci ont lieu principalement durant les grandes fêtes religieuses.
On croise alors sur les routes de nombreux autocars dont le devant est orné d'une fleur d'arec ou de cocotier, symboles du pèlerin.

Les principaux pèlerinages ont lieu à Kandy, à Dambulla, à Tissamaharama et à Adam's Peak.

Enfants du pays

Unila Abeysekera

Cette figure féminine de 51 ans est engagée dans la défense des droits de l'homme depuis les années 1970, époque durant laquelle sa tête avait été mise à prix par les gauchistes du Front de libération du peuple.
Avec la guerre civile, cette Cinghalaise, qui a été lauréate du prix des Nations unies pour les droits de l'homme en 1998, a tissé des liens avec les femmes tamoules pour dénoncer la disparition de quelque 12 000 personnes dans les zones contrôlées par les forces armées.

Chandrika Kumaratunga Bandaranaike

Elue en 1995 et réélue en 1999 chef de l'Etat sri lankais, cette ancienne présidente de la République a de qui tenir : Solomon Bandaranaike, son père, fut ministre pendant la colonisation britannique, puis, après l'indépendance, il devint Premier ministre.
En 1959, il fut assassiné sous les yeux de sa fille par un bonze extrémiste. C'est sa propre épouse Simira qui le remplaça, se montrant impitoyable avec les jeunes guérilleros du Front de libération du peuple qu'elle fit massacrer par milliers.
Chandrika Kumaratunga Bandaranaike, bien que soutenant officiellement le processus de paix entamé par son Premier ministre Ranil Wickremesinghe, lui voue une haine impitoyable et a même lâchement tenté de l'évincer de la scène politique alors que celui-ci était en voyage aux Etats-Unis en novembre 2003.

Geoffrey Bawa

Le plus célèbre des architectes sri lankais est né en 1919 et n'a commencé sa carrière qu'à l'âge de 37 ans. Mêlant les formes modernes épurées à l'esprit des traditions de l'île, son style se caractérise par un grand dépouillement et une volonté bien marquée d'intégration au paysage. Le spectateur ne peut que se sentir intimement touché par le travail de l'artiste, son adéquation au climat, au panorama, et enfin ce je ne sais quoi de très personnel qui imprègne profondément l'endroit. On reconnaît partout où l'on passe la griffe de Bawa.
Ses réalisations les plus originales sont le Kandalama Hotel et la Ruhunu University, mais la majorité des grands hôtels du pays portent sa griffe, sans parler des établissements qui portent son empreinte dans toute l'Asie. N'oublions pas le Gallery Cafe, le salon de thé le plus chic de la capitale, sis dans ce qui fut l'atelier de l'architecte.

© ITZAK NEWMANN

Jeunes moines bouddhistes

Asoka Handagama

Cette star en devenir du cinéma sri lankais s'est fait remarquer dans plusieurs festivals européens avec ses films *This is my Moon* et *Flying with one Wing*, deux réalisations audacieuses tournées avec peu de moyens qui osent aborder la sexualité et la condition de la femme, deux sujets encore tabous au Sri Lanka.

Vimukthi Jayasundara

Ce metteur en scène est l'étoile montante du cinéma sri lankais. Il s'est fait remarquer lors du festival de Cannes 2003 avec la présentation d'un court-métrage, *Vide pour l'amour*, alors qu'il avait à peine 26 ans.
Son dernier long-métrage, *La Terre abandonnée*, évoquant le désarroi du peuple dans le contexte de la guerre civile, a été récompensé en 2005 par une Caméra d'or au même festival, ce qui fait de son auteur, non seulement le plus jeune cinéaste sri lankais à avoir participé à la compétition cannoise, mais également le premier – et le seul – à y avoir remporté un prix.

Sanath Jayasuriya

En 1996, la Coupe du monde de cricket, disputée au Pakistan, revint au Sri Lanka. Les rivalités entre Tamouls et Cinghalais furent oubliées le temps d'un match, les Sri Lankais ayant pour une fois une occasion de fêter fièrement leur unité autour du drapeau national.

Le capitaine de l'équipe nationale, considéré un temps comme l'égal d'un dieu, a par la suite été très critiqué lorsque son équipe a été éliminée de la Coupe du monde de 1999. Il demeure néanmoins une figure très populaire.

Premasiri Khemadasa

Ce compositeur est l'un des musiciens les plus célèbres du pays. A l'origine flûtiste de talent, il a composé environ 150 musiques de film et s'est illustré aussi bien dans la musique traditionnelle que la musique occidentale.

Michael Ondaatje

Né au Sri Lanka, ce Burgher vit à présent au Canada, mais son pays natal demeure le cadre de ses romans : des œuvres comme *Ecrits à la main* et *Le Fantôme d'Anil* décrivent avec un art consommé de la poésie la complexité de la pensée orientale. Ce dernier a obtenu le prix Médicis étranger en 2000.

Lester James Peiris

Le plus célèbre des réalisateurs sri lankais, âgé de 87 ans, a été le précurseur d'un cinéma d'auteur au Sri Lanka, voire d'un cinéma tout court. Son premier grand succès est venu en 1963 avec *Changes in the Village*, il possède à son actif une vingtaine de longs-métrages sur l'ensemble de sa carrière.

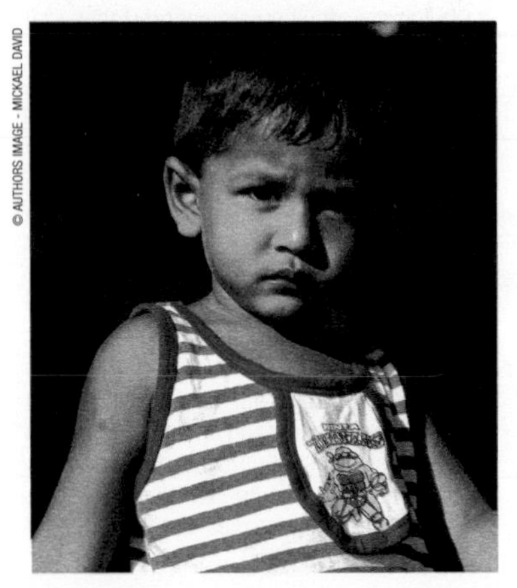

James Taylor

James Taylor, un homme qui quitta Londres à 17 ans pour Ceylan, eut l'idée, vers 1860, de planter dans le jardin où il travaillait, à Loolecondera, quelques graines de théiers. Cette surface de 8 ha, nommée « champ 7 », fut un succès et apparaît comme le premier ensemble de théiers commerciaux de l'île. Quant à Taylor, il fut chassé de Loolecondera, où il avait travaillé sa vie durant, lorsque le jardin fut racheté par la Banque orientale anglaise. Usé, misérable, atteint de dysenterie à l'âge de 57 ans, il mourut de chagrin le 2 mai 1892, sans avoir le temps d'apprendre que le thé de Ceylan devait être l'une des grandes vedettes de l'Exposition universelle de Chicago, un an plus tard.

Kalasuri Vajira

La plus fameuse danseuse du Sri Lanka a cinquante ans de carrière derrière elle et dirige la troupe de ballet la plus prestigieuse du pays. Elle lutte pour former de jeunes danseurs des deux sexes à la danse traditionnelle tout en réalisant des adaptations modernes du répertoire ancestral.

Prasanna Vithanage

Ce metteur en scène audacieux a fait l'objet d'une polémique enragée dans son pays en 2000, lors de la sortie de son film pacifiste *Pura Handa Kaluwara* qui relate l'histoire d'une famille de paysans qui refuse d'accepter la mort d'un fils après son engagement dans l'armée. Le gouvernement avait fait retirer le film des salles, mais la Cour suprême a autorisé sa diffusion en 2001. Le film a obtenu le grand prix du festival d'Amiens en 2001. Depuis, il a remporté une Caméra d'or au festival de Cannes et est devenu le premier Sri Lankais à avoir été récompensé lors de ce prestigieux festival.

Ranil Wickremesinghe

Le Premier ministre élu lors des élections de décembre 2001 est le principal artisan du processus de paix engagé avec les Tigres tamouls deux mois plus tard.

Bien qu'étant conservateur et partisan d'une politique ultra-libérale, il a été le premier à passer à l'acte en matière de négociations de paix. Il est donc très populaire, ce qui fait enrager la présidente de la République qu'il a battue aux élections de 2001.

Français .... **Cinghalais** . . . . . **Tamoul**

Indications spatiales

- **A droite** .... dakunata. . . . . valathu kai pakkam
- **A gauche** ...... bankuwa . . . . bank
- **Chemin** .... adi para. . ottai adi pathai
- **Eglise** .... palliya . . . . vetha kovil
- **En face** .... anith-patta . . . . edire
- **Forêt** .... kaleva . . . . vanam
- **Lac** .... wewa. . . . . kulam
- **Marché** .... market eka . . . . . angaadi
- **Monastère** .... arama
- **Montagne** ..... kanda . . . . malai
- **Mosquée** .... muslim palliya . . . . palli vasal
- **Musée** .... kattu-ge
- **Où est…?** ..... koheda…? . . . . . . …enge?
- **Pharmacie** .... bet sappuwa . . . . marundu kadai
- **Plage** .... wali . . . . manatkarai
- **Poste** .... tapal kanthoruwa . . . . thabal kanthor
- **Rivière** .... ganga . . . . aaru
- **Route** .... maha parapirithana . . . . veethi
- **Rue** .... mawatha . . . . veethi
- **Temple** .... pansala / vihara. . . . kovil
- **Tout droit** ...... kelin yanna . . . . aerakapogavum
- **Ville** .... nagaraye nagaram. . . . . paddanam
- **Village** .... gama. . . . . kiramam

Au restaurant

- **Le menu, svp !**. . . . menu eka penwanna . . . . thayavu seithu thinpandangal
- **Ananas** .... annasi . . . . annasi
- **Banane** .... keselkan . . . . valaippalam
- **Boissons** .... coffee . . . . . . chaudouneu
- **Crevettes** ...... isso . . . . iral
- **Eau** .... wathura. . . . . thannir
- **Froid** .... sitala
- **Fruit** .... palathuru. . . . . palam
- **Lait** .... kiri
- **Légumes** .... elawalu . kai kari vagaigal
- **Mangue** .... amba. . . . . mangai
- **Miel** .... pani
- **Noix de coco** pol. . . . . thenkai
- **Nourriture** .... bittara
- **Papaye** .... papol . . . . . . pappa palam
- **Piment** .... miris . . . . karam
- **Pas de piment, svp !**. . . . miris nathuwa . . . . karam vendam
- **Poisson** .... maalu . . . . min
- **Poivre** .... gammiris. . . . . milagu
- **Poulet** .... kukulmas. . . . . kuri
- **Restaurant** ... kamata . . . . sapathu
- **Riz** .... buth. . . . . arisi
- **Sel** .... lunu . . . . uppu
- **Thé** .... the. . . . . theyiali
- **Viande** .... mus. . . . . iraichchi
- **Yaourt** .... mikiri
- **L'addition, svp !** karunakara bila gaynna . . . . bill kondu varungal

Se présenter

- **Bonjour (en général)** ...Ayubowan . . . . Vanakkan
- **Bonjour (à un homme)** Mahatmaya Aiya
- **Bonjour (à une femme)** Nona mahatmaya . . . . Thirumadhi
- **Bonjour (le matin)**......... Suba Udasanak way va. . . . . Vanakkan
- **Monsieur** ....Mahatya . . Thivu

Polonnaruwa, Bouddha couché

Côte sud, Weligama, barques de pêche

Negombo, vente du poisson

- **Madame**.................Nona .... Mahatimiya – Thivumati
- **Mademoiselle**...........Tarouniyé. . . Selvi
- **Je m'appelle**.............Mage nama .... Ennudaya payar
- **Comment allez-vous ?**... Kohomadasahpa sah neepa ? .... Ehppadi sugam ?
- **Je vais bien**..............Sanee-pen innava .... Nalla sugam
- **Je ne vais pas bien**...Sanee-pa na-tha . ... Sugamillai
- **S'il vous plaît**............Karounâkara .... Thayavu seithu
- **Merci**........................Istouti .... Nandri
- **Merci beaucoup**........Bohoma istouti .. Miravum nandri
- **Oui**............................Ovou ....Ahm
- **Non**...........................Néhé .... Illai
- **Peut-être**...................Venna puluvan. . . .Sila Way Lai
- **Je ne comprends pas**. Mata thayrennay nehe................Anaku vilangavillai
- **Comprenez-vous ?**....Obata thayrunada ? .... Puvihiratha ?
- **Combien ?**.................Kyede ? .... Ithan vilai enna ?
- **Trop cher**..................Milavedi. .... Kooda vilai thanay

Indications temporelles

- **Maintenant**...dang. .... ippoh
- **Aujourd'hui**...atha .... indru
- **Hier**..............iye .... naetru
- **Demain**.........heta .... nalai
- **Matin**............ude. .... kalai
- **Après-midi**...dawal .... pitpagal
- **Soir**...............sawasa. .... malai
- **Jour**..............damasa ....naal
- **Nuit**...............raya .... iravu
- **Lundi**............sanduda . . .thinkat kilamai
- **Mardi**...........angaharuwada .... sevai kilamai
- **Mercredi**.......badhada. . .puthan kilamai
- **Jeudi**............brahaspathinda .... .viyalak kilamai
- **Vendredi**.......sikurada. .... velli kilamai
- **Samedi**.........senasurada . sanik kilamai
- **Dimanche**.....irrida .... gnatruk kilamai

Les chiffres

- **1**...................... eka............. ontru
- **2**...................... deka.......... erantru
- **3**...................... Tuna.......... .moontru
- **4**...................... hatara.......... nangu
- **5**...................... paha........... ainthu
- **6**...................... haya ....aru
- **7**...................... hata .... aelu
- **8**...................... ata .... ettu
- **9**...................... navaya .... onpathu
- **10**.................... dahaya .... pattu
- **100**.................. siya. .... .nooru
- **200**.................. desiyai .... .irunooru
- **1 000**.............. daaha......... aiyuram
- **2 000**.............. dedahai. ... iranda iuram

Un petit lexique...

... pour comprendre le nom des villes et, par extension, savoir ce que vous allez trouver sur place à l'avance. Vous remarquerez qu'on utilise souvent plusieurs mots pour désigner la même chose :

- **budu** .... Bouddha
- **eliya** .... lumière
- **gal(l)a** .... rocher
- **ganga** .... rivière
- **gama** .... village
- **goda** .... terre
- **kanda** .... montagne
- **lena** .... .caves
- **mada** .... boue
- **menik** .... gemmes
- **nuwara** .... ville
- **pita** .... .sur / au-dessus de
- **pura** .... ville
- **ratna** .... gemmes
- **ruwa** .... image
- **t(h)ota** .... port
- **welli** .... sable
- **wewa** .... lac

COLOMBO

Colombo, temple hindou

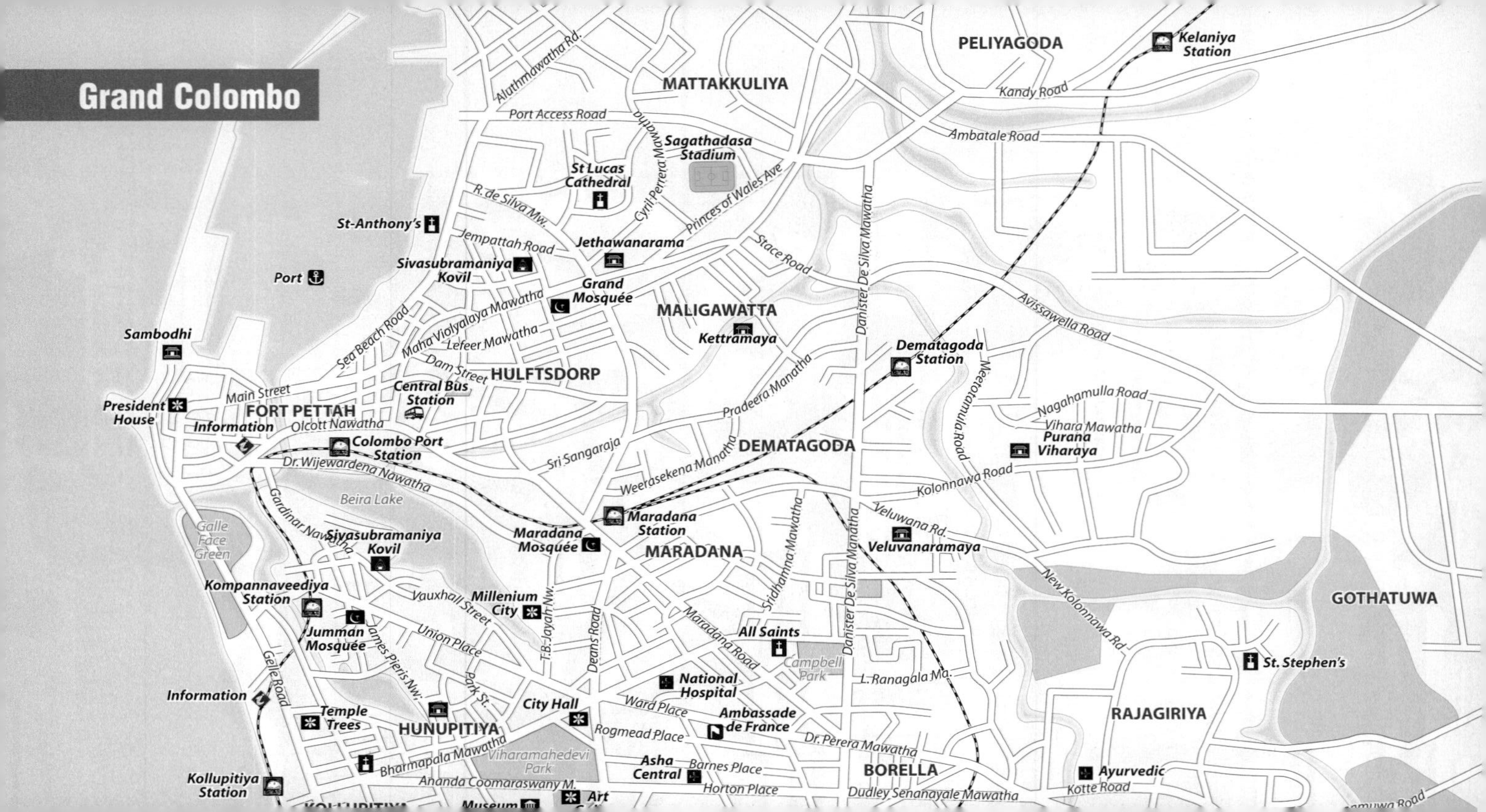
Grand Colombo
PELIYAGODA
Kelaniya Station
MATTAKKULIYA
Aluthmawatha Rd.
Kandy Road
Port Access Road
Ambatale Road
Sagathadasa Stadium
St Lucas Cathedral
Cyril Perera Mawatha
R. de Silva Mw.
Princes of Wales Ave
St-Anthony's
Jempattah Road
Jethawanarama
Stace Road
Danister De Silva Mawatha
Sivasubramaniya Kovil
Port
Grand Mosquée
Avissawella Road
MALIGAWATTA
Sambodhi
Sea Beach Road
Maha Vidyalaya Mawatha
Lefeer Mawatha
Kettramaya
Dematagoda Station
Dam Street
HULFTSDORP
Central Bus Station
Main Street
President House
FORT PETTAH
Information
Olcott Nawatha
Pradeera Manatha
Meetotamula Road
Nagahamulla Road
Vihara Mawatha
Purana Viharaya
Colombo Port Station
Sri Sangaraja
DEMATAGODA
Dr. Wijewardena Nawatha
Weerasekena Manatha
Kolonnawa Road
Beira Lake
Maradana Station
Veluwana Rd.
Galle Face Green
Gardinar Nawatha
Sivasubramaniya Kovil
Maradana Mosquée
MARADANA
Sridhamma Mawatha
Veluvanaramaya
New Kolonnawa Rd
Kompannaveediya Station
Millenium City
GOTHATUWA
Vauxhall Street
T.B. Jayah Nw.
Deans Road
Jumman Mosquée
Union Place
Maradana Road
All Saints
James Pieris Nw.
Campbell Park
St. Stephen's
L. Ranagala Ma.
Park St.
National Hospital
Information
Galle Road
City Hall
Ward Place
Ambassade de France
Temple Trees
RAJAGIRIYA
HUNUPITIYA
Rogmead Place
Dr. Perera Mawatha
Viharamahedevi Park
Bharmapala Mawatha
Asha Central
Barnes Place
BORELLA
Ayurvedic
Kollupitiya Station
Ananda Coomaraswany M.
Horton Place
Dudley Senanayale Mawatha
Kotte Road
Museum
Art

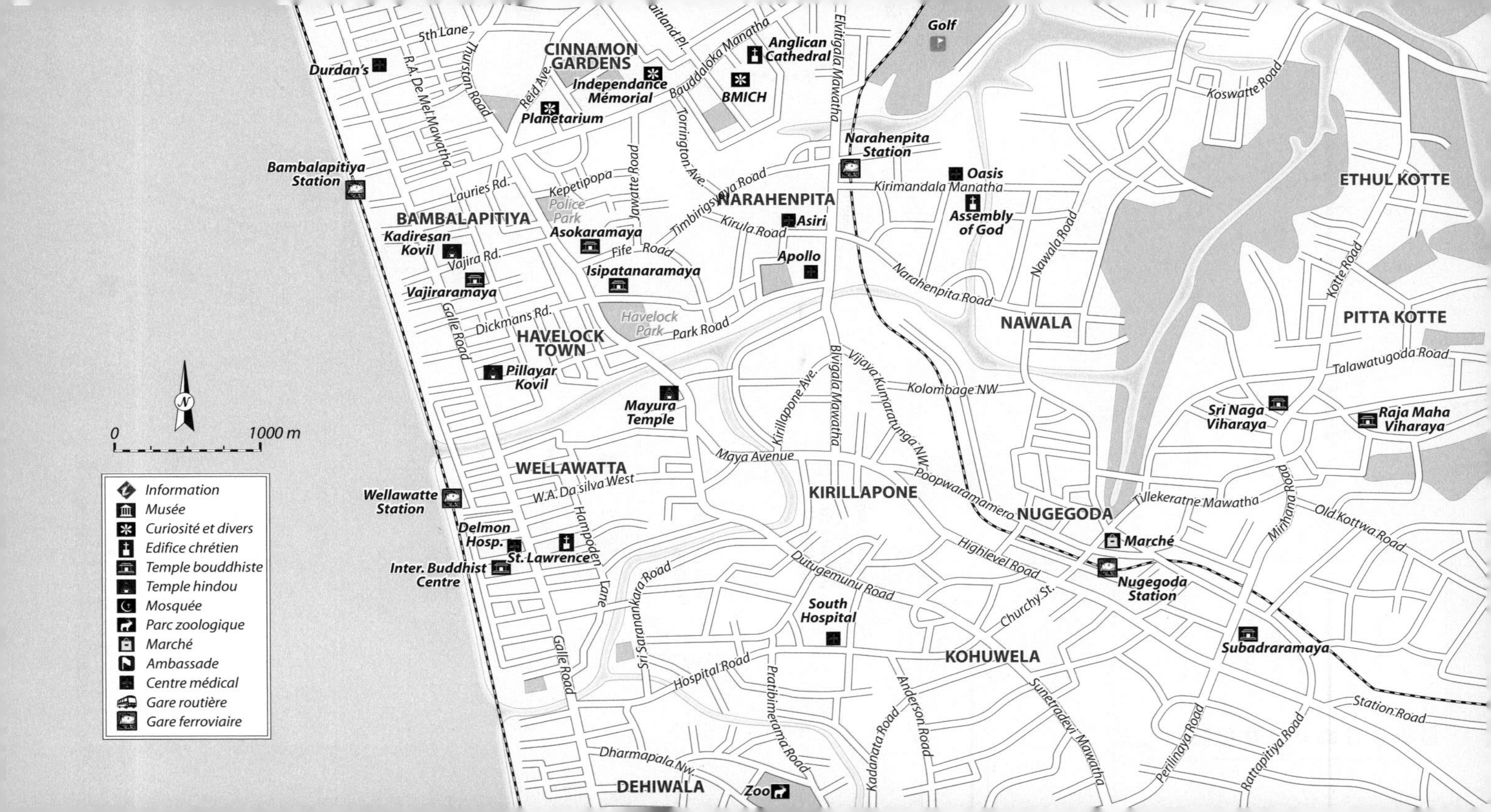
CINNAMON GARDENS
BAMBALAPITIYA
HAVELOCK TOWN
WELLAWATTA
NARAHENPITA
NAWALA
KIRILLAPONE
NUGEGODA
KOHUWELA
DEHIWALA
ETHUL KOTTE
PITTA KOTTE
Golf
Durdan's
Anglican Cathedral
Independance Mémorial
BMICH
Planetarium
Bambalapitiya Station
Narahenpita Station
Oasis
Assembly of God
Asiri
Apollo
Asokaramaya
Isipatanaramaya
Kadiresan Kovil
Vajiraramaya
Pillayar Kovil
Mayura Temple
Police Park
Havelock Park
Wellawatte Station
Delmon Hosp.
St. Lawrence
Inter. Buddhist Centre
South Hospital
Zoo
Marché
Nugegoda Station
Subadraramaya
Sri Naga Viharaya
Raja Maha Viharaya
5th Lane
R.A. De Mel Mawatha
Thurstan Road
Reid Ave.
Bauddaloka Manatha
Torrington Ave.
Jawatte Road
Kepetipopa
Lauries Rd.
Timbirigsyaya Road
Kirula Road
Fife Road
Vajira Rd.
Galle Road
Dickmans Rd.
Park Road
Elvitigala Mawatha
Kirimandala Manatha
Narahenpita Road
Nawala Road
Koswatte Road
Kotte Road
Talawatugoda Road
Kolombage NW
Vijaya Kumaratunga NW
Kirillapone Ave.
Blvigala Mawatha
Maya Avenue
Poopwaramamero
W.A. Da silva West
Hampoden Lane
Tillekeratne Mawatha
Mirihana Road
Old Kottwa Road
Highlevel Road
Dutugemunu Road
Churchy St.
Sri Saranankara Road
Hospital Road
Pratibimerama Road
Kadanata Road
Anderson Road
Sunetradevi Mawatha
Perilinaya Road
Rattapitiya Road
Station Road
Dharmapala Nw.
0
1000 m
N
Information
Musée
Curiosité et divers
Edifice chrétien
Temple bouddhiste
Temple hindou
Mosquée
Parc zoologique
Marché
Ambassade
Centre médical
Gare routière
Gare ferroviaire

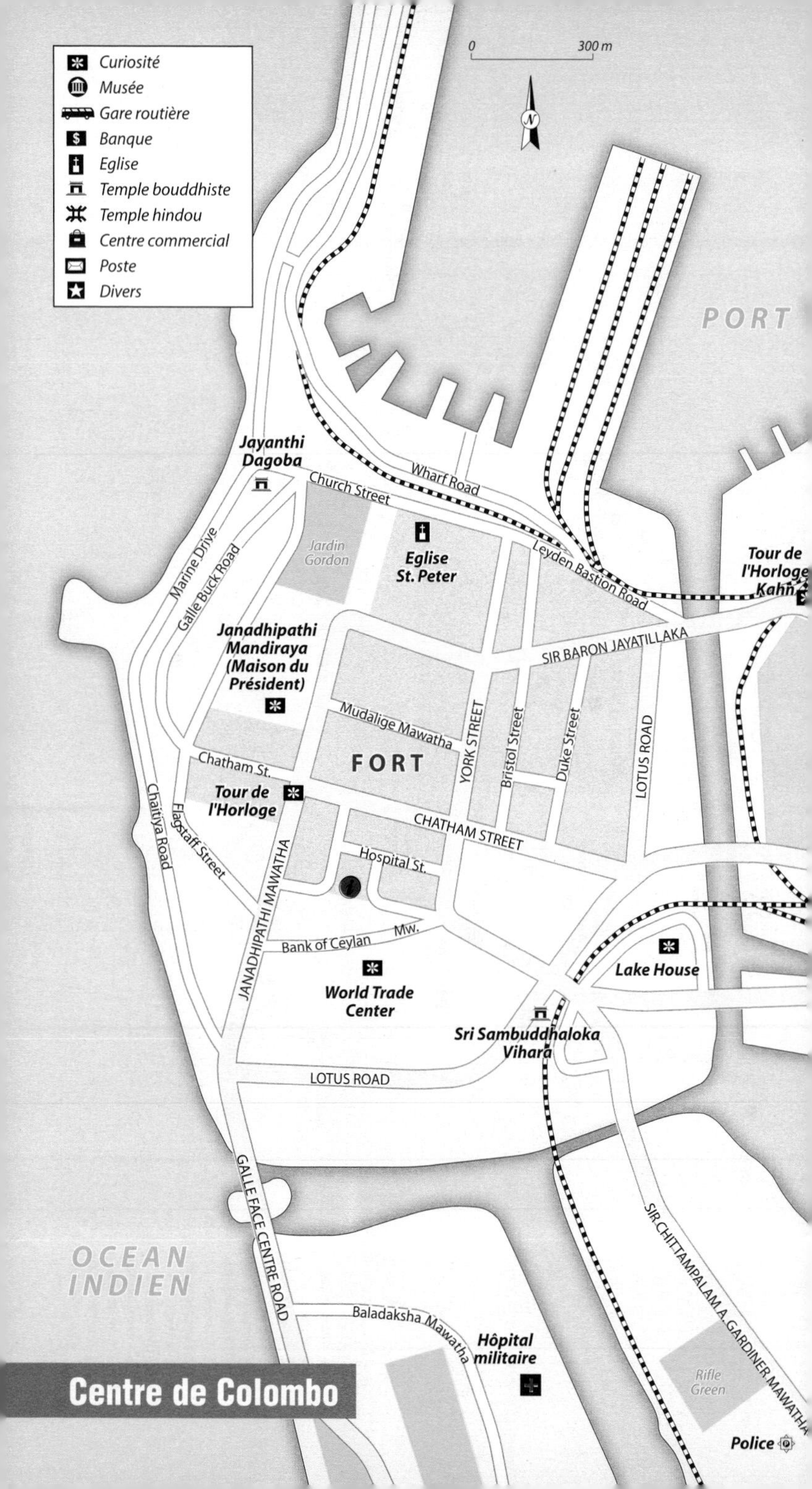

Centre de Colombo

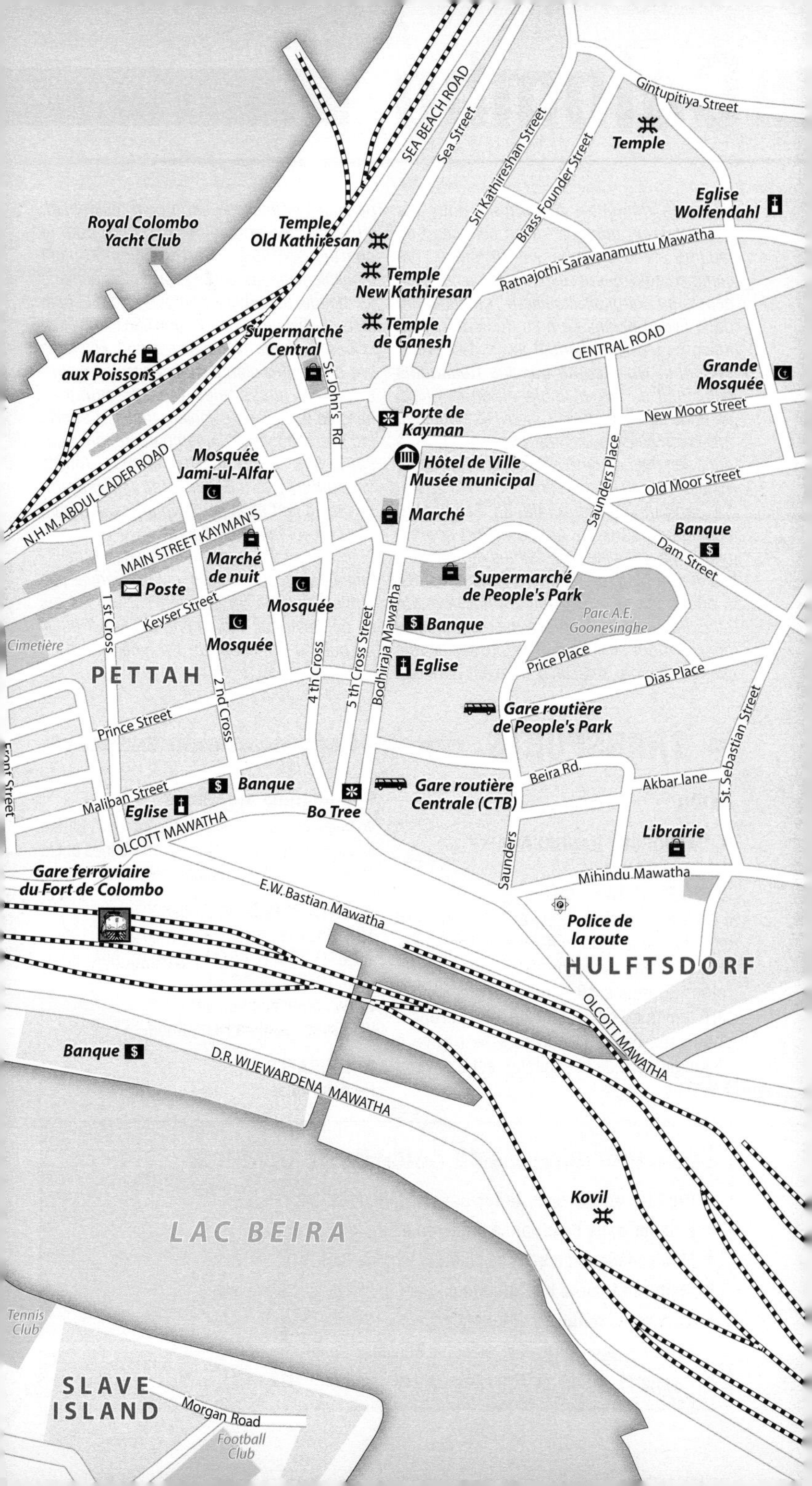

Royal Colombo Yacht Club
Temple Old Kathiresan
Temple New Kathiresan
Temple de Ganesh
Supermarché Central
Marché aux Poissons
SEA BEACH ROAD
Sea Street
Sri Kathireshan Street
Brass Founder Street
Gintupitiya Street
Temple
Eglise Wolfendahl
Ratnajothi Saravanamuttu Mawatha
CENTRAL ROAD
Grande Mosquée
New Moor Street
Old Moor Street
St. John's Rd
Porte de Kayman
Hôtel de Ville Musée municipal
Marché
Mosquée Jami-ul-Alfar
N.H.M. ABDUL CADER ROAD
MAIN STREET KAYMAN'S
Marché de nuit
Poste
Keyser Street
Mosquée
Mosquée
Cimetière
PETTAH
1st Cross
2 nd Cross
4 th Cross
5 th Cross Street
Bodhiraja Mawatha
Supermarché de People's Park
Banque
Eglise
Saunders Place
Banque
Dam Street
Parc A.E. Goonesinghe
Price Place
Dias Place
Gare routière de People's Park
St. Sebastian Street
Prince Street
Front Street
Maliban Street
Banque
Eglise
OLCOTT MAWATHA
Bo Tree
Gare routière Centrale (CTB)
Beira Rd.
Akbar lane
Saunders
Librairie
Mihindu Mawatha
Gare ferroviaire du Fort de Colombo
E.W. Bastian Mawatha
Police de la route
HULFTSDORF
OLCOTT MAWATHA
Banque
D.R. WIJEWARDENA MAWATHA
Kovil
LAC BEIRA
Tennis Club
SLAVE ISLAND
Morgan Road
Football Club

Colombo

Kolomba désignait à l'origine pour les Cinghalais un manguier avec beaucoup de feuilles : le kola-amba. Au XIIe siècle, les commerçants maures expédiaient la cannelle depuis un comptoir installé à l'embouchure de la rivière Kelani. Le nom de ce port était Kelanitota, puis Kolontota avant de devenir Kalambu. On raconte que les Hollandais choisirent de forger le blason de la ville à partir du manguier feuillu auquel ils ajoutèrent une colombe dans les branches. Colombo tire donc son nom de différentes origines, encore visibles selon les quartiers.

La capitale commerciale du Sri Lanka, considérée dans les années 1960 comme une « des villes les plus calmes du monde » par André Malraux dans ses Antimémoires, a bien changé. C'est aujourd'hui une cité étendue, voire tentaculaire avec ses quinze quartiers qui ne font que repousser la ville plus loin encore. Chacun d'entre eux offre une perspective nouvelle, là le coin résidentiel, ici le marché populaire, de l'autre côté le quartier spirituel... Certes Colombo n'est probablement pas la ville la plus passionnante au monde, et certainement pas du Sri Lanka. Mais elle bouge, active comme une fourmillière la journée, toute silencieuse la nuit. Elle mêle ses différentes composantes avec bonheur : traditions ancestrales (ses magnifiques temples !), vestiges coloniaux (hôtels, Cargills, etc.) ou modernité contemporaine (ah, pour ça, le Fort est le quartier idéal !). Toutes ces cultures et influences se rencontrent, se mélangent sans se choquer ou se perdre dans ce contact pour autant.

Et si la capitale, en apparence à des années-lumière du reste du pays, est un premier pas original dans le Sri Lanka, c'est un pas qui se déguste, car finalement, oui, c'est aussi un peu ça Colombo, un Sri Lanka haut en couleurs.

TRANSPORTS

Avion

■ **L'AÉROPORT BANDARANAIKE INTERNATIONAL**
✆ 225 28 61/28 67/55 55
Il est situé à Katunayake, à 31 km au nord de Colombo et à 8 km au sud de Negombo. N'oubliez pas de reconfirmer votre vol de retour au moins 48 heures à l'avance. Le tarif en taxi, entre la ville et l'aéroport situé près de Negombo (qui se trouve à 15 km au nord de la capitale), est d'environ 1 500 Rs.

Compagnies aériennes

Voici les compagnies desservant le Sri Lanka à partir de la France. SriLankan Airlines est la seule compagnie proposant des vols directs.

■ **CATHAY PACIFIC AIRWAYS**
186, Vauxhall Street, Colombo 2
✆ (011) 233 41 45/47 – 230 02 95
Fax : (011) 230 55 46
www.cathaypacific.com
Vols avec escale à Hong Kong.

■ **EMIRATES**
Hemas House

Les immanquables de Colombo et sa région

- **Prendre un verre sur la terrasse** historique du Galle Face Hotel.
- **Plonger dans l'ambiance bigarrée** du marché de Pettah.
- **Flâner délicieusement** au cœur de Victoria Park.
- **Visiter le temple bouddhiste** de Gangaramaya, sur Slave Island.
- **Admirer le temple de Makala** situé sur le Beira Lake.
- **Faire un tour culturel** au National Museum.
- **Casser la croûte** au très couru Gallery Cafe.

75, Braybrooke Place, Colombo 2
✆ (011) 471 65 65/66
✆ 230 02 00 – Fax : (011) 230 02 19
www.emirates.com
Vols non directs, escale à Dubaï ou Singapour.

■ **ISLAND AVIATION**
81, York Street, Colombo 1
✆ (011) 34 22 91 – www.island.com.mv
Environ dix vols quotidiens relient l'île aux Maldives.

■ **KUWAIT AIRWAYS**
Ceylinco House, 69, Janadhpathi Mawatha, Colombo 1 ✆ (011) 244 55 31/33
Fax : (011) 243 05 83
www.kuwait-airways.com
Paris-Colombo avec un arrêt à Koweït City.

■ **MALAYSIA AIRLINES**
Hemas Air Services, 81 York Street, Colombo 1 ✆ (011) 234 22 91
Fax : (011) 234 22 95
www.malaysiaairlines.com
Compagnie desservant Colombo via Kuala Lumpur.

■ **MARTIN AIR**
Equity One Building, 6e étage, 65 C, Dharmapala Mawatha, Colombo 7
✆ (011) 243 97 47/57
Fax : (011) 243 97 66
www.martinair.com
Compagnie hollandaise reliant Colombo depuis Amsterdam.

■ **PAKISTAN INTERNATIONAL AIRLINES**
342, Galle Road, Colombo 3
✆ (011) 257 34 75/50 52
Fax : (011) 257 68 80 – www.piac.com.pk
Vols pour Colombo avec escale à Karachi au départ de Paris.

■ **QATAR AIRWAYS**
EML Building, W.A.D. 61, Ramanayake Mawatha, Colombo 2 ✆ (011) 230 01 95/8
Fax : (011) 230 04 07
www.qatarairways.com
Dessert la France et le Sri Lanka par Doha. Bon à savoir, il faut passer par une agence, impossible de réserver un billet par Internet au départ du sol français.

■ **ROYAL JORDANIAN AIRLINES**
40 A, Kumaratunga Munidasa Mawatha, Colombo 3 ✆ (011) 230 16 21/3
Fax : (011) 230 16 20 – www.rja.com.jo
Escale à Amman.

■ **SAUDI ARABIAN AIRLINES**
466, Galle Road, Colombo 3
✆ (011) 257 72 41 – Fax (011) 257 72 41
www.saudiairlines.com
Vol non direct via Doha, non réservable par Internet.

■ **SINGAPORE AIRLINES**
315, Vauxhall Street, Colombo 2
✆ (011) 230 07 57/30 07 50
Fax : (011) 230 07 56
www.singaporeair.com
Escale à Singapour.

■ **SRI LANKAN AIRLINES**
East Tower, World Trade Center, Echelon Square, Colombo 1
✆ (011) 73 55 55. Réservations
✆ 42 11 61. Confirmation ✆ 73 55 00
www.srilankan.aero
Seule compagnie proposant des vols directs depuis la France, elle possède des agences partout dans le pays, même dans les villages les plus reculés.

■ **THAÏ AIRWAYS INTERNATIONAL**
200, Union Place, Colombo 2
✆ (011) 230 71 00/11
Fax : (011) 230 71 11 – www.thaiair.com
Dessert Colombo par Bangkok. Intéressant pour ceux qui souhaitent découvrir la Thaïlande au passage, car le détour est plutôt important.

Autres compagnies présentes

Adresses utiles pour ceux qui désirent prolonger leur voyage vers d'autres rives.

■ **AEROFLOT**
7 A, Sir Ernest de Silva Mawatha, Colombo 7 ✆ (011) 267 12 01/3
Fax : (011) 267 12 05 – www.aeroflot.com
Compagnie russe.

■ **AIR CANADA**
06-02, East Tower, World Trade Center, Echelon Square, Colombo 1
✆ (011) 234 60 30 – www.aircanada.com

■ **AIR FRANCE (PLUS KLM, MARTIN AIR)**
Equity One Building, 4e étage, 65 C, Dharmapala Mawatha, Colombo 7
✆ (011) 243 97 47/05
Fax : (011) 243 97 66 – 244 50 35
www.airfrance.fr

■ **AIR INDIA**
108, Sir Baron Jayatilaka Mawatha, Colombo 1 ✆ (011) 232 58 32
www.airindia.com
Utile pour planifier un voyage à partir de l'Inde.

■ **BALKAN BULGARIAN AIRLINES**
321, Union Place, Colombo 2
✆ (011) 230 48 16/20
Fax : (011) 230 27 78 – www.aviation.bg

■ **BIMAN BANGLADESH AIRLINES**
4, Mil Post Avenue, Colombo 3
✆ (011) 256 53 91/4
Fax : (011) 256 53 90
www.bimanair.com

■ **BRITISH AIRWAYS (PLUS QANTAS AIRWAYS)**
Trans-Asia Hotel, 115, Sir Chittampalam A. Gardiner Mawatha, Colombo 2
✆ (011) 232 02 31
www.britishairways.com

■ **CHINA AIRLINES**
21, Janadhipathi Mawatha, Colombo 1
✆ (011) 242 49 73/4
Intéressant pour une partie de l'Asie seulement, peu de destinations.

■ **CONTINENTAL AIRLINES**
Mêmes coordonnées que China Airlines
www.continental.com

■ **DELTA AIRLINES**
45, Janadhipathi Mawatha, Colombo 1
✆ (011) 233 87 34 – Fax : (011) 242 44 90 www.delta.com

■ **GULF AIR**
11, York Street, Colombo 1
✆ (011) 234 78 57/46 62
Fax : (011) 244 76 27
www.gulfairco.com

■ **INDIAN AIRLINES**
Bristol Complex, 4, Bristol Street, Colombo 1
✆ (011) 32 31 36/98 38/32 68 44
Fax : (011) 44 55 34
Indian Airlines ne dessert que le continent asiatique.

■ **JAPAN AIRLINES**
EML Building, W.A.D. 61, Ramanayake Mawatha, Colombo 2 ✆ (011) 230 03 15/8
Fax : (011) 243 97 66 – www.jal.co.jp
Couvre les Maldives (en plus des cinq continents).

■ **KLM**
Equity One Building, 6e étage, 65 C, Dharmapala Mawatha, Colombo 7
✆ (011) 243 97 47/57
Fax (011) 243 97 66 – www.klm.com
Le réseau Skyteam dont fait partie KLM permet de relier Colombo via Amsterdam : c'est Martin Air qui prend le relais à partir des Pays-Bas.

■ **KOREAN AIR**
7e étage, East Tower, World Trade Center, Echelon Square, Colombo 1
✆ (011) 244 97 73 – 242 26 86
Fax (011) 244 94 08 – www.koreanair.com

■ **LTU INTERNATIONAL AIRWAYS**
11 A, York Street, Colombo 1
✆ (011) 242 44 83/6
Fax : (011) 244 08 61 – www.ltu.com
Vols pour Colombo à partir de l'Allemagne. Disponibles uniquement de début mai à fin octobre.

Train

La gare principale est Colombo Fort, qui se trouve au cœur du quartier de Pettah. De là partent la plupart des trains à destination des principales villes du pays. Certains trains partent de la gare de Maradana. Sauf exception, auquel cas ce sera mentionné, tous les départs sont quotidiens.

▶ **Renseignements** ✆ (011) 243 58 38. Guichets de Colombo Fort ✆ (011) 243 42 15. Ouvert de 8h30 à 15h30.

Anuradhapura

▶ **Train Express.** Départ : 4h30. Durée : 4 heures.

▶ **Train n° 77.** Yaldeve. Départ : 5h45. Durée : 4 heures et demie.

▶ **Train Express.** Départ : 10h40. Durée : 4 heures.

▶ **Train Inter City Express.** Départ : 14h05. Durée : 5 heures.

▶ **Train n° 96 vers Vavuniya.** Express. Départ : 15h45. Durée : 4 heures.

▶ **Train de nuit n° 89 vers Vavuniya.** Départ : 21h30. Durée : 5 heures et 15 minutes.

Badulla

▶ **Train n° 5.** Podi Menike. Départ : 5h55. Via Kandy. Durée : 10 heures et demie.

▶ **Train n° 15.** Udarata Menike Départ : 9h45. Durée : 8 heures et 20 minutes.

▶ **Train de nuit n° 45.** Départ :19h40. Durée : 10 heures et 50 minutes.

▶ **Train de nuit n° 47.** Départ : 22h. Durée : 10 heures et 45 minutes.

Galle

Départs à 7h10, 9h, 10h30, 16h, 17h pour Galle via Hikkaduwa.

▶ **Train n° 56. Gaalu Kumari.** Départ : 14h05. Durée : 4 heures et 10 minutes. Du lundi au vendredi seulement.

▶ **Train n° 94. Inter City Express.** Départ : 16h45. Via Hikkaduwa. Durée : 2 heures et demie.

Hatton

▶ **Train n° 23.** Express. Départ : 12h40. Durée : 7 heures et 20 minutes.

Hikkaduwa

Départs à 7h10, 9h, 10h30, 16h, 17h pour Galle via Hikkaduwa.

▶ **Train n° 94. Inter City Express.** Départ : 16h45. Durée : 2 heures et 7 minutes.

Kandy

▶ **Train Inter City Express.** Départ : 5h55. Durée : 2 heures et demie.

▶ **Train n° 9. Inter City Express** (avec Observation Saloon). Départ : 7h. Durée : 2 heures et 35 minutes.

▶ **Train Inter City.** Départ : 12h40. Durée : 3 heures et demie.

▶ **Train n° 29. Inter City Express** (avec Observation Saloon). Départ : 15h25. Durée : 2 heures et demie.

▶ **Train n° 35. Express.** Départ : 16h45. Durée : 3 heures.

Matale

▶ **Train n° 19. Express.** Départ : 10h30. Durée : 6 heures.

Matara

▶ **Train n° 86. Rajarata Rajini.** Départ : 10h30. Durée : 3 heures et 45 minutes.

▶ **Train n° 58. Ruhunu Kumari.** Départ : 15h35. Durée : 3 heures et demie.

Negombo

16 départs par jour dans les deux sens. Trains depuis Colombo Fort. Durée : une heure et demie.

Nuwara Eliya

(Nanu Oya, pas de station ferroviaire à N-E)

▶ **Train Express.** Départ : 5h55. Durée : 7 heures.

▶ **Train Inter City Express** (avec Observation Saloon). Départ : 9h45. Durée : 8 heures.

Polonnaruwa (Gal Oya)

▶ **Train n° 81 pour Trincomalee.** Express. Départ : 6h15. Durée : 7 heures.

▶ **Train Express.** Départ : 8h45. Durée : 6 heures et demie.

▶ **Train Inter City Express** (avec Observation Saloon). Départ : 19h15. Durée : 6 heures.

▶ **Train de nuit.** Départ : 22h30. Durée : 8 heures et demie.

Trincomalee

▶ **Train n° 81.** Express. Départ : 6h15. Durée : 8 heures. Via Polonnaruwa.

▶ **Train Express.** Départ : 8h45. Durée : 7 heures et demie.

▶ **Train de nuit.** Départ : 22h. Durée : 8 heures et demie.

▶ **Train de nuit.** Départ : 22h30. Durée : 10 heures et 15 minutes.

Vavuniya

▶ **Train n° 77.** Yaldeve. Départ : 5h45. Durée : 6 heures. Via Anuradhapura.

▶ **Train n° 85.** Rajarata Rajini. Départ : 14h. Durée : 6 heures et demie.

▶ **Train n° 96. Express.** Départ : 15h55. Durée : 4 heures et 45 minutes. Via Anuradhapura.

▶ **Train de nuit n° 89.** Départ : 21h30. Durée : 7 heures. Via Anuradhapura.

▶ **Le Vice-Roy Special** permet de parcourir l'intérieur et le sud du pays dans un luxueux train à vapeur britannique (le seul encore en activité dans le pays) datant des années 1930. Traversant de pittoresques paysages par une route inaccessible aux voitures, il offre une perspective originale sur le Sri Lanka. Confort et souvenirs assurés. Bar, restaurant, lounge pour fumeurs, etc. *Pour tout renseignement et réservation : J.F. Tours and Travels (Ceylon) Ltd. 189, Bauddhaloka Mawatha, Colombo 4.*

Location de véhicules

Nous déconseillons formellement de louer une voiture sans chauffeur, la conduite étant vraiment dangereuse si l'on ne connaît pas les us et coutumes du pays. Si vous restez dans l'agglomération de Colombo, louez un taxi à la journée (*voir ci-dessous*) sinon, louez une voiture avec chauffeur pour 2 500 Rs à 3 000 Rs par jour en vous adressant à n'importe quel hôtel ou agence de voyages.

■ **AUTO ESCAPE**
✆ 0 800 920 940 appel gratuit en France
✆ 33 (0)4 90 09 28 28
www.autoescape.com
Une formule nouvelle et économique pour la location de voitures. Un broker qui propose les meilleurs tarifs parmi les grandes compagnies de location. Cette compagnie qui loue de gros volumes de voitures obtient des remises substantielles qu'elle transfère à ses clients. Payez le prix des grossistes pour le meilleur service. Pas de frais de dossier, pas de frais d'annulation.

Taxi

On en trouve près des grands hôtels ou en téléphonant : Kangaroo, 91, Galle Road, Colombo 4 ✆ (011) 250 28 88/15 02 ou GNTC 811/1, Sirimavo Bandaranaike Maw, Colombo 14 ✆ (011) 268 86 88. Prix : 38 Rs/km, plus 240 Rs/heure. Après 40 km dans le district de Colombo, 40 % de réduction.

Three-wheelers

Ils sont bien pratiques pour faire le tour de la ville mais aussi très chers sur Colombo. A éviter si possible, de nombreux bus sillonnent la ville.

PRATIQUE

▶ Indicatif téléphonique : 011.

Ambassades

■ **AMBASSADE DE FRANCE**
89, Rosmead Place, Colombo 7
✆ (011) 269 88 15/ 97 50/52
Numéro d'urgence : ✆ 267 42 40
www.ambafrance.lk

■ **AMBASSADE DE SUISSE**
63, Gregory's Road, Colombo 7
✆ (011) 269 51 17

■ **HAUT COMMISSARIAT DU CANADA**
6, Gregory's Road, Colombo 7
✆ (011) 269 58 41

■ **HAUTE DÉLÉGATION DE L'INDE**
36-38, Galle Road, Colombo 3
✆ (011) 242 16 05

■ **HAUTE DÉLÉGATION DES MALDIVES**
23, Kaviratne Place, Pamankade, Colombo 6 ✆ (011) 258 67 62

Office du tourisme

■ **CEYLON TOURIST BOARD**
80, Galle Road, Colombo 3 (en face de l'hôtel Lanka Oberoi) ✆ (011) 243 70 59
www.srilankatourism.org
Ouvert du lundi au vendredi de 9h à 16h45 et le samedi de 9h à 12h. Pas beaucoup de renseignements, quelques cartes… Il propose gratuitement le guide Travel Lanka qui offre des informations intéressantes, comme le planning des trains, bus ou avions, mais les établissements hôteliers doivent financer leur présence dans le guide, ce qui rend ces renseignements assez peu fiables.

Agences de voyages

La concurrence fait rage entre tour-opérateurs et agences de voyages. La plupart se valent mais en vous renseignant avant votre départ auprès d'associations de voyageurs comme ABM ou sur place en écoutant le bouche-à-oreille, vous arriverez à vous faire une opinion parmi les multiples offres. La liste qui suit n'est pas exhaustive.

■ **ACME TRAVELS**
246, Park Road, Colombo 5
✆ (011) 452 75 75 – ✆ 255 45 38
Fax : (011) 255 45 39
www.acmetravels.com
acmsl@sri.lanka.net
Cette petite agence, qui fut notre partenaire pour ce guide, privilégie (entre autres choses) le relationnel avec les clients. Les chauffeurs ne se bornent pas à conduire très prudemment mais se révèlent d'agréables compagnons de voyage, discrets et attentifs. L'agence, présente en Inde, aux Maldives et au Népal, a l'habitude des groupes et des voyageurs

francophones et pourra vous constituer des itinéraires à la carte.

■ **VISIT LANKA LTD**
504-4F, Nawala Road
✆ (011) 287 87 49/89
Fax : (011) 239 18 03
visitlanka@sltnet.lk
Nihal parle français et vous organisera un séjour personnalisé avec son équipe.

■ **LETS TRAVEL (PVT) LTD.**
64, Lotus Road, Colombo 1
✆ (011) 473 62 62/63
Fax : (011) 239 22 95
request@letstravel.lk – www.letstravel.ch

■ **CONNAISSANCE DE CEYLAN**
10e étage, East Tower, World Trade Center, Colombo 1 ✆ (011) 476 78 00
www.connaissance.lk
C'est l'une des structure les plus importantes du Sri Lanka, consacrée à l'exploration touristique de l'île, également à destination des voyageurs francophones.

■ **THOMAS COOK TRAVEL BUREAU**
15, Baron Jayatilaka Mawatha, Colombo 1
✆ (011) 244 59 71 – Fax : (011) 243 65 33
C'est surtout une agence spécialisée dans le voyage de groupe. Le service est efficace mais moins personnalisé que dans les agences citées précédemment.

■ **JETWING TRAVELS**
46-26, Navam Mawatha, Colombo 2
✆ (011) 234 57 00
Fax : (011) 234 57 25 – www.jetwing.net
C'est assez cher et plutôt réservé aux clients fortunés. Leurs hôtels, en revanche, valent vraiment le détour, et un séjour organisé par leurs soins vous permettra de goûter à un luxe sans fausse note à un tarif préférentiel.

■ **LION ROYAL**
45, Braybrook Street, Colombo 2
✆ (011) 471 59 96
www.lionroyaltourisme.com
Une des meilleures adresses francophones au service attentif et aux prix raisonnables. Demandez Nilhan ou Virginia, ils composeront votre séjour sur mesure selon vos désirs. Très bonne agence !

■ **PARADISE HOLIDAYS**
160/2, Bauddhaloka Mawatha, Colombo 4
✆ (011) 259 10 94/434 01 85
Fax : (011) 250 21 10.
On y parle français.

■ **WALKERS TOURS**
130, Glennie Street, Colombo 2
✆ (112) 306 517/410
Fax : (112) 447 087/449 659
www.walkerstours.com
dilshanw@walkerstours.com amilaa@walkerstours.com
Avec une expérience de plus de 30 ans dans le tourisme, Walkers Tours est aujourd'hui le réceptif le plus important au Sri Lanka.

Argent

Toutes les banques possèdent des distributeurs automatiques (ATM) – ne les cherchez pas dehors, ils sont toujours situés à l'intérieur des agences, même fermées – où l'on peut retirer des roupies avec la carte Visa. Pour la MasterCard, il vous faudra repérer rapidement les Commercial et autres Sampath Banks. Pas de souci à Colombo où les banques fleurissent à chaque coin de rue, attention cependant dès que vous quittez la capitale.

■ **AMERICAN EXPRESS**
104, Dharmapala Mawatha, Colombo 7
✆ (011) 63 12 16
De 9h à 17h, samedi de 9h30 à 12h30, fermé le dimanche.

■ **BANK OF CEYLON**
York Street, Colombo 1 ✆ (011) 242 27 30

■ **COMMERCIAL BANK**
98, York Street, Colombo 1
www.combank.net

■ **HATTON NATIONAL BANK**
16, Janadhipathi Mawatha, Colombo 1
✆ (011) 242 14 66

■ **HONG KONG & SHANGHAI BANK**
24, Sir Baron Jayatillake Mawatha, Colombo 1 ✆ (011) 274 51 15 00

■ **PEOPLE'S BANK**
Sir Chittampalam A. Gardiner Mawatha, Colombo 2 ✆ (011) 232 78 41

■ **SAMPATH BANK LTD**
55, D.R. Wijewardena Mawatha, Colombo 10 ✆ (011) 244 82 91

Poste

■ **GENERAL POST OFFICE**
Janadhipathi Mawatha, Colombo 1
✆ (011) 232 62 03
Ouvert tous les jours. Poste restante de 8h à 17h.

■ **CENTRAL MAIL EXCHANGE**
D.R.Wijewardena Mawatha, Colombo 10
✆ (011) 232 62 03

Téléphone

On trouve de très nombreux *Communication Centres* sur Galle Road, Union Place et dans le quartier du Fort où l'on peut téléphoner dans le monde entier. On les repère facilement à leurs enseignes IDD (International Direct Dialing). Pour la France, le tarif est généralement de 60 Rs la minute.

Internet

On en trouve partout, en particulier vers le quartier de Pettah ou encore tout le long de Galle Road, à partir du Galle Face Hotel vers le sud ; c'est là que l'on trouvera les meilleurs prix, entre 50 et 80 Rs de l'heure. Petite astuce de plus : pour ceux qui ne souhaitent pas rester longtemps en ligne, il est parfois plus intéressant de choisir un cybercafé à 100 Rs l'heure sécable plutôt qu'une connexion moins chère mais où l'heure entamée est due. Pensez donc à poser la question avant de vous installer.

Santé

Service médical fonctionnant dans tous les grands hôtels. Un grand nombre d'hôpitaux sont ouverts 24h/24 ; on trouve également des cliniques à chaque coin de rue et plusieurs établissements hospitaliers pratiquant la médecine ayurvédique.

Hôpitaux publics

■ **AYURVEDA GENERAL HOSPITAL**
Colombo 8 ✆ (011) 269 58 55

■ **COLOMBO NORTH HOSPITAL**
Ragama ✆ (011) 295 92 61

■ **COLOMBO SOUTH HOSPITAL**
Kalubowila, Dehiwela ✆ (011) 276 32 61

■ **EYE HOSPITAL**
Deans Road, Colombo 10
✆ (011) 269 39 11/5

■ **GENERAL HOSPITAL**
10, Regent Street, Colombo 8
✆ (011) 269 11 11

■ **SRI JAYAWARDENEPURA HOSPITAL**
Talapathpitiya, Nugegoda
✆ (011) 277 86 10/12

Hôpitaux et cliniques privés

■ **ASHA CENTRAL HOSPITAL**
Horton Place, Colombo 7
✆ (011) 269 64 12
www.ashacentral.com

■ **ASIRI HOSPITALS LIMITED**
181, Kirula Road, Colombo 5
✆ (011) 250 06 08/12

■ **ASIRI MEDI-CALLS**
26, Clifford Av., Colombo 3
✆ (011) 257 54 75
Ambulances et soins à domicile 24h/24.

■ **A & A INTERNATIONAL OPTICIANS**
100, Bullers Road, Colombo 4
✆ (011) 259 54 13

■ **DURDANS HOSPITAL**
3, Alfred Place, Colombo 3
✆ (011) 257 54 03
24h/24.

■ **NAWALOKA HOSPITALS LIMITED**
23, Sri Saugathodaya Mawatha, Colombo 2
✆ (011) 254 44 44

■ **OSUHALA**
255, Union Place, Colombo 2
✆ (011) 269 47 16

▶ **Liste des établissements conseillés** par le ministère des Affaires étrangères français sur www.ambafrance.lk/consulat/medecin.htm

Les quartiers de Colombo

- **1 :** The Fort.
- **2 :** Slave Island / Kompannaveediya.
- **3 :** Colpetty / Kollupitiya.
- **4 :** Bambalapitiya.
- **5 :** Havelock Town.
- **6 :** Wellawatte.
- **7 :** Cinnamon Gardens.
- **8 :** Borella.
- **9 :** Dematagoda.
- **10 :** Maradana.
- **11 :** Pettah.
- **12 :** Hultsdorf.
- **13 :** Kotahena.
- **14 :** Grandpass.
- **15 :** Mutwal.

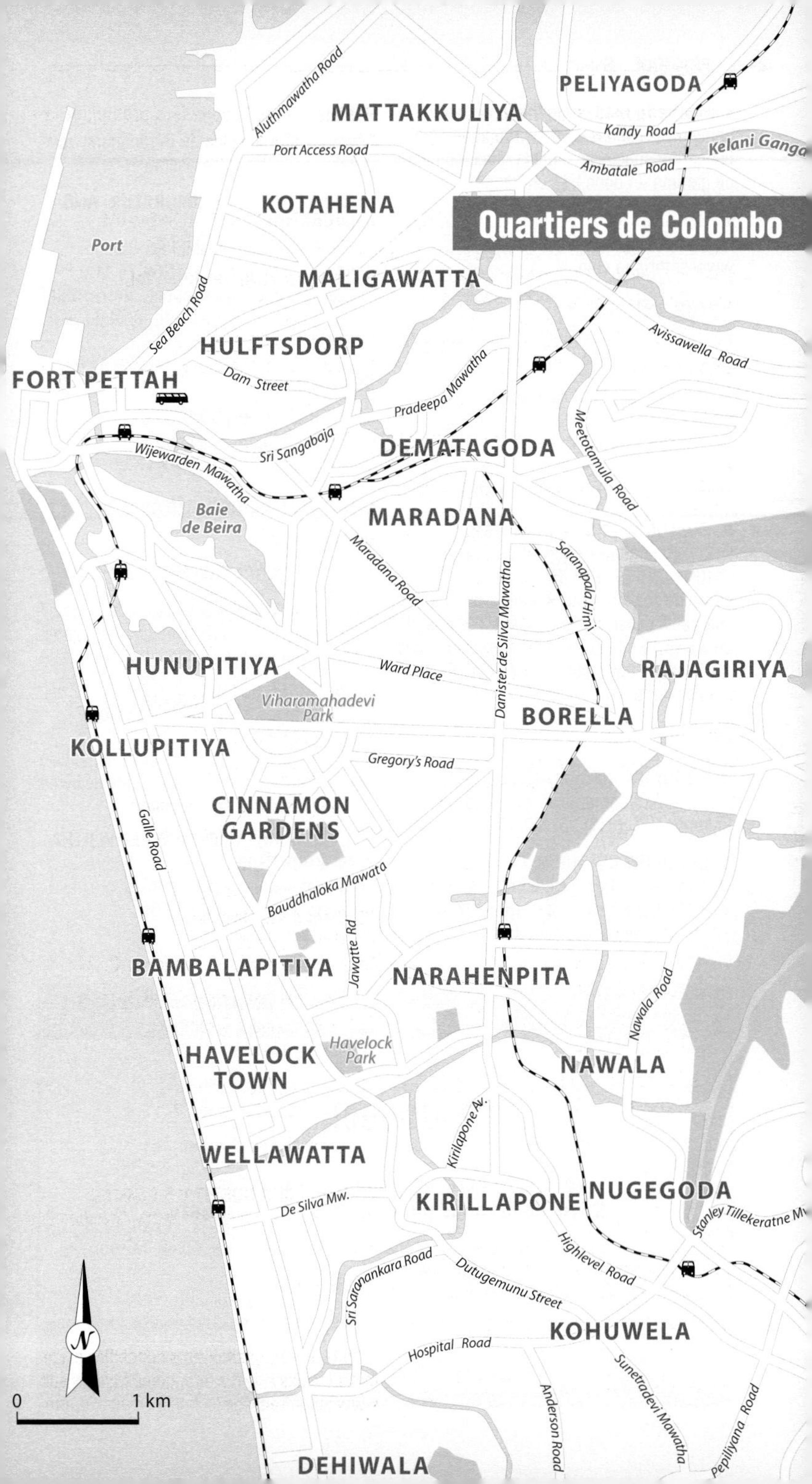
Quartiers de Colombo
PELIYAGODA
MATTAKKULIYA
Aluthmawatha Road
Kandy Road
Kelani Ganga
Port Access Road
Ambatale Road
KOTAHENA
Port
MALIGAWATTA
Sea Beach Road
HULFTSDORP
Avissawella Road
FORT PETTAH
Dam Street
Pradeepa Mawatha
Meetotamula Road
Sri Sangabaja
DEMATAGODA
Wijewarden Mawatha
Baie de Beira
MARADANA
Maradana Road
Saranapala Himi
Danister de Silva Mawatha
HUNUPITIYA
Ward Place
RAJAGIRIYA
Viharamahadevi Park
BORELLA
KOLLUPITIYA
Gregory's Road
CINNAMON GARDENS
Galle Road
Bauddhaloka Mawata
Jawatte Rd
BAMBALAPITIYA
NARAHENPITA
Nawala Road
Havelock Park
HAVELOCK TOWN
NAWALA
Kirilapone Av.
WELLAWATTA
NUGEGODA
De Silva Mw.
KIRILLAPONE
Stanley Tillekeratne Mw
Sri Saranankara Road
Highlevel Road
Dutugemunu Street
KOHUWELA
Hospital Road
Sunetradevi Mawatha
Anderson Road
Pepiliyana Road
0
1 km
DEHIWALA

Ayurveda : si l'on souhaite connaître la douceur des massages ayurvédiques, voici un institut spécialisé dans la relaxation haut de gamme (et donc très onéreuse) :

HERBAL LIFE
17 A Deal Place A, Colombo 3
www.sethruma.com

Parcs nationaux

Pour tout renseignement et réservation de bungalows, adressez-vous aux :

DEPARTMENT OF WILDLIFE CONSERVATION
18, Gregory's Road, Colombo 7
✆ (011) 269 80 86
Ouvert du lundi au vendredi de 9h à 16h45.

CULTURAL TRIANGLE OFFICE
212/1, Bauddhaloka Mawatha, Colombo 7
✆ (011) 250 07 33/58 79 12
Vente de forfaits pour les sites du Triangle culturel. A conseiller fortement si l'on compte en faire ne serait-ce que deux : forfait à 40 $, alors que l'entrée à Anura, Polo ou Sigiriya coûte 20 $.

Bouddhisme

BUDDHIST INFORMATION CENTRE
50, Ananda Coomaraswamy Mawatha, Colombo 7 ✆ (011) 257 32 85

BUDDHIST CULTURAL CENTRE
125, Anderson Road, Nedimala, Dehiwala
✆ (011) 272 62 34 – Fax : (011) 273 67 37 International Buddhist Library.

Visas

Si vous séjournez plus de trente jours, vous devez renouveler votre visa au :

DEPARTMENT OF EMIGRATION AND IMMIGRATION
Tower Building, Bambalapitiya Station Road, Colombo 4 ✆ (011) 259 75 11
Présentez votre passeport, votre billet d'avion et une carte de crédit. Coût du visa : 2 389 Rs.

Sécurité

POLICE TOURISTIQUE
Fort Police Station, Colombo 1
✆ (011) 43 33 42/32 69 41/11 11

Librairies et bibliothèques

BAREFOOT
704, Galle Road, Colombo 3
✆ (011) 258 93 05
Un des endroits les plus tendance de Colombo recèle une jolie librairie avec un grand choix d'œuvres en anglais.

PARADISE ROAD
213, Dharmapala Mawatha, Colombo 7
✆ (011) 268 60 43
Ce lieu très chic (et cher, cela va sans dire) propose une collection intéressante de livres sur le Sri Lanka et son artisanat.

LAKE HOUSE BOOK SHOP ET VIJITHA YAPA BOOKSHOP
Elles sont situées sur Galle Road, Colombo 3 ✆ (011) 259 69 60
vijiyapa@sri.lanka.net

Une des meilleures bibliothèques sur les questions ethniques ou sur le droit des femmes est celle de l'International Centre for Ethnic Studies, situé au 2, Kynsey Terrace, Colombo 7 ✆ (011) 269 80 48 – Fax (011) 269 66 18 – icscmb@sri.lanka.net – Ouverte du lundi au vendredi de 9h à 17h.

■ **LA COLOMBO PUBLIC LIBRARY**
Ouverte de 8h à 16h30 et fermée le mercredi. C'est un autre lieu agréable pour se cultiver à faible coût (*10 Rs l'entrée*).
Sur Marcus Fernando Mawatha,
Colombo 7
✆ (011) 269 61 56

ORIENTATION

La ville de Colombo s'étire sur un axe nord-sud, le long de l'océan Indien que longe Galle Road sur une douzaine de kilomètres. L'agglomération est divisée en quinze arrondissements correspondant à des secteurs postaux, mais le touriste aura tout intérêt à retenir surtout le nom des différents quartiers. Du nord au sud, on trouve l'ancien quartier colonial près du port avec The Fort où est située la gare et le grand marché de Pettah. Plus au sud, on trouve Slave Island, entre la mer et le lac de Beira, où sont situées la plupart des banques et des administrations. Un peu plus au sud, mais à l'écart du bord de mer se trouve Cinnamon Gardens, le quartier résidentiel ponctué d'un grand nombre de restaurants. En poursuivant vers le sud, on rencontre les quartiers de Kollupitiya et Bambalapityia, plus populaires et commerçants.
Ensuite, Havelock Town et Wekkawata concentrent des habitations relativement modestes en bord de mer et des centres commerciaux modernes à l'est de Galle Road.

HÉBERGEMENT

Colombo n'est pas vraiment l'endroit idéal pour séjourner si l'on a un budget serré. Le choix d'hébergements y est restreint et l'on y trouve peu d'établissements agréables en dehors des grands hôtels.

Bien et pas cher

Comptez de 800 Rs à 1 200 Rs pour une chambre double. Difficile de trouver moins, mais on peut toujours essayer de négocier.

■ **COLOMBO HOUSE**
26, Charles Place, Off Bogotelle Road,
Colombo 1
✆ (011) 257 49 00
Fax : (011) 257 49 01
Une bonne adresse, dans une maison coloniale avec jardin, dans le quartier résidentiel très recherché de Cinnamon Gardens. Les trois chambres (3 125 Rs, 3 625 Rs) – pensez à réserver à l'avance – sont simples avec moustiquaire et ventilo. Prix raisonnables pour la capitale, mais attention à ne pas confondre avec l'Apa Colombo House, aux tarifs autrement plus élevés.

■ **LAKE LODGE**
20, Alvis Terrace, près du terrain de sports de Kollupitiya
✆ (011) 232 64 43 – Fax : (011) 243 49 97
14 $ la double. Extérieur avenant mais chambres sans charme et mal aérées, pour dépanner uniquement.

■ **YWCA INTERNATIONAL**
393, Union Place, Colombo 1
✆ (011) 232 41 81
Comptez environ 1 000 Rs pour une chambre double avec salle de bains et ventilo. C'est un peu délabré, mais les vingt chambres sont prises d'assaut par filles et garçons et la véranda est agréable. L'accueil est en revanche exécrable.

■ **YWCA NATIONAL HEADQUARTERS**
7, Rotunda Gardens, Colombo 3
✆ (011) 323 498
Femmes et couples sont les bienvenus dans cet établissement, qui pratique les mêmes prix que le précédent. Il y a un joli jardin.

■ **HOTEL SANSU**
651/31, Sir Oliver Gunatilake Gardens,
Colombo 5
13 $ la chambre double pour cet hôtel sans charme mais correct pour ce prix.
Petit déjeuner inclus. Détail intéressant, la cuisine est à la disposition des clients.

Confort ou charme

■ **INDRA REGENT HOTEL**
383, R. A. De Mel Mawatha, Colombo 3
✆ (011) 257 7405/406 – Fax : 257 4931
www.indraregent.net
40 $ la chambre double et 6 $ le petit déjeuner. Hôtel soigné aux chambres très spacieuses dotées de tout confort, certaines manquent cependant un peu de luminosité. Coffee bar, restaurant thaï (Tu-Lips) avec bar, salle de billard, discothèque. L'accueil y est très chaleureux et le service impeccable.

■ **NIPPON HOTEL**
123, Kumaran Ratnam Road, Colombo 2
✆ (011) 243 18 87 – Fax : (011) 233 26 03
Comptez 30 $ pour une double climatisée et moitié moins cher avec ventilo. L'établissement est bien situé mais un peu vieillot malgré sa belle façade. Les chambres sont sans charme.

■ **RENUKA HOTEL**
328, Galle Road, Colombo 3
✆ (011) 257 73 45/35 98
Fax : (011) 257 41 37
www.renukahotel.com
65 $ pour une double, à ce tarif-là on conseille, et de loin, le Juliana. Hôtel séparé en deux bâtiments, dont une aile toute récente. Les chambres sont correctes, dotées de tout le confort, mais un peu petites vu le prix qui a doublé au passage. L'accueil est plutôt froid et la réception sombre.

■ **HOTEL JULIANA**
316, Galle Road, Colombo 3
A quelques mètres du précédent. Impossible à rater, la gigantesque façade de l'hôtel (qui ne comporte pourtant que 51 chambres) accueille royalement le visiteur. Accueil et sourire soignés, bar et lounge agréables. Les chambres y sont coquettes, spacieuses et très confortables. Les salles de bains sont grandes et l'on y trouve tout le confort. Un des meilleurs rapports qualité-prix de Colombo : 35 $ la chambre double.

Luxe

■ **GRAND ORIENTAL HOTEL**
2, York Street, Colombo 1
✆ (011) 232 03 91 – Fax (011) 244 76 40
Ce vieux palace 3-étoiles de la fin du XIXe siècle, où séjourna l'écrivain russe Tchekhov entre le 12 et le 18 novembre 1890 – comme le rappelle fièrement une plaque à la sortie de l'ascenseur principal –, a été rénové et propose des chambres standard sans véritable charme pour 65 $ la double. Beau panorama sur le port depuis le restaurant du dernier étage.

■ **CEYLON CONTINENTAL HOTEL**
48, Janadhipathi Mawatha
✆ (011) 242 12 21
Fax : (011) 244 73 26
www.colombocontinental.com
5-étoiles. A partir de 95 $ la chambre double. Premier établissement de première classe à Colombo, le CCH offre toujours un service et une prestation de qualité. Piscine, chambres avec vue et dotées de tout le confort, tout cela au cœur de la cité. Nombreux restaurants – corrects – et boutiques sur place.

■ **CINNAMON LAKESIDE (ANCIEN TRANS ASIA HOTEL)**
115, Sir Chittampalam A. Gardiner Mawatha, Colombo 2
✆ (011) 254 10 00
Fax (011) 244 91 84
transasiahotel.com
tah_asia@sri.lanka.net
Immense hôtel d'un très grand confort avec des chambres à partir de 150 $ la nuit. Beau jardin tropical, piscine gigantesque, nombreuses boutiques et excellents restaurants sur place. Profitez de The Library, le lounge-club-bibliothèque le plus couru de la capitale – www.johnkeells.com

■ **GALADARI HOTEL**
64, Lotus Road, Colombo 1
✆ (011) 254 45 44
Vous débourserez dans les 100 $. L'établissement est immense, les chambres fonctionnelles et confortables offrent toutes les commodités, et le personnel est très professionnel. Restaurants, boutiques et tous services à portée de main, dans le quartier des 5-étoiles de la capitale. On regrette le côté mpersonnel de ce 5-étoiles qui manque un peu de charme.

■ **CEYLON INTERCONTINENTAL**
48, Janadhipathi Mawatha
✆ (011) 242 12 21
www.colombocontinental.com
Entre 95 et 145 $ la chambre double, en sachant que l'espace est plutôt réduit pour ce prix. Cependant, vous aurez une grande et belle vue sur la mer. Accueil chaleureux dans ce 5-étoiles doté de toutes les commodités : piscine, squash, tennis, centre de fitness, Spa, boutiques, etc.

© AUTHOR'S IMAGE - MICKAEL DAVID

Colombo, maison coloniale

■ **GALLE FACE HOTEL**
2, Kollupitiya Rd
✆ (011) 254 10 10 – Fax : (011) 254 10 72
www.gallefacehotel.com
Construit en 1864, cet établissement situé sur le Galle Face Green et en bordure de l'océan Indien, n'a rien perdu du lustre colonial d'autrefois. Comptez entre 77 $ et 200 $ pour une chambre double toute de bois vêtue, mais attention, elles ne se valent pas toutes et certaines sont assez défraîchies. La vue sur la mer est splendide depuis la terrasse, on y déguste bien volontiers le brunch dominical. Vous pouvez prendre une bière au bord de la piscine (accès payant pour les non-résidents) en pensant aux personnages illustres qui vous ont précédé dans ces lieux : Philippe de Grèce, l'empereur Hirohito, Indira Gandhi, Yuri Gagarine, etc. Avec la peinture encore fraîchement appliquée, certaines chambres valent vraiment le détour (voir l'aile Galle Face Regency) mais sont également bien plus chères (la junior est à 160 $, mais on tourne plutôt de 300 à 400 $ la double).

■ **CINNAMON GRAND**
77, Galle Road, Colombo 3
✆ (011) 243 74 37 – Fax : (011) 244 92 80
www.cinnamonhotels.com
Comptez de 100 à 160 $ (avec petit déjeuner) selon le standing pour une chambre double. Anciennement Lanka Oberoi, puis Colombo Plaza, ce 5-étoiles offre aujourd'hui au visiteur des chambres impeccables sises dans un énorme building au cœur de la capitale. 600 chambres tout juste rénovées appellent à la sérénité et au calme malgré les bruits de la ville. A l'intérieur, la décoration et l'accueil sont irréprochables, chaque détail est minutieusement étudié. Piscine la plus grande de la ville, Spa ayurvédique, deux restaurants dont le Tao, au raffinement qui fait accourir toute la ville, discothèque, bar de nuit, coffee-shop, etc.

■ **HILTON COLOMBO**
2 Sir Chittampalam A. Gardiner Mawatha, Colombo 2
✆ (011) 266 27 69 – www.hiltonhotels.com
A partir de 211 $ la chambre double. C'est un hôtel de grande classe, offrant un style Art déco très soigné : les chambres proposent 30 m² de détente avec vue sur l'océan Indien ou le lac Beira. Le service, comme dans tous les 5-étoiles de la ville, est sans défaut. Les restaurants, situés dans l'hôtel, comptent parmi les meilleurs de la ville. On peut aller faire ses courses au World Trade Center, tout proche, ou se prélasser devant la cascade qui s'écoule en plein cœur de l'hôtel.

RESTAURANTS

Capitale oblige, Colombo offre un grand choix de gastronomies étrangères aussi bien que locales. Comptez autour de 500 Rs pour un bon repas, mais plus si vous commandez des vins étrangers. Pour à peine plus cher, vous pourrez aussi vous goinfrer aux buffets des grands hôtels. Attention, il vous faut ajouter à tous les prix mentionnés sur les cartes des restaurants 12,5 % de taxes gouvernementales plus 10 % de taxes de service, soit près de 25 % du prix mentionné. Parfois on se contente de vous rajouter 10 %, mais calculez plutôt 25 %. Enfin, si votre budget est très serré, les *hotels* que l'on trouve tous les dix mètres proposent des *rice and curry, roti* et autres plats typiques pour moins de 100 Rs le menu.

Bien et pas cher

LOTUS LEAF

466, Union Place, Colombo 2
✆ (011) 479 31 04
Très bon plan, fameux dans toute la ville, pour manger pas cher du tout dans un endroit confortable et climatisé en plein centre.

THE GREEN CABIN

453, Galle Road, Colombo 3
Comptez moins de 300 Rs pour un repas complet.

BANANA LEAF RESTAURANT

86, Galle Road, Colombo 3
On y mange sur une feuille de banane, comme son nom l'indique. Autre adresse réputée pour les petites bourses à Colombo.

Sri lankais

THE CURRY LEAF

Hilton Colombo ✆ (011) 254 46 44
Une expérience à ne pas rater lors d'un séjour dans la capitale.

BEACH WADIYA

2, Station Avenue, Wellawatta, en bord de plage, au sud de la ville
✆ (011) 258 85 68
Le meilleur restaurant de poisson de Colombo, dans une paillote sur la plage. Prix raisonnables. Réservation plus que conseillée.

Branché

SPOONS HILTON HOTEL

Le restaurant du 5-étoiles le plus réputé de la capitale propose une cuisine internationale variée et succulente dans un décor moderne. Attention aux prix, près de 2 000 Rs tout de même pour une personne !

THAMBAPANI

496/1, Duplication Road, Colombo 3
✆ (011) 250 06 15
Décor oriental raffiné dans une vieille maison coloniale, pour une cuisine sri lankaise revue au goût du jour.

CAFÉ KENT

35, Bagatelle Road, Colombo 3
✆ (011) 255 28 37.
Nouveau restaurant aménagé dans une ancienne résidence coloniale au décor hétéroclite. Cuisine soignée avec des spécialités des cinq continents et carte des vins.

THE GALLERY CAFÉ

2, Alfred House Road, Colombo 3
✆ (011) 258 21 62
www.paradiseroadcolombo.com
Incontournable. Cadre très couru mais ambiance très hype dans l'ancien atelier de l'architecte Geoffrey Bawa. Cuisine internationale et carte des vins. On s'en tire pour 20 $, ce qui peut paraître cher pour Colombo, mais permet de goûter à une cuisine vraiment fine.

Chinois

CHINESE PARK VIEW LODGE

70, Park Street, Colombo 2
✆ (011) 232 62 55
Dans le cadre vieillot d'un ancien club colonial, on sert des plats très copieux à un prix dérisoire.

GOLDEN DRAGON

Taj Samudra Hotel ✆ (011) 244 66 62
Il est réputé comme tous les restaurants des grands hôtels. Le service est impeccable.

168 SEAFOOD PALACE

8 Sea View Avenue, Colombo 3
✆ (011) 257 34 56
750 Rs par personne. Si, contrairement à ce que son nom indique, il ne paie pas de mine à première vue, cet établissement offre une cuisine de qualité à un prix sans appel. Preuve s'il en est, l'endroit est principalement fréquenté par les expatriés chinois dont il est devenu le lieu de référence.

■ **LONG FENG**
Trans Asia Hotel
✆ (011) 254 42 00
Une belle carte vous est proposée : les soupes sont excellentes et le choix important. Long Feng est d'ailleurs considéré comme le meilleur restaurant chinois de la ville. Près de 15 $ par personne, boissons non incluses.

■ **HAESONG**
130, Havelock Road, Colombo 6
Cuisine chinoise et coréenne traditionnelle correcte à un prix raisonnable. Ouvert tous les jours de l'année, cet établissement est un restaurant-karaoké-bar-cybernet (ouvert 24h/24). Pour avoir tout à portée de main.

Indien

■ **NAVARATNA**
Taj Samudra Hotel, Galle Face Green, Colombo 3
✆ (011) 244 66 22
Autour de 10 $ par personne. Probablement le meilleur restaurant nord-indien de l'île, bien que l'entrée en jeu du Mango Tree vienne remettre en question la prédominance de Navaratna. Déco soignée et cuisine savoureuse. On vous recommande chaudement cette adresse.

■ **THE MANGO TREE**
82, Dharmapala Mawatha, Colombo 3
✆ (011) 537 97 90.
Comptez 10 $ par personne. Au cœur de la ville, The Mango Tree propose une cuisine nord-indienne très réputée : menu offrant un grand choix de plats originaux et de boissons. L'endroit est classe et chaleureux, le service un peu moins. Réservation plus que conseillée, cet établissement est très populaire !

■ **CURRY LEAVES**
66, W.A. Silva Mawatha, Colombo 6
✆ (011) 258 02 23
Très bonne cuisine indienne authentique dans un cadre agréable et confortable.

■ **AMARITH**
147 Vajira road, colombo 7
✆ 94114877888
Un des meilleurs restaurants indiens de la ville. Les plats sont assez chers (entre 600 et 2 000 Rs le plat) mais tellement bons ! Le plus dur est de faire son choix, mouton, poulet, crevettes ? *Massala* ou *byriani* ? A l'étage, vous pourrez digérer en fumant la chicha dans le salon lounge du restaurant. Délicieuse adresse.

Italien

■ **THE BAYLEAF**
79, Gregory's Road, près du carrefour avec Kinsey Road, Colombo 7
✆ (011) 269 59 20
Fax : (011) 267 84 02
Très bonne cuisine adaptée aux produits locaux. Plutôt cher. Livraison de pizzas au Harpos ✆ (011) 486 90 00.

■ **IL PONTE RISTORANTE**
Hilton Colombo
✆ (011) 254 46 44.
20 $ le menu, boisson non comprise. Atmosphère romantique à souhait pour cet établissement au bord de la piscine du Hilton. Cuisine italienne traditionnelle, rien ne manque !

Japonais

■ **GINZA HOHSEN**
Hilton
Réputé pour être le meilleur restaurant japonais de la ville. Les prix suivent donc, on ne s'en tire pas à moins de 20 $.

■ **SAKURA**
15, Reinland Place, Colombo 3
✆ (011) 257 3877
10 $ par personne. Sakura est un des établissements les plus populaires de Colombo : les prix raisonnables permettent de manger japonais sans se ruiner. Service sympathique et rapide.

Thaï

■ **TU-LIPS THAI RESTAURANT**
Indra Regent Hotel, 383, R.A. Mel Mawatha, Colombo 3
✆ (011) 257 49 30
www.indraregent.com
5 $ le menu. Bonne cuisine thaïe pour ce nouveau restaurant dont le chef se pliera en quatre pour satisfaire vos palais. Si vous séjournez à l'hôtel, vous pouvez même commander à l'avance le plat qui vous chante. Service très chaleureux pour un prix imbattable.

■ **SIAM HOUSE**
55, Abdul Caffoor Mawatha, Colombo 3
✆ (011) 576 993
La cuisine thaïe est certainement la plus savoureuse en Asie du Sud-Est. Poussez la porte, vous serez conquis.

■ **ROYAL THAI**
Trans Asia Hotel, 155, Sir Chittampalam A. Gardiner Mawatha, Colombo 2
✆ (011) 254 42 00/244 91 84
Autour de 10 $ le menu (boissons non comprises). Sans conteste le meilleur thaï de la capitale, Royal Thaï offre une soixantaine de plats différents sur une carte assez originale. Accueil chaleureux et attentif. N'oubliez pas de réserver !

■ **GOURMET PALACE**
399A, R.A. De Mel Mawatha, Colombo 3
✆ (011) 259 67 00
Cuisine sino-thaïe très raffinée avec de nombreux plats végétariens.

SORTIR

Cafés

Pubs et cafés poussent comme des champignons à Colombo. Ils offrent, dans des décors variés, un havre de paix pour les expatriés en mal de café ou de bière et pour les voyageurs de passage.

■ **BAREFOOT GARDEN CAFÉ**
704, Galle Road, Colombo 3
✆ (011) 258 93 05/02 81
Ouvert de 10h à 19h tous les jours sauf le dimanche, de 11h à 16h. Cuisine fine et variée pour manger un bout dans un jardin embaumant la fleur de frangipanier et parsemé d'antiquités. L'ambiance est douce et apaisante, un havre de paix au cœur de la ville.

Pubs

■ **WHITE HORSE**
2, Navam Mawatha, Colombo 2
✆ (011) 230 49 22
Pas cher et doté d'une clientèle plutôt jeune, le White Horse est le bar idéal pour les petites bourses. Assez bondé le week-end, il reste un lieu fort agréable pour déguster une bière le reste du temps.

■ **BRADMAN BAR**
The Cricket Club Cafe, 34, Queens Road, Colombo 3 ✆ (011) 250 13 84
Ouvert tous les jours de 11h à 23h. Lieu le plus populaire de Colombo, il est très prisé après les heures de travail. Les vins y sont excellents et les prix plutôt raisonnables dans une ambiance très cricket, *of course* !

■ **GLOW BAR**
3e étage, Automobile Association Building, 42 A, Sir Mohamed Marcan Marker Mawatha, Colombo 3 ✆ (011) 471 46 66
Décor minimaliste et chic à souhait dans la place à la mode de la capitale. Les prix sont corrects, mais l'endroit souvent bondé. *Happy hour* de 18h à 19h.

■ **RHYTHM AND BLUES**
19/1, Daisy Villa Avenue, Duplication Road, Colombo 4 ✆ (011) 536 38 59
Véritable club pour amateurs de musique, ce lieu assez étroit recèle une ambiance et des trésors musicaux que l'on ne trouve nulle part ailleurs. Concerts presque tous les soirs, à ne pas rater.

■ **HIPPOS**
112, New Bullers Road, Colombo 4
✆ (011) 259 68 83
Bar-café aux sofas propices à la détente et à l'accueil chaleureux. *Happy hour* de 20h à 21h les mardi et mercredi, quant aux concerts live, c'est selon leur agenda.

■ **THE ROCK CAFE**
41, Ananda Coomaraswamy Mawatha, Colombo 7 ✆ (011) 271 32 78
Comme le nom l'indique, ici on aime la musique avec des frites et de la salade autour…

■ **CHEERS PUB**
Cinnamon Garden
Bar préféré des expatriés, britanniques en particulier, le Cheers Pub offre une ambiance très anglaise : billard, snooker, bar en bois, rien ne manque à ce pub très populaire.

■ **INN ON THE GREEN**
Galle Road, Colombo 3 ✆ (011) 223 94 40
Un autre bar typiquement anglais, mais plus onéreux pour le coup. Offre une grande variété de bières, pour ceux qui fatiguent de la Lion ou Three Coins.

■ **BEIRA LOUNGE/BEIRA LAKE POOL BAR**
Trans Asia ✆ (011) 249 19 56.
De 8h à 21h. Pub de l'hôtel avec vue sur le lac accompagné d'un groupe de musique tous les soirs. Ouvert de 10h à minuit. Le bar de

la piscine offre une perspective pittoresque sur le lac pour siroter un verre ou manger un morceau.

Discothèques

Elles sont toutes situées dans les grands hôtels, Colombo n'étant pas une ville de la nuit. Vers 1h, ça commence à s'animer.

■ BLUE ELEPHANT

Hilton

Entrée gratuite pour les femmes, 500 Rs pour les hommes. Discothèque la plus fameuse de la capitale, elle invite régulièrement des DJ étrangers se produire sur sa scène. LE point central du Hilton, et c'est dire.

■ THE LIBRARY

Trans Asia

Contrairement à son concurrent du Hilton, The Library ne fait pas dans le populaire mais plutôt dans le distingué. Musique, boissons comme nourriture sont soignés, et seuls les membres et autres clients de l'hôtel peuvent pénétrer cette antre sacrée. Le jour, le lieu est une bibliothèque ; le soir, un night-club. Malgré les restrictions d'accès, les touristes sont généralement tolérés.

■ THE CRICKET CLUB

Bar très branché où se retrouvent les fans de sports et les expatriés de Colombo. Ambiance d'un pub irlandais. Les boissons sont plutôt chères.

■ THE HUT

Mount Lavinia Hotel, 102, Hotel Road, Mount Lavinia

Compter 1 000 Rs l'entrée en couple, dont deux boissons incluses. Remanié récemment, The Little Hut a atteint la taille normale et offre des styles musicaux divers et variés. En outre, fait remarquable, elle ferme à 4h du matin les vendredi et samedi.

Casinos

Difficile de rater les casinos qui s'affichent partout en lettres de néon dans la capitale. Il suffit de lever le nez pour en croiser une demi-douzaine. L'entrée est réservée aux plus de 18 ans et les locaux sont parfois refusés d'accès. Tenue correcte exigée, bien entendu.

■ ATLANTIC CLUB

26, R.A. De Mel Mawatha, Colombo 4

✆ (011) 250 02 85

■ BALLY'S CLUB

14, Dharmapala Mawatha, Colombo 3

✆ (011) 257 34 97

Ouvert 24h/24.

■ BELLAGIO CASINO

430, R.A. De Mel Mawatha, Colombo 3

✆ (011) 257 52 71

■ CONTINENTAL CLUB

425, Galle Road, Colombo 3

✆ (011) 259 54 32

■ MGM CLUB

772, Galle Road, Colombo 4

✆ (011) 250 22 68

■ THE RITZ CLUB

5, Galle Face Terrace, Colombo 3

✆ (011) 234 14 96

■ STAR DUST CLUB

9, 15th Lane, Colombo 3

✆ (011) 257 34 93

Ouvert 24h/24.

■ STAR CLUB

7, Chatham Street, Colombo 1, Fort

Fax : (011) 244 95 93

Colombo, le canal (The Canal)

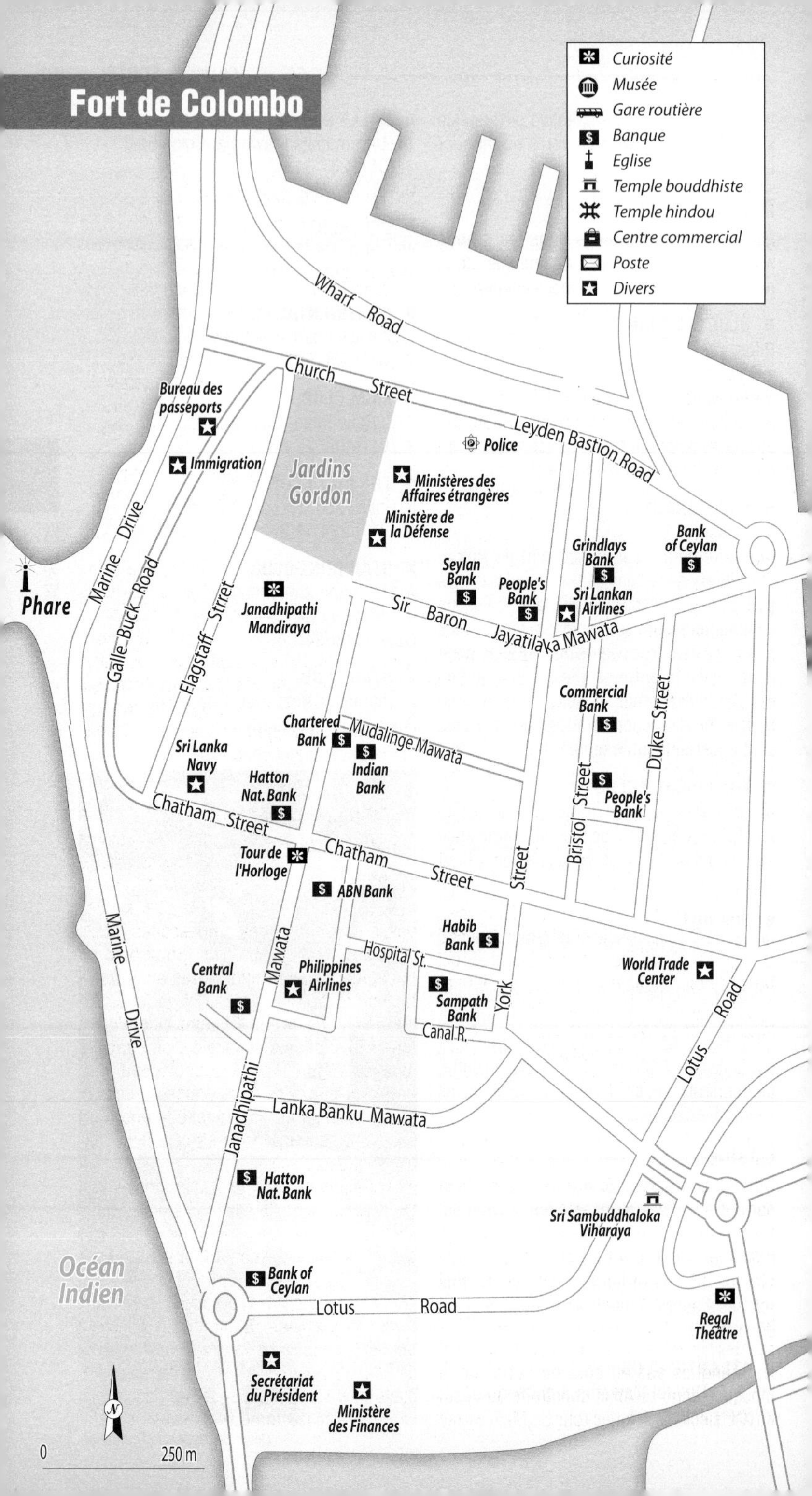

Fort de Colombo
Curiosité
Musée
Gare routière
Banque
Eglise
Temple bouddhiste
Temple hindou
Centre commercial
Poste
Divers
Wharf Road
Church Street
Leyden Bastion Road
Bureau des passeports
Immigration
Jardins Gordon
Police
Ministères des Affaires étrangères
Ministère de la Défense
Marine Drive
Galle Buck Road
Flagstaff Street
Phare
Janadhipathi Mandiraya
Seylan Bank
People's Bank
Grindlays Bank
Bank of Ceylan
Sri Lankan Airlines
Sir Baron Jayatilaka Mawata
Commercial Bank
Duke Street
Chartered Bank
Mudalinge Mawata
Indian Bank
Sri Lanka Navy
Hatton Nat. Bank
Bristol Street
People's Bank
Chatham Street
Tour de l'Horloge
ABN Bank
York Street
Habib Bank
Hospital St.
World Trade Center
Central Bank
Mawata
Philippines Airlines
Sampath Bank
Canal R.
Lotus Road
Marine Drive
Janadhipathi
Lanka Banku Mawata
Hatton Nat. Bank
Sri Sambuddhaloka Viharaya
Océan Indien
Bank of Ceylan
Lotus Road
Regal Théâtre
Secrétariat du Président
Ministère des Finances
N
0
250 m

POINTS D'INTÉRÊT

FORT DE COLOMBO

Il y avait un vrai fort à cet endroit, au temps de la colonisation portugaise et hollandaise. Aujourd'hui, c'est un quartier d'affaires très animé où se trouvent la Banque Centrale, l'ambassade de l'Inde, les cinq étoiles, les agences de voyages et les compagnies aériennes.

LA TOUR DE L'HORLOGE

Au XIXe siècle, elle guidait les bateaux pour leur entrée dans le port. Elle constitue aujourd'hui un point de repère immanquable. Ne vous fiez pas au positionnement des aiguilles : ses quatre cadrans donnent chacun une heure différente. En vous dirigeant vers le port, vous découvrirez Janadhipathi Medura, appelée tour à tour « King's House », puis « Queen's House ». Aujourd'hui, on l'appelle « la résidence du président ». Le palais, qui servait autrefois de résidence aux gouverneurs britanniques, est gardé par des sentinelles en armes. En face, vous découvrirez le General Post Office, qui est d'un blanc immaculé. En revanche, l'établissement Cargills, fondé en 1844, est tout en briques rouges. C'est le plus ancien magasin de la ville, véritable institution coloniale qui a traversé le temps avec bonheur. Vous êtes alors sur York Street. Tout au bout se trouve la gare maritime dont l'entrée, interdite au public, est gardée par une statue de la reine Victoria. Juste en face se dresse le très vénérable hôtel Grand Oriental qui n'a plus grand-chose d'un palace mais qui possède un agréable restaurant au dernier étage, avec vue panoramique sur le port. Sur la gauche en venant de l'hôtel, vous tomberez dans Church Street, qui doit son nom à l'église Saint-Pierre, mais la rue est barrée par un barrage militaire.

PETTAH

En cinghalais, « pita kotuwa » désigne l'extérieur du fort. Si le quartier du Fort est spécialisé dans les affaires, Pettah est un gigantesque et inextricable souk dans lequel on évitera à tout prix de pénétrer en voiture. Chaque profession a sa rue. Dans First Cross Street, les vendeurs d'électroménager bonimentent. Dans Second Cross Street, ce sont les bijoutiers qui se disputent le chaland. Ne manquez pas au bout de cette rue la mosquée Jami-ul-Alfar, construite au début du XXe siècle en briques rouges. Main Street regorge de boutiques de textile ; les aromates des épices s'échappent des échoppes de la Fifth Cross Street. Près des quais, arrêtez-vous devant la plus ancienne église hollandaise de Colombo, la Wolfendach Church. Le culte protestant y est célébré en anglais et en tamoul le dimanche matin. Perdez-vous dans le dédale de ces ruelles, prenez le temps de discuter avec les habitants de ce quartier pittoresque, régalez-vous d'un watalappam. Si vous en avez le courage, partez à la découverte du Dutch Period Museum, 95 Prince St., ouvert tous les jours, sauf le vendredi de 9h à 17h. Entrée : 65 Rs. Il fut tour à tour une mairie, un hôpital, un orphelinat et contient des reliques évoquant la colonisation hollandaise sur l'île.
Surtout, n'écoutez pas les conseils de votre guide (ou ami) cinghalais, qui vous déconseillera de vous aventurer dans ce bazar sous le prétexte qu'il est «mal famé». Vu le nombre de temples hindous et de mosquées, vous êtes dans une enclave tamoule, ce qui explique la méfiance des Cinghalais, quoique c'est bien le seul endroit du pays où les deux ethnies cohabitent sans heurt.

LE QUARTIER DE CINNAMON GARDENS

A 5 km au sud du Fort, l'ambiance est fort différente. Au début du XXe siècle, cette partie de la ville était une plantation de cannelle. Aujourd'hui, c'est le quartier des belles maisons et des ambassades, aussi appelé Colombo 7. Le plus grand parc de la capitale vous attend. Après avoir porté le nom de la reine Victoria, il porte depuis 1958 celui d'une reine cinghalaise, Vihara Maha Devi mais, avouons-le, on l'appelle toujours Victoria Park (probablement pour nous simplifier la vie, à nous autres touristes). Très agréable, ce parc possède une flore luxuriante. Il est partagé en son milieu par une large avenue connue sous son ancien nom de «Green Path» plus facile à prononcer que l'appellation actuelle Ananda Kumaraswamy Mawatha. En descendant au sud du parc, ne manquez pas le National Museum, ouvert tous les jours, sauf le vendredi de 9h à 17h (*Entrée : 65 Rs, droit de photo : 165 Rs*). Dans l'ancien palais du gouverneur construit en 1877, vous découvrirez toute l'histoire de l'île à travers ses objets utilitaires et ses outils mais aussi les bijoux des rois cinghalais, sans oublier les fameux masques rituels.

Un demi-million de volumes sont conservés dans la bibliothèque du musée. Ne manquez surtout pas la salle 24, au 1er étage. C'est la plus intéressante avec sa riche collection de bronzes hindous de l'époque de Polonnaruwa. Attention, cette salle est souvent fermée sous prétexte qu'il n'y a pas assez de gardiens. En fait, on vous l'ouvrira si vous proposez un bakchich.

En face du parc, vous pouvez jeter un coup d'œil rapide à la National Art Gallery, qui vous permettra d'évaluer la production d'artistes contemporains.

Lieux de culte

Il n'y a pas de temples majeurs à Colombo comme dans les cités indiennes mais seulement quelques lieux de culte qui peuvent valoir le détour s'il vous reste du temps. Les temples hindous, baptisés *kovils*, du quartier de Pettah sont particulièrement intéressants.

▶ **Sur Sea Street,** échaussez-vous pour visiter les temples du Old Kathiresan et du Sri New Kathiresan dédiés à Skanda, le dieu de la guerre. Si vous êtes présent en août, ne manquez pas la fête du Trident (ou Vel Festival). On y voit le char sacré, entouré par une procession animée, dirigez-vous vers le temple de Bambalapitiya.

▶ **De nombreux Sri Lankais** se rendent, surtout le mardi, à l'église Saint-Antoine. On y croise (bien sûr) des chrétiens mais aussi des fidèles d'autres croyances qui viennent prier le saint portugais par dévotion ou pour un revers de fortune dans la gestion de la boutique familiale ou pour un mariage battant de l'aile.

▶ **Tout en haut de la colline**, Vivekananda Hill, vous attend la plus fameuse église hollandaise de la ville : Wolvendal Kerk. On y célèbre des messes en anglais et en tamoul. En face, sur une autre colline, se trouve la cathédrale Sainte-Lucie. Elle peut accueillir plusieurs milliers de personnes dans sa nef.

▶ **Les temples bouddhistes de Colombo** valent également le détour. Nous vous conseillons de vous rendre au Kelaniya Raja Maha Vihara à 13 km au nord-est de Colombo. Par le bus n° 235 au départ de Pettah ou en *three-wheeler* pour 700 Rs aller-retour. Ce temple a connu de nombreuses modifications et reconstructions au gré des colonisations. Aujourd'hui, il est le lieu de culte bouddhiste le plus important de la ville et mérite une visite pour ses remarquables peintures réalistes réalisées dans les années 1930. Le Gangaramaya Temple, sis sur Sri Jinarathna Road, à quelques encablures du lac Beira, est cependant le lieu de culte le plus kitsch de Colombo avec sa surprenante collection d'offrandes. Pour 80 Rs, vous aurez le droit de parcourir le lieu et d'y découvrir de nombreuses statuettes ainsi que des pièces remplies de breloques et d'antiquités poussiéreuses.

Colombo, intérieur d'un temple

SHOPPING

Le Sri Lanka offre vraiment différents types d'artisanat, mais il faut reconnaître que la capitale présente un choix assez limité, répétitif, et généralement assez onéreux de l'art local.
A Colombo, la meilleure boutique pour la décoration de la maison est sans conteste Paradise Road. Elle se trouve au 213, Dharmapala Mawatha, Colombo 7. Elle a d'ailleurs influencé une bonne partie des nouveaux hôtels chics du Sri Lanka, qui se fournissent ici ou tentent de reproduire le même style. Une petite succursale se trouve dans la galerie marchande du Trans Asia Hotel. Vous y trouverez un grand choix d'objets design, entre autres. Les prix pratiqués, prohibitifs pour la population locale, visent essentiellement les possesseurs de cartes de crédit occidentales. On pourra trouver également un grand choix d'articles dans les galeries marchandes suivantes : Hilton Colombo, JAIC Hilton Shopping Mall, Liberty Plaza, Crescat Boulevard et World Trade Center. Ne vous faites aucun souci pour vous y rendre, les chauffeurs de *three-wheelers*, comme les taxis, les connaissent par cœur.

Antiquités et artisanat

■ **BAREFOOT**
704, Galle Road, Colombo 3
✆ (011) 258 93 05

■ **CRAFTLINK**
38, Iswari Road, Colombo 6
✆ (011) 258 78 23

■ **HERMITAGE**
28, Gower Street. Colombo 5
✆ (011) 250 21 96

■ **KALAYA**
116, Havelock Road, Colombo 5
✆ (011) 258 83 99

■ **KANDYAN ANTIQUES**
36, Flower Road, Colombo 7
✆ (011) 251 09 81

■ **ODEL UNLIMITED**
5, Alexandra Place, Colombo 7
✆ (011) 268 27 12
La mode internationale au sein du plus grand centre commercial du Sri Lanka.

■ **RAUX BROTHERS**
7, De Fonseka Road, Colombo 5
✆ (011) 533 90 16

■ **THE OASIS**
18, Station Road, Colombo 4
✆ (011) 259 70 97

Pierres précieuses et bijoux

■ **COLOMBO JEWELLERY SORES**
1, Alfred House Gardens, Galle Road, Colombo 3

■ **LAKPAHANA**
21, Rajakeeya Mawatha, Colombo 7
✆ (011) 269 25 54

■ **RIDDHI SILVER**
20 D, Guidford Crescent, Colombo 7
✆ (011) 269 86 50

■ **SURIYA**
61, 5th Lane, Colombo 3
✆ (011) 473 64 59

■ **SWARNA MAHAL JEWELLERS**
676, Galle Road, Colombo 3
✆ (011) 250 25 70

■ **ZAM GEMS**
81, Galle Road, Colombo 4
✆ (011) 258 90 90

Épices

■ **MACKWOODS LABOOKELLIE**
10, Gnanartha Pradeepa Mawatha, Colombo 8 ✆ (011) 266 77 11

■ **MLESNA**
(On en trouve partout disséminés dans la capitale et à travers tout le pays) Colombo Hilton, Liberty Plaza, Majestic City.

■ **TRADITIONAL GEM MINE**
15/5 Jayawardena Mawatha, Colombo 3.
✆ (011) 237 51 96 ✆ portable : (077) 731 76 22
www.gemminekl.com
Une jolie boutique et un personnel très attentionné. Vous pouvez choisir vos pierres et, en quelques jours, ils vous montent les bijoux. Prix très raisonnables.

■ **SIRIS GALLERY**
27, Hildon place. Bambalapitiya. Colombo 4.
✆ (011) 250 80 82 – www.siris.lk

Colombo, charmeur de serpent

Anisis est suisse allemande passionnée de médecine parallèle. Expatriée au Sri Lanka elle est très connue auprès des locaux pour ses 2 boutiques mais surtout pour ses thérapies énergétiques avec les pierres et le Reiki.

Thé

■ **LIBERTY PLAZA ET ECHELON TOWERS**
Colombo 3

■ **THÉ SHOP**
N° 5, Ground Floor, Crescat Boulevard, Colombo 3 ✆ (011) 269 80 15

Tailleurs

■ **EEANN OUTFITTERS**
2-54, Majestic City, Colombo 4

■ **LALSON'S CUSTOM TAILORS**
562, Galle Road, Colombo 3
✆ (011) 257 43 16. 195, Olcott Mawatha, Colombo 3
✆ (011) 257 30 78

■ **HERCULES TAILORS**
74, Havelock Road, Colombo 5
✆ (011) 258 62 87

SPORTS ET LOISIRS

Centres culturels

■ **ALLIANCE FRANÇAISE**
11, Barnes Place, Colombo 7
✆ (011) 269 41 62
Sise dans une impasse, l'Alliance française propose un choix de périodiques en français ainsi qu'un film le mercredi.

■ **BRITISH COUNCIL**
49, Alfred House Gardens, Colombo 3
✆ (011) 258 03 01
Il offre les mêmes distractions que le centre culturel français mais dans la langue de Shakespeare.

■ **GOETHE INSTITUTE**
39, Gregory's Road, Colombo 7
✆ (011) 269 45 62
Pour feuilleter le *Frankfurter Allgemeine Zeitung*, par exemple.

Cinémas

Deux cinémas ont retenu notre attention : le Majestic City et le Liberty Plaza. Ce sont les deux seuls qui programment des films en anglais. Les autres cinémas de quartier projettent, dans le meilleur des cas, les dernières productions indiennes de Madras. Dans le pire des cas, et c'est très fréquent, ce sont des films pour adultes faits au Sri Lanka qui tiennent le haut de l'affiche. Le cinéma sri lankais est en pleine explosion, mais encore faudrait-il que les films soient autorisés en salle…

Mountain Bike

■ **ADVENTURE SPORTS LANKA**
12A, Simon Hewavitharane Road, Colombo
✆ (011) 271 33 34
www.adventureslanka.com

Tennis

■ **SRI LANKA TENNIS ASSOCIATION**
45, Marcus Fernando Mawatha, Colombo 7
✆ (011) 268 61 74

Plongée

■ **SCUBA SAFARIS**
Padi Dive Centre, 25C, Barnes Place, Colombo 7 ✆ (011) 269 40 12

■ **AQUA TOURS**
10, Station Road, Colombo 4
✆ (011) 258 21 79

Pêche

■ **THE CEYLON ANGLERS CLUB**
Chatiya Road, Colombo 1
✆ (011) 242 17 52
Accepte les adhésions temporaires et donne des infos sur tous les bons spots de pêche à la ligne du pays.

LES ENVIRONS DE COLOMBO

■ **LES JARDINS BOTANIQUES DE HENARATHGODA**
A Gampaha 35 km au nord-ouest
On peut s'y rendre en train depuis la gare de Colombo Fort. Ils n'égalent pas ceux que vous découvrirez à Kandy mais vous y trouverez de beaux arbustes tropicaux.

MOUNT LAVINIA

A 12 km au sud de Colombo.
Cette petite ville résidentielle offre d'agréables plages bordées d'hôtels et de restaurants. C'est une halte beaucoup plus agréable que Negombo et Colombo si vous devez passer une nuit dans le secteur avant de reprendre l'avion. Tous les hôtels proposent des transports vers l'aéroport pour environ 2 500 Rs.
Attention cependant si vous débarquez durant le week-end, vous risquez de trouver tous les hôtels complets car Mount Lavinia est le seul endroit du pays où les couples non mariés peuvent s'ébattre en toute tranquillité. Des restaurants fort agréables et bons longent la plage.

Pratique

Pour les curieux de la médecine traditionnelle sri lankaise, ou plus simplement en cas de besoin, vous pouvez trouver des soins ayurvédiques dans cet hôpital réputé pour son sérieux.

■ **SIDDHALEPA AYURVEDA HEALTH HOSPITAL**
106, Yemplers Road, Mount Lavinia
✆ 273 86 22
Créé en 1988, il propose une médecine traditionnelle vieille de 4 000 ans.

Colombo, sur le canal

Hébergement

■ **TROPIC INN**

30, College Avenue
✆ (011) 273 86 53 – Fax 271 39 75
www.tropicinn.com
La chambre double avec petit déjeuner, de 27 $ à 35 $ (prix spécial sur présentation de ce guide). Internet à 50 Rs la demi-heure, TV dans les chambres. Chambres simples mais propres avec salle de bains permettant de passer la nuit à deux minutes de la plage à un prix raisonnable. De plus, le personnel est fort sympathique et prévenant.

■ **BERJAYA MOUNT ROYAL BEACH**

36, College avenue
✆ (011) 273 96 10
www.awd.ws/srilanka/mountroyal
85 $ la chambre double, mais les prix baissent sensiblement (de 20 $ tout de même) si l'on réserve par Internet. Ce grand hôtel 3-étoiles sur l'océan Indien, est un peu impersonnel comparé aux deux suivants mais propose tout le confort moderne à portée de main.

■ **MOUNT LAVINIA HOTEL**

100, Hotel Road
✆ (011) 271 52 21 – Fax : (011) 273 82 28
www.mountlaviniahotel.com
Cet établissement, qui a fêté en 2006 son bicentenaire, a une bien étrange histoire : abritant l'amour secret du gouverneur britannique, dont c'était la demeure, avec Lovinia, une belle Sri Lankaise, il recélait en son sein un tunnel – condamné à présent – reliant les maisons des deux amants. Le gouverneur partit finalement à Malte où il finit ses jours seul, mais la région conservera à jamais trace de son passage : c'est cette relation tumultueuse qui donna son nom à la ville. On peut regretter que la maison ait perdu son côté suranné au profit des 275 chambres de l'immense bâtiment, mais la qualité de service est là. Il vous faudra compter 150 $ pour une chambre double climatisée avec vue et petit déjeuner.

■ **MOUNT LAVINIA HOUSE**

A ne pas confondre avec le précédent, dont c'est l'ancien nom, cette ancienne demeure privée propose cinq différentes suites au charme et au bon goût très Paradise Road. Le jardin tropical fournit la cuisine en fruits et légumes, la vue sur la mer est époustouflante et certaines chambres sont un vrai bonheur (salle de bains tropicale en plein air, lit circulaire, etc.). A ne pas manquer si vous pouvez vous le permettre !

■ **RANDILI HOTEL**

Boruyana Road, Ratmanela
✆ (011) 267 75 58
Chambre double : 900 Rs. A peine un peu plus loin que Mount Lavinia, cet hôtel, entouré de la verdure rassérénante d'un jardin bien entretenu, offre de grandes chambres propres, confortables et jolies, un restaurant et un bar sympathiques dans une ambiance chaleureuse. Le personnel est aimable, la cuisine bonne, et les prix imbattables.

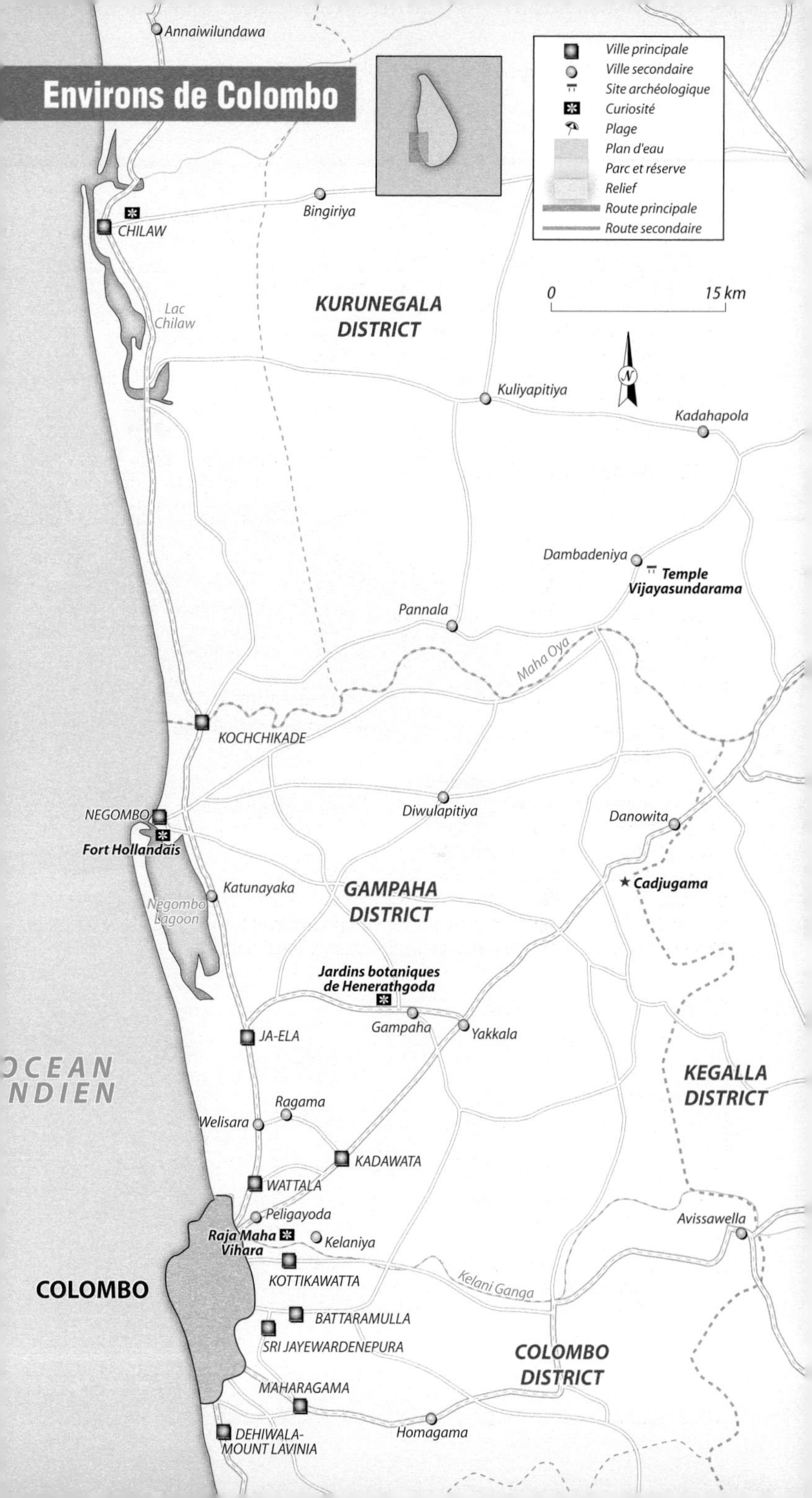
Environs de Colombo
Ville principale
Ville secondaire
Site archéologique
Curiosité
Plage
Plan d'eau
Parc et réserve
Relief
Route principale
Route secondaire
0
15 km
Annaiwilundawa
Bingiriya
CHILAW
Lac Chilaw
KURUNEGALA DISTRICT
Kuliyapitiya
Kadahapola
Dambadeniya
Temple Vijayasundarama
Pannala
Maha Oya
KOCHCHIKADE
Diwulapitiya
Danowita
NEGOMBO
Fort Hollandais
Katunayaka
Negombo Lagoon
GAMPAHA DISTRICT
Cadjugama
Jardins botaniques de Henerathgoda
Gampaha
Yakkala
JA-ELA
OCEAN INDIEN
KEGALLA DISTRICT
Ragama
Welisara
KADAWATA
WATTALA
Peligayoda
Raja Maha Vihara
Kelaniya
Avissawella
KOTTIKAWATTA
COLOMBO
Kelani Ganga
BATTARAMULLA
SRI JAYEWARDENEPURA
COLOMBO DISTRICT
MAHARAGAMA
Homagama
DEHIWALA-MOUNT LAVINIA

CÔTE SUD-OUEST

Weligama, Taprobane Island

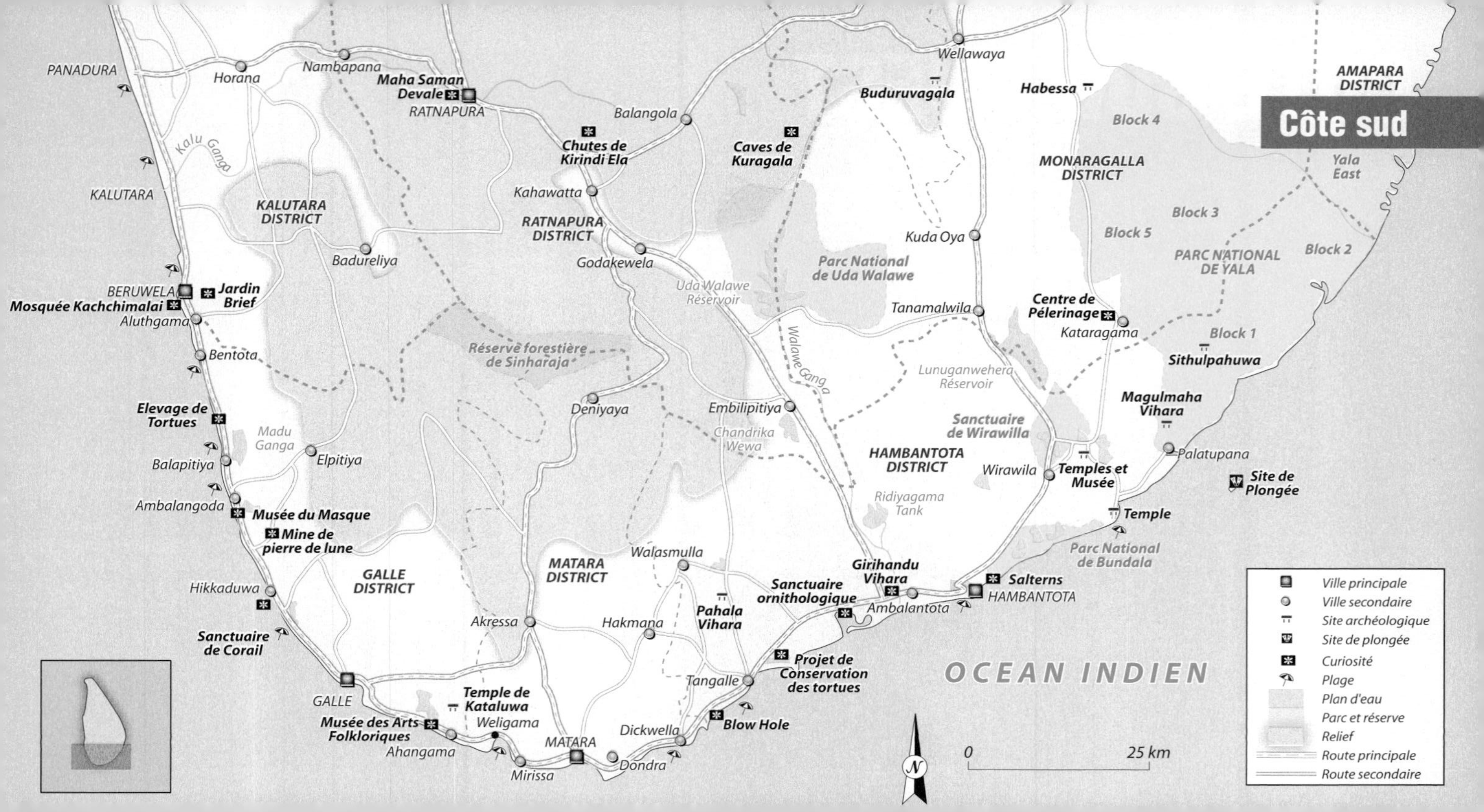
Côte sud
PANADURA
Horana
Nambapana
Maha Saman Devale
RATNAPURA
Wellawaya
Buduruvagala
Habessa
AMAPARA DISTRICT
Block 4
Balangola
Chutes de Kirindi Ela
Caves de Kuragala
MONARAGALLA DISTRICT
Yala East
Kalu Ganga
KALUTARA
Kahawatta
KALUTARA DISTRICT
RATNAPURA DISTRICT
Kuda Oya
Block 3
Block 5
Badureliya
Godakewela
Parc National de Uda Walawe
PARC NATIONAL DE YALA
Block 2
BERUWELA
Jardin Brief
Mosquée Kachchimalai
Aluthgama
Uda Walawe Réservoir
Tanamalwila
Centre de Pélerinage
Kataragama
Bentota
Réserve forestière de Sinharaja
Walawe Ganga
Block 1
Sithulpahuwa
Lunuganwehera Réservoir
Deniyaya
Embilipitiya
Magulmaha Vihara
Elevage de Tortues
Madu Ganga
Chandrika Wewa
Sanctuaire de Wirawilla
Palatupana
Elpitiya
Balapitiya
HAMBANTOTA DISTRICT
Wirawila
Temples et Musée
Site de Plongée
Ambalangoda
Musée du Masque
Ridiyagama Tank
Temple
Mine de pierre de lune
Parc National de Bundala
MATARA DISTRICT
Walasmulla
Girihandu Vihara
Salterns
GALLE DISTRICT
Hikkaduwa
Sanctuaire ornithologique
HAMBANTOTA
Pahala Vihara
Ambalantota
Akressa
Hakmana
Sanctuaire de Corail
Projet de Conservation des tortues
OCEAN INDIEN
Tangalle
GALLE
Temple de Kataluwa
Weligama
Blow Hole
Musée des Arts Folkloriques
Ahangama
Dickwella
MATARA
Dondra
Mirissa
0
25 km
N
Ville principale
Ville secondaire
Site archéologique
Site de plongée
Curiosité
Plage
Plan d'eau
Parc et réserve
Relief
Route principale
Route secondaire

La côte sud-ouest

Ah, la plage, enfin ! Le littoral tellement envié du Sri Lanka, c'est celui-là. Si les locaux savent que leurs meilleures plages se trouvent à l'est, tout le monde hors de l'île s'accorde à donner la palme aux côtes du sud. Il faut dire que l'Est est toujours en proie aux affrontements depuis plus de 20 ans... selon les périodes, les terroristes tamouls gagnent ou perdent du terrain. Nous conseillons de se renseigner auprès de l'office de tourisme avant d'aller quelque part car la situation change tout le temps. Cette année c'est le parc national de Yala qui vient de fermer à cause des attentats qui y ont eu lieu les derniers mois. Le Sud n'est pas du tout touché par ces affrontements et reste le paradis des touristes. Les longues étendues de sable blanc bordées de cocotiers sur toute leur longueur, une eau translucide, le sourire des habitants, des températures idéales, tout se combine ici avec harmonie pour passer un séjour de rêve.

Cependant, toutes les plages ne se valent pas : on sera déçu par la côte ouest située entre Colombo et Bentota. De même, des stations très touristiques comme Hikkaduwa, Unawatuna ou Tissamaharama doivent être abordées avec vigilance. Suivez nos conseils pour ces villes, en particulier pour Hikkaduwa et Bentota. Bref, une fois qu'on sait à quoi s'attendre, on a largement de quoi satisfaire ses envies : authenticité, fête ou détente, guesthouse ou grand hôtel, mangroves ou parcs nationaux, on trouvera de tout sur ce littoral. Ayubowan !

WADDUWA

Ce petit village un peu léthargique n'est pas très attirant avec ses nombreux grands hôtels sur la plage. Mais ils sont plus espacés qu'ailleurs et font, pour une fois, un peu respirer le paysage. Si Wadduwa n'a rien de bien passionnant à offrir en dehors de ses belles étendues de sable, c'est sa proximité avec Colombo qui la rend si populaire. Première plage digne de ce nom en venant de la capitale, elle permet un séjour rapide sur la plage, pour un week-end ou une simple après-midi. Le soir en revanche, vous pourrez assister, voire vous faire inviter à une fête sur la plage : on se réunit autour d'un feu de camp et l'on boit un verre entre amis. Sympathique moment à essayer si vous en avez l'occasion.

Transports

- **Bus.** De nombreux bus font la navette, impossible de les rater.
- **Train.** Le train reliant Colombo et Matara permet également d'atteindre la capitale en moins d'une heure.

Hébergement

Bien et pas cher

■ **SHALIMAR BEACH HOTEL**
Pothupitiya
✆ (038) 223 49 13
Guesthouse fort agréable, mais il faut parfois demander le Shalimar Tourist Inn pour la trouver.

Les immanquables de la côte sud-ouest

- **Découvrir la forêt tropicale** de Sinharaja, classée Biosphère de l'humanité.
- **Visiter le parc de Ruhuna-Yala.**
- **Prendre le train,** lent mais appréciable pour ses paysages côtiers, reliant Colombo à Matara.
- **Faire du canoë dans la mangrove** à Tangalle.
- **Faire un tour au Turtle Conservation Project** à Tangalle.
- **Admirer le travail des artisans** de masques à Ambalangoda.
- **Passer la nuit dans un écolodge** près de Buttala.
- **Se promener sur les fortifications** de Galle, classées Patrimoine de l'humanité.

Les Sri Lankais aiment bien détourner les noms d'hôtels. Simple mais chaleureuse, elle plaira aux amateurs d'authenticité. Piscine et restaurant. Seule adresse abordable à Wadduwa.

Confort ou charme

■ VILLA OCEAN VIEW HOTEL

✆ (038) 429 96 99
Fax : (038) 429 96 66
www.villaocean-hotels.com
A partir de 42 $ la double standard sans petit déjeuner. Un pavé sur la plage composé aussi de cabanons, pas très sri lankais. Les chambres n'ont rien d'exceptionnel, elles sont même un peu trop simples à ce tarif-là. Le tout aurait bien besoin d'un petit coup de peinture. Mais on a tout à portée de main, alors...

Luxe

■ SIDDHALEPA AYURVEDIC RESORT

✆ (038) 229 69 67
Fax : (038) 229 69 71
www.ayurvedaresort.com
A partir de 107 $ la chambre double en demi-pension, voire pension complète et traitement ayurvédique inclus. Un resort pas comme les autres, entièrement voué à l'ayurveda et la médecine traditionnelle. Nourriture et traitements ayurvédiques afin de vous apporter tout le bien-être nécessaire. Cinquante chalets originaux et tous différents les uns des autres.

■ THE PRIVILEGE

✆ (038) 229 53 67
www.privilegelanka.com
Entre 155 et 200 $ la suite en demi-pension. Ajoutez 30 $ pour une suite avec Jacuzzi. Ici, la sérénité est le maître mot. Tout est fait pour que vous vous reposiez dans le calme le plus absolu. Le mobilier, colonial, est choisi avec soin. Modernité et tradition se rejoignent avec goût et sobriété.

■ THE BLUE WATER

Thalpitiya
✆ (038) 223 50 67
Fax : (038) 229 57 08
Autour de 200 $ la chambre double en petit déjeuner. Un 5-étoiles signé Geoffrey Bawa, dans la plus pure tradition : tout confort, luxueux, spacieux, chambres comme accueil impeccables avec TV, minibar, etc. Piscine, restaurant, activités, night-club, spa, rien ne manque... Si ce n'est, peut-être, une pointe d'authenticité. Attention aux prix des boissons, qui peuvent parfois atteindre des sommets vertigineux. Un peu trop isolé.

Restaurants

■ COCO BEACH CLUB

Thalpitiya
Restaurant correct en bord de mer, où l'on se laisse doucement envahir de plénitude au soleil couchant.

■ RASILKA HOTEL

435, Galle Road
✆ (038) 229 41 82
Hôtel et restaurant correct, sans plus.

Côte sud-ouest

KALUTARA

A 43 km au sud de Colombo. L'histoire de cette ville date du XIe siècle, lorsqu'un prince d'Inde du Sud, Vickramapandya, décida d'en faire son chef-lieu. Cela ne dura pas puisqu'il fut assassiné un an après. Ce n'est que bien plus tard, sous le règne de Parakramabahu II, que ce dernier ordonna de planter une frange de cocotiers sur tout le littoral allant de Kalutara à Bentota. C'est alors que débuta, dans la ville, la production d'un artisanat à base de palmier de qualité, le meilleur de l'île, et toujours très recherché aujourd'hui.
Généralement, les touristes ne s'arrêtent pas à Kalutara. Ni les mangoustaniers, réputés comme les plus beaux de tout le pays, ni l'artisanat renommé de la région, ni le temple bouddhiste pourtant exceptionnel ne retiennent vraiment l'attention. Ceux qui sont déjà fatigués par la sortie des embouteillages à Colombo sur Galle Road peuvent toujours y passer une nuit. Ceux qui cherchent une petite chambre pas chère peuvent continuer leur route.

Hébergement

Bien et pas cher

■ **CHAYANIKA BEACH HOTEL**
21, Fonseka Lane, Kalutara North
✆ (034) 223 80 – Fax : (034) 247 36
1 500 Rs en chambre double. Piscine avec pataugeoire pour les enfants. 22 chambres avec ou sans climatisation. Seule adresse abordable de la ville.

Confort ou charme

■ **HIBISCUS BEACH HOTEL**
A 4 km de la ville vers le sud
Autour de 70 $ les chambres. Bon établissement assez simple mais confortable et à l'accueil vraiment chaleureux. Bonne cuisine, grande piscine au sein d'un jardin tropical et à quelques pas de la plage.

■ **THE ROYAL PALMS HOTEL**
✆ (034) 222 81 137
Fax : (034) 222 81 12
www.tangerinehotels.com
En direction de Kalutara North. De 81 à 110 $ la double selon la période. Bel hôtel avec une piscine surplombée d'un joli pont. Belle ambiance d' Extrême-Orient, où couleurs chaudes et bois lourd dominent. Très bon choix d'hôtel, tout confort bien sûr.

Luxe

■ **HÔTEL MERMAID**
Mahawaskaduwa
✆ (034) 226 13
Entre 85 et 125 $ pour une double selon la saison.
L'hôtel possède 70 chambres grand confort dotées de balcon avec vue sur l'océan. Air conditionné, piscine, courts de tennis et nombreuses commodités.

■ **GOLDEN SUN RESORT**
Kudawaskaduwa, Kalutara North
✆ (034) 222 84 84
www.aitkenspencehotels.com
Autour de 100 à 150 $ la chambre double. Un excellent hôtel de la chaîne Aitken Spence. Donc confort luxueux, chambres spacieuses et impeccables. La cuisine est de qualité et le personnel adorable. Piscine, deux restaurants, bar, gym, sauna, etc. Rien ne manque.

■ **TANGERINE HOTEL**
✆ (011) 23437207
www.tangerinetours.com
Entre Katukurunda et Kalutara South. Chambre double à partir de 57 $, 76$ la delux, 107$ la suite. Les chambres supérieures sont jolies mais le tout est un peu kitch. Deux restaurants dont un en plein air sous des arcades, beaucoup d'activités (sports, ayurveda, etc.).

■ **KANI LANKA RESORT**
Sur la plage, à l'estuaire du Kalu Ganga
✆ (034) 222 65 37
Fax : (034) 222 65 30
www.kanilanka.com
Près de 150 $ la chambre double. Hôtel dessiné par un architecte français puis retravaillé par Geoffrey Bawa, il vaut clairement le coup d'œil : placé entre mer, lagon et rivière, au sein d'une palmeraie, le site est tout simplement fabuleux. Tout n'est plus ici que luxe, calme et volupté. Notre coup de cœur dans cette ville.

Dans les environs

■ **THE COLONIAL HOUSE**
Tebuwana
A louer par suite ou en totalité : entre 140 et 150 $ la suite en pension complète. A l'intérieur des terres, on ne saurait trop vous conseiller une nuit (au moins !) dans ce bungalow *so british* et en même temps si reposant pour ceux qui n'aiment pas les endroits

trop populaires et qui en ont les moyens. Maison coloniale dotée de six suites avec des lits à baldaquin gigantesques (sauf une qui a des lits jumeaux) dans des chambres meublées style colonial avec un goût des plus sûrs. Véranda, balcon, TV, lecteur DVD-CD, dressing... Les salles de bains quant à elles possèdent des baignoires à pattes de lion. La piscine, taillée dans le roc, offre une perspective spectaculaire sur la vallée. Enfin, le tarif comprend tous les repas (dont le sacro-saint thé de 18h) concoctés par un chef, lauréat de plusieurs prix, qui s'adapte parfaitement à la demande. Pas de plage, là, on est plutôt perdu au milieu des plantations, mais le fleuve coule sous la fenêtre, on mange les fruits et légumes du jardin : c'est tout simplement divin.

Restaurants

■ THE TREE TOPS

Près du Tangerine Hotel

Un restaurant en bois tout simple mais haut perché sur la plage de Kalutara. Service un peu lent, mais avec la vue qu'on a sur l'océan Indien, siroter un verre en patientant n'est vraiment pas un problème !

■ FANCY SEA FOOD RESTAURANT

81, Abrew Road, Kalutara North

Sympathique établissement proposant une excellente cuisine à base de fruits de mer.

■ FRENCH CORNER RESTAURANT

Ratnapura Road, Munagama, Horana

Un restaurant français, fait assez rare pour être remarqué, et pas mauvais avec ça.

Points d'intérêt

■ KALUTARA DAGOBA

Construit à l'emplacement du temple Gangatilaka Vihara qui fut naguère démoli par les Portugais afin d'élever un fort, ce temple est l'un des plus populaires du pays. Son blanc éclatant est visible à des kilomètres. Sa particularité tient en ce que, contrairement aux *dagoba* plus classiques, le Kalutara Dagoba n'est pas une construction pleine : c'est une cavité au sein de laquelle se niche un deuxième *dagoba*, plus petit. On peut donc y pénétrer et honorer les quatre statues de Bouddha qui se trouvent à l'intérieur. Kalutara est réputé dans tout le pays pour son dagoba énorme, première étape des pèlerins en route pour Kataragama : ils viennent y chercher la bénédiction pour leurs pérégrinations.

■ BO TREE

Un autre arbre de Bouddha, situé ici près du temple et devant lequel tous les conducteurs s'arrêtent un instant pour une courte prière. On vous laisse imaginer l'état de la circulation routière !

■ LES PONTS JUMEAUX

Jumelles car identiques et parallèles, ces deux passerelles permettent de relier l'île où se trouve le temple à la ville elle-même. Elles passent au-dessus de la Kalu Ganga (la Rivière noire).

■ BASKET HALL

On y trouvera les meilleurs produits en matière d'artisanat : paniers et autres objets fabriqués à partir de feuilles de palmiers. Observez la remarquable symétrie et l'originalité des motifs. Vous pouvez aussi faire un tour à la Kalutara Basket Society.

■ RICHMOND CASTLE

Une ancienne demeure nichée au cœur d'une plantation d'épices. On y va en canoë par les canaux hollandais, ce qui permet une fort jolie excursion.

■ FORÊT DE SINHARAJA

A partir de Kalutara, on n'est qu'à 55 km de cette zone déclarée Patrimoine mondial de l'Unesco. N'hésitez pas à y faire un tour.

▸ **Goûter les fruits des mangoustiers,** ils sont délicieusement sucrés et juteux. On n'en trouvera nulle part d'aussi savoureux, profitez-en !

BERUWELA

A 56 km au sud de Colombo. Beruwela mérite une halte pour sa jolie plage sauvage, face à un îlot rocheux, sa mosquée au-dessus de la mer et ses vieilles villas coloniales décaties, nichées dans la jungle. Grâce à la proximité de sa barrière de corail, les trois kilomètres de plage qui s'égrènent entre le phare et l'estuaire du fleuve Bentota offrent la possibilité de nager en sécurité, ce qui est plutôt rare dans les environs. En face du Barberyn Reef Hotel, on trouvera une sorte de piscine naturelle qui conviendra même aux enfants.

C'est également ici le royaume du *toddy*, cette boisson locale que l'on récupère à partir de la fleur de palmier : il faut le boire tout de suite, sinon ça tourne ! On comprendra donc aisément que les distilleries d'arrack soient, elles aussi, disséminées un peu partout dans la région.

Question hébergement, ce n'est pas terrible en dehors des grands hôtels remplis de groupes organisés.

Hébergement

Depuis le tsunami, il n'y a plus de logement à bas prix à Beruwela. On descendra donc plus bas si on préfère loger dans une guesthouse. Le long de la plage, vous verrez des bâtiments abandonnés, ravagés par la vague et jamais reconstruits. La plage est bordée d'hôtels de luxe dont peu ont un quelconque charme.

Bien et pas cher

■ **PAHALAGE GUESTHOUSE**
A coté du Taprospa
✆ (034) 227 64 06
✆ portable : (077) 737 48 25
www.pahalage.com
20 € la chambre simple, 30 € la double. Un joli petit établissement dans un jardin, on accède à la plage non loin par un petit chemin de terre. Les chambres sont confortables. On peut y manger pour pas cher, et c'est l'une des seules guesthouses du coin.

■ **SASANKA**
6 Barberyn Road (près du Palms)
✆ portable : (077) 616 15 86
✆ (034) 227 80 16
Dans la maison familiale Ruwan Silva loue 3 petites chambres doubles assez confortables. L'endroit le moins cher de Beruwela, 1 500 Rs la nuit et vous pouvez discuter s'il n'y a personne. Bonne adresse pour les fauchés, à 2 minutes de la mer dans une rue calme.

Confort ou charme

■ **YPSILON GUESTHOUSE**
✆ (034) 761 32 – Fax : (034) 763 34
www.ypsilon-srilanka.de
(attention les yeux, le site est en allemand)
ypsilon@slt.lk
Remis sur pied après avoir été ravagé par le tsunami, cet hôtel tenu par un couple germano-sri lankais organise des plongées. Les vastes chambres avec terrasse sont agréables et coûtent 30 $. Bon resto sur place.

■ **CLUB PALM GARDEN**
✆ (011) 233 33 20
www.confifihotels.net
De 50 à 60 $ la chambre double en demi-pension. Les chambres sont confortables. Deux restaurants, deux bars, une salle de jeux et un tas d'autres activités (mini-golf, tennis, sports nautiques). Une piscine dans laquelle vous pourrez même faire de l'aquagym avec la musique à fond. Un hôtel de groupe sans charme.

■ **THE PALMS**
Moragalle
✆ (034) 227 60 43
Fax : (034) 227 70 39
thepalms@sltnet.lk
Un très bel hôtel, plein de charme. L'entrée annonce déjà la couleur, petit chemin longé de chaque côté par des aquariums en forme de rivières, avec des poissons. Une jolie piscine dans un jardin face à la plage. Restaurant, bar, accueil tout y est. Un endroit charmant sur une belle plage de sable blanc.

■ **TAPROSPA**
✆ (034) 227 84 00
Un hôtel sympathique sur la plage. Comptez 65 $ la nuit. 650 Rs le petit déjeuner et environ 1 000 Rs les repas.

Luxe

■ **BARBERYN REEF HOTEL**
✆ (041) 227 60 36
www.barberyn.com
Est-ce son centre de soins ayurvédiques, pourtant hors de prix (530 $ la semaine), qui draine les foules ? En tout cas, cet établissement remplit facilement ses 65 chambres de 80 $ à 172 $ la double en pension complète. Promotion en saison : une nuit payée, une nuit offerte sur une base de double en pension complète (pour un séjour de plus d'une semaine) plus traitement ayurvédique.

■ **RIVERINA HOTEL**
✆ (034) 227 60 75
Fax : (034) 227 61 81
www.confifihotels.net
Compter environ 76 $ la double, selon la saison. Cet hôtel serait le plus grand de tout le pays avec près de 200 chambres dont les trois quarts ont vue sur la mer, sinon sur les luxuriants jardins tropicaux. Tout confort, night-club, restaurants, piscine et bar pour ce luxueux 4-étoiles.

■ **TROPICAL VILLAS**
Moragalla, en face du poste de police
✆ (034) 227 61 57
Un hôtel Jetwing alliant calme et isolement à seulement quelques pas de la plage.

Jolie piscine rayée bleu et noir, motif qui revient dans les chambres, mais avec goût. Le décor allie modernité et tradition et, comme d'habitude chez Jetwing, le résultat est là.

Point d'intérêt

A quelques kilomètres de là, dans le petit village de Kalawila, plusieurs promenades intéressantes à faire.

KALAWILA

La ville de Kalawila, un peu perdue à l'intérieur des terres, offre pourtant plusieurs points d'attractions très populaires pour les Sri Lankais, et qui nous permettent de plonger au cœur de la culture du pays, à quelques kilomètres à peine de notre resort.
En venant de Beruwela vers Galle, prendre à gauche après le pont de Kaluwamodara et continuer sur un kilomètre en direction de Kalawila. Vous y êtes.

Points d'intérêt

■ **KANDE VIHARAYA**
Temple bouddhiste situé à quelques kilomètres de là, entre Beruwela et Aluthgama, il offre une intéressante perspective sur le travail architectural ou les pièces présentes à l'intérieur. Datant de plus de trois cents ans, elles sont d'une manufacture d'autant plus impressionnante qu'elles révèlent l'influence des envahisseurs sur ces artisans ; ceux-ci étaient en effet habitués à construire des églises. Et le métissage des styles vaut le coup d'œil.
En ce moment, un projet de construction a été mis en place pour y ériger le plus grand bouddha du pays. L'édification avance doucement mais sûrement. Vous aurez donc peut-être une chance de le voir achevé.

■ **THE BRIEF**
Un magnifique jardin de 10 ha dessiné par feu Bewis Bawa – à ne pas confondre avec Geoffrey. Ce grand sculpteur et paysagiste, qui fut par la suite largement éclipsé par son génial frère, fut l'auteur de très belles créations, dont celle-ci fait partie. On y trouve toutes sortes de plantes et de designs différents : là un jardin à l'anglaise, ici une inspiration japonaise a pris le pas. Dans la maison même de Bevis Bawa, on pourra prendre place autour de la table où s'assirent Vivien Leigh et Laurence Olivier pendant le tournage du film *Elephant Walk*. A quelques kilomètres seulement d'Aluthgama ou de Bentota.

ALUTHGAMA

Entre Beruwela et Bentota, ce petit village passerait presque inaperçu et c'est assez plaisant. En effet, les établissements qui y sont installés sont plus authentiques que dans les autres stations balnéaires, d'ailleurs, peut-on appeler Aluthgama une station balnéaire ? La proximité du lagon, son accueillant monastère, ses jolis hôtels tous plus originaux et chaleureux les uns que les autres en font un village de vacances comme on aimerait plus souvent en trouver.

Hébergement

Bien et pas cher

■ **RAJIK DA SILVA GUESTHOUSE**
Dewala Road, Kaluwamodara
1 000 Rs la chambre double pour cette sympathique, quoique fort simple guesthouse, avec petit déjeuner inclus. Le confort y est sommaire mais l'accueil adorable. 1 500 Rs en demi-pension.

■ **BLUE LAGOON GUESTHOUSE**
Ranthambiligahawatte, Kaluwamodara
✆ (034) 76 062
Pour 2 000 Rs à peu près, vous avez une chambre double refaite à neuf pourvue d'une moustiquaire et d'un ventilateur.

■ **TERRENA LODGE**
Riverside Avenue, près du pont
✆/Fax : (034) 289 015
Les chambres doubles sont à 2 500 Rs. Grandes chambres claires, terrasse et pelouse donnant sur la rivière et bon restaurant populaire mais donc assez bruyant.

■ **SUNILANKA GUESTHOUSE**
Autour de 2 000 Rs la chambre double.
Une sympathique guesthouse au confort assez simple mais à l'ambiance vraiment chaleureuse. Dès le soir venu, c'est la fête, des discussions sans fin et des rencontres imprévues entre voyageurs. Le restaurant est réputé comme une des meilleures tables pour les fruits de mer. Une bonne adresse, quoiqu'un peu vieillissante, dans une région bardée de grands hôtels.

■ **ANUSHKA RIVER INN**
97, River Side Road
✆ (034) 227 53 77
www.anushka-river-inn.com
Une jolie petite guesthouse près de la rivière. 25 € la chambre double avec vue sur le lac.

Tout en haut salle de soins ayurvédiques. En bas, le restaurant aux tarifs attractifs et la cuisine est bonne avec ça.

HEMADAN TOURIST GUESTHOUSE
25A, River Avenue
à côté du Terrena Lodge
✆ (034) 753 20 – ✆ (074) 28 90 19
http ://.hemadan.dk
Compter 2 000 Rs la chambre (double) seule. Chambres correctes avec balcon et un jardin bien reposant donnant sur la rivière qu'il faut traverser en bateau pour accéder à la plage. Direction danoise.

Confort ou charme

NILWALA HOTEL
12, Galle Road, Kaluwamodara
✆ (034) 750 17
Autour de 40 $ la double. Joli petit hôtel familial situé sur le fleuve Bentota. Les chambres sont correctes et possèdent le confort minimum. On y propose plongée et toutes sortes d'excursions.

Luxe

GANGA GARDEN
www.gangagarden.com
www.guesthousesrilanka.com
Compter 70 $ la chambre double. Très élégant petit hôtel donnant sur le fleuve Bentota tout en étant préservé, par son petit jardin tropical, des bruits et des nuisances extérieurs. De l'autre côté de la rivière, la plage. Les chambres, correctes, possèdent chacune un balcon privé, la piscine permet de prendre un peu le soleil. L'hôtel possède sa propre jetée sur le fleuve, ce qui offre un large éventail de possibilités quant aux excursions.

EDEN RESORT AND SPA
✆ (034) 227 60 75
Fax : (034) 227 61 81
www.confifihotels.net
Entre 125 et 375 $ la chambre double, selon la saison. Un 5-étoiles tout confort sis au cœur d'un jardin tropical. Chambres spacieuses et meublées avec goût, spa, piscine, restaurant (avec chef). Probablement l'un des meilleurs hôtels de la côte ouest, tout y est. Plage, belle piscine, restaurants, charme et confort sont au rendez-vous dans cet endroit de goût.

CLUB BENTOTA
Paradise Isaland. Aluthgama
✆ (034) 227 51 67
Fax : (034) 227 51 72
www.clubbentota.com
Une petite île et dessus un hôtel où le calme et la beauté sont les maîtres mots. On n'y accède que par bateau, la réception vous en envoie un. Entre le lac et l'océan Indien, l'île porte bien son nom : paradise island ! Des bungalows et des chambres tout confort. Un beau jardin et des jeux pour enfants. Les amateurs d'activités nautiques seront charmés, entre le ski nautique, la banane ou le windsurf, tout semble possible sur ce petit bout de paradis.

La région des monastères

Un des plus jolis lieux en termes de nature et d'isolement. Le premier monastère est ouvert aux bouddhistes et autres moines désirant se retirer dans la méditation. Situé au creux d'une vallée entourée de montagnes, à l'écart de tout type de civilisation, il offre une bonne opportunité pour les pratiquants qui souhaitent méditer en paix. Non recommandée pour les débutants, cette retraite spirituelle est réservée aux puristes. D'ailleurs, le chemin pour y parvenir est déjà une épreuve en soi : une heure de route à pied, que l'on vienne de Badureliya ou de Pelawatta. **Kalugala AS. Pahalahewessa, Badureliya, Matugama.**

Pour ceux qui préfèrent simplement profiter de l'ambiance monastique sans pour autant avoir été baignés dedans, le **Dharmadvipa Y. Kalawilawatta** (*voir rubrique « Hébergement »*) sera d'autant plus parfait que vous pourrez profiter de la proximité de la plage.

Dans la même région, toujours, on trouvera un autre lieu de prière assez original par son histoire : il fut abandonné pendant une longue période à la suite de la mauvaise conduite d'un de ses moines. Les habitants perdirent la foi, et ce n'est qu'en 2004 qu'on le réinvestit. **Tundola A. Egodakanda**, Polgampala, Matugama. Sur la route de Pelawatta en venant de Matugama, on s'arrêtera à Polgampala.

Retraite spirituelle

■ DHARMADVIPA Y. KALAWILAWATTA, ALUTHGAMA

Près du Blue Lagoon Hotel, on trouve ce monastère bouddhiste ouvert aux Occidentaux désireux de s'adonner aux plaisirs de la méditation. Attention, ce n'est pas un lieu de villégiature, on participe donc aux tâches et à la vie monastique. Proche de la plage, niché dans la mangrove, c'est une retraite paisible et très spirituelle. Une différente manière de voyager… (*voir encadré*).

Restaurants

Le plus simple est de se sustenter dans les hôtels : Ganga Garden et Sunilanka sont réputés pour leur cuisine et pour leurs ambiances, diamétralement opposées selon que l'on recherche le calme ou l'animation.

BENTOTA

A 64 km au sud de Colombo, 50 km de Galle. Bentota n'a rien d'une station balnéaire passionnante. Elle a ses grands hôtels, la voie ferrée qui sépare les guesthouses des resorts et un « centre-ville » bien trop cher pour ce petit village sans autre attrait que ses plages. Pour les fans de sports nautiques, des activités sportives sont organisées sur le fleuve Bentota. A part ça… Un *spice garden* peut-être, en cherchant bien, se cache sur Galle Road, mais sinon… Ça ne vaut pas vraiment le coup de mettre le nez dehors. Les plages avoisinantes sont pourtant magnifiques et sûres, ce qui est plutôt rare, comme celle d'Induruwa où vous pourrez visiter un incubateur à tortues. Il y a même le Galapatha Vihare, qui date du XIIe siècle. Mais le coin manque singulièrement de sites intéressants à visiter.

Transports

▶ **Pour vous rendre dans les villages** cités ci-dessus, vous pouvez prendre des bus à Colombo en direction d'Aluthgama. Le seul véritable intérêt de Bentota étant d'avoir, à la porte de ses hôtels, une station ferroviaire desservie par les trains qui foncent (c'est une image) de Colombo à Matara.

▶ **Le train** venant de Galle vers Colombo fait une halte à 13h50 à Bentota.

Pratique

▶ **Indicatif téléphonique :** 034

■ INTERNET

202, Galle Road

4 Rs la minute. Téléphone à 30 Rs/min.

Hébergement

Ceux qui cherchent une petite chambre pas chère pour poser leur sac à dos devront faire un petit effort. Il faut savoir qu'avec la valeur touristique de la côte sud, l'inflation et les frais de la reconstruction post-tsunami, les prix ont flambé en quelques mois. Le fait que le gouvernement taxe de plus en plus les établissements touristiques explique aussi un peu les choses. Définitivement pas un endroit pour les fauchés.

Bentota, une plage

Beach boys

Phénomène typique du développement touristique des côtes, les beach boys, ces garçons qui traquent les touristes pour proposer toutes sortes de choses, du joint, des visites et même de la compagnie non gratuite... Le Sri Lanka n'échappe pas à cette déviance du développement touristique. Certains guettent sur la plage tout simplement pour faire leur travail, la plupart sont des guides ou se proposent de vous faire découvrir le coin pour pas cher. Pourquoi pas... c'est un travail comme un autre et grâce à leurs connaissances vous pourrez découvrir plus de choses que seuls en vadrouillant. Attention cependant car certains ont pris de mauvaises habitudes avec les touristes âgées venues pour passer du bon temps avec de jeunes ou moins jeunes garçons ! Il est donc fréquent que l'on propose (surtout aux femmes) un « Sri Lankan boy friend ». Certains peuvent s'avérer dangereux et usent de drogue. Ne suivez pas n'importe qui et ne buvez pas dans n'importe quel verre.

Bien et pas cher

■ GOLDI GUESTHOUSE

Pitaramba Road
✆ portable : (071) 325 96 43
1 000 Rs la chambre double avec ventilateur, 1 500 Rs avec climatisation (petit déjeuner inclus). Le long de la voie ferrée, juste après le Taj Exotica. Le seul endroit pas cher de Bentota, et ça se ressent. Les chambres sont très précaires, voire sales, dans une grosse bâtisse peu accueillante.

■ SUSANTHA'S HOTEL

Nikethana Road, Pitaramba
www.hotelsusanthas.com
La guesthouse est devenue *resort*, l'ambiance n'y est plus vraiment, mais la cuisine reste savoureuse. D'ailleurs, le restaurant ne désemplit pas. Comptez 18 € la chambre double.

■ AMAL VILLA

✆ (034) 227 02 36
www.amal.villa.com
De jolies chambres à partir de 55 $ dans un endroit calme. Beau jardin, l'endroit est du côté route, mais le restaurant est côté plage. *Sea food* au menu et bonne cuisine. Le personnel est charmant et attentionné.

Confort ou charme

■ AYUBOWAN SWISS LANKA

De 20 $ à 60 $ le bungalow selon la saison, en demi-pension. Un peu d'authenticité et d'intimité dans la région ! Ayubowan propose quatre bungalows dont deux possèdent une terrasse couverte donnant sur un jardin tropical plein de surprises et la très jolie piscine. On voit passer des varans et des singes assez fréquemment. Plage à 100 m, restaurant avec cinq possibilités selon que l'on veuille manger près de la piscine, en intérieur, en extérieur, en privé sur sa terrasse ou encore dans le jardin. L'accueil est très chaleureux, le but étant que les clients soient au mieux. Walter, le propriétaire suisse, se fait un point d'honneur à rendre votre séjour merveilleux. Repas ayurvédiques sur demande. Une très bonne adresse.

■ LIHINIYA SURF HOTEL

✆ (034) 227 51 26
Fax : (034) 227 54 86
Petit hôtel sympathique sur la plage mais sans grand charme. Chambres confortables mais bien trop chères, comptez de 70 $ à 90 $ la double. Piscine et restaurant extérieur face à la mer en font une adresse pas si mal à Bentota.

■ WUNDERBAR BEACH CLUB

Robolgoda
www.hotel-wunderbar.com
Entre 60 et 80 $ la chambre double en demi-pension. La Jamaïque à Bentota ! Si on veut un peu de vie dans ce village, c'est là qu'il faut aller. Le maître des lieux, Chandana, pro du bongo et fan de Bob Marley, fait un bœuf avec ses potes musiciens tous les soirs, ou presque, selon l'envie. Il s'occupe aussi de la conservation des tortues. Les chambres sont confortables, king size beds parsemés de fleurs tous les matins. Si c'est pour l'ambiance que vous y allez, ou que vous êtes un peu juste, vous pouvez toujours y dîner ou y prendre un verre le soir. Notre adresse préférée à Bentota.

Luxe

■ **TAJ EXOTICA**
✆ (034) 756 50
Exotica.bentota@tajhotels.com
Entre 165 et 217 $ la chambre double selon la période. Tout est impeccable et rutilant dans cet hôtel de luxe. Un peu impersonnel, mais les restaurants proposent une bonne cuisine avec un grand choix de plats, les chambres sont grandes et très confortables avec balcon sur la mer. Piscine, bar avec concert live tous les soirs, etc.

■ **SERENDIB HOTEL**
✆ (011) 233 21 55
inquiries@serendibleisure.lk
Encore un très bel hôtel sur la plage de Bentota. A coté du Cinnamon. Belle piscine et accès à la plage. Le style est charmant. Idéal pour se relaxer dans une ambiance enchanteresse.

■ **CINNAMON BEACH**
✆ (034) 227 51 76
www.johnkeelshotels.com
89 $ la chambre double. Anciennement le Bentota Beach Hotel, l'établissement dessiné par Geoffrey Bawa est probablement l'un de ses plus réussis. Les lignes sont simples mais splendides, les chambres confortables et belles. La qualité du service comme des prestations est vraiment du haut de gamme. Un très bel endroit avec un grand parc, une piscine superbe et près du lac.

■ **CLUB VILLA**
138/15, Galle Road, accès par une allée à 1,5 km au sud de Bentota
✆ (034) 753 12 – Fax : 28 71 29
www.club-villa.coméé
Du simple au double selon la saison, entre 135 et 175 $ la chambre double. Un lieu d'exception, aménagé dans une villa coloniale au milieu d'un grand jardin donnant sur plage. Les chambres sont énormes, souvent dotées de mezzanine, certaines avec salle de bains en open air. Le dîner, préparé selon vos désirs, se fait aux chandelles, dans la douceur d'une soirée sri lankaise. Luxe, calme et raffinement vous séduiront.

Restaurants

Tout le long de la voie ferrée, on trouvera plusieurs gargotes proposant d'excellents fruits de mer. Sinon, il y a aussi le Serena Villa, aux prix abordables. A partir de 800 Rs, autant se nourrir dans les restaurants des hôtels et autres guesthouses cités plus haut, ils offrent le meilleur rapport qualité-prix : une bonne cuisine pas chère au Susantha's ou Wunderbar, repas ayurvédique à l'Ayubowan et, enfin, le Club Villa pour un dîner romantique.

■ **GIMANHALA RESTAURANT**
Galle Road
Cuisine sri lankaise dans une ambiance locale. Zone touristique oblige, on ne vous servira rien de trop épicé.

Manifestation

▶ **Dalada Perahera.** Ce festival local, qui ne dure qu'une soirée, se situe aux alentours de début décembre ; à cette occasion, on pourra voir une vingtaine d'éléphants parader ainsi qu'une foule de troupes artistiques montrer leurs talents.

Point d'intérêt

■ **GALAPATHA RAJA MARA VIHARE**
Situé à 4 km de Bentota même, vers l'intérieur du pays. Il fut construit il y a environ 600 à 900 ans et contient, en plus des inscriptions habituelles sur la vie de l'Eveillé, un bouddha allongé de 30 m. Juste après le Bo Tree, une dalle raconte les étapes de la construction du temple. La porte datant du XIIIe siècle est magnifiquement sculptée dans la pierre. Les peintures sont splendides et n'ont rien perdu de leurs couleurs.
La rivière de Bentota est un endroit idéal pour apprécier une virée en bateau. Si vous trouvez Chana Siri (dit Petha) sur la plage, il vous emmènera pour un *lagon trip* d'une heure pour 150 Rs.

INDURUWA

L'attrait d'Induruwa tient précisément en ce que cette ville côtière est encore préservée du tourisme de masse. Avec quelques hôtels uniquement à son actif, elle offre calme et sérénité aux voyageurs qui privilégient une certaine authenticité à l'atmosphère oppressante des hôtels pour groupes.

Hébergement

Bien et pas cher

■ **LONG BEACH COTTAGE**
550, Galle Road
✆ (034) 75 773

C'est un minuscule établissement, enfin à taille humaine : 5 chambres confortables et propres. On y sert une délicieuse cuisine locale. Pour 1 300 Rs la chambre double, c'est vraiment intéressant. On y parle allemand, anglais et français.

Confort ou charme

■ EMERALD BAY HOTEL

✆(034) 229 09 65 – 492 23 82

Beaucoup plus modeste que le précédent, cet établissement offre néanmoins un bon rapport qualité-prix de 45 à 55 $ (selon la saison) pour une chambre double soignée.

■ ROYAL BEACH RESORT

✆ (034) 227 43 51

Fax : (034) 227 43 50

www.royalbeachlanka.com

Autour de 6 $ la chambre double. Enfin un endroit calme où se relaxer en toute quiétude. Cette très belle demeure, décorée dans l'esprit colonial contemporain de la maison, propose 15 chambres sur trois niveaux. Les communs sont assez impressionnants : le propriétaire aime les antiquités, et ça se voit. Les plafonds sont hauts, le bois omniprésent, il flotte ici comme un petit air d'Autant en emporte le vent. Piscine, restaurant avec coin bar, lounge. En haute saison, on ouvre le toit, à la vue spectaculaire, aux clients qui peuvent y prendre un verre, dîner et même apprécier des concerts en live.

Luxe

■ SAMAN VILLAS

✆ (034) 227 54 35

Fax : (034) 227 54 33

www.samanvilla.com

De 269 à 698 $ la suite. Situé sur un rocher avançant sur la mer, Saman Villas offre une perspective incroyable. Coup de cœur pour celui qui peut se le permettre, cet établissement propose 27 suites particulièrement confortables et stylées avec jardin ou terrasse, selon. Chambres spacieuses avec lits king size, salles de bains en open air, restaurant délicieux, centre de spa, fitness et yoga. Et attendez de voir la piscine qui se confond avec la mer... Tout est prévu pour préserver une atmosphère de calme et de sérénité. Les enfants de moins de 12 ans sont donc assez mal tolérés et les plus grands doivent avoir leur propre suite.

■ TEMPLE TREE RESORT AND SPA

660, Galle

✆ (034) 227 07 00

Fax : (034) 227 06 98

www.templetreeresortandspa.com

Ouvert depuis le début de l'année, cet hôtel a tout misé sur un style architectural moderne et de très bon goût. Face à la mer, la piscine entourée d'un jardin renvoie des reflets vert émeraude. Dix chambres magnifiques à partir de 225 $ avec le petit déjeuner. Spa et wi-fi dans les chambres. Une très belle adresse, sobre, pour les amateurs d'art moderne.

Restaurants

On trouvera tout le long de la plage des bouis-bouis où se restaurer pour pas cher. On peut aussi dîner au Long Beach Cottage.

■ INDURUWA BEACH RESTAURANT

✆/Fax : (071) 331 04

Cuisine correcte à un prix abordable.

Point d'intérêt

■ TURTLE HATCHERY

Un projet de conservation des tortues de mer, comme on en trouve sur toute la côte. Ici, la particularité est que l'on peut y admirer des tortues albinos, ce qui, avouons-le, est vraiment exceptionnel ! N'hésitez pas à faire un don, le centre paie les habitants pour chaque œuf qu'ils ramènent, afin de préserver la survie de l'espèce. Un bien joli concept, mais difficilement viable sans soutien extérieur.

KOSGODA

Kosgoda est réputée pour abriter le refuge favori des tortues de mer qui viennent ici se reproduire, ou du moins déposer leurs œufs (*voir aussi Rekawa dans la partie « Tangalla »*). Pour les défenseurs de l'environnement comme pour les simples visiteurs souhaitant en apprendre plus sur le sujet, vous êtes au bon endroit !

On trouvera ici de quoi satisfaire sa curiosité au sujet des tortues, avec des projets de conservation disséminés sur la route menant à Galle. Avec le tsunami, celui de Kosgoda a subi beaucoup de pertes et ne peut subvenir que grâce à l'aide des visiteurs. Le gouvernement s'étant allègrement lavé les mains du problème, nous vous encourageons vivement à participer à la protection de ces espèces menacées.

Kosgoda, le lagon

Hébergement

■ **GARDEN BEACH HOTEL**

Autour de 50 $ la chambre double. Joli établissement doté d'une pelouse bien entretenue sur deux niveaux pour profiter du soleil ailleurs que sur la plage. Une petite piscine au cœur de cette verdure. Les chambres sont agréables, avec TV, minibar, et les salles de bains impeccables.

■ **KOSGODA BEACH RESORT**

✆ (091) 226 40 17
www.kosgodabeachresort.lk
100 $ la nuit dans cet hôtel entièrement reconstruit après le tsunami, et donc tout beau tout neuf. Des petits cottages avec tout le confort moderne vous laissent indépendants et au calme, mais sous l'œil toujours vigilant d'un personnel attentionné.

Retraite spirituelle

■ **DIVIYAGALA AS**

Kosgoda
Six moines dans ce petit monastère doté d'une bibliothèque avec des livres en anglais, si vous n'en avez pas pris avec vous. La nourriture y est bonne. Affilié à Galduwa.

Point d'intérêt

■ **KOSGADA SEA TURTLE CONSERVATION PROJECT**

13/A, Galle Road, Mahapalana
✆ (091) 226 45 67
www.kosgodaseaturtle.org
Les 200 Rs de l'entrée servent à racheter les œufs de tortues aux pêcheurs et de les enterrer pour leur donner une chance d'éclore. Protection et préservation de l'espèce sont les maîtres mot de cet endroit. Cependant, il n'y a vraiment rien à voir dans ces bacs d'eau de mer. On vous expliquera juste ce que l'association (tenue par des Anglais) y fait.

AHUNGALLA

A 76 km au sud de Colombo. Ahungalla, la paisible. Ahungalla et ses étendues de sable fin... Ne cherchez pas, le véritable intérêt de cette ville réside dans les murs du plus chic hôtel du pays.
Bon à savoir : attention aux courants qui deviennent à partir d'Ahungalla traîtres et donc dangereux. Suivez les recommandations des habitants, ils connaissent l'océan mieux que personne, et ne vous aventurez pas seul dans l'eau si on vous le déconseille.

Hébergement

■ **THE HERITANCE**

Sri Jayatilaka Mawatha
www.aitkenspencehotels.com
Autour de 160 $ la nuit en chambre double. Connu auparavant sous le nom de Triton Hotel, il récupère son appellation originelle après son lifting. Particulièrement réussi d'ailleurs puisque c'est le premier 6-étoiles de l'île, on vous laisse imaginer le luxe parfait qui coule dans ses veines. Déjà considéré, forcément, comme le meilleur hôtel du Sri Lanka ! Il rouvre à peine ses portes, mais les clients se l'arrachent déjà !

Points d'intérêt

A Balapitiya, les compagnies proposent des boat trips sur la rivière. Près du pont, vous verrez les bateaux qui emmènent le long de la lagune à la découverte de varans et jolis paysages. Comptez 3 000 Rs pour 1 heure 30.

AMBALANGODA

A 86 km au sud. Petite ville réputée pour ses masques traditionnels, Ambalangoda mérite une halte de quelques heures.

Hébergement

Bien et pas cher

■ **PIYA NIVASA GUESTHOUSE**
Galle Road, Akurala
✆ (091) 225 81 46
Chambres sommaires avec douche et WC, avec un balcon commun qui permet de contempler l'océan pendant des heures. Le restaurant propose une cuisine locale délicieuse. Tout ça pour 750 Rs la chambre double.

■ **ARALIYA GUESTHOUSE AND RESTAURANT**
750, Galle Road, Randombe
✆ portable : (45) 35 83 28 58
1 100 Rs la chambre double avec petit déjeuner, 1 300 Rs en demi-pension et 1 800 Rs en pension complète. Bon petit restaurant local, chambres correctes et simples mais propres.

■ **SHANGRELA BEACH RESORT**
38, Sea Beach Road
✆ (09) 583 42
Chambres très correctes pour 1 000 à 1 200 Rs. Situé dans une grande villa, c'est une adresse réputée et sûre dans les environs.

■ **SUMUDU GUESTHOUSE**
✆ (09) 588 32
Comptez 1 000 Rs la chambre double. Tous les voyageurs qui choisissent de s'arrêter dans la ville se transmettent cette adresse. L'accueil est souriant et l'ambiance vraiment familiale puisqu'on vit vraiment au contact des membres de la maisonnée.

Kolam : la danse des démons

En tamil, le *kolam* désigne le costume. Mais c'est également le nom donné à une des formes du drame populaire. Si le *sokari* est exécuté par des danseurs pour favoriser des récoltes abondantes, le *kolam* confine au rituel d'exorcisme. A la nuit tombée, les danseurs revêtent des masques énormes qui représentent dieux et démons. Vous serez surpris par ces histoires liées à la vie d'un village cinghalais, remontant aux siècles précédents : on y retrouve des voleurs poursuivis par des policiers, un chef de village qui entretient une cour pour le roi et la reine…

Confort ou charme

■ **RANMAL REST AND TOURIST HOTEL**
Galle Road, Narigama
Un hôtel vraiment sympathique où les prix pour les chambres basiques (*entre 1 000 et 1 500 Rs la chambre double*) sont vraiment intéressants, mais on vous conseille vivement de prendre un des cabanons (*entre 2 300 et 3 000 Rs*) qui sont bien plus sympathiques. Restaurant sur la plage, ambiance familiale.

Ambalangoda

Luxe

■ FAMEDON'S AYURVEDA GARDEN RESORT
95/A, Sea Beach Road
✆ (09) 598 88
L'endroit est surtout fréquenté par les amateurs de soins ayurvédiques. Grandes chambres claires dans une maison donnant directement sur la plage à partir de 100 $ la chambre double.

Retraite spirituelle

■ SINHALENA T
Kosmulla, Neluwa
Plus dans les terres, à 30 km à l'est d'Ambalangoda, on trouve ce monastère sis sur le côté occidental de la forêt de Sinharaja. Il faut le mériter, après un bus pour Neluwa, une petite marche d'une heure tout de même. Affilié à Galduwa.

Points d'intérêt

▶ **La fabrication de batiks** et d'articles en coton est très pittoresque.

■ SAILATARAMA VIHARA
Un bouddha couché de 35 m de long, dans un temple intéressant pour son arche, mais aussi pour ses peintures représentant des danseuses, ce qui est assez peu commun.

■ MUSÉE DE MASQUES
Vous aurez ainsi le temps de découvrir le musée des Masques de la famille Ariyapala. Au fond des ateliers, à peine éclairés, des hommes creusent, peignent et polissent des morceaux de bois qui deviendront des figures éclatantes et terribles.

■ BANDU WIJESOORIYA SCHOOL OF DANCING
Cette école de danse située en face du musée, (spectacles chaque deuxième vendredi du mois à 18h30 et 19h30. Entrée : 500 Rs), est le seul endroit du pays où l'on peut assister à un spectacle authentique de kolam (la danse avec les masques). Les élèves y apprennent les mouvements des danses du sud de l'Inde.

Shopping

Vous trouverez un peu partout dans la ville de prétendus musées du masque pour vous vendre à prix d'or des morceaux de bois faits à la va-vite. Apprenez à reconnaître les véritables œuvres d'artisans des vulgaires brouillons d'étudiants. D'abord, sachez que les couleurs flashy vernies sont faites pour attirer les chalands, en l'occurrence nous. Pour acquérir un masque plus traditionnel, intéressez-vous aux couleurs naturelles, sans vernis. Le mieux serait encore de trouver de véritables masques antiques, mais ce n'est pas évident de s'y retrouver dans tout ce bazar. Mais la couleur est secondaire, il peut aussi arriver de trouver de belles pièces très colorées. Pour les reconnaître des copies mal faites, examinez la façon : les yeux exhorbités doivent être plutôt ovales, les détails doivent être sculptés dans le bois même. L'intérêt d'assister à des séances de façonnage du masque est que cela vous permet de voir les étudiants travailler à la chaîne, et observer ainsi les étapes qu'ils sautent allègrement. Vous pourrez en acheter un à bas prix pour le comparer à d'autres, c'est toujours instructif. En revanche, vous verrez tout de suite la différence en regardant s'appliquer des hommes passionnés par leur travail, de véritables artistes si l'on s'intéresse au détail du dessin, la précision de la figure et la vivacité de la grimace. Enfin, quoi qu'il en soit, le meilleur moyen de connaître la valeur d'un masque, c'est encore votre goût personnel. Si vous pensez que la somme qu'on vous propose (toujours négociable ici, n'en doutez pas !) vaut l'objet de votre convoitise, alors n'hésitez surtout pas. Bon shopping !

HIKKADUWA

A 99 km au sud. Les mauvaises langues ont surnommé le village « hippie-kaduwa ». En effet, sur les plages, les filles sont assez dévêtues et invariablement entourées d'une armée de surfeurs hirsutes. Tout ce beau monde a tendance le soir à se retrouver sur ces mêmes plages et à fumer des substances prohibées. D'où peut-être le surnom…
La station est surtout réputée pour son spot de surf mais surtout pour ses *beach boys*, particulièrement à l'affût, et ses coraux, mais tellement abîmés par une exploitation commerciale irresponsable qu'il n'y a vraiment plus grand-chose à voir.
En bref, Hikkaduwa est une ville intéressante pour les étrangers qui veulent se retrouver entre eux, manger occidental et c'est tout. Dernier point important à noter sur cette station : c'est l'une des rares où l'on trouvera très facilement, et à profusion, un hébergement abordable, voire pas cher du tout. A 17 km de Galle, c'est le lieu idéal pour passer la nuit sans se ruiner, dans une ambiance jeune et décontractée.

Hikkaduwa

Transports

▶ **En bus,** Hikkaduwa est à 2 heures et demie de Colombo. Le ticket coûte 50 Rs.

▶ **En train,** c'est à peu près le même tarif. Ils sont un peu lents, vous pourrez donc largement profiter de la balade et des vues sur le littoral ; si vous êtes pressé en revanche, évitez.

▶ **Pour vous déplacer en ville ou dans les environs proches,** louez des motos, une 125 cc, c'est environ 600 Rs par jour. Enfin, le meilleur moyen, si la marche vous fatigue, c'est encore la bicyclette : comptez environ 200 Rs la journée.

Pratique

▶ **Indicatif téléphonique :** 091.

▶ **Internet.** Exactement en face du Hikkaduwa Beach Hotel, au début de la ville en venant de Colombo, sur Galle Road, un cybercafé pas trop cher encore, à 60 Rs l'heure.

Hébergement

Il n'y a que l'embarras du choix pour les voyageurs, avec une prédominance pour ceux qui sont peu fortunés. Prenez un verre à l'endroit que vous aurez choisi avant de vous décider définitivement : les bruits de la route, voire de la mer parfois, peuvent s'avérer pénibles, notamment pour les personnes ayant le sommeil léger. Difficile de recenser toutes les gargotes qui offrent le gîte et le couvert. D'une année à l'autre, certaines ferment et d'autres s'agrandissent. La liste suivante n'est donc pas exhaustive et couvre également les plages des environs d'Hikkaduwa. Quoi qu'il en soit vous n'aurez aucun mal à trouver un hébergement puisqu'il y en a tous les mètres sur cette plage.

Bien et pas cher

■ **CURRY BOWL**
368, Galle Road
✆ (091) 222 77 201
currybowl@live.com
Sûrement la guesthouse la plus mignonne de la ville. 10 chambres dans une jolie maison bien décorée. Comptez de 800 Rs à 1 000 Rs la chambre double avec petit déjeuner, 1 500 Rs côté mer.

■ **ESKANDIA**
291, Galle Road
600 Rs la chambre. Une sympathique guesthouse danoise côté route : elle est dotée de quatre chambres (dont une pour les locaux) doubles avec ventilateur, salle de bains et terrasse personnelle en rez-de-jardin. Le restaurant sous chapiteau est doublement agréable selon qu'il fasse soleil ou pluie. C'est très simple mais propre, et surtout pas cher.

■ **LOVELY GUESTHOUSE**
De l'autre côté de la voie ferrée, en face de la station de police. Depuis vingt-sept ans, cet endroit, la première guesthouse d'Hikkaduwa, est sis dans une très jolie maison qui propose un prix très attractif pour des chambres correctes.

Hikkaduwa festival

Le mois de juillet accueille chaque année à Hikkaduwa, un festival de surf. Concerts, fêtes, animations et bien sûr compétition de surf au programme. Ambiance festive donc sur cette plage déjà animée en temps normal. Cette année, le festival a eu lieu du 30 juillet au 3 août 2008.

Pour 500 Rs, elle sera propre mais sommaire, pour 800 à 1 000 Rs, on aura une chambre plus spacieuse avec carrelage. Les repas, sur commande, coûtent dans les 200 Rs. Elle donne sur la rivière, mais pas très loin de la plage. Endroit idéal pour goûter le charme de la guesthouse vraiment familiale.

■ **SHANTY GUESTHOUSE**
1 300 Rs pour une chambre double ou triple, 150 Rs le petit déjeuner, 250 Rs le rice and curry. Guesthouse jolie et tranquille nichée dans son jardin tropical dont les fruits nous sont servis au petit déjeuner. En face de l'Amaya Reef, on prend le chemin qui traverse la voie ferrée et hop, on y est ! Les chambres sont grandes et confortables, le restaurant ouvert pendant la saison (de novembre à mars).

■ **TANDEM GUESTHOUSE**
Guesthouse très propre et bien tenue sur la plage même d'Hikkaduwa. Les chambres sont confortables avec des voiles de moustiquaire entourant le lit, une terrasse dotée de deux transats donnant sur le sympathique jardin. Tout ça pour 1 200 à 2 000 Rs la chambre double... Et le sourire en plus !

Confort ou charme

■ **WEWALA BEACH**
380, Galle Road
3 150 RS la double. Avec piscine, restaurant et des chambres correctes, c'est un hôtel plutôt sympathique, mais sans plus.

■ **HIKKADUWA BEACH HOTEL**
298, Galle Road
✆ (09) 2277327
www.hbeachhotel.com
De 40 à 45 $ la chambre double. Un des premiers (ou derniers selon d'où l'on vient) établissements d'Hikkaduwa, le HBH propose une prestation assez élevée pour un tarif très correct. Restaurant dont une partie en extérieur, piscine, boutiques, salle de jeux, etc. Certaines chambres sont un peu tristes, mais restent spacieuses et confortables, dotées chacune d'un balcon donnant sur la mer. Pour les lecteurs du *Petit Futé*, le gérant offre 10 % de réduction sur tout séjour, 25 % aux étudiants et 15 % de remise pour tout séjour excédant deux semaines sur présentation du guide.

■ **CINNAMON GARDENS**
Thiranagama
Autour de 4 000 Rs la chambre double climatisée, 3 000 Rs avec ventilateur. Rien à voir avec celui de Colombo. Une maison coloniale gérée par des Anglais fort sympathiques. Pas de piscine ici, mais des chambres correctes et une cuisine savoureuse. Le bar possède le câble, chose rare dans la région, ce qui l'a rapidement transformé en point de ralliement pour les amateurs de sport.

■ **MAMBO**
Fram Surf Shop, 434 Galle road
✆ (091) 458 13 12
✆ portable : (077) 782 25 24
www.mambo.nu
L'endroit incontournable du coin pour les surfeurs. Le patron du lieu, dit Mambo, donne des cours de surf quand la vague est propice. Comptez 2 000 Rs l'heure avec assurance et matériel fourni. Restaurant sur la plage très sympathique. 15 chambres agréables de 1 500 à 1 800 Rs. Fêtes organisées tous les samedis soir, l'endroit est jeune et cool, vous êtes prévenu !

Luxe

■ **BLUE CORAL SANDS**
Compter 62 $ la chambre double. 75 chambres climatisées, grand jardin, deux piscines, une salle de jeux et un restaurant. Cet établissement est le résultat d'une fusion entre le Blue Coral et le Coral Sands. Dotés autrefois d'une réputation à frémir d'horreur, les deux en un étaient plutôt corrects à notre passage (certaines chambres sont inégales). Mais sans plus. L'un des plus importants endroits pour le tourisme de masse.

■ **CORAL SANDS HOTEL**
✆ (091) 227 74 36
www.coralsandshotel.com

Un hôtel face à la mer, comme il y en a tant dans cette ville. 66 $ la nuit en chambre double. Piscine et accès à la mer. Le restaurant est bon et le service impeccable. Comptez 530 Rs le petit déjeuner et de 200 à 800 Rs les repas.

AMAYA REEF
400, Galle Road, Welawa
✆ (091) 43 83 244
Fax : (091) 43 83 244
www.amayaresorts.com
On retrouve toujours avec bonheur le confort stylé des Amaya, mais celui-ci, plus abordable, s'est adapté à la demande. Des chambres spacieuses au décor simple, piscine, restaurant, bar, relaxation pour 85 $ la nuit en chambre double. Sûrement le plus bel hôtel de cette ville.

SUITE LANKA HOTEL
Galle Road, Thirangama
✆/Fax : (09) 77 136
9 chambres. Hôtel agréable avec une belle piscine et une plage bordée de cocotiers. Les chambres, joliment meublées, ont vu sur la mer pour 65 à 150 $ la nuit. Pour un séjour au calme, mais, à ce prix-là, on préfère le précédent ou s'éloigner un peu des sentiers battus.

OCEAN VIEW COTTAGE
Galle Road, Thiranagama
✆ (09) 438 33 15
De 1 500 à 3 000 Rs la chambre double non climatisée, selon la saison, de 2 000 à 4 000 Rs avec air conditionné. Jolie maison aux chambres simples mais grandes, propres et confortables. Le jardin tropical donne sur une plage peu fréquentée. L'endroit est agréable, la cuisine bonne et les prix raisonnables, pour une retraite dans le calme.

Dans les environs

VILLA KUSUM
932, Galle Road, Patuwatha, Dodanduwa
Autour de 160 $ la chambre double. Gay-friendly. Piscine, plage impeccable. Sa position à l'écart de la station touristique offre un calme et une douceur de vivre inégalés. Cette maison de caractère, soigneusement décorée, ravira les plus exigeants. La cuisine est savoureuse à souhait, la piscine au cœur d'un jardin.

ADITYA VILLA
Rathgama
Entre 185 et 400 $ la nuit. Probablement l'une des plus belles propriétés du pays. 12 suites merveilleusement aménagées, au luxe peaufiné jusqu'au moindre détail : chacune possède une piscine-Jacuzzi privée, lecteur CD et DVD, une grande télévision, etc. On y mange à l'heure qu'on veut et sur commande si l'on s'y prend assez tôt. Ici, le client est vraiment roi. Un bonheur pour ceux qui peuvent se le permettre.

BIRD LAKE LODGE
Panthana, 3 km par Baddegama Road, puis 1 km de piste, accès possible en *tuk-tuk* depuis la gare routière de Hikkaduwa
✆ (09) 770 18

Hikkaduwa

Comptez 3 100 Rs pour une chambre double avec moustiquaire, ventilo et douche froide. Un vrai coup de cœur que cet écolodge situé au bord d'un lac dans l'arrière-pays. Bien que l'ensemble soit correct, ça n'est pas le grand luxe, mais on y est au calme, la table est excellente et le patron très gentil. On vous prêtera des vélos pour vous rendre à Hikkaduwa.

Restaurants

■ SPAGHETTI & CO ITALIAN RESTAURANT
Au sud de la ville
Entre 500 et 1 000 Rs. Il ne paie pas de mine à première vue, mais ce restaurant propose une excellente cuisine italienne. Essayez les lasagnes, elles sont vraiment délicieuses. En revanche, allez-y tôt, le service est plutôt lent.

■ MAMAS CORAL BEACH HOTEL AND RESTAURANT
338, Galle Road ✆ (091) 567 77 24
Grand restaurant assez agréable avec vue panoramique sur l'océan. Plébiscité par les gens du coin qui apprécient la cuisine familiale de Mamas. Et nous aussi.

■ RED LOBSTER
287, Galle Road
✆ portable (077) 790 46 71
Restaurant familial sur deux niveaux avec vue sur la mer proposant une bonne cuisine abordable : *rice and curry* à 225 Rs, poisson grillé à 325 Rs, homard à 250 Rs les 100 g. On y propose également des excursions, voir Singha Tours, au même endroit.

■ REFRESH
384, Galle Road ✆ (091) 227 78 10
Sans doute le restaurant le plus agréable du secteur, surtout le soir, car moins bruyant que les autres. Réputé pour être le meilleur restaurant sri lankais de l'île, on le trouve ici sur Galle Road et un autre à Tissa. Joli décor et assiettes copieuses. Bons fruits de mer mais un peu chers. Difficile de s'en sortir à moins de 2 000 Rs.

■ BLUE MOON RESTAURANT
LE lieu romantique de Hikkaduwa. Situé sur la plage, avec son décor très intimiste, il offre des perspectives sur le soleil couchant qui en laissent certains rêveurs. La cuisine y est vraiment bonne.

■ SUKHAWATHI VEGETARIAN RESTAURANT
Un restaurant végétarien et ayurvédique à la cuisine exceptionnelle. A essayer au moins une fois.

■ ABBAS RESTAURANT
Spécialités allemandes puisque le propriétaire y vit. Meilleur steak de la ville. Le plus vieux restaurant d'Hikkaduwa, réputé et ce n'est pas pour rien...

Sortir

■ TOP SECRET
Sur la plage. Un endroit où l'on vient prendre un verre, dîner ou passer la nuit entière, selon l'humeur. Le personnel est adorable et l'on pourrait ne plus bouger d'ici tant c'est un lieu chaleureux.

■ WHY NOT ROCK CAFE ET LE POP STAR BEACH
Restaurant sur la plage de Narigama côtoient de nombreuses gargotes de bord de mer. On y trouve à peu près de tout, des francfort-frites au *shop-suey* en passant par la pizza et les inévitables *rice and curries.*

■ VIBRATIONS
Un night-club très prisé, mais situé plus à l'intérieur des terres. Allez-y le vendredi soir, Janaka y joue avec son groupe, et ça vaut le détour.

Cuisine : comme à la maison

Au pays des épices et du riz, les voyageurs mangent comme à la maison : crêpes à la banane le matin, pizza le midi et frites le soir. Les restaurants ne désemplissent pas, surtout quand les propriétaires ont la bonne idée d'agrémenter leur service de compilations musicales occidentales. Fermez les yeux, vous êtes à Munich, Paris ou Londres. On trouvera à Hikkaduwa de quoi se nourrir à tous les prix, même et surtout les plus bas. Un copieux petit déjeuner sur la plage pour 100 Rs ? Un dîner romantique à base de homard sans se ruiner ? C'est possible, et en particulier ici. Profitez-en et bon appétit !

Hikkaduwa

Points d'intérêt

■ **GANGARAMA MAHA VIHARA**
Baddegama Road. Un temple bouddhiste coloré par de nombreuses fresques très instructives.

■ **SEENIGAMA VIHARA**
Un temple bouddhiste bâti sur une île à quelques dizaines de mètres du rivage. Cette construction est d'autant plus surprenante qu'elle n'a été que peu endommagée par le tsunami quand toute la côte, en particulier Hikkaduwa, a été entièrement ravagée.

Loisirs

■ **NATURE RESORT AND RIVER SAFARI**
Pathana ✆ (074) 383 294
Restaurant sur un bateau qui propose des excursions très courues sur la rivière. Voyage romantique garanti.

■ **POSEIDON DIVING STATION**
A côté de l'hôtel Hikkaduwa Beach
✆ (09) 772 94 – www.divingsrilanka.com
On peut vous y proposer des plongées dans les rares endroits préservés. Brevet PADI obligatoire, sinon on vous le fait passer.

GALLE

A 116 km au sud de Colombo se trouve Galle (prononcez *gol*), la quatrième ville du pays par le nombre de ses habitants (environ 80 000 personnes) et aussi l'une des plus attachantes dans sa partie historique. Le nom de la ville viendrait selon les uns du cinghalais *gala*, qui désigne le roc sur lequel est construit le port. Pour les autres, il faudrait chercher du côté du portugais *galo* (coq). Les premiers Portugais, arrivés dans le port au XVIe siècle, auraient en effet entendu le chant du coq, et l'ancien blason de la ville porte un gallinacée comme symbole. La partie de la vieille ville correspond à l'ancien fort que les Portugais commencèrent à ériger à partir de 1589 et que les Hollandais achevèrent lorsqu'ils s'y installèrent à partir de 1640. Ces derniers ont marqué leur passage par des exactions, notamment la capture d'esclaves qu'ils vendaient en Afrique du Sud. Aujourd'hui, la vieille ville de Galle et ses fortifications sont inscrites au Patrimoine mondial de l'Unesco : on y trouverait la plus grande forteresse hollandaise conservée dans le monde.
Il se dégage de l'endroit un envoûtant parfum de nostalgie et l'on aura plaisir à flâner dans les rues poussiéreuses de ce lieu unique où se mêle la mémoire de l'Orient et de l'Occident.

Transports

▶ **Bus.** Comptez 3 heures et 50 Rs si vous voulez rallier Colombo en bus. Il y a des départs tous les quarts d'heure jusqu'à 19h30.

▶ **Train.** Si vous choisissez le train, rendez-vous à la gare pour les cinq départs dans la journée : 6h55, 7h30 et 10h35 le matin, puis 14h50 et 16h50 l'après-midi. Pour Kandy, prenez le train de 14h50.

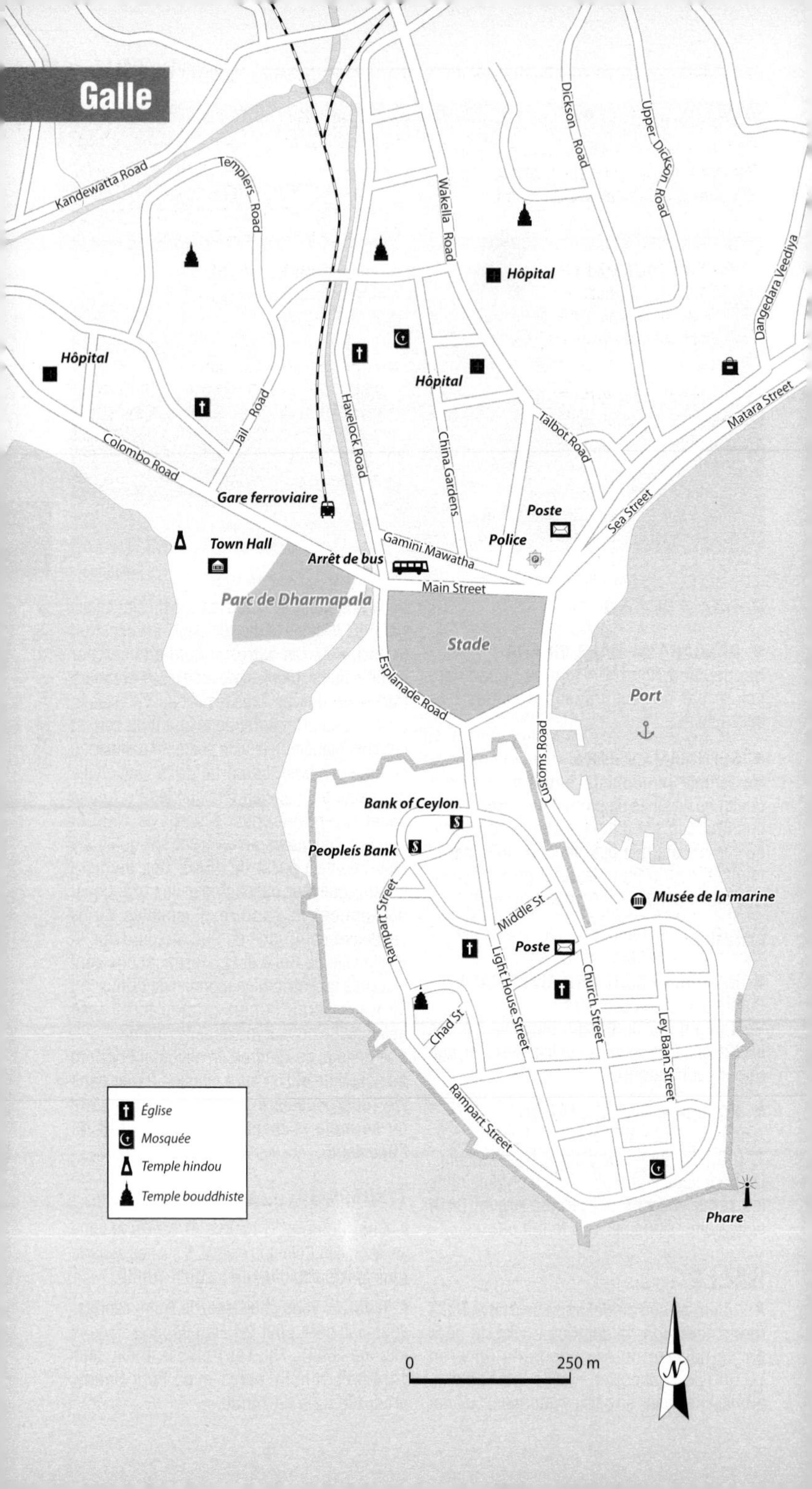

Galle
Kandewatta Road
Templers Road
Wakella Road
Dickson Road
Upper Dickson Road
Dangedara Veediya
Hôpital
Hôpital
Hôpital
Jail Road
Havelock Road
China Gardens
Talbot Road
Matara Street
Colombo Road
Gare ferroviaire
Sea Street
Poste
Police
Town Hall
Arrêt de bus
Gamini Mawatha
Main Street
Parc de Dharmapala
Stade
Esplanade Road
Port
Customs Road
Bank of Ceylon
Peopleís Bank
Rampart Street
Middle St
Musée de la marine
Poste
Light House Street
Church Street
Chad St
Ley Baan Street
Rampart Street
Église
Mosquée
Temple hindou
Temple bouddhiste
Phare
0
250 m
N

Hébergement – Restaurants

On trouve de tout et à tous les prix à Galle. Sur Pedlar Street, mention spéciale pour Khalid's Guesthouse et l'hôtel Weltevreden.

Bien et pas cher

■ **FAIKAS TOURSIT REST**
40, Middle Street, Fort
500 Rs la double. Au cœur de la vieille ville. Chambres un peu glauques, mais à ce prix-là...

■ **BEACH HAVEN GUESTHOUSE**
Chez Mrs N.-D. Wijenayake's
65, Lighthouse Street
✆ (091) 223 46 63
www.beachhaven-galle.com
Internet à 60 Rs l'heure. Chambres sans grand confort mais avec moustiquaire pour 600 Rs (salle de bains commune) à 1 500 Rs sans climatisation. Sinon, c'est autour de 2 500 Rs la chambre double. Bonne cuisine locale. Une petite guesthouse agréable dans le fort.

■ **LIGHTHOUSE LODGE**
62B, Light House Street, Fort
Autour de 1 000 Rs la chambre double. Petite guesthouse de 7 chambres. Ambiance chaleureuse et familiale, mais rien de bien exceptionnel.

■ **BEATRICE HOUSE**
Chez R.-K. Kodikara's au 29, Rampart Street ✆ (09) 223 51
Compter entre 800 et 1 000 Rs. Chambres simples mais correctes dans une grande maison sur les remparts. Certaines salles de bains sont équipées de l'eau chaude.

Confort ou charme

■ **OCEAN VIEW HOTEL**
✆ (091) 224 27 17
jewelgem@sltnet.lk
Compter 35 $ les chambres du bas, 38 $ celles du haut. La demeure est belle, les plafonds hauts et l'intérieur parsemé d'images religieuses. Les cahiers d'école des enfants traînent encore sur la table du *lobby*, c'est vraiment familial. Les chambres sont correctes et propres, il y a une terrasse donnant sur l'océan et même un carré de verdure à l'étage. Un endroit charmant et idéalement placé face à la muraille. La cuisine est délicieuse ! Notre coup de cœur dans le fort.

■ **LADY HILL**
Upper Dickson Road
✆ (091) 224 43 22 – 545 09 50
www.ladyhillsl.com
Le plus haut point de vue de Galle. Un bel hôtel, calme et plein de charme. Quatre étages et un belle terrasse pour apprécier la vue sur le port et le fort. Chambres de tyle colonial à 65 $ et 75 $ avec petit déjeuner.

■ **CLOSENBERG HOTEL**
Magalle. A côté du port de Galle
✆ (091) 222 43 13
Fax : (091) 222 32 241
www.closenburghotel.com
Une magnifique demeure coloniale. Le restaurant a vue sur la mer. Le personnel est au petit soin. De style ancien, les salles et les chambres sont très belles. Comptez 45 $ la nuit avec petit déjeuner. Une charmante adresse.

Luxe

■ **THE GALLE FORT HOTEL**
28, Church Street, Fort
✆ (091) 223 28 70
www.galleforthotel.com
*Entre 200 et 300 $ avec petit déjeuner, taxes comprises.*Ce lieu est le rêve de Karl et Chris.

Tsunami, vous avez dit tsunami ?

S'il est un endroit au Sri Lanka où l'on évitera de poser des questions sur le raz-de-marée qui a ravagé le pays, c'est bien ici. Non que Galle ait été la plus touchée (la région d'Ampara détient le triste record du plus grand nombre de pertes humaines), mais c'est ici qu'il fut le plus violent.
En effet, en raison de l'architecture du fort hollandais, l'eau s'est engouffrée si soudainement, et à travers un seul passage, dans la vieille ville que la population sur place n'avait aucune chance de s'en sortir. La page n'est donc pas encore tournée pour les survivants encore sous le choc de la perte d'êtres chers, et tenter d'en discuter avec eux ne fera que raviver la plaie.
Notons tout de même que l'art militaire néerlandais n'a rien à voir dans l'histoire, le fort hollandais de Trincomalee ayant, pour le coup, protégé la ville de la vague meurtrière.

Ils sont venus s'installer à Galle après être tombés amoureux de cette ville. Ils y ont créé 14 très spacieuses suites, avec mezzanine pour la plupart, meublées d'antiquités asiatiques et où le moindre détail est méticuleusement ordonné. La piscine est entourée de frangipaniers qui la décorent de leurs fleurs. Mais c'est la cuisine qui est leur priorité et passion, et Chris y sert des plats très raffinés pour un menu n'excédant pas 20 $. Un endroit à part, dédié à l'harmonie et la sérénité, et où les enfants de moins de 12 ans ne sont donc pas tolérés.

■ **LIGHTHOUSE HOTEL AND SPA**
Premier hôtel de Galle en venant de Colombo
✆ (09) 237 44 – Fax : (09) 240 21
www.jetwing.net
L'un des hôtels les plus luxueux du pays mais pas le plus beau. Il possède un incroyable escalier monumental décoré d'étonnantes sculptures. L'endroit est immense, le parc où se trouvent les piscines donne sur la mer. Deux restaurants gastronomiques, un spa où tout n'est que pureté et sérénité et 63 chambres de très grand confort pour 146 à 267 $ la chambre double.

■ **THE SUN HOUSE**
18, Upper Dickson Road
✆ (091) 438 02 75 - Fax : (091) 222 26 24
www.thesunhouse.com
Entre 175 et 260 $ la suite. Cet établissement huppé, situé au-dessus de la ville nouvelle, a été aménagé avec beaucoup de goût dans une ancienne demeure coloniale. Grand confort dans des suites impeccables. Le restaurant gastronomique est l'un des plus réputés du pays avec un menu différent chaque jour. La direction possède maintenant une autre propriété à quelques pas de là : Doornberg, The Dutch House propose trois suites avec jardin et piscine à 320 $ la nuit. Un lieu d'enchantement à visiter, l'endroit est sublime, vieux meubles d'époque, jardin et piscine magnifiques.

■ **AMANGALLA**
10, Church Street, Fort
✆(091) 223 33 88 – Fax : (091) 223 33 55
www.amanresorts.com
Comptez 500 $ la chambre basique, dans ce bel établissement de la chaîne Aman, la plus réputée en Asie. Anciennement le New Oriental Hotel, cet établissement a respecté les fondations du précédent tout en donnant un coup de fouet aux installations vieillissantes. Les chambres, spacieuses et chaleureuses, sont un havre de paix d'où l'on ne sort que difficilement ; le spa, une invitation perpétuelle à la relaxation ; et l'accueil est professionnel jusqu'au bout des ongles.

■ **THE FORTRESS**
Koggala, sur la route de Galle
✆ (091) 438 94 00
Fax : (091) 438 94 55
www.thefortress.lk
Construit comme un fort avec une muraille extérieure, le bâtiment est stylé. La piscine est sublime face à la mer. Restaurant, cave à vin, le tout dans un luxe extrême. Les chambres sont spacieuses, comptez de 340 $ à 810 $ une nuit en chambre et de 810 à 1 130 $ la nuit en suite. Raffinement et luxe sont à leur comble avec l'espace spa, massages et soins dans un cadre incroyablement zen. Une adresse à visiter ne serait-ce que le temps d'un repas.

Retraite spirituelle

■ **KOTTAWA NAGA A**
Kottawa, Kottagama. Direction Udagama, on descendra à Kottawa Junction. Ce monastère est situé au cœur de 50 acres de forêt sur de petites collines. Et au milieu coule une rivière. Affilié à Waturawila.

Restaurants

Toutes les pensions du fort servent à manger sur commande pour un prix modique. Moins de 500 Rs. Mention spéciale pour un petit resto posé sur Rampart Street : thème Bob Marley et *peace attitude* dans ce petit boui-boui avec vue sur la mer. La nourriture est très correcte, les boissons délicieuses, et pour ceux qui aiment, le fond musical bien agréable. Khalid's Guesthouse propose une excellente cuisine locale à 500 Rs.
Bien évidemment, on ne peut passer par Galle sans goûter la merveilleuse cuisine du Galle Fort Hotel, du Lighthouse Hotel ou encore de l'Amangalla. Notre préférence va toujours au premier, dont les prix sont en outre très abordables pour la qualité de la prestation *(2 000 Rs un menu complet).*

Shopping

Galle est réputée pour ses nombreuses boutiques de pierres et de bijoux. En voici quelques-unes superbes :

■ **DUTCH WLL ARCADE**
Rampart Street
✆ (091) 492 98 00

© portable : (077) 672 73 62
dutchwallarcade@yahoo.com
Cette bijouterie devant les remparts a aussi une boutique d'antiquités à côté. Jetez-y un coup d'œil ne serait ce que par curiosité, des merveilles anciennes s'y cachent. On peut aussi y trouver des bijoux stylisés avec charme et goût. Saphir, pierre de lune, quartz... il y en a pour tous les goûts. Hassan saura vous conseiller, la lithothérapie n'a pas de secret pour lui. Une belle galerie de charme que l'on peut visiter sans se ruiner.

■ **FASHION JEWELERY**
Church Road
© portable : (077) 788 70 87
© (091) 226 03 29
psjewel@sltnet.lk
Une jolie petite boutique qui ne paye pas de mine. Pourtant, en y entrant et en fouillant un peu, vous y dénicherez des bijoux sublimes. De très beaux modèles de bijoux ornés de pierres sri lankaises.

■ **OCÉAN VIEW**
Light House Street
© (091) 224 27 17
www.southlankagems.com
jewelgem@sltnet.lk
La famille qui tient la petite guesthouse a aussi une fabrique de bijoux à Weligama. Vous pouvez la visiter ou directement demander à voir les bijoux à la guesthouse.

Points d'intérêt

L'intérieur du fort peut faire l'objet d'une promenade de quelques heures. On remarquera à la Groote Kerk, la plus vieille église protestante du pays actuellement en restauration. Construite en 1755, elle se dresse à l'emplacement d'un couvent de capucins portugais.
Le nom des rues rappelle, lui aussi, le passage des colons bataves. Flânez et observez la couleur des maisons dont certaines portent encore le sigle V.O.C. de la Compagnie des Indes orientales néerlandaises.

■ **LE NATIONAL MARITIME MUSEUM**
Ouvert de 9h à 17h, fermé le jeudi. Entrée 65 Rs. Ne mérite guère une halte, mais on peut y apprendre quelques détails intéressants sur les coraux et l'on y trouve de jolies maquettes d'embarcations traditionnelles.

■ **L'HISTORICAL MANSION MUSEUM**
Ouvert tous les jours de 9h30 à 18h. Entrée libre. Il est installé dans une demeure hollandaise du XVIIIe siècle. En fait de musée, il s'agit d'un bric-à-brac présentant les objets les plus divers rassemblés par le propriétaire des lieux. En fait, il s'agit surtout d'une boutique de pierres précieuses, mais on peut en profiter pour traîner un peu dans les couloirs et apprécier l'état des lieux.

▸ **En descendant Leyn Baan Street,** vous traversez le quartier musulman et vous débouchez devant la belle mosquée Meeral qui date de 1909 et qui a été construite à l'emplacement d'une église portugaise. En face se dresse le phare. De là, vous pouvez faire le tour du fort en longeant les remparts.

Galle, fort hollandais

UNAWATUNA

A 120 km au sud. C'était, il y a encore quelques années, une ville agréable, qui permettait d'échapper aux plages bondées d'Hikkaduwa. Elle possédait l'une des dix plus belles plages du monde.

Cependant, la réputation de tranquillité (relative) du coin s'est vite répandue parmi les voyageurs, d'où certaines nuisances récentes : drogues et vols. C'est l'un des rares endroits au Sri Lanka où il faudra toujours faire attention à ses affaires, bien fermer à clef la porte de sa chambre, et surtout ne pas se balader seul(e) le soir. Evitez si possible les *beach partys*, notamment si vous êtes seul, femme ou homme. Un bon endroit où séjourner en groupe. L'ambiance y est festive et conviviale. De belles possibilités de balades dans les environs, soit jusqu'au temple au bout de la plage pour les moins sportifs, soit jusqu'au temple japonais à 1 heure de là pour les plus motivés. Monter dans les Hauts pour admirer la vue et les jolies maisons rustiques construites dans la roche, c'est époustouflant.

Hébergement

On trouvera toujours où se loger à Unawatuna ; la ville regorge d'établissements de tous les styles, difficile de ne pas trouver de quoi satisfaire ses envies.

Bien et pas cher

La majeure partie des établissements est située sur la route de Yaddehimulla qui longe la mer. N'oubliez pas de vous fier au bouche-à-oreille pour faire votre choix.

■ **FULL MOON RESORT**
800 Rs par nuit. Etablissement sommaire mais correct pour dormir.

■ **THE STRAND**
Yaddehimulla Road
✆/Fax : (091) 243 58
Située au bout de la pointe de Yaddehimulla, cette vieille maison coloniale nichée dans un vaste jardin offre la tranquillité et des chambres correctes pour 1 300 Rs.

■ **TARTARUGA RESORT**
Compter 1 500 Rs la chambre double avec petit déjeuner. Guesthouse simple et propre, avec un bon accueil.

■ **SUN AND SEA GUESTHOUSE**
A partir de 3 750 Rs la nuit en chambre double. Plusieurs chambres à différents prix dans cette jolie guesthouse idéalement placée. Plutôt grande, propre et bien tenue, salle de bains avec vasque, elle offre le confort moderne à petit prix dans une ambiance très chaleureuse. L'un des endroits les plus populaires de la région.

Confort ou charme

■ **ROCKSIDE GUESTHOUSE**
Mihiripena Beach, Thalpe
Entre 15 et 32 $ la chambre double, entre 25 et 35 $ pour les Beach Cabanas, un peu moins pour le Garden Bungalow (réduction de 25 % pour un séjour supérieur à trois nuits). Les prix des massages sont, pour une fois, raisonnables. D'énormes chambres avec carrelage et meubles en bois, plutôt simples

Côte Sud, plage d'Unawatuna

mais impeccables. Une brise apporte un air frais marin bien agréable. Deux chambres et trois *cabanas* plantées au sein d'un jardin tropical bien entretenu.

■ **SHANGRI**
✆ (091) 438 09 56
✆ portable : (072) 299 52 54
✆ portable (077) 790 46 01
9 jolis bungalows dans un jardin agréable entre 15 $ et 30 $, 4 chambres entre 20 et 35 $. L'endroit est tenu par Mally, Sud-Africain qui a fait du lieu un endroit agréable où séjourner. Deux tables de billard, un bon restaurant et un joli jardin.

■ **WIGAYA BEACH**
Dalawella, à côté d'Unawatuna
✆ (091) 228 36 10
✆ portable : (077) 790 34 31
Sur une plage beaucoup plus tranquille qu'Una, avec une piscine naturelle où l'on peut aisément se baigner en saison. 7 chambres à 3 000 Rs avec petit déjeuner mais sans climatisation. Restaurant en terrasse agréable et de qualité.

■ **HOTEL FLOWER GARDEN**
Wella Dewalaya Road
✆ (091) 222 52 86
Autour de 15,50 $ le bungalow, 14,50 $ la chambre double. 18 chalets avec confort moderne, très propres avec air conditionné et moustiquaire. La plus grande piscine d'Unawatuna. Bonne cuisine dans un restaurant de bord de mer, auquel le cadre bois et osier confère une véritable ambiance de vacances.

■ **THAMPABANNI RETREAT**
✆ (091) 438 17 22– Fax : (091) 223 31 30
www.thambapannileisure.com
A partir de 45 $ la chambre double et entre 80 et 110 $ les chambres deluxe. Etablissement de luxe avec de grandes et confortables chambres, intimiste et plutôt axé sérénité. Ceux qui voudront se reposer dans le calme, au cœur d'un jardin tropical (il y a même une maison haut perchée) apprécieront. Salle de massage, de yoga, un bel endroit au pied de la colline caché dans la végétation.

Luxe

■ **UNAWATUNA BEACH RESORT**
✆ (091) 438 45 45 – Fax : 223 22 47
www.unawatunabeachresort.com
Les chambres doubles, dans un cadre agréable et reposant, coûtent entre 60 et 100 $ en demi-pension obligatoire. La single est à 51 $. Deux types de chambres : côté piscine ou côté plage. La piscine est accessible aux non-résidents pour 200 Rs. Le restaurant est une des bonnes tables des environs. Bonne ambiance et personnel accueillant. Le restaurant et le bar sont réputés dans la région. Un de nos coups de cœur sur la plage d'Una.

Plage d'Unawatuna

■ **VILLA SECRET GARDEN**
✆ (091) 2241857
✆ portable : (077) 761 41 19
www.secretgardenvilla.lk
Une maison coloniale à louer entièrement (de 300 $ à 490$ la nuit) ou par aile. Main House (de 220 à 260 $ la nuit) est composée de trois chambres, d'un living-room et d'une salle de bains. La nuit en bungalow coûte entre 35 et 70 $. C'est intéressant pour les familles, les nouveaux mariés ou encore les groupes de personnes voulant un endroit privé pour rester entre amis. Les lits sont king size, le mobilier antique. Moustiquaire et ventilateurs mais pas de climatisation. Un magnifique jardin où yoga et relaxation sont au programme. Un endroit magique dédié à la sérénité. Cependant, évitez de vous initier au *reikki*, ici.

Restaurants

Il existe une pléthore d'endroits pour se sustenter : outre ceux déjà mentionnés, vous pourrez vous régaler sans souci au populaire Happy Banana (*350 Rs le petit déjeuner américain*) et au Pink Elephant. Notre préférence va au Comoran pour ses fruits de mer (*800 Rs*) et au Madu Seafood en plats sri lankais. Petit déjeuner fabuleux à Villa Secret Garden (*1 000 Rs*). Dream House concocte une véritable cuisine italienne traditionnelle pour près de 1 500 Rs. Le King Fisher propose des wraps délicieux au bout de la plage vers le temple.

KOGGALA

Hébergement

■ **WIJAYA BEACH COTTAGES**

Autour de 1 500 Rs la nuit en chambre double. De simples cabanons sur la plage, un lieu très populaire car un des rares abordables dans les environs.

■ **CLUB KOGGALA VILLAGE**

Habaraduwa

Entre 60 et 70 $ en demi-pension, 80 et 100 $ en all inclusive. Un bel établissement aux chambres spacieuses et confortables, toutes blanches, avec balcon privé et tout le confort moderne. Un restaurant, une piscine, deux bars. On peut y séjourner en demi-pension ou en tout inclus (trois repas et boissons illimitées).

■ **KOGGALA BEACH HOTEL**

✆ (091) 228 32 94

Compter 120 $ en tout inclus. La même direction que le précédent avec deux restaurants, deux bars, piscine avec Jacuzzi. Les chambres sont grandes et confortables avec air conditionné, téléphone et un balcon privé.

Retraite spirituelle

■ **TRIPITAKA DA (KOGGALA A.)**

A 10 km de Galle, vers le sud. Au départ, ce monastère était entièrement voué à la méditation, mais à présent il est plutôt axé sur l'étude. On y arrive par un pont passant sur le lagon tout proche. Affilié à Galduwa.

Points d'intérêt

▸ **Avant d'arriver à Weligama,** vous pourrez vous arrêter une petite demi-heure à Koggala pour visiter le Martin Wickramasinghe Folk Art Museum. Au nord de la voie ferrée, à hauteur du Club Horizon, juste avant l'arrêt des bus (*tous les jours de 9h à 17h. Entrée : 50 Rs*). Ce musée d'art populaire installé dans la demeure d'un célèbre écrivain sri lankais présente de nombreux objets relatifs à la vie des moines et à la vie traditionnelle dans les villages. On peut aussi y admirer une belle collection de masques du Kolam.

▸ **En sortant du musée,** vous pouvez marcher sur 2 km pour rejoindre le Madalduwa Temple. C'est plus pour la balade d'ailleurs que pour le sanctuaire, qui comme celui qui vous attend à la sortie, le Purvaramaya Temple, est d'un intérêt très limité. En revanche, le Kataluwa Temple offre de jolies fresques représentant l'arrivée des Européens sur l'île... Pas très flatteuses, les fresques d'ailleurs, donc instructives.

AHANGAMA

A 150 km au sud. Sur la route, vous ne manquerez pas de vous arrêter à Ahangama pour immortaliser sur pellicule les pêcheurs perchés en haut de leur piquet planté dans l'eau. Cela fait partie des us et coutumes de la région : on plante une fourche d'arbre dans l'eau que l'on rejoint à la nage, et l'on monte dessus armé de sa canne à pêche. D'ailleurs, certains pêcheurs attendent tout autant le pigeon, pardon, le touriste et son Nikon, que le poisson...

Hébergement

■ **VILLA GAETANO**

2 500 Rs en demi-pension. Pension située sur la route principale. Accueil chaleureux et familial, les chambres sont simples mais correctes. La cuisine, faite maison, est un régal.

■ **EASY BEACH**

Une bien jolie guesthouse sur la mer sur plusieurs niveaux. On y propose des chambres ou des bungalows : 2 280 Rs la chambre double et petit déjeuner, 3 600 Rs en bungalow et petit déjeuner. Une terrasse permet de prendre le soleil, ou de s'en préserver sous un parasol en paille, sur une pelouse bien entretenue. L'endroit est bien agréable et offre un bon rapport qualité-prix.

■ **INSIGHT**

De 50 à 60 $ la nuit en chambre double avec petit déjeuner. Autrefois Club Lanka, cet hôtel possède toujours un aspect *resort* assez désagréable, mais son prix est intéressant pour qui veut jouir de nombreuses activités et prestations : piscine, restaurant correct avec plafond suspendu, activités sportives, excursions, etc.

WELIGAMA

Etymologiquement, « le village de sable », Weligama est célèbre pour sa petite île de Taprobane où séjourna Paul Bowles. La maison, qui occupe en fait toute l'île, a appartenu au comte de Mauny avant que n'y séjourne le romancier Paul Bowles dans les années 1950.

Elle est aujourd'hui à louer (*s'adresser à sunhouse@sri.lanka.net*). Entre jungle et plage, dotée de cybercafé, d'épiceries, la ville offre tout ce dont on peut avoir besoin pour un séjour au calme.

Hébergement

■ **CRYSTAL VILLA**
✆ (041) 225 06 35
✆ portable : (072) 372 24 12
Trois chambres à 75 $, deux bungalow à 10 $ de plus. Une jolie petite maison avec une piscine face à la mer. Un endroit calme et agréable.

■ **TOP OF THE HILL SAMAN'S GUESTHOUSE AND RESTAURANT**
1 250 Rs la chambre double. Un établissement qui n'est plus de toute fraîcheur, mais dont les chambres restent correctes et propres. On aime bien les petits bungalows qui donnent un côté intimiste à l'endroit. Le jardin est tropical, mais rien de magnifique non plus.

■ **DILKINI INN**
Beach Road
✆ (041) 225 02 81
Compter 1 200 Rs pour une chambre double avec petit déjeuner, le prix baisse à 1 000 Rs la nuit si vous restez plus longtemps. Gentille petite guesthouse de 9 chambres sommaires mais propres. L'accueil, familial, est très chaleureux, et l'endroit est sur la plage, tout près de Taprobane Island.

■ **BARBERYN BEACH AYURVEDA RESORT**
Compter 130 $ la chambre double avec trois repas compris plus deux collations. 530 $ le traitement ayurvédique par semaine. Un resort pas comme les autres puisqu'il se concentre avant tout sur les médecines traditionnelles et la relaxation de ses clients. Les chambres sont spacieuses, colorées mais de bon ton. Une piscine d'eau de mer, restaurant, spa évidemment, un pavillon de yoga et de méditation, tout est fait pour vous détendre en pleine harmonie.

■ **WELIGAMA BAY RESORT**
85, Gangarama Road, Pelana
Un hôtel exceptionnel au style épuré et avant-gardiste ouvre ses portes à Weligama. 24 chambres spacieuses et tout confort entre la chaleur du bois et la simplicité des lignes. A essayer, si on en a les moyens.

■ **THE TAPROBANE ISLAND**
✆ (091) 438 02 75
www.taprobaneisland.com
Trois tarifs selon la saison : 1 000, 1 575 ou 2 200 $ la villa de 10 personnes pour une nuit. Seule île privée du Sri Lanka, constituée de 4 chambres et autant de salles de bains. Tout est élégant et spacieux, un staff de 6 personnes s'occupe de vous pour que vous ne manquiez de rien. Aucun obstacle ne se pose entre cette île et le pôle Sud, impression très étrange... Idéal pour un séjour familial de luxe ou une lune de miel.

MIRISSA

C'est une des plages les plus recherchées car supposée la plus calme et à l'écart du tourisme de masse.

C'est moins le cas aujourd'hui, mais avec le peu de touristes présents au Sri Lanka en ce moment, vous avez une chance d'avoir le littoral pour vous tout seul.

On peut y surfer, d'où l'engouement des amateurs de sports nautiques ; pour les débutants, on vous conseille vivement le body-board !

Hébergement

Vous trouverez un tas de guesthouses sur la plage ; de valeur équivalente, elles vous proposent pour un prix modique une chambre simple mais généralement propre. De l'autre côté de la route, les prix sont plus bas encore.

Bien et pas cher

■ **CENTRAL BEACH INN**
✆ (041) 225 16 99
De 800 à 1 100 Rs, les chambres sont plutôt propres. On peut y manger pour pas cher. Une guesthouse toute simple sur la plage.

■ **OCÉAN MOON**
✆ (041) 225 23 28
✆ portable : (077) 719 01 52
9 bungalows et 3 chambres dans cette petite guesthouse de bord de mer. Comptez de 1 100 à 2 000 Rs les bungalows et de 700 à 1 200 Rs les chambres. Propre et conviviale, cette petite guesthouse tenue par Anurasiri propose aussi des repas pour pas cher.

Confort ou charme

■ **PARADISE BEACH CLUB**
✆ (041) 225 03 80/12 06
mirisa@sltnet.lk
Au bord de la mer, des bungalows tout équipés pour 3 700 à 6 187 Rs. Avec une belle piscine, un joli parc, un grand restaurant, cet hôtel est le meilleur du coin.

■ **PALACE MIRISSA**
✆ (041) 225 13 03/06 23
www.palacemirissa.com
Sur les hauteurs de la plage de Mirissa, cet ensemble rustique traditionnel offre des chambres claires et spacieuses avec chacune une jolie véranda surplombant la baie. Un endroit tranquille tout en hauteur pour 50 $ la nuit. Belle vue sur la côte.

Luxe

■ **DALADAWATTE BEACH GUESTHOUSE**
Polhena
✆ (041) 223 19 68
www.srilankabeachguesthouse.com
Compter 60 $ la chambre double, 50 $ la single. Belle demeure coloniale vouée au calme et à l'harmonie. Des chambres élégantes et confortables dotées d'un salon avec une partie à toit ouvert. Le personnel est entièrement à votre service... Pour une fois que ce genre d'établissement est abordable !

■ **POINT SUD**
Autour de 1 500 $ la villa par nuit. Elégance et originalité vont ici de pair. L'établissement, surplombant la plage et offrant des perspectives imprenables sur l'océan, est impeccable, les bois chaleureux, le design stylé. La pelouse est parfaitement entretenue, la piscine Infinity se confond avec la mer une fois dedans. Quatre chambres luxueuses avec salle de bains plus une autre plus petite avec lits jumeaux pour les enfants.

MATARA

A 160 km au sud. Avec 40 000 habitants, Matara est la huitième ville du pays. C'est aussi le terminus des trains qui partent de Colombo vers le Sud et le point de départ vers des excursions dans les environs. Les Hollandais y construisirent un petit fort en étoile (Star Fort) que l'on peut visiter. Ne manquez pas d'aller visiter le magasin-atelier Sri Madura, Dharmapala Maw, où l'on fabrique des instruments de musique traditionnels, et notamment des percussions.

Transports

▶ **Bus pour ou de Colombo :** 120 Rs le trajet, qui dure environ 4 heures. On prend le bus toutes les 45 minutes à l'énorme station de bus du centre-ville.

▶ **Train.** C'est ici le terminus de la ligne Colombo-Matara. Pour aller plus loin vers l'est, il vous faudra continuer en bus. D'où l'importante gare routière.

Hébergement

Vous ne trouverez pas vraiment d'hébergements convenables à Matara qui, du reste, ne mérite pas vraiment que l'on s'y attarde. En revanche, vous trouverez quelques établissements agréables sur la plage de Polhena, tout à côté, où les fonds coralliens sont relativement plus riches qu'ailleurs. Attention, cependant aux courants.

■ **TK GREEN GARDEN**
116/1, Polhena Beach Road
✆ (041) 226 03
Bon endroit pour passer un ou deux jours au calme dans un cadre agréable et relativement douillet pour 1 000 Rs la nuit. Location de vélos possible.

■ **SUNNY LANKA GUESTHOUSE & RESTAURANT**
93, Polhena Road
✆ (041) 235 04
Très bon accueil, excellente cuisine et chambres très propres pour 600 Rs dans cette petite guesthouse où l'on peut louer des vélos et l'équipement de snorkeling.

■ **POLHENA REEF GARDEN**
30, Beach Road ✆ (041) 224 78
Comptez 1 400 Rs. Le seul véritable hôtel du coin est un peu défraîchi, mais les chambres sont climatisées, ont l'eau chaude et un balcon. Agréable bar et bon restaurant.

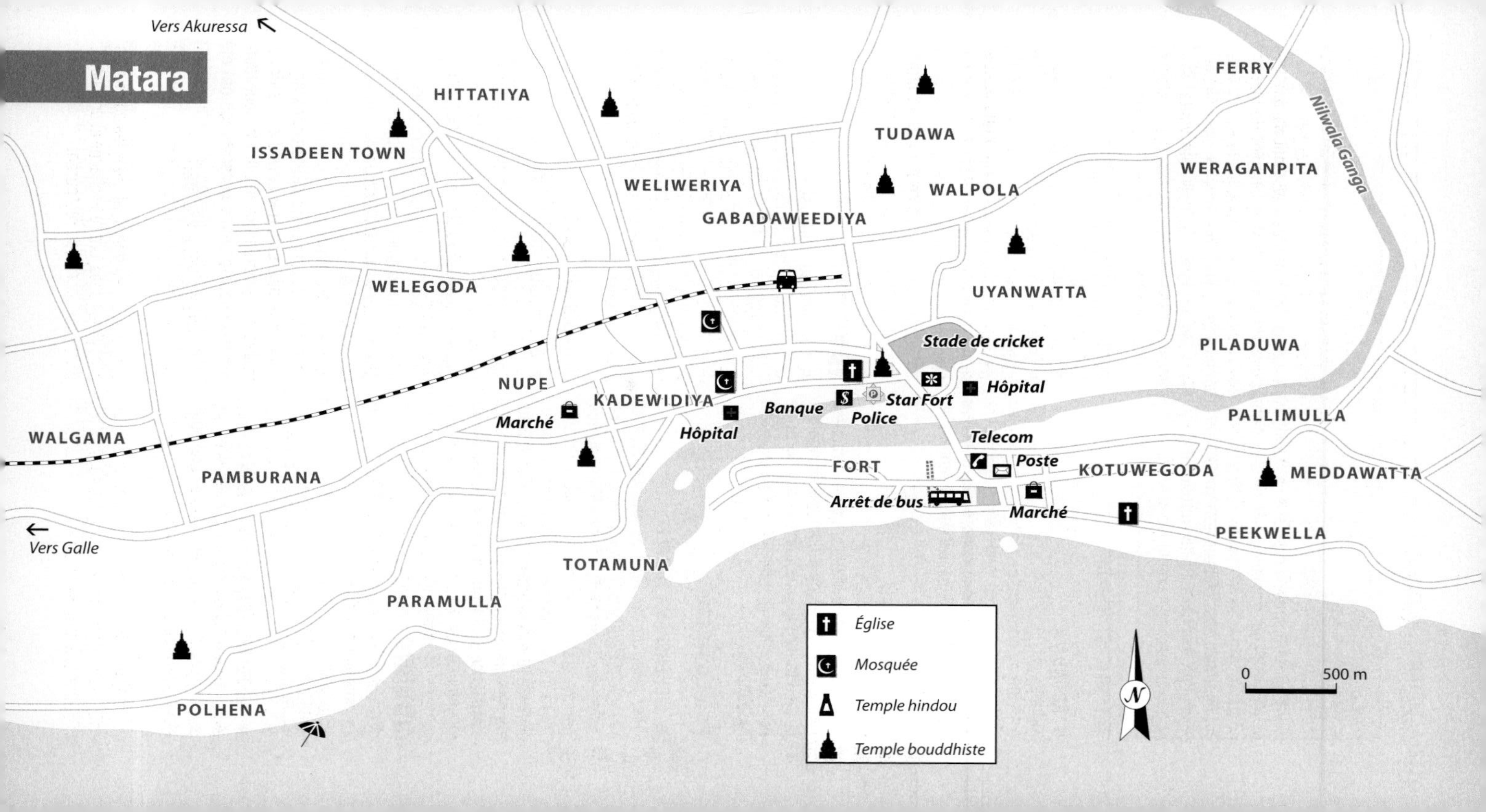
Matara
Vers Akuressa
HITTATIYA
ISSADEEN TOWN
WELIWERIYA
GABADAWEEDIYA
TUDAWA
WALPOLA
FERRY
WERAGANPITA
Nilwala Ganga
WELEGODA
UYANWATTA
Stade de cricket
PILADUWA
NUPE
KADEWIDIYA
Marché
Hôpital
Banque
Police
Star Fort
Hôpital
PALLIMULLA
WALGAMA
Telecom
Poste
FORT
KOTUWEGODA
MEDDAWATTA
PAMBURANA
Arrêt de bus
Marché
PEEKWELLA
Vers Galle
TOTAMUNA
PARAMULLA
POLHENA
Église
Mosquée
Temple hindou
Temple bouddhiste
0
500 m
N

Une parmi les trois plus importantes perahera de l'île

« Tout en bas de la côte Sud, à Devinuwara, une autre fête haute en couleurs a lieu sur le site de l'ancien temple du dieu Vishnu. Une *perahera* grandiose aux nombreuses danses typiques des plaines attire une large foule de fidèles. Une foire est organisée où l'on trouve des objets artisanaux comme la dentelle fait main et des douceurs régionales comme le curd de buffalo (produit laitier ressemblant à du yaourt), le miel de palmier et autres sucreries comme le *kalu-dodol*. » Office du tourisme du Sri Lanka.

Retraite spirituelle

■ **KIRINDA A**
Kirinda
A 15 km au nord-est de Matara, c'est le plus ancien monastère de forêt à avoir été toujours actif. Un lieu historique, donc, qui fut créé vers 1850. L'endroit est joli, sis sur une colline, et paisible. Affilié à Delduwa.

■ **ELLAKANDA AS**
Kækanadura
A 10 km à l'est de Matara. Un lieu vraiment calme dédié à l'étude et l'apprentissage par la méditation. Il est situé sur une sorte de péninsule encerclée par un réservoir. Affilié à Galduwa.

Point d'intérêt

■ **WEHEREHENA TEMPLE**
Allez jusqu'au carrefour de Medhawatta sur la route d'Hambantota puis prenez à droite et suivez les indications. Le temple est dominé par une statue monumentale du Bouddha de 39 m de hauteur. Les murs de la crypte du sanctuaire sont recouverts de 20 000 tableaux représentant des scènes en rose et bleu de l'existence de l'Illuminé et les portraits des donateurs.

DONDRA

A 6 km au sud-est de Matara. C'est le point le plus méridional de l'île. Profitez-en pour vous balader jusqu'au phare pour admirer les bateaux de pêche et pourquoi pas pour vous restaurer au *Lighthouse* Restaurant.

■ **LE TEMPLE DE WEWURUKANNALA**
A 3 km avant d'arriver à Dikwella, à 17 km sur la route d'Hambantota, prenez une petite route sur la gauche.
« Encore un bon exemple de kitsch bouddhique. Le temple dédié à Bouddha est dominé par une statue en pur béton de 50 m de hauteur, construite dans les années 1960. Au pied du bouddha, un véritable musée des horreurs, avec une impressionnante concentration de démons, illustre ce qui attend dans l'autre monde les imprudents qui auraient l'idée saugrenue de ne pas suivre l'enseignement des moines. En somme, rien de très différent de ce que l'on peut voir dans certaines églises. Les autres salles du monastère sont décorées de façon tout aussi délirante. » Jean-Moïse Braitberg.

TANGALLA

A 195 km au sud-est de Colombo. La prononciation locale est *tengoal*. C'est un endroit surprenant car la ville ne semble que très peu touchée par le tourisme. A l'image de Mirissa, plus on s'éloigne de Colombo, plus on a la paix... La plage est belle, mais attention aux rouleaux si vous n'êtes pas un nageur ou un plongeur expérimenté, surveillez bien les drapeaux !

Transports

▸ **Bus et train.** Vous pouvez prendre un bus, ou vous rendre à Matara pour prendre un train vers Colombo ou Kandy.

Hébergement

Les offres d'hébergement sont nombreuses. Mais contrairement à des plages comme Bentota, vous trouverez ici presque exclusivement des petites guesthouses. L'endroit est charmant et la convivialité est le maître mot de cette petite bourgade. Le tsunami a détruit tout le littoral et depuis les habitants reconstruisent petit à petit faute de moyens. Certaines guesthouses ont été reconstruites avec charme, elles n'attendent que vous pour reprendre espoir. Entre les balades en canoë dans la lagune, où vous verrez des buffalos et des iguanes, et la chaleur humaine autant que celle de l'immense plage, l'endroit mérite vraiment le détour.

Bien et pas cher

■ NAMAL GARDEN

Sur la plage directement, cette petite guesthouse plutôt fréquentée par les locaux à l'accueil très agréable propose des chambres très simples mais bien tenues pour 800 à 1 000 Rs la nuit.

■ GAYANA GUESTHOUSE & RESTAURANT

96, Medaketiya Beach
✆ (047) 406 59 – Fax 404 77
Pour 1 500 Rs à 2 000 Rs, voici une bonne adresse de bord de plage avec des chambres refaites à neuf propres et claires, ainsi qu'un bon restaurant.

■ VILLA ARALIYA

Medilla
✆/Fax : (047) 22 42 163
Deux chambres dans une charmante villa coloniale enfouie dans la végétation et deux bungalows dans le jardin. L'ensemble est décoré avec beaucoup de goût et ne coûte que 1 200 Rs la chambre et 1 900 Rs le bungalow. Bonne cuisine sri lankaise. Attention, fermée hors saison (mai-juillet).

■ GANESH GARDEN

A la sortie de la ville en venant de Mirissa, prenez à droite, le chemin est assez rude mais vaut le détour
✆ (047) 224 25 29
✆ portable : (077) 761 21 81
www.ganeshgarden.com.lk
De 800 à 2 200 Rs, pour de jolis petits bungalows dans un jardin de bord de plage sur le sable. Hamac sur la plage et petites paillotes entre les cocotiers, le mot « détente » prend tout son sens dans cet endroit plein de charme. Le restaurant face à la mer propose des repas peu chers et typiques. Le personnel est au petit soin pour vous faire passer un bon moment. La plage en face est agréable tant pour les balades que pour la bronzette. Coup de cœur pour cet endroit convivial et paisible à l'écart de la ville.

■ SANDY'S

A côté de Ganesh Garden, vous ne pourrez pas rater les bungalows orange
✆ portable : (077) 622 50 09
yamillachaminda@hotmail.com
Chammy propose 2 chambres à louer, la troisième étant occupée à l'année par un touriste tombé amoureux du lieu. Comptez 1 500 à 2 000 Rs la chambre spacieuse et toute équipée. Barbecue sur la plage et bonne ambiance au programme. Chammy loue aussi des canoës pour aller explorer la lagune, endroit magique où se cachent iguanes et buffalos. Possibilité de louer des vélos et de s'offrir des massages thaïlandais et ayurvédiques. L'endroit est agréable et face à la mer.

■ LAGON PARADISE BEACH RESORT

✆ (047) 222 40 641
✆ portable : (071)422 72 62
Au bout de la plage. Un établissement charmant qui propose des chambres à 2 000 Rs. Possibilité de louer des kayaks et d'observer les tortues qui viennent pondre la nuit. Bar et restaurant en bord de mer.

Confort ou charme

■ PALM PARADISE CABANAS

Goyambokka, à 3 km au sud-ouest de la gare routière
✆ (047) 408 42 – Fax : (047) 403 38
www.palmparadisecabanas.net
Compter 40$ un cabanon pour 2 en demi-pension. Les prix ont vraiment flambé, mais ça reste un vrai petit paradis, avec des bungalows sur pilotis confortables dans une cocoteraie en bordure de plage. On a adoré.

Tangalla, plage

■ **LUCKY STAR**

Compter 80 $ la nuit en chambre double. Direction allemande pour cette petite villa de 7 chambres spacieuses, une piscine, un salon et une grande et jolie terrasse. Les meubles sont en bois, les plafonds hauts, le tout est très propre.

■ **GOLDEN COCONUT CABANAS**

Welleode Village. Rekawa
10 km après la sortie de la ville
✆ 0602489333
goldencoconut_cabanas@yahoo.com
Au bout d'un long chemin bordé de cocotiers, le Golden Cabanas vous propose le calme. Il n'y a aucun voisin puisque le tsunami a tout emporté et rien n'a été reconstruit à proximité. Face à la mer, 5 chambres avec eau chaude à partir de 14 $. Restaurant à côté de la piscine. L'endroit est charmant, idéal pour un séjour paisible. Vous pouvez contacter Baby (✆ (077) 761 21 81), il pourra venir vous chercher en ville ou à Colombo.

Luxe

■ **AMANWELLA**

www.amanresorts.com
Suite entre 650 et 800 $ la nuit. Toujours le même incroyable luxe de la chaîne Aman avec ses suites spacieuses, ses lits gigantesques avec tout le confort souhaité et même plus. Piscine privée, terrasse, restaurant, tout y est.

Restaurants

Tangalle est l'endroit idéal pour déguster des poissons frais et fruits de mer. La langouste y est abordable en saison. Les paillotes plus populaires sont près de la plage de Medaketiya, au carrefour de Medaketiya Road et Wijaya Road. Gayana sert aussi sur la plage.

■ **SAMAGY RESTAURANT**

Notre coup de cœur. En ville ce restaurant ne paye pas de mine mais on y déguste des plats locaux délicieux.
Sur Medaketiya Road de très bonnes adresses comme Star Fish, le View Ocean, Dilena Beach ou encore le King Fisher.

■ **LE PANORAMA ROCK CAFE**

Il est spécialisé dans les barbecues de poisson et de poulet.

Points d'intérêt

■ **LES TEMPLES RUPESTRES DE MULGIRIGALA**

A 21 km au nord de Tangalle via Beliatta. Entrée 100 Rs. Guide local anglophone. Ce monastère daterait du IIIe siècle av. J-C., mais sa décoration et son aspect actuel sont de l'époque des rois de Kandy aux XVIIIe et XIXe siècles. Les temples sont aménagés sous des abris rocheux sur trois terrasses. Les parois sont peintes de motifs mythiques du bouddhisme. Cinq chambres différentes évoquent les cinq sens. Sur la deuxième terrasse, un bouddha couché est entouré de peintures. Sur la troisième terrasse, on trouve quatre temples et l'on aperçoit la plage de Tangalle. Les temples sont décorés de motifs de fleurs et, dans l'un d'entre eux,

Sud, pêcheurs sur échasses

Dormir aux portes de la jungle

Pour entrer dans l'ambiance des réserves nationales, quoi de mieux que de loger dans un écolodge à proximité ? Selera River Hide Out est un établissement écologique situé sur les rives du fleuve Uda Walawe, à 10 km de l'entrée du parc national. Les chalets, bâtis par des villageois dans le respect de l'artisanat traditionnel sri lankais, offrent une bouffée d'air pur à qui y pénètre. Ici, on laisse de côté les tracas du quotidien en passant le seuil. L'authenticité du lieu, sa situation pivilégiée au cœur de la jungle, tout nous incite à entrer en harmonie avec la nature. On n'oublie pas le confort à Selera, les chambres sont propres et confortables, les salles de bains originales. Mais c'est la communion avec ce qui nous entoure qui importe, et un grand nombre d'activités nous sont proposées : trekking, camping, hikking, canoë, pêche, etc. Un beau moment d'évasion.

furent découverts de précieux manuscrits conservés dans le monastère au bas de la colline. La vue du haut du rocher sur lequel il est perché est spectaculaire.

■ **TURTLE CONSERVATION PROJECT REKAWA BEACH**
Accès à 6 km de Tangalla sur la route de Hambantota, uniquement en *three-wheeler* en raison de l'état de la route
✆/Fax (047) 405 81
turtle@panlanka.net
Entrée : 300 Rs. La lagune voisine de Rekawa est propice à la ponte des tortues que surveille le Turtle Conservation Project. Cette organisation non gouvernementale protège les sites de nidification à la différence des écloseries de la région qui ramassent les œufs et font éclore les tortues en dehors des plages. Vous trouverez pas moins des cinq espèces présentes au Sri Lanka qui visitent les abords de la plage. Il faut être patient car, comme tout événement naturel, leur venue n'est pas à heure fixe, mais il est tout de même rare de ne pas les voir.

HAMBANTOTA

A 237 km au sud-est de Colombo. Ce petit port de 9 000 habitants accueille la plus grande communauté de musulmans malais. Les ascendants des pêcheurs et des paysans actuels sont arrivés d'Indonésie. *Thota* signifiant « port » et, le travail du temps aidant, Sampanthota devint Hambantota. Vous trouverez donc une quantité de mosquées dans la ville et croiserez beaucoup d'hommes portant barbe et calot. Le travail dans les salines constitue l'activité principale des habitants de mai à septembre. La pêche les occupe le reste du temps. Hambantota est également renommée pour son *buffalo curd*, yaourt à base de lait de bufflesse, vendu dans un grand pot en terre à bas prix. On en trouvera également plus au nord dans les montagnes, c'est la friandise locale.
La localité ne présente guère d'intérêt, mais on peut y organiser son périple dans la réserve de Yala et les parcs nationaux d'Uda Walawe et de Bundala. Il n'y a pas de plage.

Hébergement

Le choix est assez limité en dehors de quelques établissements luxueux et hors de prix. Mieux vaut loger à Tissamaharama.

Confort ou charme

■ **HAMBANTOTA RESTHOUSE**
✆/Fax : (047) 202 99
A 3 600 Rs la nuit, c'est assez cher, mais cette pension est coquette, bien tenue et très bien située sur une hauteur. Le bâtiment est ancien et assez charmant, mais c'est surtout la vue sur le port qui ravie le visiteur.

■ **LE PEACOCK BEACH HOTEL**
✆ (047) 20 377
Ce bel hôtel luxueux et tout confort offre des chambres doubles à 56 $ et une belle piscine. Demandez au propriétaire de vous organiser un safari au Bundala National Park.

■ **THE OASIS**
Sisilasagama
à 7 km sur la route de Matara
✆ (047) 206 51
Un bel établissement très bien situé près d'une plage malheureusement trop agitée pour se baigner. Grand confort pour 75 $ au minimum et excursions en 4x4 à Uda Walawe et Bundala.

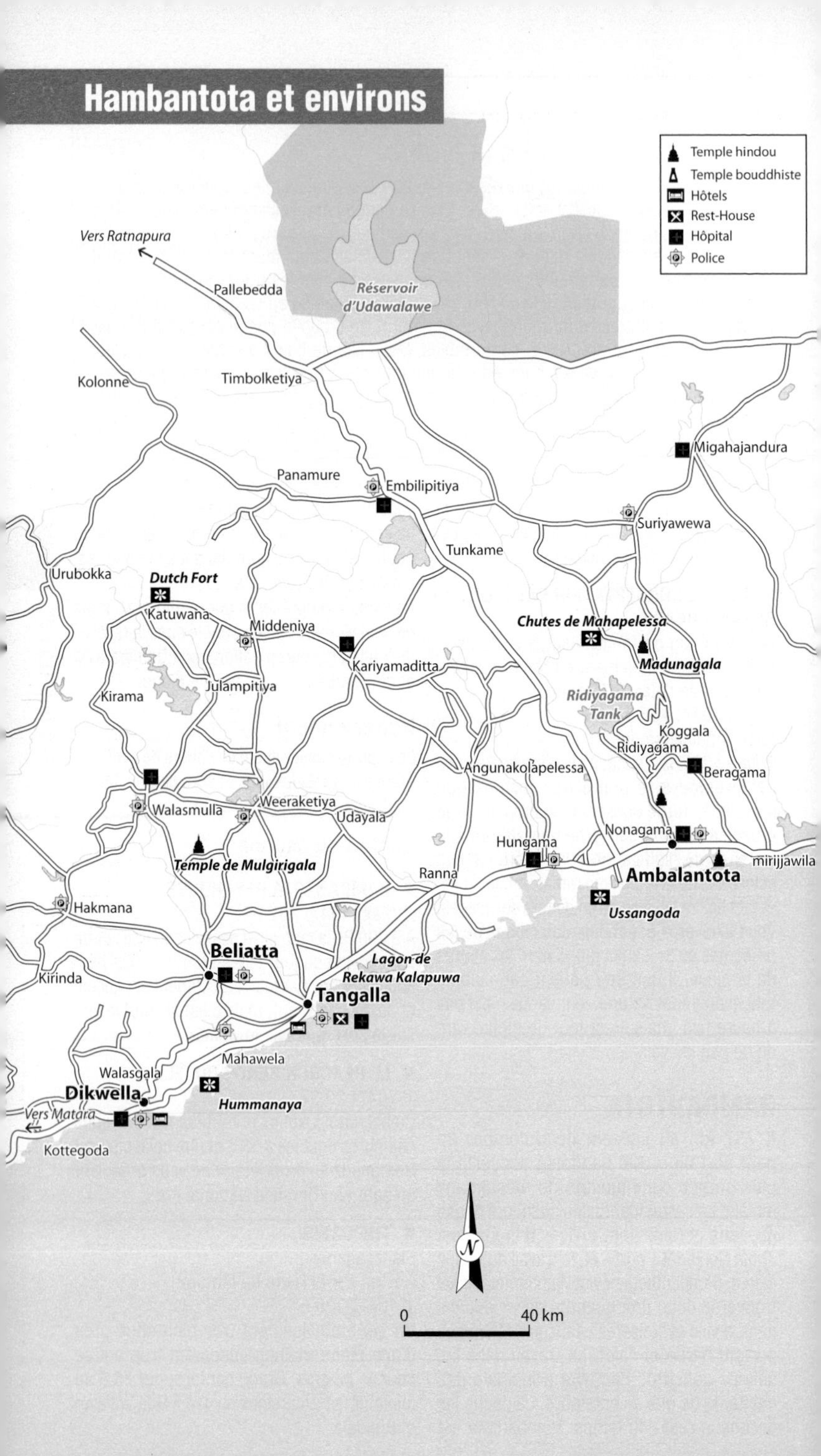

Hambantota et environs
Temple hindou
Temple bouddhiste
Hôtels
Rest-House
Hôpital
Police
Vers Ratnapura
Pallebedda
Réservoir d'Udawalawe
Kolonne
Timbolketiya
Migahajandura
Panamure
Embilipitiya
Suriyawewa
Tunkame
Urubokka
Dutch Fort
Katuwana
Middeniya
Chutes de Mahapelessa
Madunagala
Kariyamaditta
Kirama
Julampitiya
Ridiyagama Tank
Koggala
Ridiyagama
Beragama
Angunakolapelessa
Walasmulla
Weeraketiya
Udayala
Nonagama
Hungama
Temple de Mulgirigala
Ranna
Ambalantota
mirijjawila
Hakmana
Ussangoda
Beliatta
Lagon de Rekawa Kalapuwa
Kirinda
Tangalla
Mahawela
Walasgala
Dikwella
Hummanaya
Vers Matara
Kottegoda
N
0
40 km

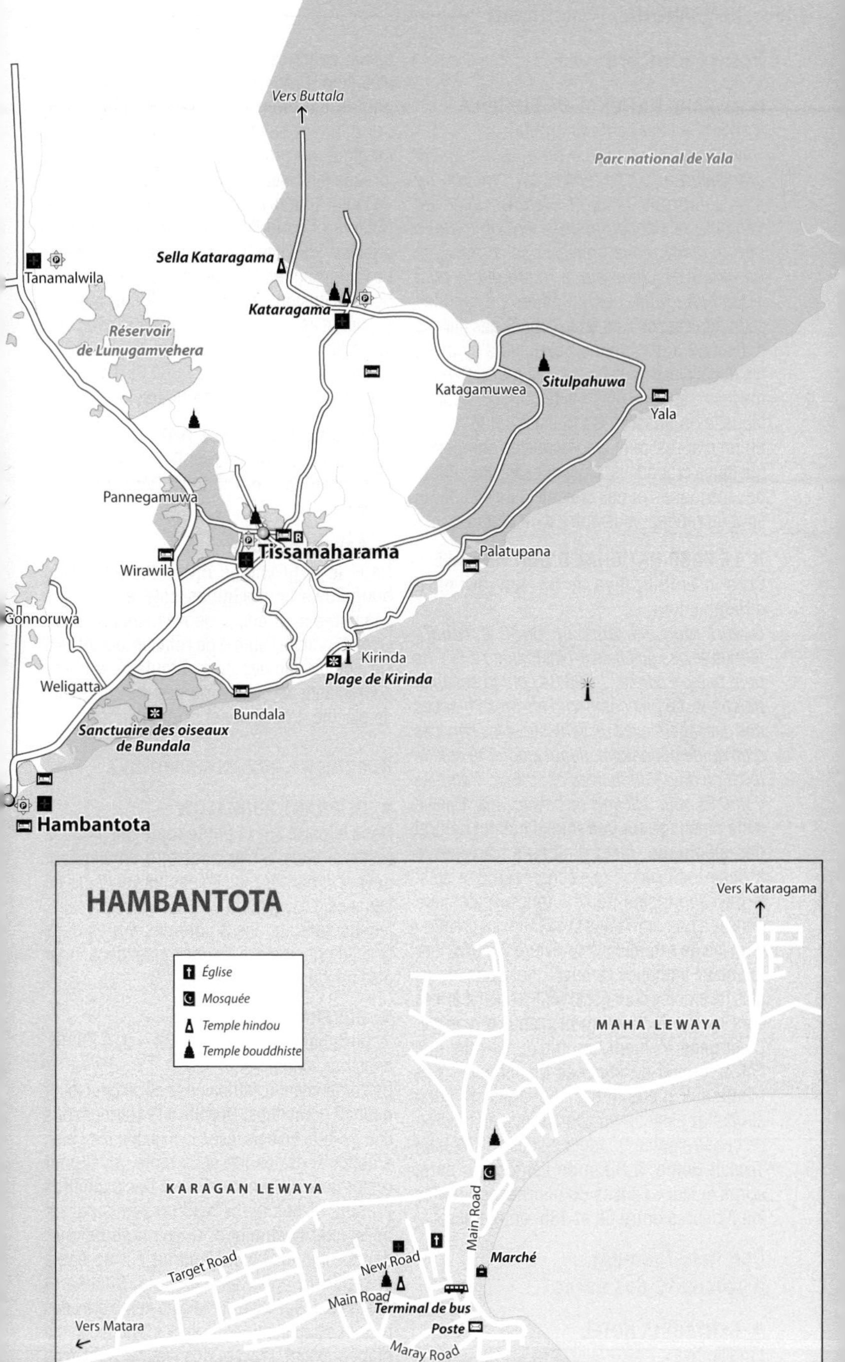

Vers Buttala
Parc national de Yala
Sella Kataragama
Tanamalwila
Kataragama
Réservoir de Lunugamvehera
Katagamuwea
Situlpahuwa
Yala
Pannegamuwa
Tissamaharama
Wirawila
Palatupana
Gonnoruwa
Kirinda
Plage de Kirinda
Weligatta
Bundala
Sanctuaire des oiseaux de Bundala
Hambantota
HAMBANTOTA
Vers Kataragama
Église
Mosquée
Temple hindou
Temple bouddhiste
MAHA LEWAYA
KARAGAN LEWAYA
Main Road
Marché
Target Road
New Road
Main Road
Terminal de bus
Vers Matara
Poste
Maray Road

Points d'intérêt

LE PARC NATIONAL DE BUNDULA

A 16 km, à l'est de Hambantota.

Ouvert tous les jours de 6h à 18h, dernière admission à 17h30. Entrée : 1 100 Rs. Ce prix comprend le droit d'entrée avec un véhicule et l'accompagnement obligatoire par un guide. Vous trouverez sans problème un 4x4 avec chauffeur à Hambantota ou à Tissamaharama. Les étendues de lagunes saumâtres accueillent toute l'année des milliers d'oiseaux autochtones auxquels s'ajoutent les échassiers de septembre à mars. C'est la meilleure époque pour visiter la réserve dans laquelle on observe les oiseaux tôt le matin. En fin d'après-midi, vous pourrez apercevoir quelques crocodiles, ainsi que des ours noirs, des macaques et des chacals. Les éléphants sont au rendez-vous entre avril et juin.

LE PARC NATIONAL D'UDA WALAWE

Près d'Embilipitiya à 51 km au nord d'Hambantota

Ouvert tous les jours de 6h30 à 18h30, fermeture des guichets à 17h. Entrée : 2 572 Rs pour une personne, 1 589 Rs pour la seconde personne. Le prix comprend les droits d'accès des passagers avec un véhicule et les services d'un guide obligatoire. Il faut ajouter le prix de location d'une Jeep avec chauffeur. Comptez 1 200 Rs pour 3 heures de balade. Uda Walawe a été aménagé sur une zone d'habitat naturel des éléphants, c'est d'ailleurs LA réserve africaine du pays : la sécheresse des sols, le paysage moins tropical font tout de suite penser à un safari dans la savane. La création d'un lac de retenue sur la rivière Walawe leur fournit un immense abreuvoir. Les périodes les plus favorables pour observer les pachydermes vont de janvier à mars et d'août à octobre. C'est généralement en fin d'après-midi que l'on a le plus de chances d'apercevoir des troupeaux d'éléphants sauvages. Si vous souhaitez assister au nourrissage au biberon de bébés éléphants, rendez-vous à l'Elephant Transit Home, à 8 km de l'entrée du parc, après le lac. Séances de nourrissage toutes les 3 heures entre 6h et 18h, entrée libre.

Eco-hébergement à proximité des parcs

CENTAURIA HOTEL

Embilipitiya

au sud de l'entrée d'Uda Walawe

Autour de 40 $ la chambre double. 50 chambres assez confortables (mais assez inégales, attention !) réparties en plusieurs cottages, plus le bâtiment principal. Les chambres qui donnent sur le lac offrent un moment magique au moment du coucher du soleil, lorsque les oiseaux vont se poser sur le bord de l'eau. Toutes les chambres donnent sur le réservoir Chandrika. Sur le toit du bâtiment principal joue une bande de singes malicieux. Le restaurant au plafond suspendu offre une belle occasion de dîner sur le lac, mais la cuisine n'est pas fameuse. Piscine avec vue sur le lac, bar et billard. Centre de traitement ayurvédiques, comptez de 1 000 Rs à 3 000 Rs les massages et bains de fleurs.

SELERA RIVER HIDE OUT

A 47 $ la chambre double, on le préfère largement au précédent (*voir encadré p145*).

SAFARI VILLAGE

Dans le petit village d'Uda Walawe. Des bungalows confortables côte à côte, les chambres sont équipées de moustiquaires. Le restaurant à l'entrée de l'établissement sert sur commande des plats à toute heure, très appréciable après une journée de safari. Pas de piscine. L'accueil est sympathique.

Bungalows gouvernementaux

OLIPHANT BUNGALOW

Dans le parc, sur la petite route qui longe la réserve. Vous verrez peut-être un éléphant devant la barrière, attiré par les vendeurs de bananes. Le logement est cependant précaire, les lits sont les uns à côté des autres dans la salle principale. La *guest* reste idéale pour être au plus près de la *wild life*.

GOVERNOR'S CAMP

✆ portable : (077) 383 91 23 – 314 86 86

chelang@sltnet.lk

Un campement à l'africaine que l'on peut louer pour 12 personnes. Des lits à l'exterieur sous une cahutte en bois (avec la moustiquaire bien entendu !) et des lits sous tente. Idéal pour rester près de la nature, avec des sanitaires propres et des barbecues proposés par un personnel dynamique. On peut se baigner dans le lac en face. L'endroit est agréable et reposant entre deux safaris, Shalika et Chelan ont tout misé sur le côté camp près des réserves nationales et en sont à leur deuxième établissement. (Yala et Uda Walawe). On vous conseille d'appeler pour être guidé, les lieux sont bien cachés.

■ **TASKS CAMP**
Off Tanamalwila, Wellwaya Road, Kuda Oya
✆ portable : (077) 741 55 95
Les prix sont assez élevés pour un camp : 84 $ la chambre double. Des tentes de luxe au cœur de la jungle, voire des maisons en terre en rotonde. Ça donne sur la rivière, le restaurant et le bar sont entièrement construits à base de terre et de bois, la vue est splendide et l'ambiance authentique à souhait. Pas d'électricité, excursions et activités sportives dans un esprit écolo-chic.

TISSAMAHARAMA

A 270 km au sud-est de Colombo. Plus connue sous son nom raccourci de Tissa, cette petite ville au milieu des rizières est dominée par la silhouette immaculée du dagoba Tissa Maharama Mahathupa, cousin des grands dagoba d'Anhuradrapura.
Tissa est une halte reposante à condition d'être bien muni en répulsifs antimoustiques. C'est surtout le point de départ des excursions vers le Yala National Park.
On peut également se promener dans les environs pour visiter les vestiges de temples bouddhistes et aussi se lever de bonne heure le matin pour observer les oiseaux dans le Wirawila Wewa, une réserve d'eau naturelle au nord du village.

Transports

▸ **Bus.** Les plus courageux, ou inconscients, selon, auront fait le trajet en bus depuis Colombo, pendant sept longues heures. Nous le déconseillons, bien que le prix soit vraiment modique (*150 Rs*), même si vous parvenez à avoir une place dans le bus dès le départ (au fond derrière les glaces si possible), même si vous n'avez pas un voire plusieurs énormes sacs à transporter... Songez à l'état de vos organes internes après un trajet de sept heures sur une route parsemée de nids-de-poule, ornières et autres obstacles plus ou moins naturels.

▸ **Train.** Les autres auront pris un train jusqu'à Matara et puis un bus jusqu'à Tissa. De là, il faut se débrouiller pour aller jusqu'au parc. Nous vous conseillons de partager les frais d'une voiture à plusieurs.
Conseil : ne vous arrêtez qu'une fois au terminus, et surtout pas à la Clock Tower. C'est le lieu de prédilection des arnaqueurs en tout genre pour le parc de Yala. Il se peut même que quelqu'un dans le bus vous conseille de descendre là. Ne l'écoutez pas et continuez jusqu'au centre-ville, au Bus Stand, où le véhicule s'arrêtera définitivement.

Hébergement

Vous n'aurez guère de soucis en ce qui concerne le logement, mais faites attention aux rabatteurs qui infestent littéralement la région.

Bien et pas cher

■ **VIKUM LODGE**
Akuragoda, à 1 km de la resthouse, accès à gauche de la route de Kataragama
✆ (047) 375 85 Anura
✆ portable : (077) 175 479
Pour seulement 750 Rs la chambre simple avec ventilo et moustiquaire et 1 250 Rs la double, voici une halte très agréable près du lac dans un environnement verdoyant. On peut y manger, et plutôt deux fois qu'une tant la cuisine y est savoureuse. Recommande des Jeeps pour les safaris au parc de Yala. Accueil convivial. A ne pas manquer.

■ **HOTEL TISSA**
Main Street
✆ (047) 223 71 04
Ce sympathique hôtel tout de bois vêtu propose 5 chambres propres et confortables à partir de 1 200 Rs (petite et un peu glauque, évitez celle-ci), 1 400 Rs (sans climatisation) et 1 900 Rs avec air conditionné. Le propriétaire vous propose aussi la possibilité de louer une chambre dans un Safari Bungalow près du parc de Yala : 3 500 Rs la chambre pour 2 personnes. Restaurant, lobby, bar, une terrasse dans le jardin. Bonne adresse, ambiance et accueil sympathique.

■ **SUN SINDA HOTEL**
Akurugoda
✆ (047) 223 90 78/94 95
✆ portable : (077) 732 64
sterne@sltnet.lk
Un petit hôtel sur la route principale de Tissa. 18 chambres tout confort pour 2 800 Rs et 3 500 Rs avec petit déjeuner et 5 000 Rs le full board (un peu moins en basse saison). Piscine avec vue sur les rizières, où des enfants s'étonneront sûrement avec leurs yeux malicieux de vous voir barboter. Une adresse sympathique.

■ **CHANDRIKA HOTEL**
Kataragama Road
✆ (047) 223 71 43
www.chandrikahotel.com

Tout au bout de la rue principale de Tissa se trouve le Chandrika Hotel. Comptez 3 830 Rs la chambre double sans climatisation, 4 450 Rs avec, et 5 800 Rs le B&B. Pas l'endroit le plus intéressant au niveau qualité-prix. Les bungalows confortables encerclent un petit jardin. Au bout de ce dernier, la piscine. Le restaurant est bon, tarif raisonnable.

Confort ou charme

■ LAKE SIDE TOURIST INN

Akurugoda
✆ (047) 372 16
Comptez 2 350 Rs la chambre double avec climatisation. En bordure du lac, vous logerez dans un hôtel refait à neuf, donc très propre, dans un cadre accueillant et calme. Le restaurant a bonne réputation, on a même une piscine et l'on est tout près de Yala. Une excellente affaire !

■ TISSAMAHARAMA RESTHOUSE

Ceylon Corporation
✆ (011) 250 49 59
35 $ la chambre double standard. Comme d'habitude trop cher pour la prestation, mais on peut avoir des chambres plus confortables, si on y met le prix. 550 Rs les repas. L'établissement fait aussi centre de traitement ayurvédique, comptez 700 Rs le massage et 1 500 le complet. Le bâtiment n'a pas de charme exceptionnel, mais l'extérieur est très joli. Trois grands arbres dont un bagnan magnifique en bordure du lac, avec une vue sur un petit îlot où viennent se poser les oiseaux au coucher du soleil.

Luxe

■ ÉCO PRIYANKARA HOTEL

Kataragama Road
✆ (047) 223 72 06
✆ Fax : (047) 223 73 26
www.priyankarahotel.com
Comptez dans les 6 975 Rs la chambre double avec petit déjeuner. Près du réservoir de Tissa, propice à l'observation des oiseaux. Cet établissement, doté de 3-étoiles, propose donc une prestation de très bonne qualité. Accueil aimable, chambres confortables avec balcon privé, décor de bon goût. Restaurant, billard, juste 26 chambres permettent à cet hôtel sympathique de conserver un aspect humain bien agréable.

■ YALA VILLAGE SAFARI

Kirinda
✆ (047) 223 94 50
www.johnkeells hotels.com
139 $ la chambre double en bed & breakfast, rajouter 25 $ de supplément pour le Beach Chalet. Un endroit de rêve pour ceux qui désirent côtoyer la nature. Cet hôtel à l'entrée de la réserve de Yala propose des bungalows côté plage, des bungalows tout en bois sur pilotis (mais pas sur l'eau) donnant sur l'océan Indien, côté jungle, des cabanes rustiques mais propres et confortables. Et une suite haut perchée avec une vue panoramique impressionnante sur les environs : chambre très confortable, salle de bains avec vasque et une terrasse sur la jungle. Un bar et restaurant avec vue sur la jungle et le lac où viennent boire les buffalos. 7 $ le petit déjeuner, 10 et 12 $ les repas. Piscine très appréciable dans ce contexte de savane torride. Un bel endroit pour se sentir proche de la nature environnante.

■ ELEPHANT REACH

Kirinda ✆ (047) 567 75 44
www.elephantreach.com
Sur la route qui mène au parc naturel de Yala a ouvert ce nouvel éco-établissement. Des bungalows tout équipés à partir de 85 $ dans un grand jardin avec une belle piscine au centre. Les repas au restaurant sont à partir de 14 $. Rajouter 10 $ sur tous les tarifs pendant la haute saison. Un endroit agréable pour une halte naturelle aux abords du parc de Yala.

■ LOGEMENT AU SEIN DU PARC DE YALA

Il existait six points d'hébergement dans le parc de Yala. Tous ayant été emportés ou ravagés par le tsunami, ils ne seront pas refaits, tout ce qu'il reste de ce lieu se résume à une plaque de marbre en l'honneur des 47 victimes du tsunami.

Restaurants

■ HOTEL TISSA

Le restaurant de l'hôtel Tissa propose une bonne cuisine abordable, un service attentif et un joli cadre en prime.

■ REFRESH

Akurugoda ✆ (047) 223 73 57
Restaurant le plus populaire du Sri Lanka au sein de la population, on vous en parlera comme de la huitième merveille du monde.

C'est un bon restaurant proposant une cuisine variée et généralement (il y en a un autre à Hikkaduwa) un cadre agréable. En revanche, c'est un peu cher, et sans pourtant rien d'exceptionnel. Propose aussi des chambres.

■ HOTEL AKURUGODA

Non loin de Refresh. Un restaurant local qui fait aussi hôtel. A tester, les tarifs sont très intéressants. 425 Rs le *rice and curry*, 300 Rs le *fish and curry*. Une bonne adresse.

Points d'intérêt

■ AKURUGODA

Plusieurs fouilles et excavations ont révélé d'antiques pièces de monnaie, des monuments tamouls, etc. C'est une très ancienne région encore inexplorée, et les environs valent le coup d'œil pour leur teneur archéologique. Intéressant principalement pour les amateurs d'histoire.

■ LE PARC NATIONAL DE YALA

Accès au poste d'entrée de Palatupana, à 21,5 km au sud-est de Tissa et à 18 km de Kirinda

Le parc ferme un mois en été, renseignez-vous. Ouvert de 6h à 17h. Entrée : 1 500 Rs par personne, plus 1 000 Rs de charges par groupe. Accès possible en bus depuis Tissa (1 heure de trajet). Départ à 5h30, retour à 15h30. Il vous faudra louer un 4x4 pour visiter le parc. Comptez de 1 500 Rs à 1 800 Rs par Jeep pour une balade de 3 à 4 heures. N'hésitez pas à négocier pour une journée entière car les différents animaux ont chacun leurs heures d'apparition. La meilleure période de visite s'étend du 15 décembre au 15 mars.

Quelque 400 éléphants, dont plusieurs tuskers (porteurs de défenses) et 120 léopards sont la principale attraction du lieu. Yala serait l'endroit au monde où la concentration de léopards est la plus forte. Ce qui ne signifie pas que vous en verrez à coup sûr. L'intérêt de venir à Yala est précisément que ces panthères tachetées, d'ordinaire très timides et discrètes, ont fini par s'habituer à la présence humaine, donc sont plus aisément visibles que dans une autre réserve. En revanche, essayez, avant d'entrer dans le parc, de discuter avec un des responsables du Wildlife : apprendre les gestes et comportements à adopter ou à éviter est capital pour la conservation de Yala dans son état originel ; le but étant de préserver l'habitat naturel de l'animal au maximum, pousser des cris pour attirer l'attention d'un léopard ou mitrailler au flash des éléphants n'est pas du meilleur goût et peut, à la longue, modifier leurs habitudes. C'est pourquoi le personnel du Wildlife veille.

Si vous en avez le courage ou le temps, vous pouvez passer une journée entière dans le parc. Si vous n'apercevez pas de gros animaux, vous vous consolerez avec les oiseaux, les daims et les biches. Ceux qui aiment les singes et les porcs-épics seront également comblés.

▶ **Ne vous laissez pas tenter par des tarifs alléchants** : il est de notoriété publique que beaucoup de soi-disant guides cassent les prix pour finalement vous faire faire un tour de l'extérieur du parc, sans même que vous puissiez vous en rendre compte. Les excursions, surtout en 4x4, ont un prix, le travail des guides aussi, donc en cherchant à trop rogner, vous prendrez le risque de vous faire avoir. On conseille donc, soit d'aller à l'hôtel Tissa qui propose des prestations honnêtes, soit directement dans les agences de voyages reconnues, comme Dickson Safari, Akurugoda – ✆ (047) 223 72 84 – ✆ (071) 689 24 22.

KATARAGAMA

A 285 km au sud-est de Colombo. C'est le bout du monde par rapport à la capitale, d'autant que ce n'est pas très facile d'accès. Néanmoins, c'est un des sites religieux les plus importants du pays et le plus œcuménique. Les bouddhistes viennent prier au dagoba Kiri Vihara, les musulmans se rendent à la mosquée Masjad ul-Khizr, les chrétiens à la petite église, et tout le monde se retrouve avec les hindouistes au Maha Devale, le « grand temple » de Kataragama qui est en fait un petit édifice dont l'intérieur est très richement décoré. Tout le secteur doit être visité pieds nus. Le tout est situé à l'intérieur d'un grand parc, sur une sorte d'île que l'on rejoint à l'aide des différents ponts qui la relient aux multiples entrées.

Les *puja* collectives ont lieu à 4h30 et à 10h30, puis à 18h30. Les temples voisins du principal sanctuaire sont dédiés à Ganesh (l'autre fils, pacifiste celui-là de Shiva) et à Bouddha. Le spectacle des fidèles qui fracassent une noix de coco face au sanctuaire est en soi un motif de visite pendant toute l'année. Mais si vous vous rendez dans la région en juillet et en août, vous serez submergé par des milliers de fidèles venus pour Poya, la fête qui célèbre le passage à la pleine lune.

Temple de Kataragama, offrandes à Shiva

Hébergement

Katagarama compte plusieurs lieux d'hébergement très bon marché, mais il y est presque impossible de trouver une place durant la saison des pèlerinages, en janvier et février, ainsi que durant la fête en été. Dans son centre-ville, à l'arrêt de bus, il y a plusieurs dizaines de guesthouses, *resthouses*, *inns*, etc. qui se battent en duel pour attirer le chaland. Robinson Rest (sur Tissa Road), Hotel Lakshitha (sur Depot Road), Chamila Rest (Bus Stand), etc. On trouvera aussi des tonnes de *pilgrim's rests* pour chaque religion (mais n'importe qui peut y dormir théoriquement, du moment que l'on respecte les règles en vigueur) : YMBA, Muslim's Pilgrim Rest, Government Pilgrim's Rest... Prenez votre temps, choisissez tranquillement ; hors festival, personne ne vous volera votre place.

Bien et pas cher

■ RATHNADAPURA HOLIDAY INN

En face de la station de bus

Chambres avec salle de bains commune entre 500, 775 et 875 Rs. Les dernières sont plus confortables, les chambres sont plus grandes, mais ça reste sommaire.

Luxe

■ ROSEN RENAISSANCE HOTEL

57, Detagamuwa

© (047) 236 030

www.rosenhotelsrilanka.com

Autour de 80 $ la nuit. Il est le seul véritable établissement un peu chic de la ville. Confort luxueux, chambres spacieuses, son originalité tient surtout à sa piscine, la plus grande de la région, qui bénéficie d'un système unique de musique sous-marine.

Shopping

Sur la route de Katagarama à Tissa, on trouvera des petites boutiques qui ne paient pas de mine, mais qui offrent un artisanat de bois vraiment exceptionnel. On attendra de sortir un peu de la ville pour s'arrêter ; une première boutique, clairement destinée aux touristes, propose des prix tout à fait prohibitifs. Mais en dehors de celle-ci (aisément reconnaissable, le lieu est un vrai capharnaüm), les autres sont uniquement axées sur le travail du bois. On travaille ici les pièces de bois trouvées au sol en respectant sa forme naturelle, et le résultat est digne des plus grands designers. On a affaire à de simples artisans qui vendent leur sueur à l'heure travaillée ; c'est d'ailleurs une des régions où l'on ne marchandera pas, les locaux ne le font pas et l'on ne comprendra pas que vous tentiez de négocier leur labeur. C'est principalement, voire exclusivement, du mobilier qui est commercialisé, alors c'est du lourd. Prévoyez le coup en frais de transport pour le retour en avion.

BUTTALA

La ville en elle-même n'a rien, mais alors rien d'intéressant à proposer. La seule raison pour laquelle elle fait partie de ce guide est qu'elle est le point de départ pour beaucoup des meilleurs écolodges du Sri Lanka.

Hébergement

■ TREE TOPS JUNGLE LODGE

Weliara Wilderness
✆ portable : (0777) 036 554
www.treetopsjunglelodge.com
Pour y arriver, à partir de Buttala (à 9 km de là), le mieux est encore de s'adresser aux *three-wheelers* sur la place opposée à la station de bus
Venir entre 10h30 et 15h au maximum, pendant les heures chaudes. Compter 49 $ par nuit et par personne en pension complète. Ce village près de Yala est fait de la manière la plus rustique qui soit. Tout a été créé à partir de matériaux naturels des environs, de troncs d'arbres tombés et le confort n'est pas la priorité du lieu. Amateurs de sensations fortes, écolos en tout genre, vous allez adorer cet endroit. On y voit passer la vie sauvage et animale quand elle se manifeste, on vit en osmose avec la faune et la flore locale, sans jamais la perturber. Du moins, c'est le but. On demande même aux clients d'éviter certaines heures d'arrivée ou de départ pour ne pas risquer de croiser un éléphant sur la route ! Pour tous ceux qui rêvent d'une immersion totale dans la nature, vous y êtes ! Mais attention, ce n'est pas un zoo, nul n'est garanti de croiser un éléphant. Quant à ceux qui privilégient le confort et/ou les plats occidentaux, ce n'est probablement pas un endroit pour vous. Dernier détail : en adéquation avec la philosophie du site, il est impératif que les personnes désireuses de se rendre au Tree Tops Jungle Lodge soient éco-responsables, et donc respectent dans tous leurs gestes l'environnement naturel. Les personnes qui travaillent ici sont de véritables activistes écologistes et luttent au quotidien, contre les braconniers notamment, pour préserver leur environnement. On recommande (mais sans obligation) un séjour minimum de trois nuits pour profiter réellement du lieu.

■ GALAPITA

www.galapita.com
Sur la route entre Buttala et Katagarama, à 15 km de la première, 35 km de l'autre, on trouve un petit chemin de terre (sur la droite en venant de Buttala), difficilement empruntable avec une voiture ordinaire. Le mieux est d'utiliser un deux-roues. Effectuez 3 km à partir de Katagarama Road, et vous y êtes. Traversez le petit pont de bois suspendu au-dessus de la rivière... Un lieu paradisiaque, sis en haut d'un rocher, sur les rives de la Menik Ganga (la rivière de gemmes), créé au départ par deux voyageurs qui avaient trouvé l'endroit rêvé pour s'installer définitivement. Ils bâtirent leur maison à partir de branchages et de bouts de bois, puis agrandirent le tout d'une maison en argile pour y inviter famille et amis. Ici, pas de murs, on vit en harmonie avec la nature. Les matelas, posés à même l'argile, sont pourtant extrêmement confortables. On s'endort en écoutant la rivière couler, le chant des oiseaux nous réveille... C'est le paradis.
Ce lieu est avant tout voué aux amoureux de la nature, on respectera donc l'environnement, l'habitat animal et la sérénité du lieu. La cuisine, savoureuse, est entièrement préparée à base de produits du jardin. Pas d'électricité, encore moins de téléphone ou de télévision. Yoga, excursions dans la jungle, recherche de pierres de la rivière au tamis, un grand nombre d'activités au programme si vous souhaitez bouger. Mais, il faut l'admettre, il est difficile de sortir de cet endroit ! Un pavillon pour 6 personnes, deux pour 2 personnes, et un quatrième haut perché pour 4 couchages et une cabane dans un arbre. Deux salles de bains collectives (mais impeccables) en open air. L'impression est surprenante, on croirait se doucher au cœur de la jungle. 80 $ la nuit en pension complète.

■ ARANYA

Kotchchipathana
A 5 km de Kataragama.
Autour de 60 $ par personne, en pension complète. Un écolodge stylé, avec une attention toute particulière portée au choix des couleurs, aux matériaux et à la luminosité. C'est l'ancienne star de cricket Hashan Tillakaratne qui est à l'origine du projet : un établissement respectueux de l'environnement. Le personnel est constitué de villageois des environs, le concept de goûter le plaisir d'un séjour nature tout en coexistant paisiblement avec la vie animale et végétale est là aussi. Le chalet, la cabane dans l'arbre et le point d'observation sont simples mais impeccables. Le restaurant est non seulement doté d'un cadre splendide, sobre mais stylé, mais la cuisine, élaborée à partir de produits frais, est véritablement savoureuse.

LES HAUTES TERRES

Pussellawa, plantation de thé

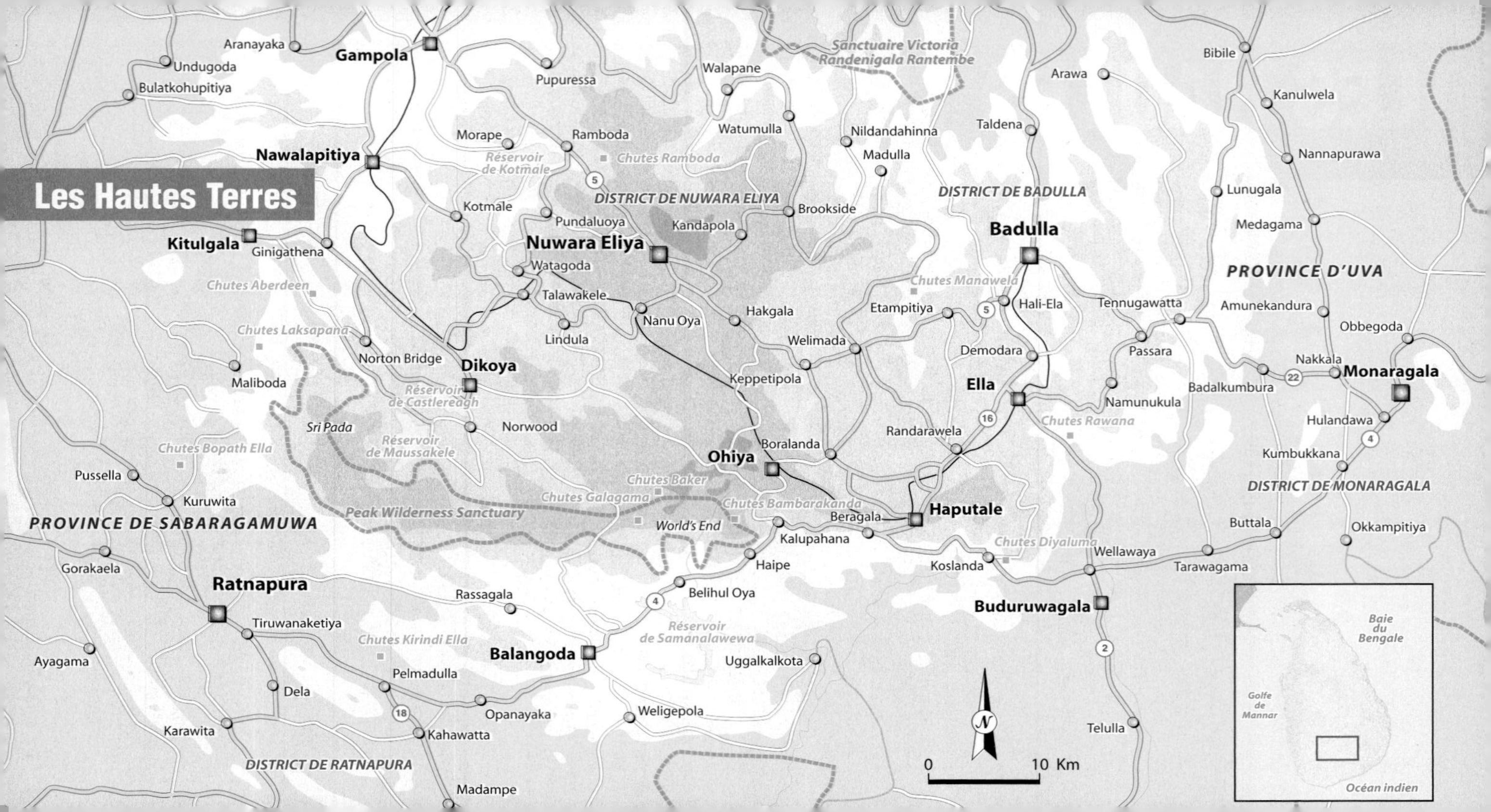
Les Hautes Terres
Gampola
Aranayaka
Undugoda
Bulatkohupitiya
Pupuressa
Walapane
Sanctuaire Victoria Randenigala Rantembe
Arawa
Bibile
Kanulwela
Nannapurawa
Morape
Ramboda
Watumulla
Nildandahinna
Taldena
Madulla
Nawalapitiya
Réservoir de Kotmale
Chutes Ramboda
5
DISTRICT DE NUWARA ELIYA
DISTRICT DE BADULLA
Lunugala
Medagama
Kotmale
Pundaluoya
Brookside
Kandapola
Kitulgala
Ginigathena
Nuwara Eliya
Watagoda
Badulla
PROVINCE D'UVA
Chutes Aberdeen
Talawakele
Chutes Manawela
Hali-Ela
Tennugawatta
Amunekandura
Nanu Oya
Hakgala
Etampitiya
Obbegoda
Chutes Laksapana
Lindula
Welimada
Passara
Norton Bridge
Demodara
Nakkala
22
Monaragala
Dikoya
Malliboda
Keppetipola
Ella
Namunukula
Badalkumbura
Réservoir de Castlereagh
16
Chutes Rawana
Hulandawa
Sri Pada
Norwood
Randarawela
Réservoir de Maussakele
Boralanda
Kumbukkana
Chutes Bopath Ella
Ohiya
Chutes Baker
DISTRICT DE MONARAGALA
Pussella
Kuruwita
Chutes Galagama
Chutes Bambarakanda
Haputale
Peak Wilderness Sanctuary
Beragala
Buttala
Okkampitiya
PROVINCE DE SABARAGAMUWA
World's End
Kalupahana
Chutes Diyaluma
Wellawaya
Gorakaela
Koslanda
Tarawagama
Haipe
Ratnapura
Rassagala
Belihul Oya
Buduruwagala
Tiruwanaketiya
Réservoir de Samanalawewa
Baie du Bengale
Ayagama
Chutes Kirindi Ella
Balangoda
Uggalkalkota
2
Pelmadulla
Dela
Golfe de Mannar
Opanayaka
Weligepola
18
Telulla
Karawita
Kahawatta
DISTRICT DE RATNAPURA
0
10 Km
Madampe
Océan indien

Les Hautes Terres

Le centre du Sri Lanka apparaît comme une suite de vallonnements qui se transforment peu à peu en montagnes pour culminer au Pidurutalagala à 2 524 m. Jadis, l'essentiel de ces Hautes Terres était couvert de forêts luxuriantes, mais le déboisement entrepris dès l'Antiquité puis la monoculture du thé imposèrent un paysage uniforme et l'antique forêt ne subsiste qu'à l'état de vestige dans la réserve de Sinharaja.

S'il est le domaine sans partage des plantations de thé, le cœur géographique de l'île est aussi le cœur spirituel du Sri Lanka. C'est là également que la montagne sacrée d'Adam's Peak donne l'occasion à des milliers de pèlerins de se rapprocher du Très Haut dans un bel œcuménisme où se mêlent chrétiens, musulmans, bouddhistes et hindouistes.

Ces derniers descendent pour la plupart de Tamouls, amenés de force d'Inde du Sud pour travailler comme esclaves dans les plantations de thé sous la colonisation britannique ; ils forment aujourd'hui une part importante de la population de cette région, ce qui donne à certains villages un petit air de Tamil Nadu (immense Etat du sud-est de l'Inde) avec des temples aux gopuram bariolés dédiés au panthéon hindou.

Promenades, visites de sites sacrés et escalades sont au programme de cette région relaxante où les températures sont clémentes la journée et fraîches le soir. Prévoyez donc une petite laine et de bonnes chaussures de marche en toute saison.

SINHARAJA FOREST

A 60 km au sud. Accès possible seulement en véhicule tout-terrain avec chauffeur que l'on peut louer auprès de tous les hôtels de Ratnapura. Comptez 1 500 Rs aller-retour. Ajoutez le droit d'entrée de 250 Rs par personne et 200 Rs pour le guide obligatoire. Les meilleures saisons sont de décembre à début avril pour les oiseaux, août et septembre pour les grands animaux. Prévoyez un imperméable, de bonnes chaussures, une paire de jumelles pour les amateurs d'oiseaux ainsi que les précautions d'usage pour vous débarasser d'éventuelles sangsues. Le mieux est encore de les éviter, donc ne passez surtout pas la nuit en camping sauvage dans la forêt, les sangsues y pullulent vraiment, et la pause toilettes devra se faire entre quatre murs. Enfin, à pied, on ne s'arrêtera pas trop fréquemment, même pour admirer un panorama, les bestioles étant attirés par l'odeur de notre sang. Pour savoir comment réagir en cas de morsure, voir la rubrique « *Santé* ».

Classée au Patrimoine mondial de l'Unesco depuis 1988, cette forêt, qui couvre près de 9 000 ha, mérite une longue visite. La flore, luxuriante, est protégée. Quelque deux cents sortes d'arbres composent cette forêt. La faune est représentée par une population de léopards, d'éléphant (il n'en reste plus qu'un) et de daims et par une multitude de petits rongeurs et de singes. Crapauds venimeux et vipères sont aussi légion dans les sous-bois très humides ainsi qu'une nuée d'insectes de toutes sortes. N'ayez crainte, les cent cinquante sortes d'oiseaux qui habitent les arbres se chargent d'avaler tous les moustiques et autres taons qui pourraient gâcher votre promenade. Prévoyez quand même des manches longues et une crème…

Pour les accros de la nature, on peut trouver à se loger à 4 km de l'entrée du parc forestier.

Les immanquables des Hautes Terres

- **Visiter une plantation de thé** vers Nuwara Eliya.
- **Passer une nuit dans une ancienne demeure** des directeurs de production.
- **Découvrir à Dambana le peuple Vedda**, premiers hommes de l'île.
- **Faire du rafting** à Kitulgala et en profiter pour voir le lieu de tournage du *Pont de la rivière Kwaï*.
- **Tenter l'ascension** épique d'Adam's Peak.
- **Admirer les nombreuses chutes d'eau** de la région d'Ella.

Hébergement

Il faut savoir que chacun des établissements qui se situent dans les environs de la forêt sont résolument tournés vers la protection de l'environnement. Généralement l'œuvre de passionnés, d'amoureux de la nature, ces hôtels (écolodges pour la plupart) comportent une charte d'éthique écologique que tout un chacun se doit de respecter. On ne vous demandera pas de planter des arbres ou de nettoyer la forêt de ses déchets, mais de vous conformer à de simples gestes de la vie quotidienne : ne pas jeter n'importe où sachets et bouteilles en plastique, voire ne pas en utiliser du tout, ne pas gaspiller l'eau, observer silencieusement les animaux pour ne pas les effrayer, etc. Bref, conserver l'endroit tel quel, sans le marquer de la trace de l'homme. Ce ne sont pas des obligations, mais des principes de vie que l'on appréciera si vous les partagez. Jolie philosophie qui mérite que l'on s'y attarde.

Bien et pas cher

■ FOREST VIEW

Plus fréquemment appelée Martin's Lodge, ou Martin's Place ou assimilé. Demandez la maison de Martin Wijesinghe. Comptez entre 500 et 1 000 Rs pour une nuit avec petit déjeuner. Le confort y est basique et la qualité des repas végétariens proposés est bonne. Mais ce n'est pas ce qui attire ici le client. C'est, d'une, le prix, le seul raisonnable de la région (impossible de loger près de la forêt sans se ruiner), de deux, la vue exceptionnelle comme l'indique le nom de l'endroit. Il y a aussi le lieu, idéalement situé pour l'observation d'animaux, en particulier les oiseaux. Enfin le propriétaire, Martin, qui a travaillé pendant plus de quinze ans pour le département de Conservation de la forêt, a développé une connaissance et un amour des animaux qui ont façonné sa vie. Les discussions avec lui sont fascinantes, et l'endroit vaut définitivement le détour.

Confort ou charme

■ BLUE MAGPIE LODGE

Etablissement correct sans plus, un niveau plus élevé que le précédent, mais sans charme. Dévoué au volatile dont il porte le nom, oiseau emblème du Sri Lanka, il demeure, à l'instar des autres hôtels, un excellent point de départ pour des excursions dans la jungle ou l'observation d'animaux. Les chambres sont basiques, l'accueil sympathique et le restaurant en outre offre une délicieuse cuisine sri lankaise. Bref, pour 60 $ la chambre double, on s'attendait à mieux. A ne conseiller que si le Forest View est complet.

■ ECO TEAM

Deux camps présents dans la forêt tropicale, où l'on vous propose toutes sortes d'excursions, sont en parfaite adéquation avec la nature : Kudawa est entouré de deux rivières et donne sur une plantation de thé où l'on peut assister, sans même sortir du camp, à sa cueillette. Morningside est situé entre Deniyaya et Rakwana, à la sortie de Suriyakanda ; cette ancienne plantation de thé est à présent recouverte de plants de cardamome, l'une des épices les plus chères au monde. Attention, ces établissements ne sont pas de vulgaires terrains de camping, c'est plutôt un concept : torches pour éclairer la nuit, tentes tout confort, eau chaude, bières fraîches et barbecue, les prix suivent donc.

Luxe

■ BOULDER GARDEN

Sinharaja Road, Koswatta, Kalawana
✆ (045) 225 58 12
Fax : (045) 225 58 13
www.bouldergarden.com
280 $ la chambre double avec petit déjeuner.
Etablissement de luxe s'il en est, construit dans le roc et à partir de pierres et de bois de la région, cet original écolodge respectueux de la nature propose une retraite paisible avec piscine à 15 km de la forêt. Aucune faute de goût dans les chambres, de type médiéval, spacieuses et très confortables. Certaines sont même sises dans d'anciennes caves naturelles ! Les parties communes sont également impeccables, le restaurant en plein air donne sur la piscine. Les amoureux de la nature seront comblés, on y propose même des excursions diverses dans la région.

■ RAINFOREST EDGE

Balawatukanda, Waddagala
✆ (045) 225 59 12
Fax : (045) 225 59 13
Compter 400 $ la nuit en pension complète.
Situé tout en haut d'une colline à l'entrée de la forêt, cet écolodge de luxe construit dans le style sri lankais allie authenticité et confort dans un cadre idyllique pour se reposer. Pas de télévision, pas de téléphone, les portables ne fonctionnent pas, on est ici coupé du monde pour mieux se sentir revivre.

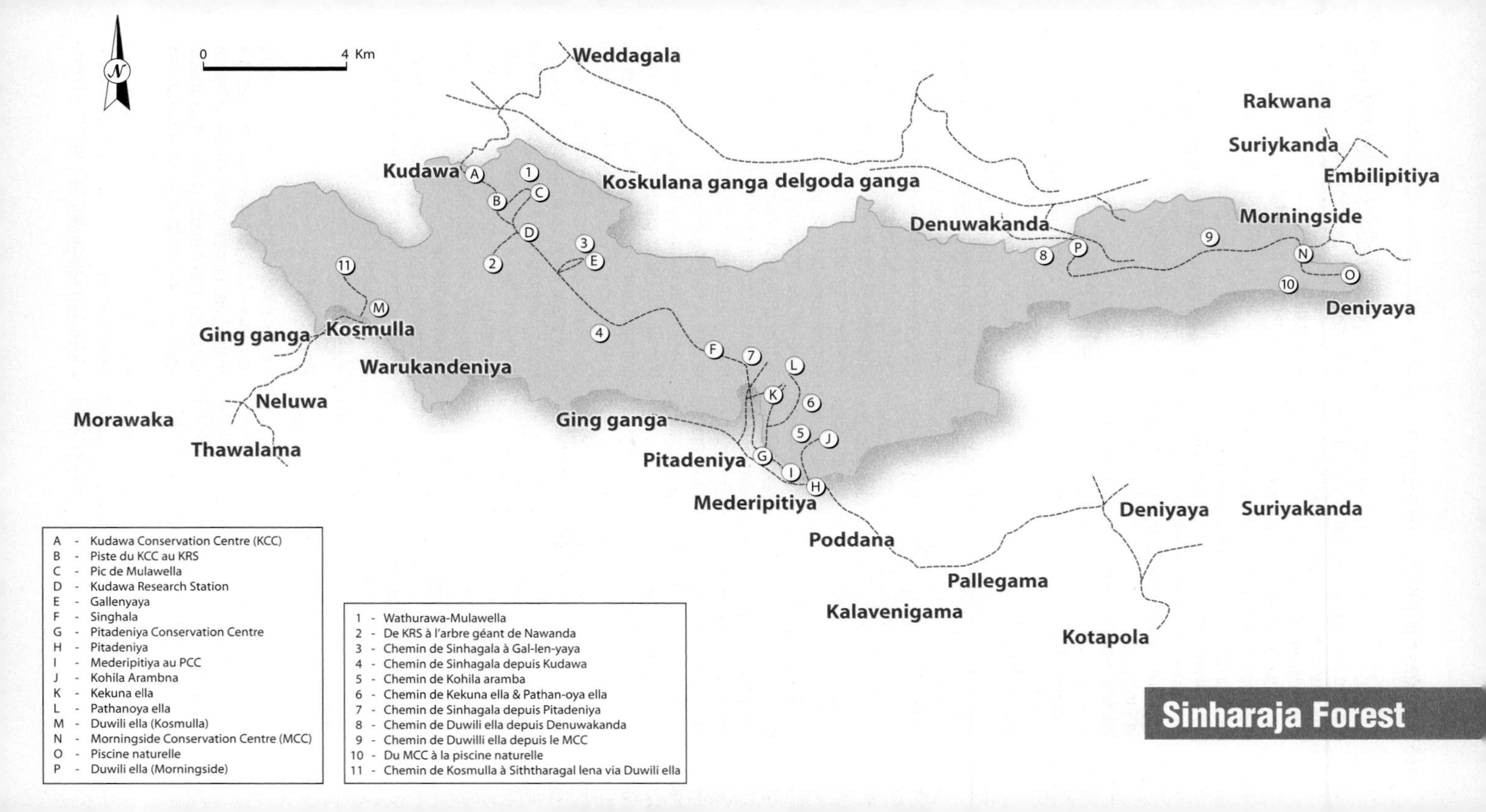
Sinharaja Forest
0
4 Km
N
Weddagala
Rakwana
Suriykanda
Embilipitiya
Kudawa
Koskulana ganga delgoda ganga
Denuwakanda
Morningside
Deniyaya
Ging ganga
Kosmulla
Warukandeniya
Neluwa
Morawaka
Thawalama
Ging ganga
Pitadeniya
Mederipitiya
Poddana
Pallegama
Kalavenigama
Deniyaya
Suriyakanda
Kotapola
A - Kudawa Conservation Centre (KCC)
B - Piste du KCC au KRS
C - Pic de Mulawella
D - Kudawa Research Station
E - Gallenyaya
F - Singhala
G - Pitadeniya Conservation Centre
H - Pitadeniya
I - Mederipitiya au PCC
J - Kohila Arambna
K - Kekuna ella
L - Pathanoya ella
M - Duwili ella (Kosmulla)
N - Morningside Conservation Centre (MCC)
O - Piscine naturelle
P - Duwili ella (Morningside)
1 - Wathurawa-Mulawella
2 - De KRS à l'arbre géant de Nawanda
3 - Chemin de Sinhagala à Gal-len-yaya
4 - Chemin de Sinhagala depuis Kudawa
5 - Chemin de Kohila aramba
6 - Chemin de Kekuna ella & Pathan-oya ella
7 - Chemin de Sinhagala depuis Pitadeniya
8 - Chemin de Duwili ella depuis Denuwakanda
9 - Chemin de Duwilli ella depuis le MCC
10 - Du MCC à la piscine naturelle
11 - Chemin de Kosmulla à Siththaragal lena via Duwili ella

La vue, unique sur la région, embrasse la forêt et les collines de plantations de thé. Les chambres sont impeccables, l'hospitalité chaleureuse, et chaque détail est peaufiné pour conserver à ce havre de paix son atmosphère si particulière. La cuisine, à partir de produits du jardin, est excellente, le respect de l'environnement mis au premier plan, et l'on peut aussi profiter de beaucoup d'activités sportives : kayak, cyclisme, trekking dans la jungle, etc. Centre ayurvédique et une piscine d'eau naturelle autour de laquelle s'organise l'écolodge. Même adresse que le Boulder Garden.

RAKWANA

A 146 km de Colombo et 40 km au sud-est de Ratnapura, sur l'A17 en direction de Galle. Rakwana, située près de l'entrée nord de la forêt de Sinharaja, est une jolie bourgade entourée de chutes d'eau. Juste après le village, on entame une route sinueuse composée d'une dizaine de virages sur moins de 10 km, avec une vingtaine de cascades sur le trajet. L'endroit étant plutôt reculé et totalement inconnu des touristes, pas de pollution, de modernisation, l'environnement est sain et propice à de grandes balades où l'on croisera bon nombre d'animaux en liberté. Attention toutefois aux sangsues, très présentes dans la région.

Hébergement

■ HANDAPAN FALLS HOLIDAY RESORT

✆ (045) 224 64 15

On peut dormir dans l'une de ses six chambres à 750 Rs la nuit. Quoique assez sommaire, il offre une jolie vue sur les chutes d'eau.

Points d'intérêt

■ HANDAPAN FALLS

Parmi les nombreuses chutes d'eau de la région, Handapan Falls sont les plus réputées (200 m) et les quatrièmes plus hautes de l'île. Elles prennent leur source dans la Rakwana Ganga située au sein de la forêt tropicale. Il est difficile de s'en approcher de trop près car le terrain est difficile et la route inexistante, en revanche, en raison de leur taille, on peut les admirer à partir de l'autre côté de la vallée.

■ GALDOLA FALLS

Hautes de 100 m, elles sont situées à 3 km de Rakwana, au mile 82 de l'A17 en direction de Galle. Pendant la saison sèche, cette chute d'eau peut se réduire au simple filet d'eau, voire disparaître complètement.

■ DALVEEN FALLS

Elles font 30 m de hauteur et sont situées au cœur d'une plantation de thé, ce qui rend le panorama assez pittoresque.

■ PARC NATIONAL D'UDA WALAWE

Voir dans le chapitre « La côte Sud-Ouest », « Hambantota ».

RATNAPURA

Ratnapura a connu son heure de gloire, comme beaucoup de villes sri lankaises ; le roi Salomon lui-même y aurait envoyé des émissaires lui chercher des pierres pour la reine de Saba. Cependant, il faut reconnaître que, aujourd'hui, si vous n'êtes pas passionné par les gemmes et la géologie, Ratnapura ne mérite pas le détour. La « ville des gemmes », littéralement, est en effet entièrement vouée aux pierres précieuses. Toute la population semble avoir hérité d'une mine : vendeurs officiels ou officieux, impossible de les différencier, chauffeurs de taxi, patrons d'hôtel... Tous les habitants ont dans leurs poches de la quincaillerie qu'ils essayent de vendre. Les bijoutiers ont pignon sur rue. Attention, de nombreux touristes se plaignent d'avoir été floués par leur guide ! Si vous souhaitez vraiment vous procurer des pierres mais que vous n'y connaissez rien, ne payez que le prix que vous accordez à la beauté de la pierre selon vous. Ne cherchez pas à trouver une pierre précieuse à bas prix pour le principe de faire une bonne affaire, c'est le meilleur moyen de vous faire flouer. Pour notre part, nous déconseillons totalement l'achat de gemmes.
En revanche, Ratnapura est un excellent point de départ pour Adam's Peak ou encore la Sinharaja Forest, classé au Patrimoine mondial de l'Unesco.

Transports

Aucune ligne de chemin de fer ne passe par Ratnapura. Les gares routières sont dans le centre-ville. Lignes pour Colombo (3 heures de trajet), Hambantota (4 heures de trajet), Matara (4 heures de trajet) et Nuwara Eliya (5 heures de trajet) via Hatton.

Pratique

- **Indicatif téléphonique :** 045.

Hébergement

Bien et pas cher

■ **TRAVELLERS HALT**
30, Outer Circular Road
✆ (045) 230 92
Une bonne adresse pour des chambres à 1 100 Rs dans une maison aux chambres climatisées, entourée d'un jardin. Le propriétaire peut vous organiser des excursions à Sinharaja et dans les parcs de Yala et Uda Walawe.

■ **KALAVATI HOLIDAY RESORT**
Comptez 1 200 Rs la nuit dans un établissement simple mais correct. Soyez vigilant aux moustiques très présents ici. Usez et abusez du spray répulsif.

■ **RATNAPURA RESTHOUSE**
Resthouse Road
au-dessus de la gare routière
✆ (045) 222 99
udarest@sltnet.lk
Grande villa coloniale très bien située sur une hauteur au-dessus de la ville. Malheureusement, l'ensemble est mal entretenu et les chambres à 1 650 Rs ne s'avèrent pas d'un bon rapport qualité-prix.

Confort ou charme

■ **RATNALOKA TOUR INNS**
Kosagala, Kahangama à 6 km du centre
✆/Fax : (045) 224 55
ratnaloka@eureka.lk
Comptez 4 100 Rs. L'établissement le plus confortable des environs est situé à l'écart de la ville dans une plantation d'hévéas. C'est un hôtel moderne sans charme, mais avec piscine et chambres climatisées.

Points d'intérêt

Le paysage qui entoure Ratnapura est magnifique et propice à de belles balades. Arrêtez-vous dans les mines : vous remarquerez que, pour certains, le commerce des pierres est synonyme de travail harassant dans la boue avec pioche et tamis. Vous pouvez aussi vous attaquer à Adam's Peak par sa route réputée la plus difficile en passant par Gilimale et Carney Estate. Attention tout de même, ce n'est pas une simple promenade de santé, mais bien une expédition de plusieurs jours puisque la grimpe prend largement huit heures de temps.

► **Les deux musées locaux,** l'Ehelepola National Museum et le Gem Museum offrent bien peu d'intérêt en dehors des traditionnelles expositions de pierres précieuses.

► **Le marché aux gemmes** a lieu tous les jours de 6h à 14h. En fait de marché, vous verrez des individus dans la rue attendant le chaland, leur fonds de commerce se trouvant dans la poche de leur pantalon. Les pierres ne sont pas taillées, et l'on court le plus grand risque à se laisser tenter. Ceux qui proposent des pierres taillées présentées dans des boîtes d'allumettes sont des escrocs professionnels.

► **Ratnapura regorge de Gemmological Museum** qui ne sont que des boutiques de pierres précieuses. Le seul vrai musée est le Ratnapura Gem Bureau Museum, Potgul Vihara Maw., à 1,5 km au sud-ouest – ✆ (045) 224 69. Ouvert tous les jours de 9h30 à 16h. Entrée libre. La quasi-totalité des richesses géologiques du pays y est présentée dans des vitrines. On y trouve aussi une galerie d'art et les portraits des deux cent cinquante dieux du Sri Lanka.

ADAM'S PEAK (SRI PADA)

Près de Dalhousie. A 2 243 m d'altitude vous attend l'empreinte d'un pied, que certains attribuent à Adam, d'autres à Bouddha, voire même à Shiva ou à saint Thomas. Qu'importe, ce mont (*Sri Pada*, qui signifie « Pied sacré » en cinghalais) est un lieu sacré depuis plus d'un millénaire pour les quatre grandes religions, fait unique dans le monde. Avant même l'avènement de ces doctrines, le pic était déjà vénéré par les Veddas, les premiers habitants de l'île. Par la suite, c'est en 300 av. J.-C. que les bouddhistes datent l'empreinte du pied, située en haut du mont à Bouddha, lors de son troisième et dernier passage au Sri Lanka. Les Portugais quant à eux, à leur arrivée au XVIe siècle, l'attribuèrent à saint Thomas, qui avait été le premier à répandre le christianisme sur l'île. Les musulmans, enfin, décrétèrent que c'était la trace du pied d'Adam, lorsqu'il dut se tenir sur un pied par pénitence. En effet, selon une vieille croyance arabe, Adam aurait été puni par Dieu à se tenir debout sur une jambe, le Sri Lanka étant l'endroit sur terre le plus proche et le plus ressemblant au Paradis. Sri Pada est également appelé Samanalakande, « la Montagne aux papillons », car, à une certaine époque de l'année, toujours la même et sans faillir, des millions de papillons s'envolent vers son sommet pour y mourir.

Et ce sans aucune raison scientifique avérée, ce qui tend à faire de cette anecdote une sorte de miracle.

Les pèlerinages qui réunissent musulmans, hindous, chrétiens et bouddhistes ont lieu en décembre à partir de la pleine lune et jusqu'en avril avant les premières pluies de la mousson.

Attention, c'est fléché de partout, mais c'est bien par la pente nord que l'on monte au sommet du Sri Pada ; si vous prenez par le sud, près de Ratnapura donc, ce qui est possible par ailleurs, vous mettrez deux à trois fois plus de temps pour terminer votre ascension : entre sept et dix heures de grimpe en somme. Beaucoup de locaux préfèrent passer par là, pour une question de mérite ; allez-y si vous êtes en bonne forme physique et que vous avez bien tout prévu pour deux jours d'escalade. Mais, franchement, nous le déconseillons à ceux qui veulent le faire « pour le fun » ; une ascension, ça se prépare ! Pourquoi pas, en revanche, monter par le nord et redescendre par le sud... Si l'on souhaite rejoindre Ratnapura par exemple, cela permet une excursion vraiment pittoresque.

Si l'hiver, l'ascension des 4 500 marches sur 6 km se fait en pleine nuit à la lumière des torches et au milieu de milliers de fidèles, en plein été en revanche, vous serez seul à faire le trajet. Partez dès les premières lueurs du petit matin pour éviter les grandes chaleurs et prévoyez de vous munir d'eau et de fruits. Il vous faudra, en marchant bien, près de trois heures pour arriver au sommet. Nous vous conseillons de vous échauffer un minimum les muscles avant de partir, car les marches, irrégulières, qui mènent tout en haut, ne sont pas de tout repos. Un peu avant l'arrivée, un jeune garçon tient une échoppe (un peu brinquebalante) où l'on vend du thé et des rafraîchissements au prix fort !

Au sommet, les températures subissent une baisse considérable par rapport au départ en raison d'un vent fort. La vue est splendide, et vous découvrirez un petit temple blanchi à la chaux. Autour, un promenoir peut accueillir au grand maximum une demi-douzaine de personnes. A l'intérieur du sanctuaire, qui ressemble à une banale maison, se trouve l'empreinte sacrée de 1,60 m sur 77 cm. Selon certaines sources, la trace originelle aurait été de taille plus modeste.

Les sommets du Sri Lanka

Pour les amateurs de trek ou de randonnée, voici une liste des sommets du pays.

Nom	Hauteur (en mètres)
Pidurutalagala	2 525
Kirigalpotta	2 395
Totapola	2 358
Sri Pada	2 244
Namunukula	2 036
Knuckles	1 863
Gongala	1 359
Bible Rock	798
Bintenna	723
Kurulugala	701
Kokagala	687
Wadinahela	666
Haycock	661
Friars Hood	658
Galgiriya	572
Ritigala	572
Westminster Abbey	558
Gunner's Quoin	534
Degadaturawa	441
Utuwankanda	430
Katarama Peak	424
Kandurukanda	299
Weddakanda	121

Transports

- **En bus.** Il faut vous rendre à Hatton depuis Colombo, Kandy ou Nuwara Eliya (3 heures de route dans tous les cas) et prendre un autre bus jusqu'à Dalhousie. En période de pèlerinage, il existe des bus qui vont directement à Dalhousie depuis Colombo.
- **En train.** Les trains Podi Menike et Udatara Menike desservent Hatton depuis Colombo. Le Podi Menike passe par Kandy. De Hatton, il vous faudra prendre un bus ou un taxi (compter environ 800 Rs).

Pratique

- **Indicatif téléphonique :** 051.

Hébergement

Le plus pratique est de passer la nuit ou le jour précédent votre expédition à Dalhousie où vous attendent quelques guesthouses rudimentaires. Vous pouvez loger aussi à Dickoya ou Hatton, qui sont assez proches, ou encore de Nuwara Eliya et venir avec les premiers bus, mais c'est déjà sacrément plus éloigné.

Bien et pas cher

■ GREEN-HOUSE

Tout près de la voie d'accès
✆ (051) 239 56
Comptez 1 600 Rs en demi-pension. Bonne ambiance familiale et routarde mais confort sommaire. La cuisine est appréciée, surtout le petit déjeuner que l'on prend sur la terrasse.

Confort ou charme

■ UPPER GLENCAIRN BUNGALOW

Dikoya à 7 km de Hatton
Accès par une piste
✆ (051) 223 48
Comptez 1 500 Rs pour une chambre double avec petit déjeuner. Resto sur place assez quelconque. Profitez de ce lieu magnifique, dominant les plantations de thé au cœur des montagnes, où se dresse une vieille maison blanche de planteurs datant de 1903. Le confort est presque d'époque et l'ambiance a un charme fou. Si vous le souhaitez, on vous conduira à Dalhousie en taxi et l'on vous ramènera après l'ascension d'Adam's Peak pour 1 500 Rs.

■ FISHING HUT

Entre 70 et 120 $ selon la saison. Situé au bord de la réserve Wilderness, cet écolodge propose aux amoureux de la nature et de la simplicité deux cabanes fabriquées par des planteurs de thé. La rusticité de la maison ajoute particulièrement au charme du lieu – le cœur des montagnes du centre –, et l'indépendance qu'elle offre finira de convaincre les indécis : plaques de cuisson, lampe à huile, etc. Un lieu pour se détendre, pêcher et vibrer au rythme de la nature.

■ ADAM'S PEAK RAINFOREST LODGE

Près du village de Siripagama, tout près d'Adam's Peak.
Cet écolodge doté d'un spa naturel dans le cours d'eau voisin offre non seulement une jolie vue sur les plantations de thé, mais vous permet de tenter l'expérience de la cueillette !
Un sac à thé sur le dos et hop, on va ramasser les feuilles ! Jolie terrasse pour se sentir proche de la nature. Le mobilier et les chambres n'ont rien d'exceptionnel, mais c'est vraiment un lieu hors des sentiers battus qui respire la sérénité.

Luxe

■ ROSITA BUNGALOW

Kotogala, Dambulla Estate
160 $ la nuit. A nouveau l'ancienne résidence d'un directeur de plantation de thé. Tout confort, cheminée dans les parties communes, mais on dira tout de même qu'à ce prix-là, on aurait aimé des chambres plus spacieuses. Des chutes d'eau à proximité et une jolie vue sur Sri Pada quand le temps est clair.

■ TEA TRAILS

Castlereagh-Summerville-Tientsin-Norton Bungalows
www.teatrails.com
Ce sont les quatre propriétés du Tea Trails, situées chacune sur la plantation dont elles portent le nom. A environ 400 $ la nuit, ce n'est plus du luxe, c'est carrément le paradis sur terre. Tout y est raffiné, soigné, on y est chouchouté à ne plus savoir qu'en faire. La maison est nôtre, on peut même aller fouiner dans la cuisine si l'envie nous en prend et ce, à n'importe quelle heure du jour ou de la nuit. Et vue la qualité de la gastronomie ici, elle nous prend souvent ! Chambres grandioses, salles de bains immenses, piscine au cœur des montagnes, service impeccable et vue à couper le souffle. Rien à redire.

HORTON PLAINS ET WORLD'S END

A 20 km au sud. L'entrée du site coûte 1 700 Rs, plus des frais pour la voiture. C'est, à ce qu'en disent les Sri Lankais du moins, le clou d'un séjour à Nuwara Eliya qui est la meilleure base de départ pour se rendre à Horton Plains. Pas de problème pour organiser l'excursion, il suffit de demander à votre hôtel où l'on vous mettra en contact avec les tour-opérateurs. Ceux-ci proposent un aller-retour pour environ 2 000 Rs en minibus d'une capacité de cinq personnes, quel que soit le nombre de passagers. Le départ pour Far Inn a lieu à 6h du matin et l'on retourne à Nuwara Eliya vers 12h. Sur les neuf kilomètres du parcours, vous apercevrez peut-être des éléphants, des daims, voire des panthères, plus rares, mais aussi des lézards cornus et de nombreuses variétés d'oiseaux. Vous pouvez faire une boucle en passant par Little World's End, puis World's End, qui doit son nom à l'à-pic de 700 m qui termine brutalement le parcours, puis vous rejoindrez Baker's Falls avant de revenir à Far Inn.

Les plus courageux coupent ensuite dans la forêt pour atteindre la gare d'Ohiya et attendre un train pour Haputale. Prévoyez de bonnes chaussures et un ou deux pull-overs, car les températures chutent vite en altitude. Attention également à la brume omniprésente dans la région.

Il faut savoir que, finalement, la balade ne vaut ni le temps ni l'argent qu'elle coûte. Payer pour marcher dans une plaine somme toute assez quelconque n'est pas très intéressant, d'autant que beaucoup d'autres endroits au Sri Lanka sont bien plus impressionnants et... gratuits. On laisse donc le choix de visiter ou non Horton Plains et World's End à votre jugement, mais sachez que, si certains apprécient la balade, la majorité des voyageurs en reviennent assez déçus.

HAPUTALE

A 40 km au sud-est de Nuwara Eliya. Cette petite localité d'altitude animée par un marché quotidien est une halte tranquille prisée des voyageurs qui ont le temps devant eux et en profitent pour jouir d'un climat relativement frais et faire de belles excursions dans la montagne. Sise au bord d'une sorte de précipice, elle est réputée pour les panoramas spectaculaires qu'elle offre, notamment à partir de son artère principale. La perspective de là permet, par temps clair, de voir au loin jusqu'à la côte sud de l'île. La nuit, on peut même voir la lumière diffusée par le phare d'Hambantota. La ville étant située entre Nuwara Eliya et Badulla, on y accède facilement en train et l'on y trouve facilement où loger dans des conditions correctes.

Transports

- **Train.** La gare est au centre de la ville. Depuis Kandy (5 heures 40 de trajet), 3 trains par jour. Depuis Haputale, départs pour Ella (1 heure 50 de trajet) et Badulla (2 heures 50), 7 fois par jour.
- **Bus.** Liaisons régulières pour Bandaraweala, Nuwara Eliya, ainsi que pour la côte sud vers Matara (7 heures de trajet). Pour Colombo (6 heures de trajet), on passe par Ratnapura.

Pratique

- **Indicatif téléphonique :** 057.

Hébergement

L'un des attraits de la localité tient au large choix d'hébergements que l'on y trouve pour un bon rapport qualité-prix. Profitons-en pendant que la station est encore suffisamment peu connue pour apprécier le calme, l'authenticité et la modicité du lieu.

Bien et pas cher

CUESTA INN
Temple Road, sur la route du monastère d'Adisham
✆ (057) 681 10
Comptez 750 Rs. Les chambres sont assez simples, mais agrémentées d'un balcon donnant sur une vue époustouflante ; l'accueil est très sympathique et la cuisine fort correcte. La véranda mérite le coup d'œil.

BAWA GUESTHOUSE
Thampapillai Mawatha
✆ (057) 682 60
Vous pourrez profiter de l'eau chaude dans trois des chambres à 800 Rs de cette maison de construction récente où l'on vous donnera de bons conseils sur les randonnées à faire dans la région.

Confort ou charme

AMARASINGHE GUESTHOUSE
Thampapillai Mawatha
Tout près de la précédente
✆ (057) 681 75
✆ portable : (071) 659 05
Comptez 1 000 Rs. Là aussi les chambres sont équipées de salles de bains avec eau chaude. Celles de l'étage sont les plus agréables.

Le paradis perdu...

Sur l'A4, au kilomètre 177 en venant de Colombo, à Haldumulla, se tient un petit cottage tranquillement isolé au cœur des montagnes luxuriantes du centre. World's End Lodge, c'est son nom, se présente comme une calme retraite à l'écart du reste du monde... mais qui le surplombe tout de même. Par temps clair, on peut voir non seulement la forêt de Sinharaja, les eaux du Uda Walawe, mais aussi le phare de Dondra. Un plongeon dans la piscine qui offre un panorama spectaculaire ? Un havre de paix pour se régénérer à moindres frais. 15 $ la chambre double. Qui dit mieux ?

SRI LANKA VIEW HOLIDAY INN
A.-W. Arthur Sirisena Mawatha
✆ (057) 681 25
Incontestablement la meilleure adresse du coin. Très bien située, avec une vue splendide, cette maison propose des chambres confortables avec eau chaude pour 1 000 Rs. Sur place, on peut utiliser Internet et le téléphone IDD et l'on organise toutes sortes d'excursions.

EAGLE'S NEST
Entre Haputale et Horton Plains, kilomètre 177 sur l'A4 en venant de Colombo, prendre la petite route et vous y êtes. Petit frère du World's End Lodge (*voir l'encadré*), Eagle's Nest propose une belle demeure de charme à louer entièrement (14 adultes) ou par chambre. Elle dispose d'une très jolie piscine d'eau de source d'où l'on a une vue splendide. Les chambres sont correctes et propres et les prix raisonnables. Beaucoup d'excursions pour les sites touristiques, mais aussi du trek ou du hikking.

Luxe

SHERWOOD TEA PLANTATION BUNGALOW
Un bungalow situé comme les autres au cœur des plantations de thé, mais qui se loue entier : quatre chambres dont une triple, deux doubles et une single, avec trois salles communes dont une avec cheminée, trois salles de bains et un chef, pour 200 $ le bungalow. Pour des vacances paisibles, en famille ou entre amis.

THOTALAGALA TEA PLANTATION BUNGALOW
276 $ le bungalow, petit déjeuner inclus.
Même principe que le précédent, mais avec 7 chambres, dont un maximum de 8 adultes et 6 enfants. On signale tout de même un jardin plein d'herbes et d'épices utilisées par le cuisinier, et que cette région est réputée pour offrir un air pur régénérant, notamment pour les personnes souffrant de problèmes respiratoires. Le confort est bon, la cuisine excellente et le panorama laisse songeur.

Points d'intérêt

MONASTÈRE D'ADISHAM
Le petit monastère bénédictin d'Adisham est situé à seulement 3 km d'Haputale. On peut se promener dans les jardins mais il ne faut pas troubler la quiétude des moines qui méditent et confectionnent des confitures que l'on peut acheter sur place. La plantation de Green Field, également à 3 km, est accueillante et réputée pour ses thés de qualité cultivés selon les méthodes de l'agriculture bio. On peut y passer la nuit, comme souvent dans la région.

Il faut aller jusqu'à Dambetena, à environ 10 km, pour visiter la plantation de thé locale. De là, vous pouvez entreprendre une randonnée d'environ 7 km jusqu'à Lipton Seat (*autour de 100 Rs l'entrée*), un parcours superbe jalonné de temples hindous, qui conduit à l'un des plus beaux points de vue de l'île. Celui-ci doit son nom au plus célèbre planteur de thé de l'Empire britannique qui venait s'y reposer en contemplant le paysage.

Dans les environs également, à l'est d'Haputale, ne ratez pas Buduruwagala, qui signifie littéralement « image de Bouddha dans la pierre ». On trouvera dans ce petit village sept statues de l'Eveillé façonnées dans le roc.

LES HAUTES TERRES

Buduruwagala, site bouddhique

BANDARAWELA

A quelques kilomètres au sud d'Haputale. C'est une petite ville animée, perchée à 1 230 m d'altitude. Vous pourrez y faire des balades revigorantes.

Hébergement

■ **VENTNOR**
23, Welimada Road
✆ (057) 222 25 11
✆ portable : (077) 652 65 22
Dans le style colonial propre à cette région, l'établissement propose de vastes chambres équipées de salle de bains avec eau chaude pour 2 500 Rs, 3 000 Rs la chambre double et 500 Rs le petit déjeuner. Un vaste jardin assez joli entoure la propriété.

■ **ORIENT HOTEL**
10, Dharmapala, Bandarawela
✆ (057) 224 07
Compter 52 $ la nuit en chambre double, petit déjeuner compris, dans cet établissement correct. Billard, salle de gym, excursions et massages au programme. L'établissement propose même du camping dans la jungle où il a des bungalows. La clientèle est plutôt allemande. L'accueil est bon.

■ **BANDARAWELA HOTEL**
14, Welimada Road
✆ (057) 225 01 – Fax : (057) 228 34
www.aitkenspenhotels.com
Cet ancien chalet de planteurs de thé datant de 1893 et joliment rénové propose des chambres très confortables au décor colonial pour 57 $ avec petit déjeuner. Un bel endroit proche de la ville. Accueil et service impeccable.

Les chutes d'eau au Sri Lanka

Nom	Hauteur en mètres
Bambarakanda	241
Kurundu Oya Falls	189
Diyaluma Falls	171
Laksapana Falls	115
Ratna Ella Falls	111
Kirindi Ella Falls	106
Ramboda Falls	100
Aberdeen Falls	90
Devon Falls	86
St Clair Falls	73
Dunhinda Falls	58
Elgin Falls	55
Bopath Ella Falls	30
Bakers Falls	20
Manawela Falls	20
Victoria Falls	10
Rawana Ella Falls	8

Loisirs

■ **SUWAMADU, AYURVEDIQUE HEALTH AND BEAUTY CULTURE RESORT**
Badulla road
✆ (057) 222 25 04
✆ portable : (077) 969 47 19
www.suwamadu.com
Un endroit connu dans la région pour son traitement comprenant massage de la tête, du corps, bain de vapeur aux plantes et sauna aux herbes. 100% naturel, un moment de détente au milieu des montagnes. Assez cher tout de même, comptez 3 500 Rs le traitement de 1 heure 15.

ELLA

A 70 km à l'est. Réputée dans la région, pour ses chutes d'eau et son « little Adam's Peak », Ella offre une bonne alternative aux villes de montagnes plus réputées mais moins authentiques. Le grand atout d'Ella, en plus de la merveilleuse végétation qui l'entoure, est indubitablement la présence de dizaines de cascades environnantes. La ville est littéralement encerclée par ces fabuleuses chutes jaillies de la roche pour s'écouler en jets puissants ou en simples filets sur les terres. C'est un autre point de départ pour randonneurs et amoureux de la nature. N'hésitez pas à vous balader dans la petite ville également, vous n'y verrez que des sourires.

Transports

Train

La localité est très bien desservie par le train. La gare est à l'extrémité nord du village. On peut prendre note, en comparant les prix et les distances, que le coût d'un voyage en train se situe autour de 1 roupie le kilomètre, en seconde classe. Depuis Kandy, le train passe entre les montagnes ; la vue est sublime, l'expérience magique !

▸ **Départs pour Colombo (270 km) :** 6h52, 9h47, 18h50, 20h23. Pour 132 Rs en troisième classe, 250 Rs en deuxième, et 580 Rs pour le wagon panoramique, quelle que soit la destination.

▶ **Départs pour Kandy (163 km) :** les mêmes, plus 13h07. Tarifs : de 82 à 152 Rs.

▶ **Départs pour Badulla (21 km) :** 5h30, 7h55, 13h47, 15h08, 18h19. Tarifs : de 12 à 21 Rs.

Bus

En revanche, il n'y a pas de gare routière, la plus proche se trouve à quelques kilomètres, au carrefour des routes de Wellawaya et Passara. Renseignez-vous auprès des propriétaires des pensions pour les horaires et les destinations, mais soyez vigilants car ils négocient parfois des commissions sur les tickets de transport.

Hébergement

L'endroit grouille de pensions, hôtels et guesthouses éparpillées sur les pentes raides qui surplombent le village, il est donc assez aisé de trouver un endroit avec une jolie vue où passer la nuit. Entre la jolie forêt de pins et les montagnes qui entourent la ville le choix est vaste. Quelques adresses toutefois pour s'y retrouver.

Bien et pas cher

■ **SUNNYSIDE HOLIDAY BUNGALOW**

De 1 300 à 2 500 Rs la chambre double selon que l'on est en chambre seule ou en pension complète. A la porte d'Ella, l'entrée située près du panneau « Ella », c'est ici, vous y êtes ! Un bungalow charmant, aux chambres simples mais propres, et aux parties communes très spacieuses. Si l'on privilégie l'atmosphère au confort pur, on appréciera tout particulièrement cette grande et belle maison coloniale où la cuisine sri lankaise est préparée dans la tradition. Pas d'alcool ni de zone fumeurs, encore moins de télévision, ici on privilégie le contact avec la nature.

■ **ELLA HOLIDAY INN**

✆ (057) 222 86 15

✆ portable : (077) 518 08 22

Sur la route principale, vous verrez à droite le joli petit pont en bois qui mène à l'hôtel. Compter 1 200 Rs la chambre single, 1 500 Rs la double et 7 500 Rs la familiale. Les chambres sont jolies et toutes ont un balcon. 300 Rs le petit déjeuner. A la carte, cuisine sri lankaise et western. M. Rodrigo propose aussi des cours de cuisines locale. Une bonne adresse mais un peu trop près de la route.

■ **LIZZYE VILLA**

✆ (057) 222 86 43/88 22

tourinfo@sltnet.lk

Plus loin après le restaurant Bob Marley, à droite, un petit chemin mène à la guesthouse. A l'écart de la route, cette jolie petite maison entourée d'un jardin propose 6 chambres entre 800 et 2 600 Rs. Ouverte depuis 1977, cette guesthouse est la plus ancienne et sûrement une des plus conviviales de la ville. La famille Rodrigo vous renseignera avec plaisir sur toutes les balades et choses à faire dans la région. Très bonne adresse pour la convivialité.

■ **FOREST PARADISE**

✆ (057) 222 87 97

✆ portable : (077) 921 26 57

www.forestparadise.net

A l'entrée de la ville, prendre la première à droite, vous verrez le panneau, tout en haut du chemin se trouve la guesthouse, à l'entrée de la forêt de pins. 4 chambres double de 14 $ à 20 $. Ce n'est pas tant pour les chambres que l'on apprécie l'endroit mais surtout pour le cadre. Promenades et pique- nique dans la forêt sont au programme. Accueil chaleureux et séjour paisible.

■ **SUN TOP INN GUESTHOUSE**

18, Police Station Road

✆ (057) 222 86 73

✆ portable : 0779 121 802

suntoinn@yahoo.com

Une jolie petite guesthouse tenue par M. et Mme Priyantha. L'accueil y est admirablement convivial et les 3 chambres doubles sont prises d'assaut par des voyageurs « habitués ». Entre 800 et 1 200 Rs la chambre selon si vous prenez le balcon. Une très bonne adresse, simple et chaleureuse, à visiter ne serait-ce que pour goûter la cuisine.

Confort ou charme

■ **RAVANA HEIGHTS**

Ella-Wellawaya Rd

✆ (057) 222 88 88

Pour 2 500 Rs, vous aurez droit à des chambres claires et vastes, équipées de l'eau chaude avec vue sur la montagne. La cuisine, servie derrière des baies vitrées dans une agréable salle à manger, est renommée. N'hésitez pas à questionner vos hôtes sur les possibilités de randonnées.

Fernando, Rodrigo ?

Pour la petite histoire, si certains habitant du Sri Lanka ont des noms qui ne paraissent pas très « sri lankais », c'est qu'en 1915 beaucoup de Portugais vinrent dans la région pour faire le commerce des épices. Les noms sont restés au fil du temps. Il est assez cocasse de tomber sur un M. Shanthikuma Fernando dans un petit village de montagne du Sri Lanka.

■ **AMBIENTE**
✆ (057) 222 88 67
www.ambiente.lk
Tout en haut de la colline, il offre une vue splendide sur la vallée. Le restaurant est bon, le gérant est d'ailleurs le cuisinier, et le service fort sympathique. Une adresse sûre à Ella, que l'on se passe entre voyageurs d'un bout à l'autre du pays. De 21 à 40 $ la double, tarif un peu élevé tout de même pour un établissement assez simple finalement.

■ **MOUNTAIN HEAVENS**
Sur les hauteurs, au bout d'un petit chemin très escarpé
✆ (057) 492 57 57
mountainheavens@gmail.com
Un hôtel perché à flanc de falaise avec une jolie vue. Comptez 36 $ la double avec petit déjeuner. Un peu cher pour la vue !

■ **HOTEL COUNTRY COMFORT**
32, Police Station Road
✆ (057) 222 85 32
✆ portable : 777 378 754
www.hotelcountrycomfort.lk
Deux jolies bâtisses de charme, un joli jardin bien entretenu. L'endroit est tenu par la famille Fernando et est très convivial. Des chambres standard à 1 250 Rs d'autres grandes, bien aménagées à 3 000 Rs. Petit déjeuner à 400 Rs et repas à la carte, le rice and curry est délicieux. Le service est irréprochable, très bonne adresse.

Luxe

■ **ELLA ADVENTURE PARK**
Sur la route de Wellawaya
✆ (057) 872 63
Réservation à Colombo ✆ (075) 377 55
www.wildernesslanka.com
Comptez au moins 5 300 Rs pour un séjour en demi-pension en bungalow forestier. Pour une expérience unique, rendez-vous à 9 km d'Ella. C'est l'occasion ou jamais de jouer à Tarzan car l'ingénieux propriétaire des lieux propose des hébergements aménagés dans les arbres, des cabanes dans la forêt ou des tentes en pleine jungle. Le bar, lui aussi aménagé dans les arbres, est très agréable. Toutes sortes d'activités de nature vous seront proposées. Un bel endroit.

■ **GRAND ELLA HOTEL**
✆ (057) 222 85 36/86 55
www.ceylonhotels.lk
Le plus luxueux hôtel de la ville mais surtout la plus belle vue ! Ella Rock à votre gauche, les plaines jusqu'à l'océan en face, superbe ! Des chambres haut de gamme à 55 $ la chambre double avec le petit déjeuner, le bâtiment n'a rien d'exceptionnel mais le cadre est charmant. Petit déjeuner à 5 $, repas entre 6 et 8 $. Le restaurant jouit de la vue magnifique. Un endroit agréable à visiter ne serait-ce que pour y boire un thé.

Restaurants

Toutes les guesthouses et les hôtels proposent des plats peu onéreux. Voici quelques bonnes adresses :

■ **LITTLE FOLY**
Sur la route qui mène au Little Adam's Peak, vous verrez une petite guesthouse à votre gauche. Il n'y a en fait qu'une seule chambre à 1 000 Rs, mais ce n'est pas pour cela que l'on s'y arrête c'est surtout pour les gâteaux au chocolat de la femme de Guna Siri ! Le propriétaire très convivial vous fera visiter son jardin d'épices en bordure de la forêt de pins et vous fera déguster son lemon juice maison. Des plats végétariens sont proposés à partir de 300 Rs. Un moment agréable à ne pas rater ! Guna Siri pourra aussi vous indiquer des balades aux alentours.

■ **DREAM CAFÉ**
Main street
✆ (057) 222 89 50
Restaurant-bar, cet endroit est l'un des plus agréables du coin pour se restaurer. Plats à partir de 350 Rs et la cuisine est bonne. 4 chambres modestes peuvent aussi être proposées à partir de 650 Rs. Un lieu sympathique à tester.

BADULLA

Ville centrale de la région, capitale de la province d'Uva, Badulla n'est pourtant pas un lieu très touristique, en ce sens qu'on y trouve peu de voyageurs venus d'ailleurs. Pourtant, Badulla possède des atouts solides et propose des excursions très pittoresques. Les chutes d'eau de Duhinda notamment, parmi les plus belles du pays, le temple situé dans les grottes de Dowa également, dont le passage sur le pont en bois donne un charme fou à l'excursion. La ville elle-même, accrochée à plus de 600 m au-dessus du niveau de la mer, séduit par sa végétation tropicale luxuriante, sa douceur de vivre et son authenticité.

C'est le terminus de la ligne de chemin de fer, et plusieurs trains font quotidiennement le trajet depuis Colombo en passant par Kandy et Ella. C'est d'ailleurs la plus jolie perspective que l'on puisse avoir sur le Sri Lanka, et découvrir par train les beautés de ses paysages est une occasion unique. Le meilleur trajet à faire commence à Kandy jusqu'à Badulla, en wagon panoramique.

Hébergement

■ **BADULLA NEW TOURIST INN**
122, Mahiyangana Road
(Dunhinda Falls Road)
✆ (055) 234 23
Etablissement sommaire recommandé par l'office du tourisme sri lankais.

■ **DUHINDA FALLS INN**
Bandaranayake Mawatha
✆ (055) 230 28

■ **BONNIELAND BUNGALOW**
Un nouvel havre de paix au sein de la jungle sri lankaise. Un établissement de luxe où se détendre au son de la nature qui s'exprime. C'est un cottage de pierre bientôt centenaire, entouré d'un jardin soigné, qui vous accueille chaleureusement avec un personnel attentionné. C'est un paradis pour qui veut se reposer ou profiter du spectacle de la nature.

NUWARA ELIYA

La « cité de la lumière », comme l'indique son nom que l'on prononce « Nurélia » en roulant le « r », est une petite station d'altitude plantée à 1 889 m. Ne simplifiez pas en « Nuwara », on croira que vous parlez de Kandy qui est LA ville par excellence au Sri Lanka. C'était au XIXe siècle et jusqu'à l'indépendance le refuge préféré des colons britanniques qui quittaient Colombo pendant les mois estivaux. Considérée comme une Little England, Nuwara Eliya n'a plus grand-chose de britannique, si ce n'est ses hôtels. Joyau du pays pour les Sri Lankais, elle l'est avant tout pour la fraîcheur de son climat et la beauté de ses environs. Les paysages de collines recouvertes de plantations de thé, traversées par une multitude de cascades, valent en effet le détour et ce, malgré la difficulté des routes de montagne. On ne va pas vite, mais cela permet d'apprécier un panorama exceptionnel. En revanche, il peut y faire assez frais, et le contraste entre les températures de la vallée et celles de Nuwara Eliya peut être assez saisissant. Prévoyez donc un pull, voire une écharpe. Il n'y a cependant pas grand-chose à y faire, sinon goûter l'ambiance surannée des vieux palaces, mais l'endroit est une bonne base pour se rendre à Adam's Peak ou à Horton Plains.

Attention cependant à ne pas s'imaginer Nuwara Eliya comme la cité féerique décrite par les locaux ; au Sri Lanka, la fraîcheur est une denrée rare, et l'endroit est donc hautement apprécié pour cela uniquement et le sera donc forcément moins par les voyageurs venus du froid que nous sommes. Rien à faire ou à voir donc, ici, si ce n'est un parcours de golf ou, si vous venez en avril-mai, des courses sur l'hippodrome… si vous aimez ça.

Transports

▸ **Bus.** Depuis Kandy, il faut compter 4 heures sur une route splendide en lacets qui passe entre les collines et les plantations de thé. Pour Colombo, la durée du voyage est de 6 heures. A faire en voiture si c'est possible, encore mieux avec un chauffeur, ce qui permet de profiter sans se lasser de ces tours et détours à travers les montagnes.

▸ **Train.** La gare la plus proche est celle de Nanu Oya à 9 km. Soyez vigilants à l'égard des rabatteurs en mèche avec des guesthouses de Nuwara Eliya. La meilleure chose à dire est que vous ne passez pas la nuit ici, voire leur parler en français, ils devraient abandonner assez vite. Si vous avez des connaissances linguistiques en japonais, c'est encore plus radical. De Colombo, le train Podi Menike passe par Kandy et met environ 7 heures. L'Udarata Menike met autant de temps, mais ne passe pas par Kandy.

Pratique

▸ **Indicatif téléphonique :** 052.

Hébergement

Il y a un grand choix et toute une gamme de prix raisonnables au pays de la brume matinale. Beaucoup de bungalows, ces anciens logements des directeurs de plantation accueillent aujourd'hui des visiteurs enchantés de découvrir le mode de vie colonial comme à la maison ; il faut passer au moins une nuit dans l'un d'entre eux, si possible dans un des nombreux estate situés dans les environs de Nuwara Eliya, pour entrevoir le type d'existence menée à cette époque.
Quelle que soit la catégorie de l'établissement où vous vous trouvez, prévoyez un pull quand vous dînez au restaurant et réclamez des couvertures dans vos chambres : les nuits sont fraîches, même l'été, et les matinées propices aux coups de froid. Durant les mois les plus froids, la plupart des hôtels demandent un supplément de 300 Rs environ pour le chauffage. D'ailleurs, on conseillera à cette période de prendre un hôtel un peu plus cher pour être sûr de ne pas attraper froid pendant la nuit. Les prix grimpent en avril et mai en raison des congés du Nouvel An et des festivités qui prennent place dans toute la ville.

Bien et pas cher

■ **ASCOT HOTEL AND RESTAURANT**
120, Queen Elizabeth Road
✆ (052) 222 708
Chambres basiques avec eau chaude le matin entre 950 et 1 200 Rs. Cuisine correcte et accueil sympathique.

■ **BLUE HEAVEN INN**
120/2, Ranasingha Mawatha, Badulla Road
La chambre double est à 1 000 Rs et la quadruple à 1 200 Rs. Hôtel très simple avec douche, eau chaude, restaurant et radiateurs (avec supplément).

■ **GROSVENOR HOTEL**
6, Haddon Hill Road
✆ (052) 222 307
De 250 à 2 200 Rs la chambre double. L'endroit a le charme vieillot des anciens hôtels pour fonctionnaires britanniques, mais la propreté est approximative. Demandez une chambre avec cheminée, droit de faire du feu en sus.

■ **HADDON HILL HOTEL**
24/3, Haddon Hill Road
✆ (052) 223 227
Une pension propre et bien située, au-dessus du village avec chambres doubles de 2 200 à 2 900 Rs. La cuisine est très correcte.

■ **WEDDERBURN REST**
Wedderburn Road
✆ (052) 223 49 65
Sadam Hussein, le sympathique propriétaire de cette pension très bien tenue n'a ni moustache ni kalachnikov et ne ressemble en rien à son illustre homonyme quoiqu'il ne soit pas peu fier de porter le même nom. Une très bonne adresse pour 1 800 Rs avec un excellent petit déjeuner.

■ **KEENA GUESTHOUSE**
Badulla Road
✆ 071 605 7949
Jolie petite guesthouse comme il y en a plein sur Badulla Road. 8 chambres entre 1 500 et 2 000 Rs. Le restaurant est bon marché.

■ **SUNHILL HOTEL**
18, Unique View Road
✆ (052) 222 28 78
sunhill@sltnet.lk
L'endroit vaut surtout pour son restaurant panoramique où il faut commander ses repas à l'avance. Les chambres à 2 900 Rs, avec balcon, sont correctes, mais il y en a d'autres, plus luxueuses, qui sont plus chères.

Confort ou charme

■ **GREGORY LAKE SIDE**
17, Badulla Road
✆ portable : (077) 435 51 30
8 chambres avec vue sur le lac. Comptez de 2 000 à 4 000 Rs selon la saison. Endroit sympathique et calme.

■ **WINDSOR HOTEL**
En plein centre ville
✆ (052) 222 25 54
Ce vieil hôtel rénové a gardé son charme d'antan. Des photos d'époque décorent les parties communes. Restaurant assez fréquenté de par sa position géographique, il est en plein centre-ville. Comptez de 47 à 57 $ la chambre double.

■ **COLLINWOOD**
112, Badulla Road
✆ (052) 222 35 50
11 chambres, de 1200 à 3 900 Rs la double. Les cheminées fonctionnent aussi bien dans les chambres que dans les parties communes. Bon restaurant.

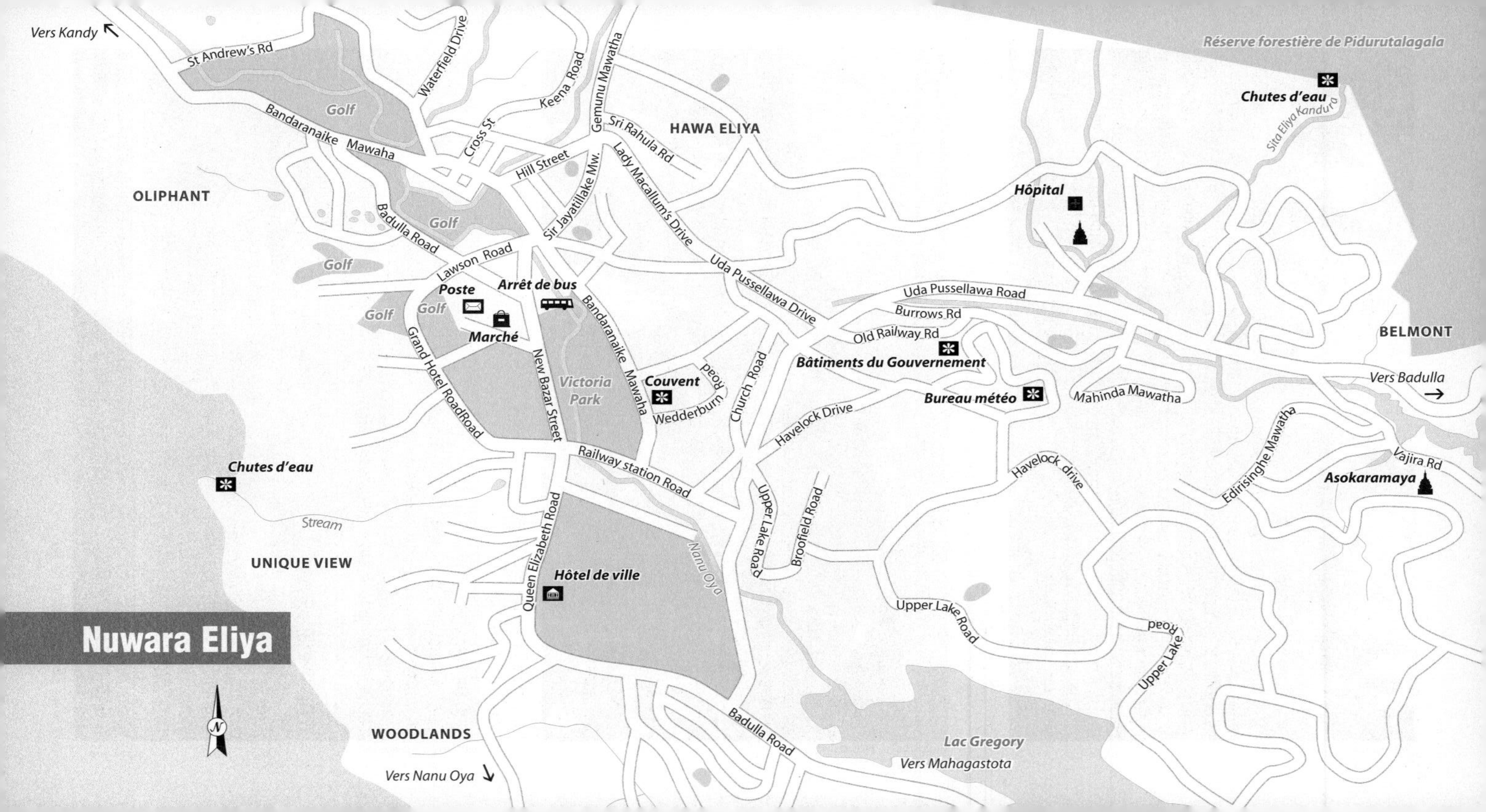
Nuwara Eliya
Vers Kandy
Réserve forestière de Pidurutalagala
Chutes d'eau
Sita Eliya Kandura
St Andrew's Rd
Waterfield Drive
Keena Road
Gemunu Mawatha
HAWA ELIYA
Sri Rahula Rd
Golf
Bandaranaike Mawaha
Cross St
Hill Street
Sir Jayatillake Mw.
Lady Macallum's Drive
OLIPHANT
Hôpital
Badulla Road
Lawson Road
Arrêt de bus
Poste
Marché
Uda Pussellawa Drive
Uda Pussellawa Road
Burrows Rd
Old Railway Rd
BELMONT
Bâtiments du Gouvernement
Grand Hotel RoadRoad
New Bazar Street
Victoria Park
Couvent
Wedderburn Road
Church Road
Bureau météo
Mahinda Mawatha
Vers Badulla
Havelock Drive
Railway station Road
Chutes d'eau
Havelock drive
Vajira Rd
Edirisinghe Mawatha
Asokaramaya
Stream
Upper Lake Road
Brookfield Road
UNIQUE VIEW
Queen Elizabeth Road
Hôtel de ville
Nanu Oya
Upper Lake Road
WOODLANDS
Vers Nanu Oya
Lac Gregory
Vers Mahagastota
N

Nuwara Eliya, plantation de thé

SILVERFALLS HOTEL

23, Nanuoya Road, Windy Corner, Blackpool

✆ (052) 223 44 39

De 3 000 à 4 500 Rs la chambre double avec petit déjeuner. A la sortie de Nuwara Eliya, cet hôtel moderne tout de pierres vêtu propose un hébergement correct avec vue sur le Pidurutalagala, la plus haute montagne du Sri Lanka. Une cascade coule à quelques mètres, le service est très chaleureux, une bonne adresse dans cette ville.

GLENDOVER HOTEL

5, Grand Hotel Road

✆ (052) 225 01

Ambiance coloniale dans une maison à colombages au milieu d'une pelouse très british. Très bon confort dans des chambres spacieuses avec petit déjeuner à partir de 54 $. Restaurant chinois assez bon, billard vieux de 130 ans.

HERITAGE HOTEL

96, Badulla Road

✆ (052) 223 57 50

Entre 63 et 70 $ la chambre double. Autoproclamé l'hôtel le plus amical en ville, cette jolie demeure coloniale offre de spacieuses parties communes où se détendre confortablement, des chambres claires et agréables et, en effet, un service très sympathique. Sis près du golf, proche du centre-ville, au cœur d'un jardin parfaitement entretenu, cet établissement est réputé pour son calme et son souci de l'environnement.

Luxe

THE HILL CLUB

Près du golf

✆ (052) 226 53 – 231 92

hillclub@eureka.lka

Cet établissement semble vivre dans la nostalgie de l'époque britannique. Du vieux bois, des fauteuils en cuir dans la salle de lecture, un billard, des courts de tennis. Seuls les membres sont acceptés, et la direction se réserve le droit de vous refuser une carte temporaire. Tout est de style old fashioned, le service également. Il y a un bar pour les hommes (à l'époque, aujourd'hui il est ouvert à tous bien entendu) et une salle mixte. Si vous aviez la nostalgie du vieux continent, ne cherchez plus, c'est ici. Mais, comme on l'entendra souvent, c'est avant tout un établissement pour Britanniques, les voyageurs d'autres nationalités ayant du mal à apprécier réellement le code vestimentaire en vigueur, le style engoncé et les restrictions d'âge (les moins de 12 ans ne sont pas acceptés, ambiance oblige). Nous, on a bien aimé.

GRAND HOTEL

✆ 222 28 81

www.tangerinehotels.com

De 72 à 98 $ la chambre double avec petit déjeuner. Ancienne résidence du gouverneur britannique, cet hôtel refait en 2004 offre toutes les commodités et tout le confort de son standing. L'aile du gouverneur est meublée d'antiquités, les autres sont plus modernes mais les lits toujours parsemés de fleurs. Billard, trois restaurants délicieux, trois coffee lounges, rien ne manque, mais c'est surtout la proximité du golf qui assure le prestige du lieu.

ST ANDREW'S HOTEL

10, St Andrew's Drive

✆ (052) 224 45

www.jetwin.net

Pour 75 à 100 $, préférez les chambres de l'étage, nettement plus confortables que les autres. C'est l'établissement le plus classe de Nuwara Eliya, sans faute de goût, dans les salons ou dans les chambres au mobilier d'époque 1900. Son nom est un hommage rendu au plus célèbre parcours de golf au monde, le plus vieux aussi, celui de Saint Andrews en Ecosse. Le service est impeccable, le billard est d'époque (fin XIXe) et l'on peut s'en servir ! La cuisine utilise les légumes frais de son propre jardin, et l'on se soucie également de l'écologie et de l'environnement ; un naturaliste pourra en discuter avec vous et vous donner quelques idées d'excursions si ça vous intéresse.

THE TEA FACTORY HOTEL

Situé à Kandapola, à 14 km de Nuwara Eliya

✆ (052) 236 00

ashmres@aitkenspence.lk

Comptez 150 $ pour une chambre. Voilà encore une expérience inoubliable que vous ne devez pas vous refuser si vous en avez les moyens. Le cadre est grandiose : une fabrique de thé en activité dont les machines composent à elles seules un décor incroyable, des vues imprenables sur la plantation... A l'intérieur, c'est du grand style. Chambres avec douche en open air, balcon avec vue privée sur les jardins, billard, salle à manger : tout est parfaitement décoré. Le restaurant et le bar valent à eux seuls une petite virée depuis Nuwara Eliya.

Points d'intérêt

La ville, assez poussiéreuse, ne recèle pas de trésors cachés. On n'y trouve ni musées ni temples. Le bâtiment de la poste, en revanche, peut valoir le détour. Mais c'est avant tout le point de départ des balades vers Horton Plains.

■ JARDIN BOTANIQUE DE HAKGALA

A 10 km au sud-est de Nuwara Eliya
Accès possible en bus
Ouvert tous les jours de 9h à 18h. Entrée : 300 Rs. La visite vaut surtout la peine en avril et de août à septembre lorsque les roses sont en fleur. Cet important jardin botanique rassemble à peu près toutes les essences que les Anglais ont pu récolter aux quatre coins de l'Empire. Vous y verrez en particulier de superbes cèdres de l'Himalaya, ce qui est toujours un peu surprenant au Sri Lanka.

■ TEMPLE DE SEETHAI AMMAN

A 2 km avant d'arriver au jardin botanique en venant de Nuwara Eliya, vous découvrirez le temple de Sita. Relisez le Ramayana, si vous avez peur d'avoir oublié l'épisode où la compagne de Rama est détenue prisonnière par le démon de Lanka, Rawana. Cela vous revient ? Eh bien, vous êtes à l'endroit même où la belle captive attendait que son compagnon, plus tard aidé par Hanuman, le dieu à tête de singe, vienne la délivrer.

■ SINGLE TREE MOUNTAIN

Si l'ascension d'Adam's Peak vous a mis en jambes, essayez celle, beaucoup plus aisée et plus courte, de Single Tree Mountain. Le Pidurutalagala, ou mont Pedro, qui culmine à 2 524 m d'altitude, n'est plus accessible aux marcheurs depuis qu'à son sommet a été installé un relais de télévision. Dommage, c'était, nous a-t-on raconté, une des plus belles randonnées de la région.

Loisirs

▶ **Qui dit sport à Nuwara Eliya dit cricket** dans la rue pour les enfants du coin et golf pour les habitants fortunés et les voyageurs de passage. A côté du Grand Hôtel, le 18-trous est un modèle du genre. Rien ne dépasse à l'image du green verdoyant. Les golfeurs arborent tous des tenues très chics : chemises, bermudas, chaussettes et chaussures cirées. On se croirait dans un film de l'époque coloniale. Les prix, eux, sont d'une époque plus contemporaine, mais n'arrivent tout de même pas à la cheville des tarifs européens. En sachant que le parcours est loin d'être le meilleur de l'île, on peut cependant s'interroger sur la viabilité de ce choix ; franchement, le 18-trous de Kandy est bien plus intéressant. En revanche, l'atmosphère y est, et les passionnés de golf trouveront toujours leur compte à Nuwara Eliya.

▶ **Les cavaliers** peuvent louer chevaux ou poneys au champ de courses. La plupart des hôtels proposent aussi des balades équestres. Comptez 450 Rs pour deux heures à dos de poney. Pour les fanas de courses hippiques, elles se déroulent une seule fois dans l'année, entre avril et mai, et valent visiblement le détour puisqu'elles font partie des réjouissances liées aux festivités de Nouvel An.

KITULGALA

A 90 km à l'est de Colombo. Sur la route reliant Avissawella à Hatton, Kitulgala est devenue au fil des ans une étape appréciée pour différentes raisons.
Entourée d'un bon nombre de chutes d'eau (Hantung, Sampath et Manaketi Falls, pour les plus connues), elle est à présent le plus important point de départ pour des excursions pédestres ou maritimes dans les environs.
Le commerce du rafting ou du canoë s'est multiplié dans cette région dont les eaux tumultueuses font le régal des amoureux des sports nautiques. Avec ses sept rapides sur sept kilomètres, elle promet de jolies pirouettes. On pourra également prendre un verre sur les lieux de tournage du film mondialement connu *Le Pont de la rivière Kwaï*, qui s'est donc tourné ici, et non pas en Thaïlande. L'endroit est calme, la rivière magnifique au cœur de cette jungle luxuriante. Le pont n'est plus là, bien évidemment (pour ceux qui ne l'ont pas vu, il est détruit à la dynamite à la fin du film), mais Kitulgala séduit quand même. On y resterait bien un peu…

Hébergement

■ KITULGALA RESTHOUSE

30 $ la chambre double. Un logement basique dans une belle demeure. Un bon point de départ pour faire du sport d'eau ou faire du trek.

■ PLANTATION HOTEL

Autour de 40 $ la chambre double. C'est là précisément que l'on pourra siroter un verre sur les berges de la rivière (Kelani River) qui servit de décor au film. L'établissement est vraiment entièrement axé sur cela, et on imagine très bien les cars de touristes venant s'installer pour une heure et repartir au galop. Mais ça n'enlève rien à la magie du lieu. En outre, les chambres sont jolies, bien tenues et le cadre bois-brique plutôt sympathique aussi. Un endroit idéal pour les romantiques, ou simplement pour ceux qui apprécient de se détendre dans une atmosphère reposante. Accueil souriant.

■ RAFTERS RETREAT

Autour de 35 $ la chambre double. Un de nos préférés dans le genre. Rustique, du bois partout, éventuellement du bambou, et des petites cabanes sur pilotis qui surplombent les rapides de la Kelani River.

Le personnel est très attentionné, les possibilités d'excursions hors des sentiers battus nombreuses. Le restaurant est à tomber par terre.

Probablement l'établissement le plus proche de l'écolodge tel qu'on le conçoit. Les cabanes sont construites en bois avec une véranda privée sur la rivière, la salle de bains est en contrebas, creusée dans le roc, et l'effet est très spectaculaire. Pour ceux qui préfèrent une vraie chambre en dur, il y en a aussi. Et à un prix, pour une fois, abordable.

RAMBODA

Petite ville montagneuse entre Kandy et Nuwara Eliya parsemée de cascades. Une belle halte pour les amoureux de randonnées.

Hébergement

■ RAMBODA FALLS

✆ (052) 225 95 82

Petit hôtel accessible après une vertigineuse descente sur un chemin escarpé. 20 chambres de 48 à 63 $ dont certaines avec vue sur la cascade de Ramboda toute proche. On peut d'ailleurs de l'hôtel emprunter un chemin pour rejoindre la cascade, petite randonnée agréable. Pour les plus fainéants, une piscine naturelle s'est formée juste au-dessous du restaurant.

Points d'intérêt

Comment parler du Sri Lanka sans parler du thé de Ceylan? Vous trouverez de nombreuses fabriques de thé sur la route entre Kandy et Nuwara Eliya dont deux que l'on peut visiter :

■ BLUE FIELD TEA

Nuwara Eliya Road

www.bluefieldteagardens.com

Une grande usine bleue remarquable de loin. Le thé est offert et la visite gratuite. Vous y apprendrez tout sur le thé de la nursery au séchage à l'empaquetage.

■ GLENLOCH

Nuwara Elyia Road

Même principe... visite, dégustation et l'on finit par la boutique. Cette fabrique de thé existe depuis 130 ans, créée par un Irlandais. La plupart de la vente à l'exportation se fait à Lipton.

Plantations de thé

Un pont dans la jungle...

Le chef d'un village de Kitulgala surveillait le nouveau pont, immense et impressionnant, qui venait de prendre forme dans cette jungle hostile. Les hommes de son village avaient participé à sa construction. Pour en éloigner les mauvais esprits, les danseurs avaient effectué la rituelle danse du diable, les prêtres avaient murmuré des incantations, fracassé des noix de coco, arrosé le pont de jus de citron vert et accroché des guirlandes de feuilles de bétel, au son des tambours. « Maintenant - avait dit le chef au producteur hollywoodien Sam Spiegel, pour qui le pont avait été construit - les esprits protégeront votre pont pour toujours ». Comment aurait-il pu savoir alors que Spiegel et son équipe de spécialistes n'avaient qu'une idée en tête : faire sauter le pont, le plus magistralement du monde, pour la scène finale d'un nouveau film, *Le Pont de la riviere Kwaï*?

Huit mois de travail – 1 500 arbres gigantesques abattus dans la jungle, débités en poutres, transportés par quarante-huit éléphants jusqu'au site de construction, enfoncés dans le sol pour donner corps au plus imposant ouvrage jamais réalisé à Ceylan (130 m de longueur sur près de 28 m de hauteur) pour un coût de plus de 250 000 dollars – allaient partir en fumée, une semaine plus tard, pour une scène de quelques secondes au cours de laquelle 1 000 tonnes de dynamite allaient détruire l'édifice au moment précis où une locomotive tirant six wagons le traversait.

Même le train avait soigneusement été préparé. Sam Spiegel l'avait acheté au gouvernement ceylanais qui l'avait obtenu d'un maharadjah indien. Lorsque le producteur le reçut, il venait d'être mis en retraite après soixante-cinq années de bons et loyaux services. Spiegel le restaura entièrement et fit poser un kilomètre et demi de voie ferrée pour amener le train au pont. Puis des experts des industries chimiques impériales, spécialement venus d'Angleterre, firent sauter le pont et le train, les réduisant en pièces, devant les objectifs de six caméras Cinémascope et Technicolor. Il ne s'agissait pas de maquettes, tout devait parfaitement fonctionner car il ne pouvait y avoir de seconde prise.

Celle-ci fut programmée pour le 11 mars 1957. Six caméras furent installées pour filmer l'explosion de près sans être endommagées. Il fut également prévu que les cameramen laisseraient leur caméra quelques instants avant l'explosion et iraient se mettre à l'abri. Ces abris étaient reliés par câble à une tranchée centrale où se trouvait Sam Spiegel ; les cameramen n'avaient qu'à appuyer sur un bouton pour signaler qu'ils étaient hors de danger. Spiegel pouvait alors donner l'ordre de faire sauter le pont.

Une erreur humaine faillit coûter à Spiegel tous ces mois d'efforts et d'investissement. Dans l'excitation, un cameraman oublia d'appuyer sur le bouton. De plus en plus

consterné, Spiegel attendit ; tous les autres cameramen avaient signalé être à couvert. Le train qui devait être détruit avec le pont se rapprochait. Que devait faire Spiegel ? Il s'agissait du tournage de la plus grande scène du film, mais si un cameraman n'avait pas regagné son abri, il pouvait être encore trop près du pont pour être blessé, voire tué. Spiegel ne donna pas l'ordre de déclencher l'explosion : le train traversa le pont, continua sur les quelques mètres de voie ferrée posés au-delà du pont avant de sortir des rails.

L'équipe dut travailler toute la journée et toute la nuit pour réparer les dégâts. On utilisa des éléphants pour remettre le train sur les rails et le ramener à son point de départ. Le lendemain matin, l'explosion eut bel et bien lieu. Aucune erreur humaine ne vint interférer cette fois. Spiegel obtint une escorte policière pour transporter la pellicule de l'explosion à l'aéroport de Colombo, à 90 km de là. Le métrage fut transporté à Londres dans trois avions différents afin d'être sûr qu'une partie pour le moins arriverait sans problème.

L'explosion aurait pu être filmée avec un pont et un train en modèle réduit, grâce à un trucage photographique, dans le confort d'un studio hollywoodien, pour un coût et des efforts moindres. Elle fut réalisée à 17 000 km d'Hollywood, dans la chaleur équatoriale de Ceylan, pour porter ce que le producteur appelait « le sceau de l'authenticité ». « *L'authenticité*, disait-il, *est nécessaire pour véhiculer l'expérience émotionnelle d'une histoire. Il est possible de simuler cette expérience dans un studio hollywoodien, mais cela ne susciterait pas la même émotion auprès du public.* »

A Kitulgala, après la destruction du pont, les chasseurs de souvenirs envahirent les décombres. Certains prirent du bois d'œuvre et s'en servirent pour construire des clôtures et des hangars. Les ferrailleurs s'intéressèrent à ce qu'il restait du train, et le courant de la rivière se chargea du reste. Quant aux villageois, on dit qu'ils sont encore nombreux à se rendre sur le site pour le contempler. Ils regardent le décor et ne comprennent toujours pas pourquoi après avoir fait construire un pont, on veut le détruire ni pourquoi après avoir tracé une route sur une colline, on l'abandonne.

La rivière Kwaï et son célèbre pont se trouvent en réalité à environ 130 km à l'ouest de Bangkok, près de la frontière birmane, dans la ville de Kanchanaburi. *Le Pont de la rivière Kwaï* a été connu par le livre de Pierre Boulle et surtout immortalisé par son adaptation cinématographique, le célèbre film de David Lean (1957).

LE TRIANGLE CULTUREL

Kandy,
fête de la Perahera,
temple de
la Dent illuminé

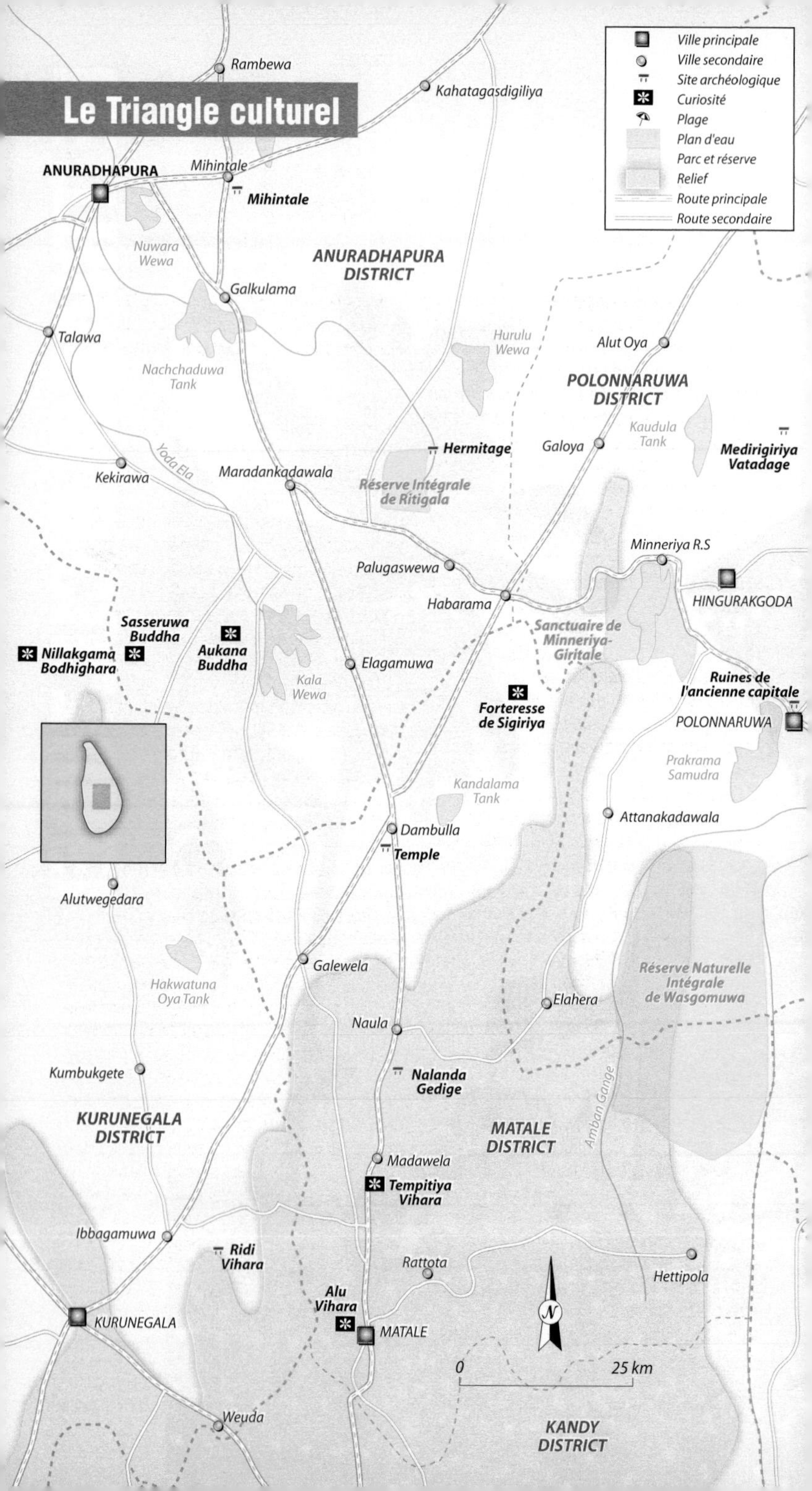
Le Triangle culturel
Ville principale
Ville secondaire
Site archéologique
Curiosité
Plage
Plan d'eau
Parc et réserve
Relief
Route principale
Route secondaire
Rambewa
Kahatagasdigiliya
ANURADHAPURA
Mihintale
Mihintale
Nuwara Wewa
ANURADHAPURA DISTRICT
Galkulama
Talawa
Nachchaduwa Tank
Hurulu Wewa
Alut Oya
POLONNARUWA DISTRICT
Kaudula Tank
Medirigiriya Vatadage
Yoda Ela
Kekirawa
Maradankadawala
Hermitage
Réserve Intégrale de Ritigala
Galoya
Minneriya R.S
Palugaswewa
Habarama
HINGURAKGODA
Sasseruwa Buddha
Nillakgama Bodhighara
Aukana Buddha
Kala Wewa
Elagamuwa
Sanctuaire de Minneriya-Giritale
Forteresse de Sigiriya
Ruines de l'ancienne capitale
POLONNARUWA
Prakrama Samudra
Kandalama Tank
Attanakadawala
Dambulla
Temple
Alutwegedara
Galewela
Hakwatuna Oya Tank
Réserve Naturelle Intégrale de Wasgomuwa
Elahera
Naula
Kumbukgete
Nalanda Gedige
KURUNEGALA DISTRICT
MATALE DISTRICT
Amban Gange
Madawela
Tempitiya Vihara
Ibbagamuwa
Ridi Vihara
Rattota
Hettipola
Alu Vihara
KURUNEGALA
MATALE
N
0
25 km
Weuda
KANDY DISTRICT

Le Triangle culturel

Rien à voir avec le Triangle des Bermudes. Vous ne risquez en effet pas de vous perdre dans ce triangle-là, tant il est bien balisé car il constitue la principale zone touristique du Sri Lanka, en dehors des plages. Le triangle en question, délimité sur la carte par Anhuradhapura, Sigiriya et Polonnaruwa, contient l'essentiel du patrimoine archéologique du pays, correspondant aux sites des anciens royaumes cinghalais qui régnèrent sur le pays, avec des territoires de plus en plus réduits, jusqu'au début du XIXe siècle. La plupart de ces sites avaient été, au fil des siècles, recouverts par la jungle et furent finalement dégagés et « redécouverts » par les archéologues au début du XXe siècle.

Contrastant avec la région des Hautes Terres, verte et aérée, le paysage est ici plus sec et occupé, pour l'essentiel, par une savane plus ou moins touffue. En son cœur scintillent les tanks, ces réservoirs, parfois gigantesques, aménagés pour l'irrigation des cultures depuis les temps les plus lointains.

Si la plupart des sites sont accessibles sans difficulté en bus ou en train, d'autres, moins courus, valent néanmoins le détour. Parfois même plus. C'est pourquoi, là encore, la voiture avec chauffeur constitue le moyen de déplacement le plus pratique. L'hébergement ne pose aucun problème dans les différents secteurs. Vous y trouverez aussi bien du haut de gamme que des resorts pour groupes ou encore de sympathiques guesthouses. Si vous êtes curieux du passé et si vous souhaitez vraiment vous pénétrer de l'histoire cinghalaise, la visite complète du Triangle culturel mérite bien une petite semaine. Nous vous conseillons dès votre arrivée à Colombo d'acheter auprès du bureau du Cultural Triangle (voir « Colombo ») le carnet à souche qui vous permettra de visiter tous les sites sans avoir à faire la queue ou à chercher un guichet. Le forfait, qui ne comprend ni le temple de la Dent à Kandy ni le temple de Dambulla, coûte 40 $ par personne. Bon à savoir : l'entrée à un seul des trois principaux sites (Anuradhapura, Polonnaruwa ou Sigiriya) vous coûtera à elle seule 20 $. Même si vous n'en faites que deux sur trois, vous ne perdez pas au change.

KANDY

Respirez ! Vous êtes à 500 m d'altitude. Maha Nuwara, « la grande ville », comme on appelle Kandy dans le pays, compte plus de 100 000 habitants.

C'est la deuxième plus grande cité mais, pour les Cinghalais, la première. Ne parlez pas de Colombo comme de la capitale, ils ne comprendraient pas. Kandy est le lieu du dernier royaume sri lankais, Kandy est donc la capitale. Son surnom est d'ailleurs Nuwara, « la ville », ce qui donne un avant-goût de leur conception des choses.

De plus, c'est là que l'on saisira mieux la distinction établie entre Cinghalais des Hautes Terres (les Kandyans) et ceux des Basses Terres (Colombo et sa région). Les premiers sont les habitants du dernier royaume, ils sont donc les Cinghalais les plus « purs » et appartiennent à la plus haute caste au Sri Lanka. D'ailleurs, Kandy n'a-t-elle point été la seule cité du pays à avoir vu son nom sur les listes du Patrimoine de l'humanité ?

Malheureusement, la pollution et le bruit ont considérablement amoindri le charme d'une cité qui était encore, voici une dizaine d'années, un havre de calme. Unique ville sacrée de l'île, Kandy possède une grande concentration de sanctuaires autour de son principal lieu saint, le temple de la Dent.

Ce dernier fut le théâtre, en 1998, d'un des attentats les plus meurtriers commis par les Tigres du LTTE. Longtemps, le site a fait l'objet d'une protection impressionnante mais depuis l'ouverture des pourparlers de paix en 2001, les barrages de sécurité et les frises de fils de fer barbelés ont disparu. Il se peut, en revanche, que vous soyez tenus de vous faire fouiller après une longue file d'attente pour visiter les musées ; ne grognez pas, c'est aussi pour votre sécurité.

Les immanquables du Triangle culturel

- **Visiter Kandy,** son temple et sa ville sacrée.
- **Parcourir les vestiges** millénaires de la ville sainte d'Anuradhapura.
- **S'intéresser aux ruines** souvent bien conservées de Polonnaruwa.
- **Escalader** de nuit la forteresse de Sigiriya pour assister au lever du soleil.
- **Traverser les grottes** et le temple doré de Dambulla.
- **Monter les 1 840 marches** de la colline de Mihintale.
- **Passer la nuit dans un monastère** à Kandy ou, mieux encore, à Ritigala.

Ne manquez pas de visiter les splendides jardins botaniques royaux de Peradeniya, dans la banlieue de Kandy et, au total, il vous faudra compter deux bonnes journées pour pleinement profiter d'une ville qui compte de nombreuses possibilités d'hébergement à petit prix.

Transports

- **Pour circuler dans Kandy,** vous pouvez prendre un *three-wheeler*, mais négociez ferme avant le départ et assurez-vous que votre chauffeur comprend où vous souhaitez vous rendre. Cependant, non seulement cela vous coûtera cher, même si vous obtenez un prix raisonnable, mais surtout cette ville, assez peu étendue finalement, se parcourt très facilement à pied. Ce qui permet aussi de découvrir les trésors cachés d'une cité royale... Réservez le *three-wheeler* pour les incontournables lieux situés en hauteur ou dans les environs, ou alors prenez carrément un taxi.
- **Bus.** Pour couvrir les 115 km qui vous séparent de Colombo, comptez 3 heures en bus et 70 Rs. Vous pouvez en prendre un directement pour l'aéroport international situé à côté de Negombo, c'est le même prix.
Bien sûr, Kandy est un judicieux point de départ pour visiter les cités antiques du Triangle culturel. Comptez là aussi trois heures de voyage et un ticket à 70 Rs. Pour Sigiriya, c'est 30 Rs et vous pouvez faire l'aller-retour dans la journée.
- **Train.** Pour rejoindre Colombo en moins de 3 heures, choisissez l'Intercity Express. Départs : 6h30 et 15h. Comptez environ 400 Rs pour un ticket. Sinon, d'autres départs pour la capitale à 5h25, 6h45, 10h30, 15h40 et 16h45 avec près de 3 heures de trajet. Vous pouvez aussi rejoindre Matara, Badulla et Galle depuis Kandy.
- **Voiture.** Le tarif, pour le trajet vers Colombo (ville ou aéroport) ou vers une des cités antiques plus au nord, est d'environ 2 500 Rs. Vous pouvez partager une voiture à quatre ou cinq.

Pratique

- **Indicatif téléphonique :** 081.

OFFICE DU TOURISME
Ceylon Tourist Board. 3, Deva Vidiya
face au Central Cultural Fund
✆ (081) 22 26 61
Du lundi au vendredi de 9h à 13h et 13h30

Les Sept Merveilles du Sri Lanka

Liste des biens inscrits sur la liste du Patrimoine mondial de l'Unesco.
www.unesco.org

Sites culturels

- **1982 :** la ville sainte d'Anuradhapura. La ville ancienne de Sigiriya. La cité historique de Polonnaruwa.
- **1988 :** la ville sacrée de Kandy. La vieille ville de Galle et ses fortifications.
- **1991 :** le temple d'Or de Dambulla.

Site naturel

- **1988 :** la réserve forestière de Sinharaja – Patrimoine mondial des biosphères.

à 16h45. Il ne propose approximativement aucune info sur la région, la ville ou encore le Sri Lanka, le peu qu'on y trouvera étant payant. Cependant, vous pourrez y acheter le forfait du Triangle culturel.

Argent

La plupart des banques possèdant des distributeurs automatiques sont situées sur Dalada Vidiya près du Queen's Hotel.

Communication

Les centres de communication qui proposent le téléphone, le fax et Internet fleurissent un peu partout en ville. Généralement, les tarifs sont plus ou moins tous les mêmes : entre 60 et 90 Rs l'heure pour consulter votre messagerie électronique et envoyer des nouvelles à vos amis éparpillés dans le monde. Un cybercafé-IDD plutôt rapide et à l'accueil sympathique, Zeropia International, au 16, D. S. Senanayake Veediya ✆ (081) 204 453. 90 Rs/h.

Hébergement

Contrairement à Colombo, vous n'aurez aucun mal à trouver un hébergement conforme à votre budget. Au moment de la Kandy Esala Perahera (fin juillet et début août), les prix indiqués sont allègrement multipliés par trois ou quatre.

Si vous avez prévu d'être à Kandy pour l'occasion, ce qui est une bonne idée, réservez un ou deux mois à l'avance. En règle générale, les meilleurs hébergements sont situés sur les hauteurs de la ville. Mais le charme du centre-ville demeure…

Bien et pas cher

■ **OLDE EMPIRE**

21, Temple Street – ✆ (081) 224 284

Compter 484 Rs la chambre simple avec toilettes sur le palier, 649 Rs la double et 1 300 Rs avec toilettes. Les prix triplent pour le festival. Cet établissement, datant de l'époque coloniale, est doté de la meilleure situation géographique possible : en face du temple de la Dent. Si l'état du bâtiment laisse à désirer par endroits, le tout est propre, et la chaleur de la construction en bois offre une atmosphère plutôt agréable. Sa terrasse commune, réservée aux clients, située au premier étage, est fort appréciable tôt le matin ou au coucher du soleil. A ce prix-là, on ne peut décemment demander plus. On a adoré le style d'antan et l'ambiance simple et conviviale.

■ **MRS CLEMENT DISSANAYAKE'S**

18, First Lane, Dharmaraja Mawatha

✆ (081) 225 468

C'est une adresse très populaire parmi les voyageurs. Cette pension de famille est très agréable tant au niveau de l'accueil que du confort des chambres (450 Rs), sans parler du festin servi le midi et le soir. Mieux vaut réserver.

■ **BURMESE REST**

Demandez sinon Monks House

Sur D.S. Senanayake Vidaya

De 150 Rs à 700 Rs la chambre double, très simple. Cette ancienne retraite de moines est d'un charme fou. En plus d'être très abordable, elle est idéalement située au cœur de la ville. Bruyante en revanche (près de Trinity College), mais c'est l'avantage d'être à 200 m du temple sacré.

Kandy, temple de la Dent

■ **FREEDOM LODGE**
30, Saranankara Road
✆ (081) 2223 506
freedomamead@yahoo.com
Une bonne adresse accueillante dans une maison avec jardin et ambiance familiale pour 1 000 à 1 250 Rs.

■ **SPICA HOLIDAY HOME**
77/5, Sri Dhamma Siddhi Mawatha, Asgiriya
✆ (081) 227 453
1 000 Rs la chambre double, de 1 200 à 2 400 Rs avec balcon. Jolie guesthouse conviviale à 1,5 km de la gare seulement, mais située sur les hauteurs de Kandy. Tenue par un couple adorable, la maison est propre et entretenue avec soin ; madame vous préparera de délicieux plats tandis que son époux vous prodiguera moultes infos sur la région. Les chambres sont correctes, dotées de toilettes et de salle de bains, et offrent une jolie vue en contrebas.

■ **KANDY VIEW HOTEL**
40/22, Hillpankandura, Ampitiya Road
2 000 Rs la chambre double avec petit déjeuner, prix très raisonnables pour les repas. Situé là aussi en hauteur, cette guesthouse est à quinze minutes à pied du centre, deux minutes de la route, où l'on trouve toutes sortes de transports en commun. Plusieurs chambres assez spacieuses, dans un établissement chaleureux au personnel très attentionné. Le restaurant sur le toit vaut définitivement le détour, la vue sur la ville promettant de jolies soirées en perspective.

■ **PALM GARDEN**
Bogodawatte Road
✆ 223 39 03
www.palmgardenkandy.com
Petit guesthouse tenue par Malik, un Sri Lankais francophone fort sympathique. 12 chambres agréables à partir de 1 500 Rs. Restaurant avec une belle vue et cuisine maison très appréciable. Possibilité de louer des motos et des voitures, et de prendre des cours de cuisine.

■ **LAKSHMI-GUESTHOUSE**
57/1/1, Saranankara Road
✆ (081) 222 21 54
✆ portable : (077) 780 94 56
www.palmgardenkandy.com
Une sympathique guesthouse tenue par le propriétaire du Palm Garden. Comptez 800 Rs pour une chambre simple avec les toilettes sur le palier et 1 200 Rs pour une chambre double avec toilettes. Le restaurant est bon et l'ambiance calme. Belle vue de la terrasse.

■ **KANDY REST**
42/16, Pragathi Mawatha, Peradeniya
A partir de 2 000 Rs la chambre double. A 2 km des jardins botaniques royaux de Peradeniya, cette très belle maison offre des chambres simples mais propres dans des pièces vraiment spacieuses.

■ **GOLDEN VIEW**
46, Saranankara Road
✆ (081) 239 418
Vous pourrez vous faire masser et bénéficier de soins ayurvédiques dans ce petit hôtel propre où toutes les chambres de 1 000 à 3 000 Rs sont équipées de l'eau chaude. Attention cependant, car par manque de touristes, cette adresse a tendance à se reconvertir en hôtel de passe.

■ **SHANGRI-LA**
2, Mahamaya Mawatha
✆ (081) 222 218
Comptez 500 Rs pour une chambre double. C'est un petit hôtel très calme et propret. Adresse francophone, ce qui est assez rare pour être signalé.

Confort ou charme

■ **MC LEOD INN**
65A, Rajapihilla Mawatha
✆ (081) 222 28 32
mcleod@sltnet.lk
Petite guesthouse de 6 chambres, simple mais agréable. 1 500 Rs la chambre double avec vue sur la ville et 1 200 Rs sans la vue. Comptez 350 Rs le petit déjeuner. Une très bonne adresse avec un bon rapport qualité-prix.

■ **SHARON INN**
59, Saranankara
✆ (081) 222 24 16
✆ portable : (077) 780 4 9 00
Fax : (081) 222 56 65
www.hotelsharoninn.com
Comptez de 2 000 à 3 000 Rs. 350 Rs le petit déjeuner. Bonne cuisine maison. Une bonne adresse pour obtenir des renseignements sur le pays et les voyages en Asie car cette pension ouverte depuis 1993 est très fréquentée par les sacs à dos. Faiesz et Suzanne, sa femme allemande vous renseigneront volontiers. Sur place, nombreuses facilités avec téléphone IDD, Internet, TV satellite, ...

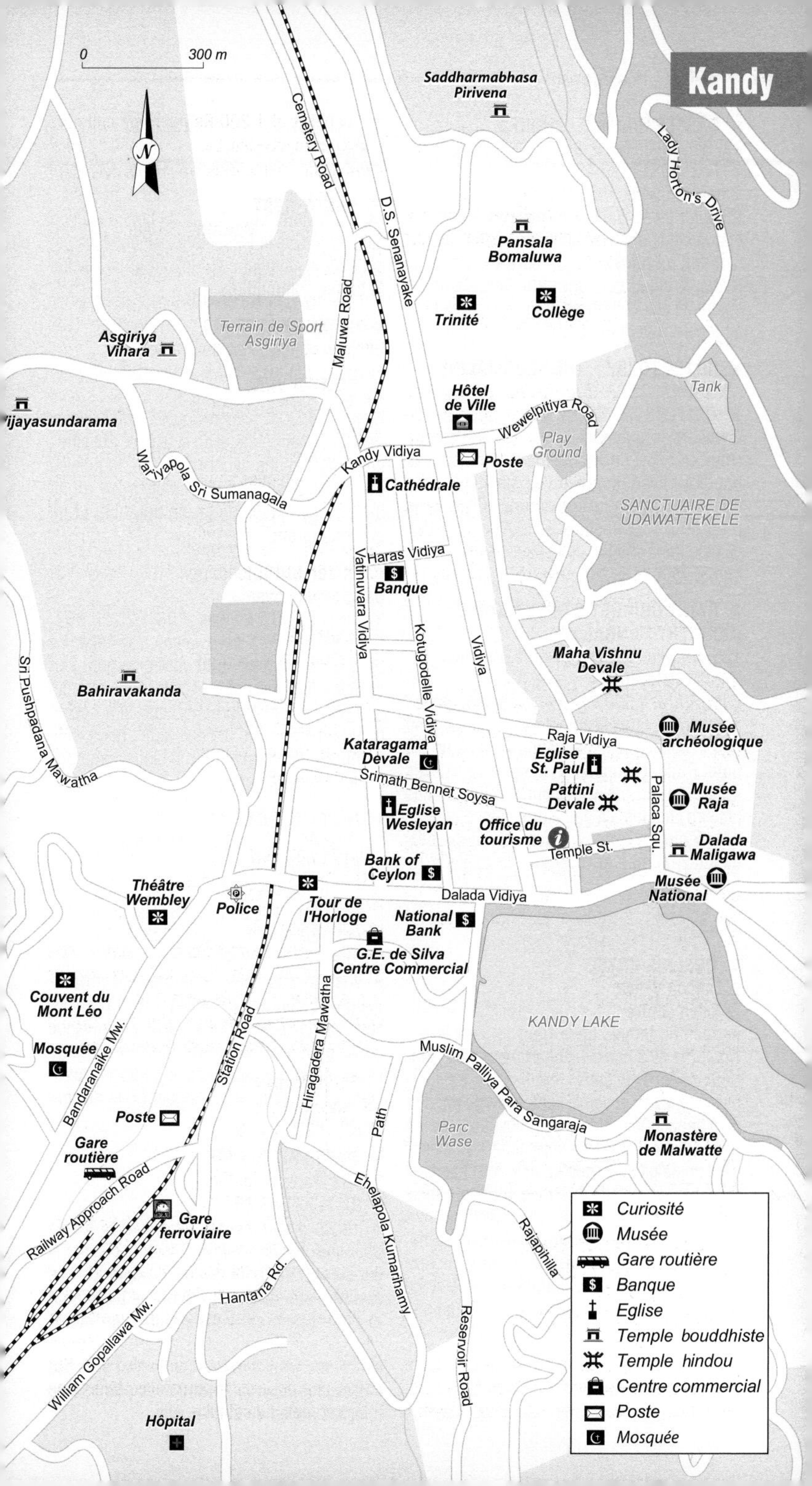

Kandy
0
300 m
N
Saddharmabhasa Pirivena
Lady Horton's Drive
Cemetery Road
D.S. Senanayake
Pansala Bomaluwa
Trinité
Collège
Terrain de Sport Asgiriya
Maluwa Road
Asgiriya Vihara
Vijayasundarama
Tank
Hôtel de Ville
Wewelpitiya Road
Play Ground
Kandy Vidiya
Poste
Wariyapola Sri Sumanagala
Cathédrale
SANCTUAIRE DE UDAWATTEKELE
Haras Vidiya
Banque
Vatinuvara Vidiya
Kotugodelle Vidiya
Vidiya
Maha Vishnu Devale
Sri Pushpadana Mawatha
Bahiravakanda
Musée archéologique
Raja Vidiya
Kataragama Devale
Eglise St. Paul
Pattini Devale
Musée Raja
Srimath Bennet Soysa
Palaca Squ.
Eglise Wesleyan
Office du tourisme
Temple St.
Dalada Maligawa
Bank of Ceylon
Théâtre Wembley
Police
Musée National
Dalada Vidiya
Tour de l'Horloge
National Bank
G.E. de Silva Centre Commercial
Couvent du Mont Léo
KANDY LAKE
Bandaranaike Mw.
Station Road
Hiragadera Mawatha
Mosquée
Muslim Palliya Para Sangaraja
Poste
Path
Parc Wase
Monastère de Malwatte
Gare routière
Railway Approach Road
Ehelapola Kumarihamy
Gare ferroviaire
Rajapihilla
Hantana Rd.
Reservoir Road
William Gopallawa Mw.
Hôpital
Curiosité
Musée
Gare routière
Banque
Eglise
Temple bouddhiste
Temple hindou
Centre commercial
Poste
Mosquée

■ **CASTLE HILL GUESTHOUSE**
22, Rajapihilla Mawatha
✆/Fax : (081) 222 43 76
ayoni@sltnet.lk
Comptez 3 800 Rs. Si vous avez bon caractère et que celui, épouvantable, de la propriétaire ne vous rebute pas trop, alors vous pouvez tenter de séjourner dans cette belle demeure coloniale aux chambres immenses, très bien située sur une hauteur.

■ **HOTEL TOPAZ – THE TOURMALINE**
Anniewatte 073
✆ (081) 223 23 26
www.mclarenshotels.lk
Deux hôtels l'un à côté de l'autre sur les hauteurs avec une jolie vue sur la ville. De 70 à 80 $ la chambre double. Chambres propres et spacieuses avec tout confort. Une piscine dans chacun des hôtels. Buffet assez bon et varié.

■ **SAINT BRIDGET'S GUESTHOUSE (COUNTRY BUNGALOW)**
125, Sri Sumangala Mawatha, Asgiriya
✆ (081) 215 806
Entre 800 et 1 300 Rs la chambre, bon rapport qualité-prix. Etablissement résolument tourné vers l'écologie et l'observation de la nature, le Saint Bridget propose un havre de paix avec restaurant en plein air pour profiter de ces plaisirs simples. La nourriture y est d'ailleurs excellente. Le dicton maison est « Regardez, écoutez, humez et ressentez le meilleur de la nature ».

Luxe

■ **QUEEN'S HOTEL**
4, Dalada Vidiya
En plein centre
en face du temple de la Dent
Comptez 45 $ pour une chambre double sans petit déjeuner et sans climatisation. Le vieux palace une fois et demie centenaire de Kandy a déjà beaucoup fait pour sa rénovation, mais il reste encore du pain sur la planche. L'ambiance y est nostalgique à souhait, mais les chambres climatisées de l'aile orientale sont agréables et la piscine, ouverte aux non-résidents contre un droit d'entrée, est fort rafraîchissante. Ne manquez pas non plus le bar du rez-de-chaussée, merveilleusement rétro. En revanche, évitez le restaurant. Jolie galerie d'époque à côté de l'hôtel où vous trouverez de petites bijouteries et boutiques.

■ **THILANKA HOTEL**
3, Sangamitta Mawatha
✆ (081) 232 429 – Fax : (081) 225 497
www.thilankaresorts.lk
Entre 60 et 80 $ la chambre double avec petit déjeuner. Notre coup de cœur sur Kandy. Pour ceux qui aiment la chaleur du bois, l'espace dans et hors de leur chambre joliment décorée, cet endroit est pour eux. Restaurants, piscine et toutes commodités.

■ **HOTEL HILLTOP**
Bahirawakande, Peradeniya Road
✆ (081) 224 162 – Fax : (081) 232 459
www.aitkenspencehotels.lk
Comptez 60 $ la chambre double, petit déjeuner compris. Un autre hôtel de la fameuse chaîne : un confort et une décoration sûre, toutes les commodités sont ici disponibles. Il y a une belle piscine dans un jardin agréable et un bon restaurant.

■ **HÔTEL SUISSE**
Sangaraja Mawatha
✆ (081) 23 30 24 – Fax : (081) 23 20 83
Entre 60 et 100 $ hors saison des fêtes. Ce palace des années 1930 vaut plus pour son atmosphère surannée et son style colonial que pour ses chambres qui auraient besoin d'un bon lifting. On n'a pas aimé, mais vu le nombre de commentaires positifs entendus partout dans le pays.

■ **HELGA'S FOLLY**
32, Frederick E. de Silva Mawatha
✆/Fax : (081) 23 45 71
www.helgasfolly.com
Réservation à Colombo : 284 Vauxhall Street, Colombo 2 ✆ (011) 233 23 51
Fax : (011) 233 23 48
Si vos moyens vous le permettent, offrez-vous une nuit entre 125 et 145 $ dans ce lieu insolite au décor baroque et à l'ambiance complètement décadente. Piscine et resto gastronomique sur place. L'endroit vaut le coup d'œil, mais on ne se sent pas du tout au Sri Lanka…

■ **SWISS RESIDENCE**
23, Bahirawakanda Road
✆ (081) 220 46 46
6 000 Rs la chambre double, ajouter 1 000 Rs pour une chambre Deluxe. Quarante chambres dans cet hôtel doté de tout le confort. Les chambres sont plutôt décorées avec goût et l'établissement vous propose un night-club, une piscine, un restaurant-bar et un centre ayurvédique. Il est situé tout près des montagnes environnantes tout en étant à cinq minutes à pied du centre-ville.

■ HUNAS FALL
A Elkaduwa, 23 km au nord de Kandy
✆ (081) 47 64 02 – (081) 47 00 41
Fax : (081) 735 134
Une excellente adresse pour ceux qui peuvent s'offrir les chambres à 100 $ (petit déjeuner inclus) de cet hôtel de grand luxe, sur une plantation de thé à proximité des chutes d'eau de Hunas. Ambiance plutôt chic, avec golf 6-trous et nombreux services.

■ HOTEL TREE OF LIFE
Yahalatenna Barigama, Werellagama, à 15 km au nord-ouest de Kandy par la route de Kurunegala, puis à gauche au carrefour de Barigama
✆ (081) 499 777 – Fax : (081) 499 711
www.hoteltreeoflife.com
Comptez entre 80 et 110 $ la chambre double. Ambiance écolo chic avec de somptueux pavillons en brique donnant sur la piscine ou les plantations de thé. Centre de soins ayurvédiques sur place.

■ AMAYA HILLS
Heerassagala
✆ (081) 223 35 21/2
Fax : (081) 223 39 48
amayahills@amayaresorts.com
Autour de 115 $ la chambre double, 128 $ avec petit déjeuner. Un des trois hôtels Amaya du Sri Lanka. Planté sur les hauteurs de Kandy, avec une vue époustouflante sur la vallée depuis la piscine, cet établissement offre une prestation de haut standing, aucun détail n'est laissé au hasard. Le métissage modernité et tradition sans oublier un aspect design-artistique très présent fait de cette chaîne une des meilleures du pays. La nourriture y est bonne et les chambres meublées avec un goût sûr.

■ MAHAWELI REACH HOTEL
Sur la rive droite de la Mahaweli à Katugastota, à 5 km au nord de Kandy
✆ (074) 47 27 27 – Fax : (081) 23 20 68
mareach@slt.lk
150 $ la chambre double sans le petit déjeuner. Hôtel de grand luxe au décor moderne inspiré du style local. Excellent restaurant, confort irréprochable et immense piscine.

■ THE CITADEL
L'hôtel le plus cher et le plus luxueux de Kandy propose un service et une qualité au top. Situé sur les berges de la rivière Mahaweli, il offre un panorama exceptionnel, des chambres très spacieuses et au décor soigné. Le restaurant sert une cuisine de qualité.

■ SUBASHRI
Victoria Golf course
120 $ la chambre double. Ce havre de paix situé entre le golf, la forêt et la rivière, propose d'observer les oiseaux, de pratiquer l'équitation, la pêche, etc. Les chambres sont gigantesques et sans faute de goût, le service impeccable. Le mobilier, colonial contemporain et les balcons donnant sur le Knuckles achèvent de parfaire l'image d'un hôtel de rêve.

Restaurants

Les petits restos pas chers ne manquent pas dans le centre de Kandy.
On y déguste une cuisine indienne plus ou moins authentique. Les fins palais se dirigeront vers les restos des grands hôtels qui sont très corrects à l'exception du chinois du Queens.

■ LE DEVON RESTAURANT
11, Dalada Vidiya
Il propose une cuisine locale simple et une pâtisserie, avec balcon donnant sur la rue.

■ LE PUB
A quelques pas de là, de l'autre côté de la rue, c'est LE rendez-vous des voyageurs, britanniques en particulier. Il sert de copieux sandwichs et autres plats occidentaux simples, qui ont fait sa réputation, accompagnés de ses pichets de bière pression bien fraîche.

■ LE SENANI RESTAURANT
30, Rajapihila Mawatha
Il est à notre avis l'un des meilleurs de la ville dans sa catégorie de prix, avec une belle vue sur Kandy et une carte des vins pour les gosiers en pente.

■ RAM'S RESTAURANT
11, D.S. Senanayake Vidiya
Le meilleur indien de la ville, à un prix tout à fait correct et une cuisine de qualité.

■ LYON CAFÉ
Le restaurant le plus connu de Kandy. Moitié chinoise, moitié cinghalaise, la cuisine y est bonne.

■ HISTORY RESTAURANT
Près du lac
Comme son nom l'indique ce restaurant prône l'histoire, il est décoré de photos datant de 1860. On y mange bien pour 300 Rs.

Sortir

YOUNG MAN BUDDHIST ASSOCIATION

✆ (081) 222 324

Ouvert tous les jours à 17h. Le meilleur spectacle de danse est celui de la Young Man Buddhist Association près de Wace Park. Pour 300 Rs, vous assisterez à une performance mêlant danses folkloriques, jeux d'adresse et costumes traditionnels se terminant par une marche sur des braises.

L'ALLIANCE FRANÇAISE

412, Peradeniya Road ✆ (081) 224 432

Ouverte de 8h30 à 19h. Elle organise des projections de films français dont vous trouverez le programme dans le précieux guide *Lanka Travel* disponible à l'office du tourisme.

LE BRITISH COUNCIL

178, D.S. Senanayake Vidiya

Il offre les mêmes services pour les anglophones.

Points d'intérêt

JARDINS BOTANIQUES DE PERADENIYA

A 6,5 km à l'ouest de Kandy en direction de Colombo

Fête de la Perahera, procession

Ouvert tous les jours de 8h à 17h45. Entrée : 300 Rs. Prenez les bus n° 652 et 724 qui partent de Torrington Street et qui vous déposeront à proximité ou comptez 400 Rs pour le trajet aller en *three-wheeler.* Vous pénétrez dans un des plus beaux jardins de toute l'Asie qui resplendit surtout entre janvier et avril. C'est l'occasion unique de déambuler au cœur de 60 ha de fleurs, où poussent 4 000 espèces tropicales d'origines diverses ramenées par les Anglais des quatre coins de leur empire. Emmenez un pique-nique, un livre et passez un après-midi de détente loin des embouteillages de Kandy. Une des attractions de ces jardins époustouflants est sans conteste le figuier Javan, planté en plein milieu d'une pelouse. Il couvre à lui seul 1 600 m². N'oubliez pas la Maison des orchidées qui regroupe les espèces les plus diverses et originales du genre.

THE TEMPLE OF THE TOOTH (LE TEMPLE DE LA DENT)

Ouvert tous les jours de 6h à 20h. Entrée : 200 Rs, non comprise dans le forfait du Triangle culturel. Droit de photographier : 100 Rs, droit vidéo : 300 Rs. Les cérémonies ouvertes au public ont lieu à 6h, à 10h et à 19h. Incontournable dans Kandy. Le sanctuaire, édifié au début du XVIIIe siècle, fut complètement terminé en 1782. Il contient donc une des plus précieuses reliques pour les bouddhistes : la dent de l'Eveillé. Cette dernière aurait été sauvée des flammes du bûcher funéraire en 543 av. J.-C., puis, après moult péripéties, aurait voyagé entre Ceylan et l'Inde. Le temple en lui-même n'est guère spectaculaire et vaut surtout pour l'ambiance qui y règne.

Il a fallu près de quatre ans pour redonner son lustre au site, très endommagé par l'attentat du 25 janvier 1998, mais la restauration est à présent achevée. Veillez à adopter une tenue décente avant d'entrer, c'est-à-dire couvrant jambes et épaules.

Vous arpenterez l'ensemble du site pieds nus et nous vous conseillons de porter vos chaussures avec vous car vous ne ressortirez pas forcément de l'enclos du temple par l'endroit où vous êtes entré.

▶ **Si vous êtes à Kandy pour la fête d'Esala Perahera** (pleine lune d'août), vous assisterez à un spectacle magnifique. Les six nuits qui précèdent le changement de lune sont une lente montée en puissance des processions qui partent des temples principaux de la ville. On retrouve de nombreuses divinités au cœur

© ALAMER

Fête de la Perahera, danseurs

de la fête : Natha, le futur bouddha ; Vishnou, le protecteur de l'île ; Skanda, le dieu de la Guerre ; Padini, la déesse de la Chasteté ; et enfin la Dent elle-même, ou plutôt une réplique. Au milieu de dizaines d'éléphants chamarrés, danseurs et musiciens transforment Kandy en une gigantesque scène où la ferveur religieuse se mêle à la transe extatique.

► **En sortant du temple,** attardez-vous un moment pour jeter un coup d'œil aux bâtiments qui l'entourent, en particulier, le Mangul Maduwa, la salle d'audience à la toiture soutenue par des piliers de bois où les chefs kandyens ratifièrent la cession du royaume à la couronne d'Angleterre en 1815. C'est là que devaient avoir lieu les célébrations du cinquantenaire de l'indépendance en présence du prince Charles, avant l'attentat de 1998.

Devala ou temples des Dieux

En sortant de l'enceinte du temple de la Dent et en retournant vers le centre-ville, vous vous trouvez sur une esplanade où sont dressés plusieurs petits temples qui méritent une visite. Ce sont les Devala ou temples des Dieux.

■ NATHA DEVALE

Il date du XIVe siècle et c'est le plus vieil édifice de Kandy. Il est dédié à Natha, un dieu d'origine indienne. Un peu plus loin, un enclos bouddhique sacré où s'élève un arbre Bo voisine avec l'église anglicane Saint-Paul. Celle-ci borde les anciennes écuries royales qui accueillent aujourd'hui des bureaux de notaires que l'on voit passer avec leurs sacoches et leurs paperasses.

■ VISHNU DEVALE

Si vous contournez l'église sur la droite, vous arriverez au Vishnu Devale. Le temple de Vishnou date du XVIIIe siècle et accueille de nombreux instruments de musique et accessoires servant lors de la perahera d'Esala.

Autres temples

D'autres temples de moindre importance valent une courte visite dans les environs de Kandy : Embekke Devale, Lankatilake Temple, puis Gadaldeniya Temple. A chaque fois, on vous demandera entre 50 Rs et 100 Rs à l'entrée.

Consacrez un après-midi à la visite de ces sanctuaires secondaires en louant les services d'un three-wheeler, que vous garderez pour l'aller et le retour. C'est beaucoup plus pratique que de sauter de bus en bus.

Musées

■ ARCHEOLOGICAL MUSEUM

Ouvert tous les jours, sauf le mardi de 9h à 17h. Entrée libre. En sortant du temple Vishnou Devale, si vous continuez sur la gauche, vous tomberez sur le Musée archéologique (Archeological Museum). Il contient de nombreux souvenirs sur les rois de Kandy.

■ **L'ELEPHANT MUSEUM**

Ouvert tous les jours de 9h à 17h. Entrée gratuite. Il est dédié au patriarche des éléphants de Kandy, mort en 1988 à l'âge de 84 ans. Rama, c'est son nom, portait la relique de la Dent lors de la procession d'Esala et eut droit à des funérailles nationales. D'ailleurs, tout le monde prit le deuil le jour de son décès. Le musée retrace donc le destin original de cet animal, ses rencontres, sa fonction, sa vieillesse, tout y passe en à peine quelques panneaux. Et c'est réellement passionnant.

▶ **Ressortez par la sortie opposée du musée,** longez le tribunal sur votre droite et vous arriverez devant l'entrée du National Museum (Musée national). Ouvert tous les jours sauf le vendredi de 9h à 17h. Entrée : 65 Rs, comprise dans le forfait du Triangle culturel. Cet intéressant musée est installé dans l'ancien palais de la Reine construit à la fin du XVIIIe siècle. On y trouve une remarquable collection d'objets d'art, avec notamment des costumes, de la vaisselle, des armes et des pièces d'ébénisterie témoignant d'un savoir-faire aujourd'hui disparu.

Shopping

Librairies

Comme à Colombo, vous pourrez faire le plein de lecture à la Vijitha Yapa, située au 9, Kotugodella Vidiya. Vous y trouverez un bon choix de presse étrangère et des romans. Alternative judicieuse : la librairie Lake House près de Dalada Vidiya.

■ **BUDDHIST PUBLICATION SOCIETY**

Près du Musée national

Ouvert du lundi au vendredi de 9h à 16h, et le samedi de 8h30 à 12h. Cette librairie-bibliothèque est un bon endroit pour trouver des ouvrages sur le bouddhisme.

Souvenirs

A la sortie de la ville, sur la route de Colombo, Peradeniya Road est bordée de nombreuses boutiques de souvenirs. Evitez d'acheter des pierres précieuses si vous n'y connaissez rien, c'est le meilleur moyen de vous faire arnaquer. Le mieux, si vous tenez vraiment à vous en procurer, est encore d'acheter une pierre le prix que vous accordez à sa beauté, et non pas en pensant à sa valeur potentielle.

Marché

Le grand marché de Kandy, près de la gare, très touristique et sans la moindre authenticité, mérite à la rigueur une halte pour le spectacle coloré des fruits, légumes, étoffes... notamment pour les jolis étalages de fruits, exotiques ou non. Vous serez sans doute harcelé en permanence pour acheter des épices ou des huiles essentielles dont vous ne

Pinnawala, orphelinat pour éléphants

saurez plus quoi faire de retour à la maison. A vous de voir ! Sachez que vos achats seront plus des souvenirs que de bonnes affaires car les prix y sont plus élevés qu'au supermarché du coin de la rue, que ce soit pour les épices ou pour le thé.

Loisirs

▶ **Si vous avez envie de piquer une tête,** sachez que les grands hôtels ont tous une piscine où vous pourrez barboter moyennant de 100 à 200 Rs de frais d'entrée.

▶ **Si vous préférez vous oxygéner** sur un 18-trous, prenez un taxi et sortez de Kandy, direction le Victoria International Golf Club situé près de la ville de Rajawella. Le plus récent de l'île (il date de 1999), le golf de Kandy est déjà considéré comme l'un des plus beaux d'Asie ; certains trous offrent un panorama à couper le souffle, et la vue des cocotiers bordant les fairways est des plus pittoresques. Comptez environ 2 000 Rs pour l'entrée sur le green, la location des clubs et les frais de caddie.

Les environs de Kandy

■ SPICE GARDENS (LES JARDINS D'ÉPICES)

Toutes les routes qui environnent Kandy sont bordées de *spice gardens.* On vous y expliquera les bienfaits de l'ingestion répétée de cacao, de café, de vanille, et de toutes les épices tropicales tout en vous préconisant des massages fréquents avec des extraits de plantes et autres huiles essentielles. Un tas de crèmes, huiles, graines, etc. à chaque boutique. Si vous êtes intéressé par la botanique ou par l'achat de produits naturels, c'est curieux, sinon passez votre chemin.

■ ORPHELINAT D'ÉLÉPHANTS DE PINNAWALA

A 38 km de Kandy. Evitez de vous y rendre en bus car cet itinéraire est très mal desservi et il vous faudra changer plusieurs fois. Le trajet, bien que possible en three-wheeler, est trop long et risqué. En train, il vous faut descendre à Rambukana en direction de Colombo, puis prendre un three-wheeler. Vous pouvez aussi louer une voiture avec chauffeur pour 1 500 Rs aller-retour depuis Kandy, mais dans ce cas nous conseillons de visiter l'orphelinat en direction ou en venant de Colombo. Ouvert tous les jours de 8h30 à 18h, séances de nourrissage ouvertes au public à 9h15, 13h15 et 17h, vente des billets jusqu'à 17h30. Entrée : 200 Rs, droit vidéo : 500 Rs. Près de la petite ville de Kegalla, c'est une des attractions majeures pour petits et grands séjournant à Kandy. Cette institution accueille une soixantaine d'éléphants de différents âges, dont tous (sauf ceux qui sont nés à l'orphelinat) sont soit infirmes, soit orphelins. Ayant grandi au contact des humains, ces animaux sont incapables de revivre à l'état sauvage, on pourra d'ailleurs constater pendant le bain des éléphants qu'ils ne savent pas très bien se laver seuls. Deux types de pachydermes : ceux qui viennent d'Asie, que l'on retrouve donc le plus souvent sur l'île, ils sont plus petits et ne possèdent pas de défenses ; et ceux dit « royaux », plus proches de l'éléphant d'Afrique, donc avec défenses, et bien plus grands de taille. Ils ont été chassés pour leur ivoire, et il n'en reste que très peu au Sri Lanka. D'où leur appellation sans doute. Ces derniers sont d'ailleurs les plus « handicapés » en ce sens qu'ils sont particulièrement chouchoutés. Ils ne sont même pas capables de se laver eux-mêmes, c'est le personnel qui s'en charge. Certains se nourrissent de feuilles de bananiers, mais les plus petits sont nourris au biberon, en fait de gros arrosoirs munis d'une tétine plusieurs fois par jour. On peut se payer, de la main à la main, le droit de nourrir soi-même les gentilles bestioles, mais ça se finit généralement en gavage collectif et pas très sain puisque effectué par des touristes en mal de photos choc. Les éléphants passent donc leur temps à attendre un biberon sans fond pendant que leurs maîtres guettent le petit billet et les visiteurs le bruit du cliché.

Même chose pour un droit de photo ou de nettoyage des rois de la jungle. Pour confortablement jouir du spectacle des pachydermes batifolant dans l'eau, nous vous conseillons d'aller prendre un verre à l'Elephant Bay Restaurant, au bout d'une allée face à l'entrée de l'orphelinat. Vous pourrez y boire un thé, une bière fraîche ou y déjeuner et prendre toutes les images que vous voudrez sans avoir à jouer des coudes parmi les autres touristes et... sans payer de droit. Surveillez cependant vos enfants, on voit souvent des gamins courir devant les éléphants en marche vers la rivière ou l'orphelinat, or c'est particulièrement dangereux ; même s'ils sont totalement inoffensifs, leur force naturelle et leur instinct sauvage peuvent engendrer des incidents, surtout dans ces conditions.

LES KNUCKLES

La partie plus à l'est de Kandy est assez peu connue, et c'est bien dommage, car elle mérite largement le coup d'œil. Peut-être même plus que ces sites bondés de touristes. L'authenticité de cette région vaut bien de sacrifier, une nuit ou deux, son confort à la beauté des paysages et à la véritable hospitalité sri lankaise. On découvre ici une région vierge de souillure industrielle, sans boutiques de souvenirs ou autre 4-étoiles. Un bonheur !

La région montagneuse des Knuckles, qui se situe à près de 20 km au nord-est de Kandy, est, pour nous, la plus belle du Sri Lanka, peut-être même le meilleur paysage que l'on trouve sur l'île. Plus sauvage, moins ordonnée que la zone exclusivement dotée de plantations de thé, elle laisse entrevoir les raisons qui ont poussé les explorateurs à appeler le Sri Lanka « le Paradis sur terre ». Différentes formes de végétation poussent ici, pas seulement des plants de thé, et c'est la diversité (enfin !) de cette flore qui nous a séduits. A partir de ces hauteurs, on a une vue imprenable sur les gigantesques lacs-réservoirs du parc de VRR. Ces immensités d'eau scintillante offrent un panorama vraiment impressionnant.

Les Knuckles consistent en une chaîne de trente-cinq pics d'une hauteur moyenne de 900 m, et dont les cinq sommets donnent l'illusion des arêtes (*knuckles*) d'un poing serré. Cette formation, la seule au Sri Lanka, lui vaut l'appellation de « Mini-Alpes ». Mais la particularité de cette région vient de son statut de réserve climatique qu'elle possède depuis 1873 ! Son écosystème, unique au monde, doit donc être préservé, ce qui a incité le gouvernement à la déclarer, en 2000, Réserve de biosphère nationale pour l'homme.

▶ **Les cinq sommets** sont les suivants, pour les amateurs de trekking : Kirigalpottha 1 642 m, Gombaniya 1 893 m, Knuckles 1 852 m, Koboneelagala 1 544 m et Dotulugala 1 564 m.

DAMBANA

Sur l'A26 à l'est de Kandy. La route, qui passe par les Knuckles, est longue et difficile, comme toutes routes de montagne. Mais le panorama vaut bien cette peine. On prendra le chemin de terre à gauche du kilomètre 90 en venant de Kandy. Dambana est un nom que l'on ne retrouve jamais dans la bouche des touristes. Les seules personnes qui se déplacent pour visiter ce village sont les Sri Lankais curieux de leur culture et de découvrir les hommes qui furent les pionniers de leur civilisation. C'est en effet ici l'un des deux derniers refuges (le second est Nil Gala) des premiers hommes de Lanka, les Veddas. Ces hommes et femmes, plus proches physiquement des aborigènes d'Australie que des Cinghalais ou des Tamouls, ont établi ici, de manière un peu forcée tout de même, leurs maisons en dur et leurs champs. Au départ, et ce jusqu'à il y a encore une vingtaine d'années, les Veddas vivaient en nomades dans la jungle sri lankaise ; ils chassaient, pour survivre uniquement, et s'abreuvaient de l'eau des rivières. Seulement, avec le déboisement des forêts, l'avancée de la ville sur la jungle, ils finirent par voir leur population faiblir dangereusement.

Le gouvernement décida de prendre en charge les Veddas, à condition qu'ils cessent de chasser sur des terres qui étaient devenues des réserves animalières : ils durent alors se sédentariser. Certains refusèrent, mais la majorité, étant donné leurs conditions de vie, accepta le marché. Aujourd'hui encore, on trouve des Veddas qui chassent, mais ils finissent à un moment ou un autre en prison.

Finalement, l'histoire est relativement triste puisque, à l'instar de beaucoup de peuples indigènes à travers le monde, les Veddas se

Une nuit mystique...

Passer une nuit dans un monastère vous intéresse ? La méditation est une pratique que vous souhaiteriez essayer dans une ambiance monastique ? Alors ce lieu est fait pour vous. Habitué à accueillir des Occidentaux, cet établissement n'en demeure pas moins un monastère, et le silence est de rigueur, de même que le respect des règles internes. On se plie aux consignes données par le directeur du lieu afin de mieux apprécier le mysticisme de l'expérience. L'endroit est splendide, avec de très jolis points de vue. A 400 Rs la nuit, on ne se plaindra pas.

■ **NILAMBE MEDITATION CENTRE**
Galaha, Kandy. © (portable de M. Upul Gamage) (077) 780 45 55

trouvent aujourd'hui corrompus par les vices de la société civilisée : l'alcool, l'ennui, la drogue, qui les mènent généralement derrière les barreaux. Autrefois animistes, beaucoup d'entre eux se sont convertis au bouddhisme pour permettre une intégration plus facile.
On peut assister, moyennement finances, à une danse traditionnelle vedda organisée juste pour nos yeux ébahis, mais nous ne préconisons pas un folklore à la carte. Même si les conditions de vie de cette communauté n'ont rien d'exceptionnel à observer, ce n'est pas un zoo pour autant. Considérer que l'on est un invité dans leur village nous apparaît une attitude plus saine que se poser en spectateur en attente d'une performance scénique très éloignée de leur quotidien.
En revanche, vous pouvez discuter avec eux ; si vous avez un guide cinghalais c'est mieux car vous risquez de ne pas pouvoir communiquer sans cela. Les chefs (supposément ceux qui portent une hachette sur l'épaule, mais on remarque vite que les trois quarts de la population en ont une) parlent généralement le cinghalais, on a cependant aucune certitude quant à l'anglais. Ensuite, ils peuvent aussi feindre de ne pas le comprendre pour faire fructifier le commerce local de traduction. Donc, si vous voulez simplement visiter le village, pas besoin de guide, si vous souhaitez discuter avec un Vedda, allez-y avec votre chauffeur ou offrez-vous les services, pas chers, d'un traducteur sur place. Il y a toujours une ou deux personnes qui traînent au croisement dans l'attente d'un touriste pour lui proposer ses services. L'intérêt de discuter avec le chef du village est qu'il est un homme réputé dans tout le pays et même hors de ses frontières ; c'est le premier Vedda, le seul même, à avoir parcouru une partie du globe pour affirmer l'existence de son peuple au monde entier. Il a vécu à l'époque des Veddas chasseurs et ne désespère pas de voir un jour sa communauté se ressouder. « *Les chiffres le prouvent*, affirme-t-il, *nous avons réussi à augmenter notre population. C'est un signe d'espoir pour les générations futures.* » Quant au conflit qui déchire le pays depuis vingt ans, comment le voit-il en tant que chef d'un peuple présent au Sri Lanka bien avant les Tamouls ou les Cinghalais ? L'homme réfléchit une seconde avant de répondre : « *Vous savez, cette terre n'appartient ni aux Tamouls, ni aux Cinghalais. Elle n'appartient pas même aux Veddas. Elle est à tous et à personne ; la terre n'est pas une propriété, elle est à ceux qui la respectent.* » Belle leçon d'humanité…

Hébergement

Pour se loger à Dambana, deux possibilités : le campement d'Eco Team, situé sur le réservoir Delikadeliwewa et un camping de luxe, mais vraiment pour les amoureux de la nature qui voudront faire du trekking, du hiking, des feux de camp, etc.
Vous pouvez aussi passer au-delà du village, sur la petite route en terre, puis tourner sur la gauche : au futur musée sur les Veddas, un couple de Veddas adorables pourra vous trouver un logement original. Mais ayez une personne parlant cinghalais dans votre entourage, sinon tentez votre chance à Mahiyangana plutôt, beaucoup de guesthouses et de *inns* dans cette ville.

Manifestation

- **La perahera de Mahiyangane** (habituellement en septembre) qui rassemble des tribus veddas, les aborigènes du Sri Lanka. A ne pas rater.

VICTORIA RANDENIGALA RANTEMBE SANCTUARY

Sur l'A26, près de 25 km de Kandy. La réserve Victoria Randenigala Rantembe mérite le détour pour trois raisons : la première, c'est qu'avec ses 42 089 ha, elle est la plus vaste du territoire sri lankais. La deuxième tient aux particularités de ce parc qui résident dans la faune qu'il abrite : celle-ci peut changer radicalement selon la période de l'année, en raison des variations de climat et de l'approvisionnement ou non des réservoirs en eau. Enfin, la troisième, c'est que l'on peut y trouver trois réservoirs, ces lacs artificiels créés par l'homme, dont la réserve porte le nom, et qui attirent un nombre impressionnant d'animaux. Ils offrent par leur situation – au pied des montagnes – et leur étendue une perspective rare sur la région, à ne rater sous aucun prétexte. Pour ceux qui sont intéressés par l'observation de la faune locale de plus près, une balade en bateau peut être organisée.
Déclarée réserve nationale en 1987, ce nouveau statut a permis à VRR de préserver sa faune et sa flore dans leur habitat naturel. Sur les rives du réservoir Victoria, à Digana, un hôtel, Oruthota Chalets, propose douze chambres pour les voyageurs souhaitant passer la nuit dans la région.

MATALE

A 24 km au nord de Kandy. La ville, nœud routier, n'a rien d'extraordinaire, en dehors du fait que les différentes communautés y ont toujours vécu en paix, même aux pires moments de la guerre civile, ce qui n'est pas rien. Un peu plus loin, le Matale Heritage Centre vous attend. Instructif, il présente l'essentiel de l'artisanat du pays, du travail des tissus à celui des métaux.
Matale est principalement connue pour être la jonction qui permet de relier les anciennes capitales du pays. Mais elle a bien d'autres atouts.

Hébergement

Matale étant très proche des différents lieux touristiques environnants, elle n'est finalement qu'un lieu de passage. On n'y trouve donc pas ou peu d'hébergements, si ce n'est une resthouse privée.

■ MATALE RESTHOUSE

William Gopallawa Mawatha
✆ (066) 222 22 99
Compter 2 000 Rs la chambre double climatisée. Pas gérée par la CHC cette fois, cette sympathique guesthouse propose des chambres correctes avec télévision, air conditionné.

Points d'intérêt

■ LES SPICE GARDENS

On peut en trouver ailleurs dans le pays, mais c'est à Matale et dans ses environs qu'on aura droit aux originaux. Chacun a son numéro, c'est assez surprenant. A l'intérieur, on vous fait visiter le jardin d'épices, puisque c'est de cela dont il s'agit, en vous montrant à quoi ressemblent, en vrai et au naturel, celles que vous utilisez au quotidien et en vous expliquant également les vertus de chaque plante médicinale. C'est instructif et intéressant, chaque plante étant utilisable pour à peu près tout et n'importe quoi.
Ensuite, on vous offrira un thé aux herbes et un massage aux huiles essentielles, que vous êtes libre d'accepter ou non. Généralement, on vous l'administrera devant tout le monde, il y a plus relaxant comme méthode. Ensuite, un tour à la boutique, où l'on vous proposera herbes, crème, huiles essentielles et autres produits naturels à un prix exorbitant. Certains vous affirmeront que c'est du vol et qu'ils ont exactement la même chose en stock pour dix fois moins cher. D'autres vous diront que c'est le prix de la qualité, et que le tarif qu'on vous donnera ailleurs pour le même produit ne peut être moins cher que si ce dernier est frelaté, coupé, mauvais, etc. A vous de voir.

■ SRI MUTHUMARIAMMAM THEVASTHANAM

Un imposant temple hindou.

■ ALU VIHARA (TEMPLE DES CENDRES)

Poursuivez votre route 3 km plus au nord, ce monastère bouddhiste mérite une halte pour voir les moines inscrire les textes sacrés sur des feuilles de tallipot, une sorte de palmier. On dit que c'est le premier monastère où l'enseignement bouddhique fut mis à l'écrit, au IIe siècle avant notre ère. Malheureusement, la bibliothèque ainsi que toutes les archives qu'elle contenait furent entièrement brûlées lors de la rébellion de 1848, quand les Britanniques poursuivaient un chef rebelle jusqu'à sa cache. La rébellion de Matale fut un véritable tournant dans l'histoire sri lankaise : c'était la première fois que l'on assistait à un mouvement de révolte populaire spontané, et c'est pourquoi elle est marquée d'une croix blanche dans le passé du pays. Depuis, les moines reconstituent avec minutie le travail perdu. Ce monastère présente également l'intérêt d'être creusé dans la pierre et d'offrir aux visiteurs de belles fresques. Enfin, la statue de trente pieds d'un bouddha incliné est de très bonne manufacture, un bien bel ouvrage selon les connaisseurs.

■ HUNAS FALLS

Situées à près de 15 km de Matale en passant par Wattegama, elles font partie des plus réputées du pays bien qu'elles ne soient pas très hautes : 60 m. Juste derrière l'hôtel Hunas Falls.

■ LE PARC NATIONAL DES KNUCKLES

(voir « Les Knuckles »)

KURUNEGALA

A 116 km au nord-est de Colombo, à 60 km de Kandy. En venant de Colombo et en route pour le Triangle culturel, même si vous ne faites que passer, vous ne pouvez pas rater cette énorme jonction.

Capitale royale pendant seulement cinquante ans, cette ville possédait un temple reliquaire dont il ne subsiste malheureusement qu'une ou deux pierres. Aujourd'hui, c'est la capitale de la province du Nord-Ouest, et elle est plus réputée pour ses ananas, ou chakkabake, que pour son passé.

On appréciera tout de même l'aspect pittoresque de son lac planté au sein même de la cité, et les rochers en forme d'animaux qui l'entourent. Selon la légende, les animaux auraient menacé les hommes de boire toute leur eau et auraient donc été, punition divine, transformés en roc : Aetha Gala (Elephant Rock), Wanduragala (Monkey Rock), Ibbagala (Tortoise Rock) et bien d'autres.

Un bouddha géant trône, assis, sur les hauteurs de Kurunegala. Il n'a que deux ans mais son éclatante blancheur, sa taille et sa situation haut perchée le rendent visible à des kilomètres.

Hébergement

■ KANDYAN REACH HOTEL

Hôtel confortable avec piscine et proposant une bonne cuisine. C'est d'ailleurs le seul hôtel correct de la ville. Autour de 30 $.

DAMBULLA

A 70 km au nord de Kandy. Là commence vraiment la visite des sites anciens.

Dambulla est le centre géographique de l'île et renferme plusieurs trésors : ses grottes, mais aussi et surtout son temple d'Or qui est répertorié depuis 1991 au Patrimoine mondial de l'Unesco. La montée jusqu'aux grottes n'est ni longue ni épuisante, et, par beau temps, on apprécie particulièrement la balade. L'escalier est très large, les marches égales, on peut tranquillement profiter du paysage.

Une recommandation cependant : on vous vendra des cacahuètes qui vous permettront de nourrir les singes, très nombreux autour du temple comme des grottes.

Evitez de le faire ! D'une part, cela leur donne de mauvaises habitudes et, d'autre part, c'est une des raisons pour lesquelles ils sont si nombreux à cet endroit-là et finissant, logiquement, par se multiplier plus encore. Enfin, un animal reste sauvage, même s'il est mignon et « tellement humain » et l'on ne peut prévoir ses réactions ; non que ces singes soient agressifs, seulement ils peuvent l'être, en outre, ils se servent assez fréquemment dans vos affaires si vous n'y prenez pas garde.

Transports

▸ **Bus.** Vrai carrefour routier, Dambulla est bien desservie par les bus qui viennent du nord, de Kandy (2 heures) et de Colombo (5 heures). Les horaires, dans un sens comme dans l'autre, sont assez peu fiables, donc vérifiez bien si vous ne voulez pas perdre une demi-journée à attendre.

▸ **Train.** Depuis Colombo, il y a deux trains par jour sur la ligne Colombo-Trincomalee qui s'arrêtent à Habarana, à 25 km de Dambulla que l'on peut ensuite rejoindre assez facilement en bus.

Hébergement

Bien et pas cher

Certains voyageurs décident de passer la nuit à Dambulla après avoir visité la forteresse de Sigiriya toute proche. Toutefois, les possibilités d'hébergement y sont limitées, sans compter que la plupart des établissements, situés en bord de route, sont souvent très bruyants.

■ SAMAN'S RESTAURANT AND GUESTHOUSE

✆ (066) 228 44 12

Comptez de 500 à 800 Rs la chambre, correcte et propre, ce qui est déjà pas mal à ce prix-là. Pas trop loin des grottes, l'endroit est convivial, populaire et le propriétaire très sympathique. La cuisine y est excellente.

■ THE OASIS TOURIST WELFARE CENTER

En face du temple

Compter 800 Rs la chambre double. Situation idéale pour cette adorable guesthouse aux propriétaires charmants. Elle est simple et sommaire mais propre.

■ **SUN RAY INN**
156, Kandy Road
Proche du temple, cet hôtel propose des chambres correctes pour 1 000 Rs. Restaurant, bar, on a tout à portée de main avant la montée des marches.

■ **GIMANHALA**
Anuradhapura Road
✆ (066) 228 48 64
www.gimanhala.com
L'endroit où tous les guides amènent manger leurs hôtes. Les chambres à partir de 4 000 Rs sont propres et simples, le prix peut être négocié pour les *backpackers*. Bon restaurant et petite piscine.

■ **DAMBULLA RESTHOUSE**
✆ (066) 847 99
Pour 2 500 Rs pour deux personnes, les chambres ne cassent pas des briques, mais sont propres et l'établissement est à deux pas des grottes. On conserve tout de même une nette préférence pour les précédents.

Luxe

■ **THILANKA RESORT AND SPA**
✆ (066) 446 80 01
www.thilankaresortandspa.lk
Le troisième hôtel du groupe Thilanka vient d'ouvrir à Dambulla. Joli cadre, jardin, piscine, spa, mais les chambres sont bien trop chères pour ce que c'est. Comptez 125 $ la chambre double !

■ **AMAYA LAKE**
Kandalama, sur la rive nord
à 12 km de Dambulla
✆ (066) 446 81 00
Fax : (066) 223 19 32
www.amayaresorts.com
Entre 70 et 105 $ la chambre double selon la catégorie. Un hôtel qui joue la note culturelle et écolo, mais alors chic surtout. Les bungalows sont construits dans le style des maisons rurales avec cependant tout le confort moderne, voire luxueux. Chalets, bungalows et écolodges sont éparpillés autour de la piscine, un jardin bien tenu et deux restaurants. Deux centres de spa pour se relaxer et se revitaliser en douceur. Villégiature idéale au bord du lac de Kandalama.

■ **KANDALAMA HOTEL**
✆ (066) 841 00 – Fax : (066) 841 09
www.aitkenspencehotels.com
Autour de 180 $ la chambre double. La perle d'Aitken Spence, la voici ! Si vos moyens vous le permettent, offrez-vous ce magnifique hôtel, l'un des plus beaux de l'île et même du continent asiatique : bâti sur le roc même, sans modifier d'un poil l'environnement du départ, cet établissement propose une piscine créée autour d'un rocher et une autre dite « Infinity », création de Geoffrey Bawa, qui se confond avec le lac une fois qu'on y est. Les chambres sont très haut de gamme, le service aussi.

Retraite spirituelle

■ **GALLENAWATTA AS**
Ætabendiwæwa Para, Pannampitiya
A partir de Matale, sur Dambulla Road, tournez à gauche avant Dambulla. On trouve le monastère au bout de 1 500 m. Les novices motivés sont acceptés. Affilié à Waturawila.

Dambulla, grotte bouddhiste

Dambulla, deux bouddhas

Restaurants

Des petites gargotes à bas prix et à la cuisine locale assez bonne.

■ SAMAN RESTAURANT

(voir rubrique « Hébergement »)

Comptez 400 Rs par personne. Le *rice and curry* est vraiment bon, tous les plats sont concoctés et avalés avec délice. Très réputé dans la ville et les environs.

■ YEMANHALA

En centre-ville

Tous types de cuisine, entre 400 et 500 Rs le repas.

Points d'intérêt

■ LES GROTTES

A environ 2 km au nord de la ville

Ouvert tous les jours de 7h30 à 13h et de 13h30 à 18h30. Entrée non comprise dans le forfait du Triangle culturel : 1 100 Rs. Les grottes sont éclairées et on peut y photographier. Epaules et genoux doivent être couverts dans les grottes.

Un immense bouddha doré moderne, don des Japonais, veille sur le site, situé sur un rocher, quelque 150 m plus haut. On accède aux grottes par des escaliers taillés dans la pierre, envahis par les singes. Ne vous fiez pas à l'allure kitch de l'entrée, les grottes sont bien plus naturelles par la suite.

Il semble qu'elles aient servi de lieu de culte avant l'arrivée du bouddhisme. C'est au XIIe siècle que le roi de Polonnaruwa décida d'en faire un lieu de culte bouddhiste sous le nom de « Grottes d'or ».

Toutefois, les fresques finement exécutées que vous allez découvrir datent pour l'essentiel de la période des rois de Kandy à la fin du XVIIIe siècle. Elles couvrent au total 6 000 m^2 de parois et constituent l'un des plus riches exemples d'art pariétal au monde.

▸ **La première grotte** (Devaraja Viharaya). Elle doit son nom au dieu Vishnou dont on trouve une statue à l'intérieur. Un superbe bouddha long de 14 m couché et d'autres assis complètent la visite.

▸ **La deuxième grotte** (Maharaja Viharaya). Elle est beaucoup plus vaste. Deux statues de rois sont disposées à l'intérieur, ainsi qu'un bouddha et plusieurs divinités hindoues. Les parois sont entièrement recouvertes de fresques historiées représentant la vie de Bouddha et la diffusion du bouddhisme sur l'île. Il faut prendre le temps d'en apprécier les détails.

▸ **La troisième grotte** (Maha Alut Viharaya). C'est la plus récente. On y trouve toute une collection de bouddhas taillés à même la roche de la grotte dont l'entrée est gardée par la statue d'un des derniers rois de Ceylan.

▸ **La quatrième grotte** (Pachima Viharaya). On peut y contempler une cinquantaine de statues de Bouddha. Munissez-vous d'une torche pour admirer le plafond intégralement recouvert de peintures.

▸ **La cinquième grotte** (Devana Alut Viharaya). Là aussi un bouddha couché est entouré de Vishnou et de Skanda.

Shopping

On trouvera à Dambulla un artisan, sculpteur de père en fils, récompensé à plusieurs reprises et qui fait un travail très intéressant. La finesse de son œuvre vaut le détour, même si on ne peut pas forcément se le payer. Ici, on différencie clairement l'art de la fabrication à la chaîne ; on trouvera aussi des bricoles – dont il n'est pas l'auteur – pour pas cher, mais ce sont les pièces du jeune homme qui sont intéressantes. Sur Dambulla Road, un atelier seul en contrebas. On y entre en descendant quelques marches.

FORTERESSE DE SIGIRIYA

A 90 km au nord-est de Kandy. Sigiriya, contrairement à ce que l'on peut penser, n'est pas une ville, ni même un hameau, mais simplement un lieu-dit, le nom de la forteresse.

Perchée à 370 m, au sommet d'un rocher de pierre rouge qui domine un ensemble harmonieux de jardins dessinés au Ve siècle, la citadelle royale domine tout le paysage sur des kilomètres à la ronde. Sigiriya, en cinghalais, signifie « le rocher du lion », car c'est un lion de taille imposante sculpté dans la pierre qui gardait autrefois l'entrée de la citadelle, il n'en reste que les pattes. Celle-ci a non seulement l'auguste privilège de faire partie du Patrimoine mondial de l'Unesco depuis 1982, mais a en outre été décrétée huitième merveille du monde par le célébrissime auteur de science-fiction, Arthur C. Clarke.

On trouvera beaucoup d'endroits qui portent ce nom ou lui rendent hommage. On verra dans la périphérie du lieu sacré un tas de Lion, Rock ou Fortress pour le moindre petit commerce. Un bon moyen de se repérer : si vous n'en voyez pas, c'est que vous n'êtes pas au bon endroit.

La région est magnifique, entre désert, savane et jungle vous pourrez apercevoir des éléphants sauvages et des singes.

Transports

▶ **Train et bus.** Comme pour Dambulla, la gare la plus proche est à Habarana, située à 24 km de Sigiriya. En bus, il faut passer par Dambulla. Mais pas de souci, c'est comme pour Rome, tous les chemins mènent à Sigiriya.

Hébergement

Les lieux d'hébergement ne manquent pas à Sigiriya et dans ses environs, et ce, dans toutes les catégories.

Bien et pas cher

■ **THE LODGE NILMINI**
En face du Flower Inn
A dix minutes à pied de la citadelle
✆ (066) 367 04 69

Sigiriya, moines

✆ portable : (077) 306 95 36
Un joli jardin où se détendre ou prendre un verre. Les propriétaires, Lionel et sa femme, offrent un accueil très chaleureux, cool. Cette guesthouse existe depuis 1974 et semble ne pas avoir changé ! Les chambres sont assez rustiques mais confortables. 700 Rs la chambre avec salle de bains commune (à éviter, elle est un peu glauque, ce qui est normal à ce prix-là). Sinon de 1 500 à 3 000 Rs avec salle de bains et air conditionné. Accès à Internet et vélo mis à disposition gratuitement. Les repas sont délicieux, comptez de 300 à 550 Rs pour les spécialités locales.

■ **FLOWER INN**
Tout près de la resthouse
Excellent accueil et cadre très fleuri (voire kitch selon les goûts) pour 1 000 à 1 200 Rs. Les chambres sont non seulement propres, mais elles contiennent chacune deux lits doubles ! Et le prix sera le même que vous l'occupiez seul ou à quatre. Petit déjeuner à 300 Rs et repas à 400 Rs. Un endroit vraiment charmant où l'accueil est chaleureux.

■ **THE LION ROCK**
N°183 Thalkote Road – Ehelagala
✆ (066) 567 04 44
Comptez 3 500 Rs la chambre double, grande et correcte, avec salle de bains. Petite guesthouse verte avec jardin dotée de quelques chambres, restaurant, et à 700 m de la citadelle. Un peu cher pour l'endroit.

Confort ou charme

■ **SIGIRIYA RESTHOUSE**
Face à l'entrée du site
✆ (066) 228 62 99 – ✆ (066) 567 08 98
Entre 3 000 Rs et 3 950 Rs la chambre double selon qu'on veuille l'air conditionné ou pas. Les chambres de cette ancienne villa coloniale avec véranda sont assez propres et certaines sont climatisées. Exigez-en une avec vue car, à ce prix-là, c'est bien de ça qu'on parle.

■ **KASSAPA LION ROCK**
Digampathala
✆ (066) 567 74 40
kasapalionrock@sltnet.lk
A ne pas confondre avec le Lion Rock, cet hôtel est simple et charmant. 27 bungalows tout neufs dans un joli parc. Une piscine très rafraîchissante après une journée de visite. Un endroit agréable, avec un joli restaurant en terrasse. Réservation à Colombo ✆ (011) 471 59 96.

■ **HOTEL SIGIRIYA**
Au sud-est du site
✆/Fax : (066) 228 68 20
www.serendibleisure.com
De 80 à 92 $ la nuit en chambre double. Etablissement principalement voué au tourisme de masse via tour-opérateurs, il n'en demeure pas moins un lieu agréable où se détendre entre deux visites, avec sa jolie piscine alignée sur la la forteresse... Un moment de relaxation que l'on peut prolonger dans le spa. L'établissement se veut écolodge avec des principes de protection de l'environnement et d'écotourisme. Des excursions dans les parcs et vieilles cités alentour sont proposées pour admirer les oiseaux, les éléphants et les ruines. Un circuit à vélo est même proposé dans la ville avec une halte *cooking lesson*, où l'on vous apprend à cuisiner les spécialités locales. Un endroit très agréable, proche de la forteresse.

Luxe

■ **SIGIRIYA VILLAGE**
✆/Fax : (066) 228 68 03
A partir de 120 $ la nuit en chambre double. Le même que le précédent, mais en moins bien et sans le concept écolodge. Froid mais correct tout de même, confort moderne et centre spa également. On peut aussi profiter de la piscine cachée derrière les arbres.

■ **ELEPHANT CORRIDOR**
Kibissa, Sigiriya
www.elephantcorridor.com
De 400 à 891 $ selon la chambre. Hors de prix vu l'établissement qui se veut luxueux avec des suites possédant tout le confort, petite piscine privée selon la catégorie, salon, etc. Comptez 18 $ pour un petit déjeuner et 31 $ pour le dîner ! Pas très pratique, la piscine est à cinq minutes à pied. Le restaurant, situé en hauteur, offrirait une jolie perspective s'il y avait quelque chose à voir.
Et comme on dîne après le coucher du soleil, aucune vue n'est à apprécier. Cet établissement semble d'autant plus perdu au milieu d'un champ, un peu incongru et très isolé (30 minutes de Sigiriya).

■ **VIL UYANA**
Rangirigama
✆ (066) 432 35 83 - www.viluyana.com
Ouvert depuis 2 ans, cette dernière création de Jetwing Eco offre au visiteur des forest lodges, des villas dans des rizières ou encore des cabanes sur pilotis dressées sur l'eau.

Un endroit magnifique, entre lac et nature. On peut même participer à la vie agricole, si on le souhaite ! Bien évidemment, le luxe reste omniprésent, et la note salée. Les chambres sont sublimes, spacieuses et stylisées en bois. Comptez de 360 $ à 517 $ la suite double, ajouter 60 $ pour un lodge sur pilotis. Restaurant, librairie et bar sur pilotis. Luxe et nature fusionnent pour donner un lieu plein de charme et agréable.

■ EDEN GARDEN

Sigiriya Road, Inamaluwa ✆ (066) 846 35
Comptez 3 600 Rs. Les chambres climatisées avec balcon donnant sur la verdure sont agréables et le restaurant très correct.

■ INAMALUWA INN

Tout près de l'Eden Garden, une guesthouse à l'accueil sympathique et aux chambres correctes pour moins de 1 000 Rs.

Points d'intérêt

■ LA CITADELLE

Ouverte tous les jours de 6h30 à 17h. Entrée : 20 $, ou forfait du Triangle culturel. Achat des billets de 7h à 17h au Musée archéologique, face à l'entrée du site, à 1,5 km de la resthouse. Il est vivement conseillé d'effectuer l'ascension vers 16h ou tôt le matin pour éviter la grosse chaleur. L'idéal est donc de loger à Sigiriya. Vous marchez dans une sorte de jardin à la française un peu incongru sous cette latitude. Face à vous, un piton rocheux s'élève sur 200 m et, tout en haut, se dressent les ruines d'une citadelle irréelle qu'il va falloir mériter au terme d'une ascension quelque peu sportive mais à la portée de tous. N'hésitez pas, la grimpette en vaut vraiment la peine car ce site est une vraie merveille du monde.

Un petit brin d'histoire avant d'entamer la marche sacrée. Au Ve siècle, le roi Dhatusena gouverne Anuradhapura. Il a deux fils. L'aîné, Kasyapa, est né d'une mère qui n'est pas de sang royal, contrairement à Mogallana, son frère cadet. Aveuglé par sa quête du pouvoir, craignant d'être défavorisé dans la succession paternelle, Kasyapa fait emprisonner, puis tuer son père. Son frère trouve refuge en Inde. Le roi parricide décide alors d'installer la capitale fortifiée de son royaume en haut du rocher de Sigiriya. Il y restera une dizaine d'années, le temps pour son frère de réunir une armée pour venir déloger l'usurpateur, lequel préférera se suicider.

On accède à la forteresse par les très agréables jardins d'eau. En avançant encore, on découvre des rochers éboulés de la montagne ainsi que des grottes. Une des plus célèbres est appelée « Tête de cobra » en raison de la forme du rocher qui la surplombe. D'autres hébergeaient des moines prêcheurs. L'ensemble a été mis au jour récemment par des fouilles menées par l'Unesco.

Ce qui retient bien sûr l'attention de la visite, ce sont les fresques rupestres dessinées sur la paroi d'un abri-sous-roche ; on l'atteint en empruntant un étrange escalier de fer en colimaçon dans lequel il faut parfois faire la queue un bon moment, car le nombre de personnes pouvant emprunter l'escalier est limité. Ces fresques représentent les *Demoiselles de Sigiriya*. A l'origine, nous dit-on, on comptait dans la galerie située à mi-chemin

Citadelle de Sigiriya

Fresque des Demoiselles de Sigiriya

du sommet quelque cinq cents portraits de jeunes femmes. Il n'en reste qu'une vingtaine aujourd'hui. Un certain nombre d'entre eux ont été endommagés par un vandale, il y a trente ans, perturbé peut-être par le buste généreux et dénudé de ces jeunes et très sensuelles jeunes femmes. En poursuivant vers le sommet, vous longerez un mur miroir (le stuc qui le recouvre est tellement poli que l'on peut s'y mirer), qui servait à recueillir, entre le VIIe et le XIe siècle, les observations des visiteurs.
Vous arriverez ensuite sur la plate-forme du Lion, ainsi appelée car jadis un lion gigantesque gardait l'entrée de la citadelle. Rien qu'en voyant la taille de ses pattes, seuls vestiges de cette sculpture, on imagine l'impression que devaient en avoir les visiteurs. Il vous faudra ensuite reprendre l'ascension en gravissant les marches d'un escalier métallique impressionnant, scellé dans la paroi rocheuse, mais sans danger. Gare au vertige malgré tout. Au sommet, rien d'extraordinaire, sinon la vue imprenable sur toute la région et la piscine du roi, seul vestige de l'ancien palais royal.

POLONNARUWA

A 140 km au nord-est de Kandy. Vous voici maintenant au cœur de l'ancienne capitale des Cholas. Au XIe siècle, cette ancienne dynastie du sud de l'Inde pouvait contrôler plus facilement le centre du pays depuis Polonnaruwa qu'à partir d'Anhuradhapura conquise auparavant. Leur domination durera jusqu'en 1070, date à laquelle le roi cinghalais Vijaya Bahu Ier les chassa de l'île. Polonnaruwa devint alors la capitale d'un bouddhisme éclatant. La cité fut fortifiée au XIIe siècle par le roi Parakrama Bahu Ier, qui entreprit des travaux gigantesques : construction de jardins et surtout d'un immense réservoir de 2 400 ha, capable d'irriguer les rizières avoisinantes. Toujours en activité, ce petit lac est surnommé Parakrama Samudra (la mer de Parakrama). Son successeur, Nissanka Malla, ne fut pas aussi heureux dans ses projets bien qu'ils fussent aussi nobles, et petit à petit Polonnaruwa se mit à décliner : elle subit de nouveau les invasions indiennes, puis malaises. Au XIIIe siècle, la capitale fut transférée à l'ouest du pays, et la végétation luxuriante de la jungle l'envahit. Pillée par les Portugais, Polonnaruwa sombra dans l'oubli jusqu'au XIXe siècle. Depuis, elle a fait l'objet de nombreuses fouilles, effectuées notamment par les Britanniques.

Transports

- **Les gares routière et ferroviaire** sont à Kaduruwela, à 5 km sur la route de Batticaloa. De là, des bus rejoignent régulièrement Polonnaruwa.

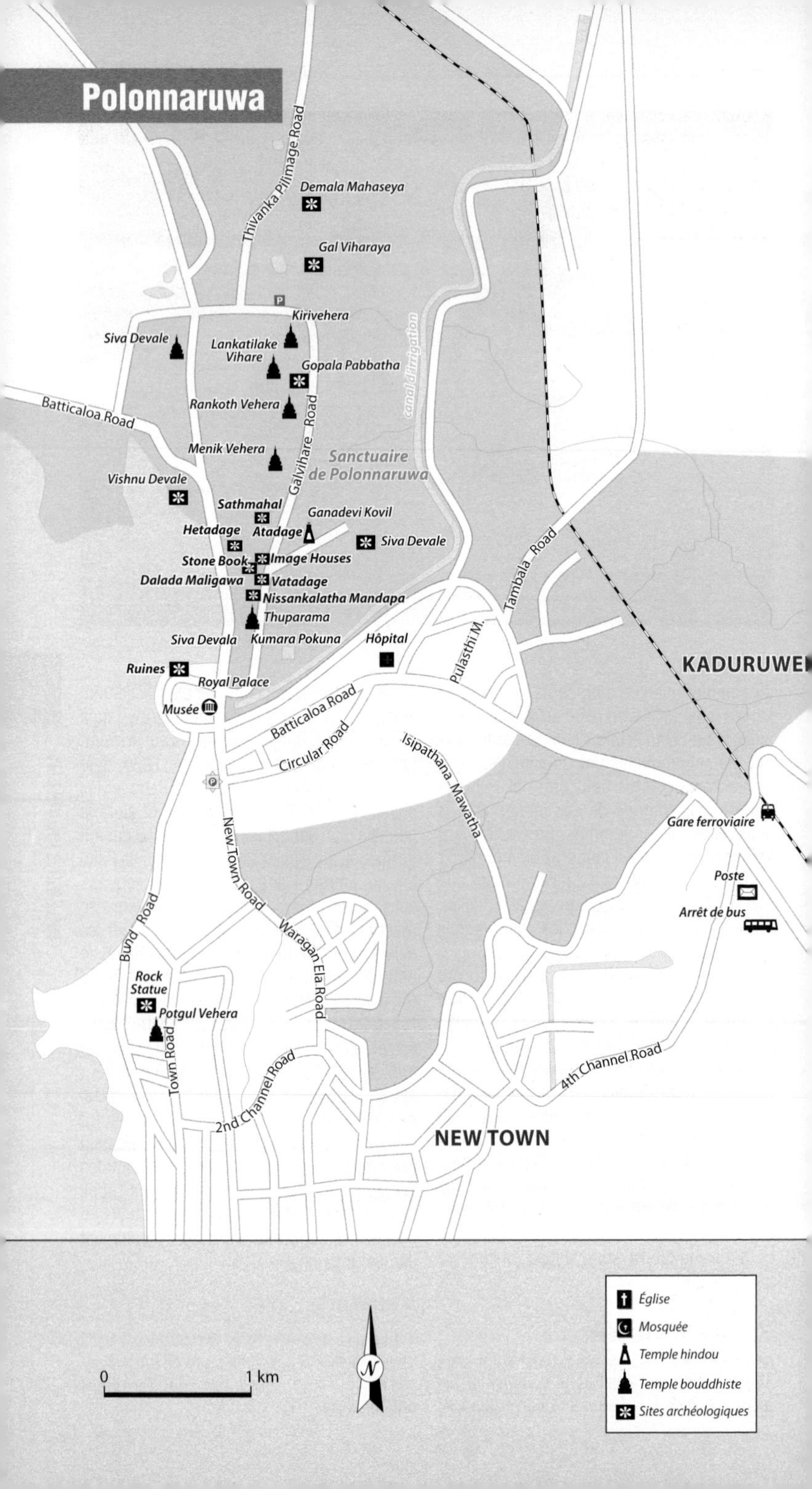
Polonnaruwa
Thivanka Pilimage Road
Demala Mahaseya
Gal Viharaya
Kirivehera
Siva Devale
Lankatilake Vihare
Gopala Pabbatha
Batticaloa Road
Rankoth Vehera
Galvihare Road
canal d'irrigation
Menik Vehera
Sanctuaire de Polonnaruwa
Vishnu Devale
Sathmahal
Ganadevi Kovil
Hetadage
Atadage
Siva Devale
Stone Book
Image Houses
Dalada Maligawa
Vatadage
Nissankalatha Mandapa
Thuparama
Siva Devala
Kumara Pokuna
Hôpital
Tambala Road
Pulasthi M.
Ruines
Royal Palace
KADURUWE
Musée
Batticaloa Road
Circular Road
Isipathana Mawatha
Gare ferroviaire
New Town Road
Poste
Arrêt de bus
Bund Road
Waragan Ela Road
Rock Statue
Potgul Vehera
Town Road
2nd Channel Road
4th Channel Road
NEW TOWN
0
1 km
N
Église
Mosquée
Temple hindou
Temple bouddhiste
Sites archéologiques

▶ **Bus.** Avant d'arriver à Polonnaruwa, nous vous conseillons de faire halte à Giritale, à l'entrée du site archéologique (*voir plus bas*). En sens inverse, prenez le bus à Kaduruwela pour bénéficier d'une place assise. Les bus pour Colombo (6 heures de trajet) et Kandy (5 heures de trajet), passent par Habarana (1 heure 30 de trajet) et Dambulla (2 heures 30 de trajet). De ces deux villes, vous pouvez trouver des bus pour Anhuradhapura et Sigiriya.

▶ **Train.** Deux trains quotidiens partent pour Colombo (6 heures de trajet) à 8h30 et un train postal (9 heures de trajet) à 18h30.

▶ **Voiture.** Vous pouvez louer une voiture avec chauffeur pour une demi-journée ou une journée pour faire la visite de Polonnaruwa. Comptez environ 1 200 Rs la journée.

▶ **Vélo.** La bicyclette est un moyen agréable pour visiter les sites archéologiques en toute tranquillité à condition de partir tôt le matin ou en fin d'après-midi à cause du soleil. La pension Samudra loue des vélos pour environ 100 Rs par jour.

Hébergement

Polonnaruwa dispose d'hébergements pour tous budgets, sauf pour les amateurs de luxe, mais vous pouvez trouver également votre bonheur dans les environs. A Giritale ou à Habarana, par exemple.

Bien et pas cher

■ **DEVI TOURIST HOME**
New Town Road, à l'extérieur de la localité
✆ (027) 231 81
Tout est ici impeccable et l'accueil excellent pour 2 000 Rs. Seul inconvénient, c'est un peu loin des sites si vous êtes à pied.

■ **MANEL GUESTHOUSE**
New Town Road
à 100 m du poste de police
✆ (027) 222 24 81
Autour de 700 à 1 700 Rs pour un accueil adorable et des chambres spacieuses et propres. Bonne cuisine locale pour pas cher. Une sympathique guesthouse ombragée mais où la chaleur humaine est forte.

■ **SAMUDRA TOURIST GUESTHOUSE**
Habarana Road
✆ (027) 228 17
Une des meilleures adresses du coin pour l'accueil et le confort. Les chambres impeccables avec ventilateur et moustiquaire sont à 1 200 Rs. Mais les fauchés pourront loger dans les cabanas du jardin à 250 Rs qui sont beaucoup plus basiques. On loue des vélos pour 100 Rs/jour.

■ **SIYANCO HOLIDAY RESORT**
En face du musée
✆ (027) 222 68 67/68
www.siyanco.travel.lk
Un hôtel sympathique de 15 chambres très propres à 2 500 plus 500 Rs pour la climatisation. Bon accueil. Bien placé, à 5 minutes du musée et du lac. Le restaurant ne paye pas de mine mais le chef est un innovateur, cocktails de légumes, poissons frais du lac, il fait tout à sa sauce et le résultat est bon ! Location de vélo à 200 Rs par jour.

■ **POLONNARUWA RESTHOUSE**
Près du musée, au bord du réservoir
✆ (027) 222 22 99 – 567 16 60
Malheureusement, cette resthouse, fidèle aux principes de la CHC et ce, malgré une situation idéale, est peu recommandable : la maison, magnifique extérieurement, donne sur le réservoir et promet une superbe vue. Mais les chambres n'ont rien d'exceptionnel, elles ne sont même pas très propres. Vérifiez donc, certaines sont tout de même correctes. Une chambre double (seule) sans vue sera facturée 53 $ et 79 $ avec la vue. Pour 85 $, vous pouvez carrément – allez, soyons fous ! – vous offrir la chambre où a dormi la reine Elizabeth en 1954. Gageons qu'elle n'était pas dans cet état à l'époque.

■ **LAKE RESORT HOTEL SERUWA**
✆ (027) 222 24 11
30$ la chambre double avec petit déjeuner. Un autre CHC, mais cette fois plus abordable et avec piscine. Toujours rien de folkorique ici, mais une jolie vue, une possibilité de faire une balade en bateau sur le lac, donc pourquoi pas ?

Confort ou charme

■ **THE VILLAGE**
New Town
✆ (027) 224 05 – Fax : 01 54 11 99
Réservations ✆ 01 54 11 98
Comptez 3 000 Rs et 1 000 de plus pour la climatisation. L'endroit n'a rien d'exaltant, mais les bungalows et les chambres climatisées (sans vue sur le lac) ont l'eau chaude dans les salles de bains, et il y a une petite piscine. Un restaurant, deux bars (un à l'intérieur et l'autre près de la piscine), un centre ayurvédique, un *coffee lounge*.

Polonnaruwa, terrasse de la Dent, le Vatadage

■ **HOTEL SUDU ARALIYA**

New Town

✆ (027) 254 06 – Fax : (027) 248 48

Une adresse mitigée : de vastes chambres claires climatisées avec vue sur le lac pour 55$. On se croirait dans un village de Schtroumpfs ! Un bar en forme de champignon géant, avec un arbre sublime emprisonné au centre. Piscine et accès au lac avec possibilité de faire des tours en bateau. Le bâtiment n'est vraiment pas incroyable et les chambres standard, visiter tout de même avant de la payer.

Manifestation

La fête du Maha Shiva Ratri, dans le Shiva Devala 2, a lieu fin février et début mars. Le vieux temple est abondamment décoré de fleurs et de fruits tandis que se presse la foule des Tamouls hindouistes qui célèbrent Shiva.

Points d'intérêt

La visite complète du site mérite une bonne demi-journée, voire une journée entière si vous n'êtes pas pressé. Nous vous proposons d'entamer la visite en partant du sud puis de remonter vers le nord. Vous pouvez louer les services d'un guide auprès de la resthouse ou du musée. Comptez de 300 Rs à 500 Rs pour une demi-journée.

■ **LE MUSÉE**

Ouvert tous les jours de 7h à 18h. L'entrée est comprise dans le forfait du Triangle culturel qui lui-même est en vente au musée. Photo interdite. Une visite s'impose impérativement avant de vous lancer à l'assaut des vestiges. Le musée met particulièrement en valeur les statues et fournit des explications claires sur l'histoire des différents monuments, illustrée, entre autres, par des maquettes. Chaque salle est dévolue à un thème particulier de Polonnaruwa : la citadelle, les monastères, les temples hindous. La collection de bronzes hindous est tout simplement prodigieuse.

■ **LE MONASTÈRE DE LA BIBLIOTHÈQUE : LE POTH GUL VIHARA**

A environ 2 km du musée. C'est un temple circulaire qui aurait servi de bibliothèque pour entreposer des écrits sacrés ; il est situé sur la rive est du réservoir, le Parakrama Samudra. La célèbre statue du Sage se trouve à proximité. Il ne s'agit pas d'une représentation de Bouddha mais du roi Parakrama Bahu Ier, l'un des plus réputés pour le progrès qu'il engendra : tous les travaux d'irrigation si fameux du Sri Lanka furent entamés sous son règne et à sa demande.

■ **LA TERRASSE DU TEMPLE DE LA DENT**

Ce quadrilatère est l'ancien cœur de la capitale déchue. C'est l'un des hauts lieux archéologiques du Sri Lanka.

Le Vatadage, pavillon circulaire, à gauche en entrant, est magnifique : les quatre entrées mènent aux quatre bouddhas qui font face aux quatre points cardinaux. L'intérieur circulaire, constitué par ces statues, est tout ce qui reste du dagoba de l'époque. A l'entrée nord, vous pourrez admirer la plus belle pierre de lune du site, représentant les signes du zodiaque cinghalais.

▶ **En face, vous découvrirez le Hatadage,** ou temple de la Dent. Il a été construit sous Nissanka Malla au XIIe siècle. Les fresques murales évoquent les exploits du roi. Dans l'entrée sont représentés des musiciens et des danseurs. Comme son nom l'indique, le temple aurait abrité la dent de Bouddha.

▶ **Les amateurs de lecture** découvriront juste à côté le Gal Pota, ou « Livre de pierre ». Ce morceau de roche gravée, qui pèse 25 t, mesure 9 m de hauteur sur 4,50 m de largeur et 60 cm d'épaisseur, relate la chronique des exploits du roi Nissanka Malla face aux invasions indiennes, ainsi que ses préoccupations avant-gardistes sur la coexistence entre hommes et vie animale.

▶ **Puis vous entrerez dans la salle du Chapitre.** Elle jouxte le Sat Mahal Prasada qui, comme le nom l'indique (*sat* veut dire « sept »), est un édifice à sept étages. En contournant le Hatadage, vous arriverez devant le petit Atadage, qui date du règne de Vijaya Bahu Ier. Comme son illustre voisin, il contenait un toit en bois destiné à protéger la dent de Bouddha. En poursuivant vers l'angle ouest du quadrilatère, vous pourrez voir ce qui reste d'une plate-forme destinée à accueillir un bouddha couché. Le Lata Mandapa voisin date du XIIe siècle. C'est un superbe pavillon, dont les piliers représentent des tiges de lotus. Le roi venait souvent y écouter des chants bouddhistes. Vous passerez ensuite près d'une statue de Bodhisattva et à côté, des vestiges d'un temple dédié à l'arbre Bo. Vous terminerez votre visite du quadrilatère par le Thuparama : c'est l'édifice le mieux conservé de Polonnaruwa. Il est célèbre pour ses murs voûtés en gedige. A l'intérieur du sanctuaire, une statue délabrée de Bouddha vous attend.

▶ **En sortant du quadrilatère,** arrêtez-vous devant le temple Shiva Devale, c'est un sanctuaire hindou qui date du XIIIe siècle.

■ LA CITADELLE

En vous éloignant du quadrilatère, vers le sud, vous arriverez à la forteresse de Parakrama Bahu Ier. A l'intérieur se trouve le palais royal ou Vejayanta Pasada, dédié au dieu hindou de la pluie, Indra. La salle du Conseil, qui était située sur une terrasse, offre aux visiteurs des sculptures et des bas-reliefs représentant des éléphants de toute beauté. C'était le siège officiel du gouvernement du roi. Enfin, taillé dans la pierre, le Kumara Pokuna, ou bain royal, est encore en parfait état. Il est relié au Parakrama Samudra par un savant réseau de canalisations.

Sur la route du nord

Une série de temples vous attend. Vous remarquerez sur la droite de la route le Pabalu Vihara, un petit sanctuaire bouddhiste en briques, puis, en continuant, un temple hindou en pierre, le Shiva Devala (connu sous le nom de Shiva 2, pour le distinguer du premier), connu aussi le Vanam Madevi Isvaram.

Polonnaruwa, le quadrangle, détail sculpté

En revenant sur vos pas, vous découvrirez des vestiges de temples hindous puis le Menik Vihara, et ses belles sculptures de Bouddha couché. Poursuivez votre chemin, en appuyant un peu sur les pédales de votre bicyclette, et vous arriverez devant l'Alahana Pirivena.

LE DAGOBA RANKOT VIHARA

Il mesure 55 m de hauteur : c'est un des plus imposants de tout le pays. Après leurs prières, les moines faisaient leur toilette dans le petit pokuna tout proche. Plus au nord, un ensemble de quatre grottes vous attend : le Gopala Pabbata. Mais les édifices les plus marquants de l'ensemble sont le Baddhasima Pasada, la salle de réunion où se retrouvaient autour de l'abbé les moines, et également le gigantesque Lankatilaka. Ses murs (de 17 m de hauteur) protégeaient des regards un immense bouddha, aujourd'hui décapité.

KIRI VIHARA

Le très bien conservé Kiri Vihara serait un présent de la reine Subhadra à son époux, le roi Parakrama Bahu Ier. L'état de conservation de l'enduit est remarquable, il n'a pas bougé depuis le XIIIe siècle.

LE GAL VIHARA

C'est l'ensemble majeur de Polonnaruwa : un groupe de quatre bouddhas qui datent du XIIe siècle. Un bouddha assis est en pleine méditation sur un trône décoré de lions. A côté, dans la même position, un autre bouddha est entouré des deux divinités hindoues, Brahma et Vishnou. Le troisième bouddha se tient debout et s'élève à 7 m. Le quatrième bouddha est le plus beau. Il est couché (14 m de longueur). La contemplation de ces bouddhas est un des grands moments de toute visite au Sri Lanka.

Non loin se trouve ce qui aurait dû être le *dagoba* le plus élevé du monde (183 m) s'il avait été achevé : le Demala Maha Seya. Le site, au sommet d'une colline, est en pleine restauration. Enfin, vous terminerez votre escapade vers le nord en vous rendant au Lotus Pond, un bassin du XIIe siècle où se rafraîchissaient les moines.

Shopping

Polonnaruwa est un centre actif de travail du bois. Les guides vous conduisent dans différentes boutiques, mais notre atelier préféré est le Nishantha Wood Carving. Hathamuna Road, Polonnaruwa ✆ (027) 221 87. On y voit les artisans ébénistes en plein travail et l'on y trouve un grand choix d'objets d'assez bon goût, ce qui est suffisamment rare pour être souligné.

Dans les environs

MEDIRIGIRIYA

A 40 km au nord

L'endroit, très fréquenté les jours de *poja* est célèbre pour son Mandalagiri Vihara. Le

Polonnaruwa, temple Rankot Vehera

vatadage (sanctuaire circulaire), construit sur un rocher au VIIe siècle, rappelle celui de Polonnaruwa. Il est constitué de soixante-huit piliers disposés dans trois cercles concentriques qui cernent quatre bouddhas, lesquels font face bien sûr aux points cardinaux.

■ **MINNERIYA NATIONAL PARK**

A Ambagaswewa, 20 km au nord-est de Polonnaruwa.

Ouvert de 6h à 8h. Accès en voiture de route en saison sèche mais un véhicule tout-terrain est indispensable en saison humide. On loue des 4x4 avec chauffeur à Polonnaruwa et à Habarana. Entrée : 1 200 Rs plus 120 Rs par véhicule et 600 Rs pour un guide obligatoire.

Le plus récent des parcs naturels du Sri Lanka couvre environ 9 000 ha autour de l'immense lac-réservoir de Minneriya. On y vient surtout pour découvrir les éléphants sauvages ainsi que vingt-quatre espèces de mammifères, avec plusieurs variétés de singes, des ours, des cervidés...

■ **LE LAC ET SES ENVIRONS**

Le lac est également un sanctuaire pour des dizaines d'espèces d'oiseaux.

■ **WASGOMUWA NATIONAL PARK**

Autour de 25 $ l'entrée (ticket, voiture, taxes comprises), ce qui fait un peu cher pour la visite. Situé au cœur du pays, entre les montagnes des Knuckles et celles de Mahaveli, ce parc est sans aucun doute le plus difficile d'accès du Sri Lanka. Cette réserve, bien moins touristique que tous les Yala et autres Bundala, présente l'avantage d'observer une nature moins pervertie par le tourisme de masse. Pas énormément d'animaux ici, il est possible que vous en ressortiez déçus.

HABARANA

A 15 km de Sigiriya et 25 km de Dambulla. Une petite ville tranquille si ce n'est qu'elle mène aux villes principales des environs et de plus loin. Quatre routes la traversent – et la font toute entière au passage – : Dambulla Road, Trincomalee Road, Anuradhapura Road et Polonnaruwa Road. On imagine aisément le trafic qui règne ici, mais c'est un bon point de départ, non seulement pour les anciennes cités royales, mais aussi pour des promenades à dos d'éléphant. En effet, on ne le dit pas assez, mais Habarana est un lieu de passage pour les pachydermes qui peuvent, à certaines heures, bloquer entièrement la circulation. Dans ce

Polonnaruwa, Gal Vihara, Bouddha debout

cas-là, évitez le klaxon ou les appels de phares et attendez tranquillement qu'ils passent. En revanche, pour ce qui est de la prestation, ne vous attendez à rien de très Indiana Jones, vous suivrez des parcours parfaitement balisés avec arrêt photo et clichés de dos, de profil, de face, etc. Les prix suivent aussi la demande, qui est assez importante.

Pratique

- **Une station-service** inratable au niveau de la jonction.
- **Un petit café** ouvert toute la nuit pour les routiers, donc pratique pour les insomniaques.
- **Une mosquée** sur Dambulla Road, juste avant les hôtels.
- **Un centre de soins ayurvédiques** fait le coin entre Dambulla Road et Polonnaruwa Road : Suwainadhu.

Guides touristiques

Vous trouverez de nombreux guides prêts à vous emmener en safari Jeep dans le parc national de Minneriya. On vous en recommande un tout spécial puisqu'il emmenait déjà les touristes avant même que Minneriya ne soit déclaré parc national !

■ **PIYA SAFARI**
✆ portable : 0777 918 2257
Comptez 3 000Rs la demi-journée en Jeep à parcourir le parc. Piya propose aussi de monter les éléphants (pas les éléphants sauvages de la réserve mais des domestiques qui travaillent dans les champs !).

Hébergement

Bien et pas cher

On trouvera un tas de petites guesthouses moyennement bien tenues sur Polonnaruwa Road pour 500 Rs.

■ **PRASENNA HOTEL AND REST**
Dambulla Road
✆ (066) 227 00 26
A partir de 750 Rs et 1 000 Rs la chambre double, ce qui est vraiment cher pour ce que c'est ! Restaurant local, donc pas cher, mais assez moyen. Bon, disons que c'est une adresse bien utile pour dormir simplement. Les cinq chambres sont dans un bâtiment à l'écart de la route de quelques mètres, et c'est suffisant. Un petit jardin avec des statues super kitsch – type nains de jardin – en plein milieu, et un confort minimum. D'ailleurs, on n'en profite pas vraiment pour s'y poser, trop de moustiques le soir venu.

■ **SURANI LITTLE VILLAGE**
Digampathna
✆ (066) 492 01 47
Un endroit simple avec des petits bungalows. L'intérêt, c'est qu'il est calme car éloigné de la ville. Les chambres entre 1 500 à 2 500 Rs sont confortables. Petit déjeuner à 200 Rs.

Confort ou charme

■ **HOLIDAY INN**
Juste après les John Keells
sur Dambulla Road
✆ / Fax : (066) 227 00 10
La chambre double en hébergement seul pour 1 500 Rs. Endroit sympathique, chambres coquettes quoique simples, avec un petit jardin reposant. Restaurant, bar et excursions. Accueil aimable.

■ **HABARANA RESTHOUSE**
Au niveau de la jonction
✆ (066) 700 03
Les chambres sont aussi correctes que possible, mais pour 30 à 40 $ la nuit en chambre double, on s'attend clairement à mieux. A visiter avant de faire son choix. Dommage que l'endroit soit assez bruyant, car cet ancien lodge britannique avec véranda ne manque pas de charme. Le restaurant sert un rice and curry délicieux.

Luxe

■ **CHAAYA VILLAGE**
Dambulla Road
Au bord du lac de Habarana
✆ (066) 700 46 – Fax : (066) 700 47
www.chaayahotels.com
Grand confort pour 101 $ la chambre double et 113$ avec petit déjeuner. Un endroit de grand luxe et plein de charme avec des bungalows dans la forêt. Dirigé par un des sous groupes de JohnKeells, Chaaya Resorts.

Les éléphants du Sri Lanka

« Au début du siècle passé, le Sri Lanka, aux trois quarts livré à la forêt vierge, comptait une population de 20 000 éléphants », rapporte R. P. Duchaussois (*Sous les feux de Ceylan*, Grasset, 1929). Aujourd'hui, le quart de l'île seulement demeure couvert de forêt. Il resterait à peine 3 500 à 4 000 éléphants sauvages, cantonnés dans les réserves gérées par l'Etat. On dénombre à peu près 350 éléphants domestiques, appartenant à des propriétaires privés ; leurs conditions de vie sont loin d'être idéales, mais ils font à présent partie de la vie quotidienne des Sri Lankais. Ils demeurent au cœur des célébrations religieuses qui animent l'île tout au long de l'année.
On les croise au hasard de nos pérégrinations, ici dans un village, là au pied d'une montagne, ou là encore sur les bords d'une rivière. Le bonheur des pachydermes se situe à Uda Walawe, réserve nationale où plus de 500 éléphants sont chez eux. Trente mille hectares de savane jalonnée de banians, une herbe grasse et un lac leur permettent d'évoluer en liberté. A Yala également, on pourra en croiser un certain nombre, ainsi que bien d'autres animaux, mais c'est principalement aux alentours d'Habarana, au cœur du Triangle culturel, qu'on aura le plus de chances de les apercevoir.

© AUTHOR'S IMAGE - MICKAEL DAVID

■ **CINNAMON LODGE**
Sur la route de Dambulla
✆ (066) 227 00 12
Fax : (066) 227 00 11
www.johnkeellshotels.com
Tout à côté du précédent, donc aussi sur le Habarana Tank, mais un cran au-dessus dans le charme, le confort et surtout les prix car la double est à 101 $, 116 $ avec petit déjeuner. L'endroit est magnifique. Belles chambres meublées de bois, balcon donnant sur le lac et sur le parc. Trois restaurants dont un thaïlandais, belle piscine.

Restaurants

■ **PALMYRAH HOTEL AND RESTAURANT**
Dambulla Road
Propose une cuisine correcte à 200 Rs le *rice and curry* dans un cadre agréable tout en bois et bambou. Ambiance paillote sympathique avec sa terrasse le soir, si l'on est bien pourvu en répulsif.

■ **KRISHNA HOTEL**
Dambulla Road
Café à 12 Rs. Petit boui-boui pour prendre un casse-croûte ou un café. L'intérêt du lieu réside dans le fait qu'il est le seul ouvert jusqu'à 6h du matin.

Manifestation

▶ **15 novembre.** Commémoration par l'armée, la police, la Navy des soldats tombés lors de la guerre. On trouve d'ailleurs à la jonction, devant la resthouse, un monument aux morts.

Points d'intérêt

Deux petits temples, un hindouiste dans la ville, un autre bouddhiste à quelques centaines de mètres sur Anuradhapura Road, valent une petite visite.

▶ **Le kovil,** qu'on visitera plus par commodité qu'autre chose, il n'y a vraiment rien d'autre à voir dans la ville. Et c'est toujours joli, un temple hindou.

▶ **Le vihare** parce qu'il est ancien, caché dans la jungle environnante, et donc intéressant. A 500 m sur Anuradhapura Road en descendant vers Habarana Tank.

GIRITALE

A 12 km de Polonnaruwa. Cette petite ville près du lac ne propose que trois hôtels haut de gamme.

Hébergement

■ **THE ROYAL LOTUS**
✆ (027) 224 63 16
www.theroyallotus.com
De 62 à 83 $, les chambres dans un grand bâtiment pas si incroyable pour le prix. La piscine donnant sur le Giritale Tank était en travaux à notre passage. Un parking, un lobby, un restaurant sur la piscine. La vue est splendide.

■ **GIRITALE HOTEL**
✆ (027) 224 63 11
De 70 à 80 $ la chambre double, selon la catégorie, avec petit déjeuner. Le plus élevé des trois, donc qui offre la vue la plus spectaculaire sur les environs. On n'a pas trop aimé l'aspect verdâtre de l'établissement, mais le service et les chambres sont impeccables, la vue sur le réservoir spectaculaire et le restaurant correct. Un centre de spa, piscine, parking, boutiques et deux groupes qui donnent des concerts live de temps à autre.

■ **DEER PARK HOTEL**
✆ (027) 642 72
Fax : (027) 464 70
Comptez de 143 à 231 $ la chambre selon la catégorie. Un endroit de rêve, avec des bungalows de grand confort aménagés avec goût dans la nature. Affilié aux resorts Angsana, réputés pour allier luxe, spa et respect de l'environnement, le Deer Park Hotel propose des chambres confortables dans un joli bâtiment où le bois est la matière dominante.
Piscine à deux étages, le plus bas pour les enfants. Vue sur le réservoir depuis les chalets. Restaurant, bar, parking, Jacuzzi et sauna. Le plus beau des trois, mais la vue sur le lac n'est pas fameuse.

Restaurants

Ils se valent à peu près tous dans les pensions environnantes. Une mention spéciale, cependant, pour The Village, Polonnaruwa Road, à Giritale, où l'on sert un buffet de vingt-quatre sortes de currys différents à prix très modique.

ANURADHAPURA

A 200 km environ au nord de Kandy. Fondée au Ve siècle av. J.-C., Anuradhapura fut la capitale de l'île pendant quatorze siècles. Placée sous le patronage de trois grands monastères bouddhiques, elle grandit autour d'immenses édifices reliquaires, les dagoba, construits en mémoire de Bouddha : Thuparama, le plus ancien dagoba de l'île, Ruvanveliseya immaculé, le plus vénéré, et les deux gigantesques Jetavanarama et Abhayagiriya.
L'histoire d'Anuradhapura commence en 380 av. J.-C., avec le monarque Pandukabhaya, mais la ville sainte connaît son apogée avec l'arrivée du bouddhisme sur l'île sous le règne de Devanampiyatissa presque deux siècles plus tard. Tombée plus tard aux mains des envahisseurs venus du sud de l'Inde, Anuradhapura fut reconquise par le roi Dutugemunu.
On doit à ce dernier la plupart des édifices encore visibles aujourd'hui. Les rois poursuivirent l'expansion de la ville jusqu'à ce qu'on lui préférât, bien plus tard au Xe siècle, sa concurrente Polannaruwa. Mais cette cité conserve, et c'est la seule du pays, le titre de ville sainte et est inscrite depuis 1982 sur la liste du Patrimoine mondial édictée par l'Unesco.

Transports

- **Bus.** On peut rejoindre Trincomalee (2 heures), Kandy en passant par Dambulla (3 heures), Polonnaruwa (1 heure) et Colombo (5 heures). Il y a deux gares routières. La plupart des destinations sont desservies à partir de New Station, qui se situe au sud de la ville. Pour Colombo (4 heures 30 de trajet), les départs sont fréquents. Pour Kandy via Dambulla (3 heures de trajet), et Dambulla (1 heure de trajet), nombreux départs également. Pour Polonnaruwa (3 heures de trajet) les départs se font toutes les 45 minutes.
- **Train.** La gare est située à 1 km au nord de la ville. On peut s'y rendre en *three-wheeler.* De Colombo-Fort (5 heures de trajet), quatre départs par jour. D'Anuradhapura, quatre départs pour Colombo.

Se déplacer

- **Le site est très étendu.** Un véhicule est indispensable pour en faire le tour. En three-wheeler, il vous en coûtera 1 000 Rs pour une demi-journée de balade. En voiture avec chauffeur, comptez de 2 000 Rs à 2 500 Rs la journée.
- **On peut aussi découvrir le site à vélo** à condition d'éviter les heures les plus chaudes. Vous pourrez en louer auprès des pensions de la ville pour 200 à 300 Rs par jour.

Pratique

Il est plutôt aisé de saisir la différence entre Old Town et New Town, mais à Anuradhapura, les choses se compliquent et on parle de stage. Pour s'y retrouver :

- **Stage I :** c'est la vieille ville.
- **Stage II :** c'est la nouvelle ville.
- **Stage III :** appellation récente, elle désigne la première ceinture, c'est-à-dire la périphérie immédiate de la cité, pas tout à fait banlieue, mais plus vraiment dans la ville. Bon à savoir pour choisir votre lieu d'hébergement.

Hébergement

Il y a quelques établissements qui vous permettraient de rejoindre à pied les temples de la ville. Les hôtels sont généralement dispersés dans le sud ou le nord d'Anuradhapura ou sur les routes avoisinantes. Attention, les meilleurs hôtels sont souvent pris d'assaut le week-end ainsi que pendant les fêtes du Nouvel An et de Poya Day (la pleine lune).

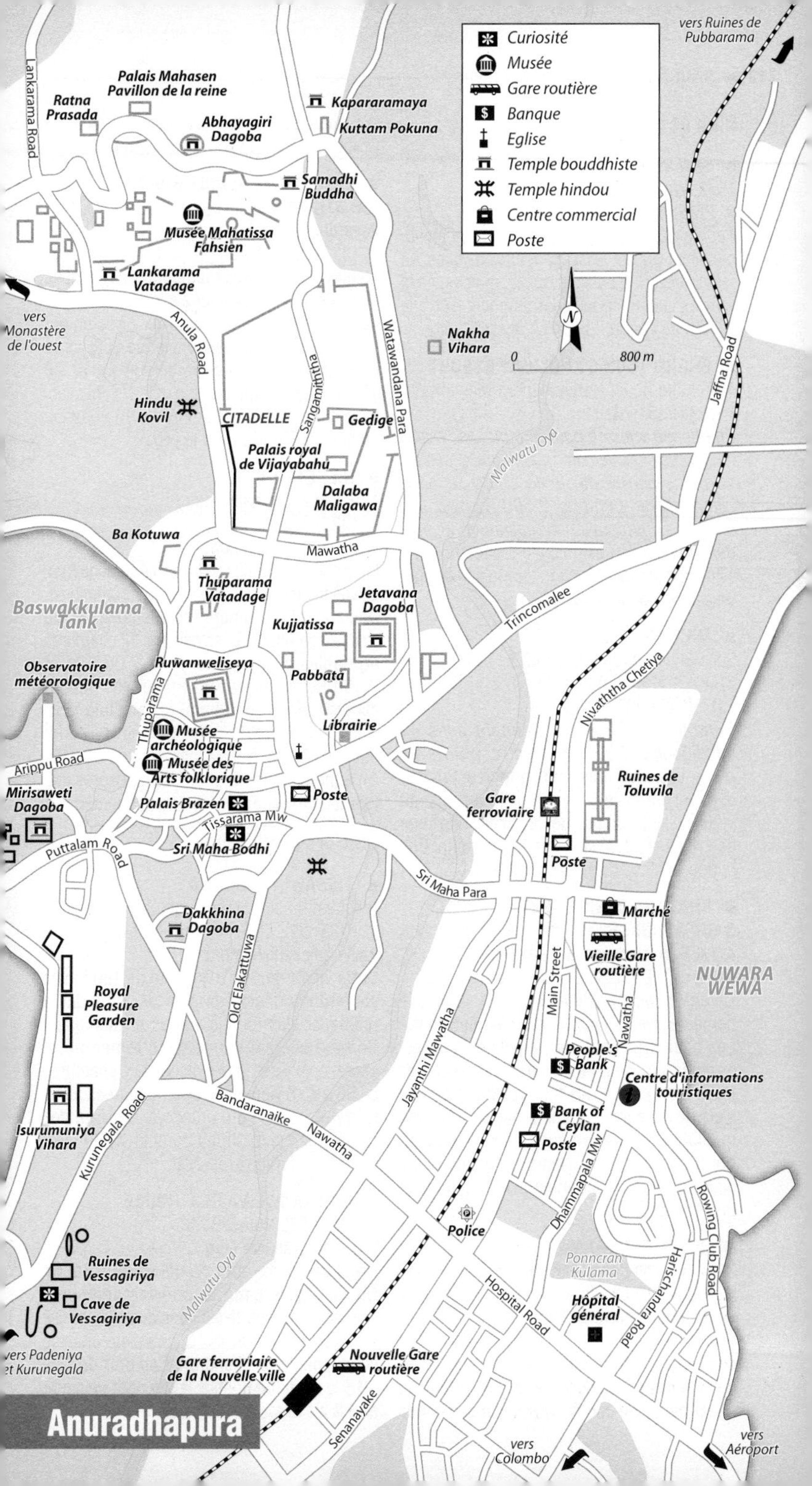

Anuradhapura
Curiosité
Musée
Gare routière
Banque
Eglise
Temple bouddhiste
Temple hindou
Centre commercial
Poste
0
800 m
vers Ruines de Pubbarama
Lankarama Road
Palais Mahasen
Pavillon de la reine
Ratna Prasada
Abhayagiri Dagoba
Kapararamaya
Kuttam Pokuna
Samadhi Buddha
Musée Mahatissa Fahsien
Lankarama Vatadage
vers Monastère de l'ouest
Anula Road
Nakha Vihara
Watawandana Para
Sangamiththa
Hindu Kovil
CITADELLE
Gedige
Palais royal de Vijayabahu
Dalaba Maligawa
Jaffna Road
Malwatu Oya
Ba Kotuwa
Mawatha
Thuparama Vatadage
Jetavana Dagoba
Baswakkulama Tank
Kujjatissa
Trincomalee
Ruwanweliseya
Pabbata
Observatoire météorologique
Nivaththa Chetiya
Thuparama
Musée archéologique
Librairie
Arippu Road
Musée des Arts folklorique
Ruines de Toluvila
Mirisaweti Dagoba
Palais Brazen
Poste
Gare ferroviaire
Tissarama Mw
Sri Maha Bodhi
Puttalam Road
Poste
Sri Maha Para
Marché
Dakkhina Dagoba
Vieille Gare routière
Main Street
NUWARA WEWA
Old Elakattuwa
Royal Pleasure Garden
Jayanthi Mawatha
Nawatha
People's Bank
Centre d'informations touristiques
Bank of Ceylon
Isurumuniya Vihara
Bandaranaike Nawatha
Poste
Kurunegala Road
Dhammapala Mw
Rowing Club Road
Police
Ruines de Vessagiriya
Ponncran Kulama
Harischandra Road
Malwatu Oya
Cave de Vessagiriya
Hospital Road
Hôpital général
vers Padeniya et Kurunegala
Gare ferroviaire de la Nouvelle ville
Nouvelle Gare routière
Senanayake
vers Colombo
vers Aéroport

Bien et pas cher

■ **SAMANALA LAKE VIEW**
4N/2, Wasala Datha Mawatha
✆ (025) 567 36 92
Pour 1 500 Rs, les chambres qui ont pour certaines vue sur le lac, sont très basiques. Au resto, on sert le poisson du lac, mais on ne le voit pas ce fameux lac contrairement à ce que le nom de l'endroit pourrait laisser croire.

■ **GRAND TOURIST HOLIDAY RESORT**
4B2, Lake Road, Harischjandra Mawatha
✆ (025) 351 73
Une bonne adresse pour le prix. Les vastes chambres avec ventilo, moustiquaire et salle de bains sont à partir de 1 700 Rs sans climatisation. Comptez 2 500 Rs pour une chambre double avec climatisation et petit déjeuner. Le lieu est joli, c'est une ancienne villa avec véranda donnant sur la campagne. Gare aux moustiques !

■ **MILANO**
Sur Harischandra Mawatha
✆ (025) 222 23 64
Fax : (025) 222 23 64
Compter 1 500 Rs la chambre sans air conditionné, 2 000 Rs avec et 450 Rs les repas. Les chambres sont correctes, propres et plutôt agréables, le cadre joli avec un petit jardin où l'on peut manger. Possibilité de louer des vélos et connexion Internet gratuite. Une bonne adresse dans l'ensemble.

■ **SHALINI TOURIST REST & GUESTHOUSE**
41/388, Harischandra Mawatha
✆/Fax : (025) 222 24 25
Comptez entre 1 000 et 3 500 Rs. Très jolie demeure avec un jardin très bien entretenu. Les chambres sont spacieuses et propres, et on a un accès à Internet. TV dans toutes les chambres. Un des rares endroits où l'on s'emploie à suppléer à un office de tourisme inexistant en renseignant les visiteurs : horaires des trains, des bus, explications historiques, etc. Une mine d'informations et un service en or.

■ **HOTEL PANORAMA**
395/11 C, Muditha Mawatha
✆ (025) 222 38 98
www.hotelpanoramasl.com
Entre 900 Rs et 1 600 Rs la chambre double. 200 Rs le petit déjeuner. Un hôtel de 5 chambres plutôt local, très coloré. Attention, pas pratique de dormir avec des mangoustes qui jouent au-dessus des chambres la nuit ! Grand restaurant avec karaoké et bar.

■ **SRI LANKA TOURIST BOARD GUESTHOUSE**
Jayanthi Mawatha
✆ (025) 222 21 88
La guesthouse gouvernementale, il faut donc réserver à Colombo pour avoir des chambres car il est impossible d'en avoir directement sur place. Non loin de l'ancienne cité, cette guest propose 35 chambres à partir de 1 518 Rs sans climatisation et 2 214 Rs avec. Le bâtiment et les chambres sont vétustes mais confortables pour le prix.

■ **NILKETHA VILLA**
139, Old Mihinthale Road
✆ (025) 222 25 53
www.nilkethavilla.com
La guesthouse la mieux placée d'Anuradhapura, on voit même les ruines de certaines chambres. Demandez les chambres côté temples, la vue y est magnifique sur les rizières. 12 chambres agréables avec balcon entre 2 000 Rs et 2 500 Rs, comptez 700 Rs de plus pour la climatisation. Une chambre familiale pour 4 personnes à 4 250 Rs. Le petit déjeuner est à 2 250 Rs et les repas environ 300 Rs. On appréciera la simplicité du lieu après une journée de visite des ruines environnantes.

Confort ou charme

■ **TISSAWEWA GRAND**
A l'ouest du site archéologique
✆ (025) 222 99 – Fax : (025) 235 05
www.quickshaws.com
Cette vieille demeure qui date de 1907 avec sa véranda, pleine de charme, fut jadis la résidence des fonctionnaires britanniques. Comme elle est située dans le périmètre sacré, on n'y sert pas d'alcool. Les chambres de 35 à 75 $ viennent d'être restaurées, mais le style ancien à été préservé. C'est un des rares logements situés dans la vieille ville, alors il vaut mieux réserver.

■ **NUWARAWEWA RESTHOUSE**
✆ (025) 222 25 65/32 65
www.quickshaws.com
Hôtel du même groupe que le précédent. Quick Shaws aime les vieilles demeures coloniales et celle-là est l'une des plus vieilles du coin. Piscine et lac donnent un charme supplémentaire à l'endroit. Comptez de 47 à 56 $ la chambre double, 4 $ le petit déjeuner et 6 $ les repas.

Luxe

■ GALWAY MIRIDIYA HOTEL

Wasala Dantha Mawatha
✆ (025) 221 12 – Fax : (025) 225 19
www.galway.lk
Bonne adresse. Les chambres de 70 à 80 $ ont tout le confort moderne et sont situées dans un bel environnement verdoyant avec piscine. Pause agréable et relaxante quand on rentre d'une journée d'excursion.

■ PALM GARDEN VILLAGE HOTEL

Puttalam Road
✆ (025) 222 39 61 – Fax : (025) 215 96
www.palmgardenvillage.com
Compter 90 $ la chambre double, 102 $ avec petit déjeuner. Un écrin de verdure avec une splendide piscine et un court de tennis. Les chambres en bungalows sont grandes, belles, décorées du meilleur goût. Rien à dire, c'est une adresse très recommandable de classe internationale. Un spa magnifique propose des traitements traditionnels ayurvédiques à partir de 2 500 Rs. Le restaurant en terrasse de style colonial est délicieux. Coup de cœur pour ce havre de paix près de l'ancienne cité.

■ ULPOTHA

Près d'Embogama
Située au cœur des montagnes Galgiriyawa, cette retraite, car c'est le mot, est nichée dans un écolodge sans mur, fait de terre, et tout entier dédié à la méditation, le calme et le yoga. Le lieu est délibérément isolé de tout afin de permettre au visiteur de se retrouver et de se régénérer pendant son séjour. Tout en harmonie avec la nature. On y reste par période d'une semaine pour profiter du traitement ayurvédique, voire des sessions de yoga si ça vous intéresse. Deux semaines est le minimum conseillé. Ouvert de juin à août puis de novembre à mars. Pour une semaine en traitement ayurvédique, 375 $ par personne sur la base d'une chambre double ; vous n'avez pas besoin d'être accompagné, on vous fera partager une chambre sur place, sinon il y a un supplément de 470 $ par semaine.

Manifestations

- **Fête du Ruvanveliseya** et des collines de Mihintale le jour de *poya* du mois de Poson (juin). C'est l'un des plus grands rassemblements bouddhistes et, trois jours durant, les pèlerins affluent par dizaines de milliers.
- **Fête du Riz nouveau,** en mai-juin, après les premières pluies de la mousson. Les paysans apportent le riz nouveau en procession, dans le cœur sacré de la cité.
- **Nanu Mura Mangalliya,** le jour de *poya* du mois d'avril.

A titre indicatif, si vous venez de Dambulla ou d'Anuradhapura, chacun des itinéraires devrait être négociable à 1 500 Rs par véhicule.

Points d'intérêt

■ LA CITÉ SACRÉE

Le site archéologique possède une entrée unique, près du musée Jetavanarama. Ouvert tous les jours de 7h à 18h. Vous pourrez vous y procurer le forfait du Triangle culturel. Attention, si vous souhaitez étaler votre visite sur deux jours, il faut faire tamponner votre billet au bureau de l'administration des sites, à l'étage du musée. Comme pour la visite de Polonnaruwa, l'idéal est de louer un vélo pour la journée et de parcourir l'ensemble des vestiges d'Anuradhapura, mis au jour à la fin du XIXe siècle par des archéologues britanniques. Si vous souhaitez recourir à un guide pour 1 500 Rs/jour, adressez-vous au musée. Sans le forfait, l'entrée seule coûte 20 $.
Attention avec l'aide de l'Unesco, les archéologues et spécialistes locaux effectuent des rénovations et restaurations aléatoires et imprévisibles sur certains temples.

Anuradhapura, dagoba de Ruvanveliseya

LE JETAVANARAMA

Ce dagoba visible de loin culmine à 120 m. C'est le troisième édifice le plus haut du monde après les deux principales pyramides. Véritable colline artificielle contenant 10 millions de briques, il fut édifié en vingt-quatre années au IIIe siècle de notre ère. Il est censé contenir la ceinture et le bol à aumônes de Bouddha.

LE MUSÉE DU JETAVANARAMA

Ouvert tous les jours de 8h à 17h. Le musée est installé dans l'ancien bâtiment de l'administration britannique. Il contient surtout des sculptures sacrées provenant de différents endroits du site d'Anuradhapura. Des vitrines contiennent divers menus objets découverts par les archéologues : bijoux en perle en cristal, pâtes de verre, pierres précieuses, ou jade de Chine. On notera aussi la présence de bijoux provenant d'échanges avec l'Empire romain. Ne manquez pas d'admirer un minuscule ornement en or de 8 mm, travaillé en forme de fleur de jasmin.

LES RUINES DU NORD

L'Abhayagiri Dagoba, lui aussi de belle taille, est situé à l'extrême nord du site. On remarquera particulièrement ses frises et ses reliques envoyées par l'empereur indien Asoka, notamment des bols à aumônes. Plus au nord, les appareils photo crépitent autour de la plus belle pierre de lune sculptée du pays. Elle se trouve à proximité des ruines de l'ancien palais Mahasen.

▶ **En revenant sur la route, vous avez devant vous les bassins jumeaux,** Kuttam Pokuna, datant des IVe et VIe siècles, utilisés par les moines du monastère voisin. Ils n'ont de jumeaux que le nom : l'un est une fois et demie plus grand que l'autre. Dans le petit bassin, l'eau jaillit de la bouche d'une belle gargouille (mi-dragon, mi-lion) appelée Makara. Vous passerez ensuite devant la très belle statue de pierre de Bouddha en Samadhi, qui date du IIIe siècle av. J.-C.

LE MUSÉE ABHAYAGIRI

Au sud du dagoba d'Abhayagiri

Ouvert de 8h à 17h, entrée libre. Ce bâtiment récent offert par la Chine présente divers vestiges trouvés près du dagoba.

LE MAHAVIHARA (GRAND MONASTÈRE)

Ce site sacré correspond à celui du centre de l'ancienne cité d'Anuradhapura. Il est encore très fréquenté par les pèlerins.

▶ **Le Thuparama Dagoba,** construit à partir de 276 av. J.-C., est non seulement le plus ancien de la ville mais aussi de tout le pays. Il fut édifié, dit-on, pour conserver une clavicule de Bouddha. Sa forme initiale « en tas de riz » a laissé la place aujourd'hui, après une restauration au XIXe siècle, à une silhouette d'ampoule.

▶ **Le Ruwanweli Seya.** Situé au sud du précédent, c'est le plus grand dagoba d'Anuradhapura. Il fut construit au IIe siècle av. J.-C. par Dutugemunu. Ce dernier mourut avec l'assurance que son œuvre, tout de blanc vêtue, était terminée. En fait, son frère fit tendre un tissu blanc sur des bambous en

Anuradhapura, monastère

lieu et place des dernières pierres : l'illusion pour le mourant fut complète. Aujourd'hui, les visiteurs peuvent admirer un stupa de 100 m de hauteur qui a survécu aux destructions des envahisseurs du sud de l'Inde mais qui n'a pas la forme en « bulle d'eau » voulue par le roi défunt.

▸ **Sri Maha Bodhi** (temple du Grand Eveil). C'est sans doute le site le plus fréquenté par les pèlerins tout au long de l'année. Pour les bouddhistes, il n'y a rien de plus sacré dans la ville que cet arbre, rejeton de Ficus religiosa, sous lequel Bouddha reçut l'Illumination. Vénéré depuis son arrivée sur l'île au IIIe siècle av. J.-C., étayé par des pièces métalliques, l'arbre sacré (en réalité, il y a plusieurs arbres qui sont autant de boutures de leur illustre ancêtre) est entouré d'une grille dorée. Des drapeaux de prière flottent au vent tout autour de la plate-forme qui surélève l'arbre. Le cortège des pèlerins est incessant matin et soir. Pieds nus, portant dans leurs mains des petites lampes à huile, ils récitent des mantras ou prient silencieusement. Le palais d'airain est voisin de l'arbre Bo. Il fut construit pour accueillir les moines en pèlerinage. Son toit, à l'origine, était couvert de tuiles en bronze, d'où son nom. Sa taille initiale, raconte-t-on, lui permettait d'héberger un millier de moines sur neuf étages. Détruit puis reconstruit plusieurs fois, ce palais est aujourd'hui célèbre pour ses mille six cents colonnes de pierres : quarante rangées de quarante colonnes.

▸ **En suivant les berges du Tissa Wewa.** Ce grand lac artificiel situé au sud de la cité sacrée est dû aux efforts du roi Devanampiyatissa au IIIe siècle av. J.-C. C'était la principale source de ravitaillement de la ville. Un autre dagoba en restauration vous attend dans les parages : le Mirisavatiya Dagoba, érigé au IIe siècle av. J.-C. Enfin, vous terminerez par une halte aux jardins du Plaisir royal. Ils couvrent 14 ha et contiennent deux bassins, puis vous rejoindrez le temple du Rocher, Isurumuniya. Construit au IIIe siècle av. J.-C., il est célèbre pour ses sculptures, et en particulier celle « des amoureux ». Bas et hauts-reliefs sont observables dans un des temples les mieux conservés de la ville.

MIHINTALE

A 11 km au nord-est. Cette colline rocheuse est célèbre. En 247 av. J.-C., le roi Devanampiyatissa d'Anarudhapura y croisa Mahinda, le fils de l'empereur indien Asoka, et se convertit au bouddhisme. Le nom est resté Mihintale signifie « la montagne de Mahinda ». Il faut compter une ou deux heures pour cette visite.

L'endroit fut longtemps un important centre de soins ayurvédiques où l'on soignait les malades en les faisant macérer dans des steam baths, sortes de baignoires en pierre contenant des plantes. On peut voir certains de ces « sarcophages » sur la droite, avant d'arriver aux escaliers, ou au petit musée (ouvert de 8h à 17h, fermé le mardi, entrée libre, de l'autre côté de la route). Sachez que vous pourrez profiter de ces *steam baths* dans n'importe quel hôtel doté d'un centre de spa.

Anuradhapura, dagoba de Thuparama

Hébergement

■ **NIMNARA LAKE SOJOURN**
21/146, Wajira Mawatha, Isurupura
✆ (025) 458 02 56
Jolie maison assez agréable et sur le lac.

■ **MIHINTALE RESTHOUSE**
25 $ la chambre double. Sans grand intérêt. Le restaurant offre une jolie vue et est plutôt agréable avec son plafond suspendu.

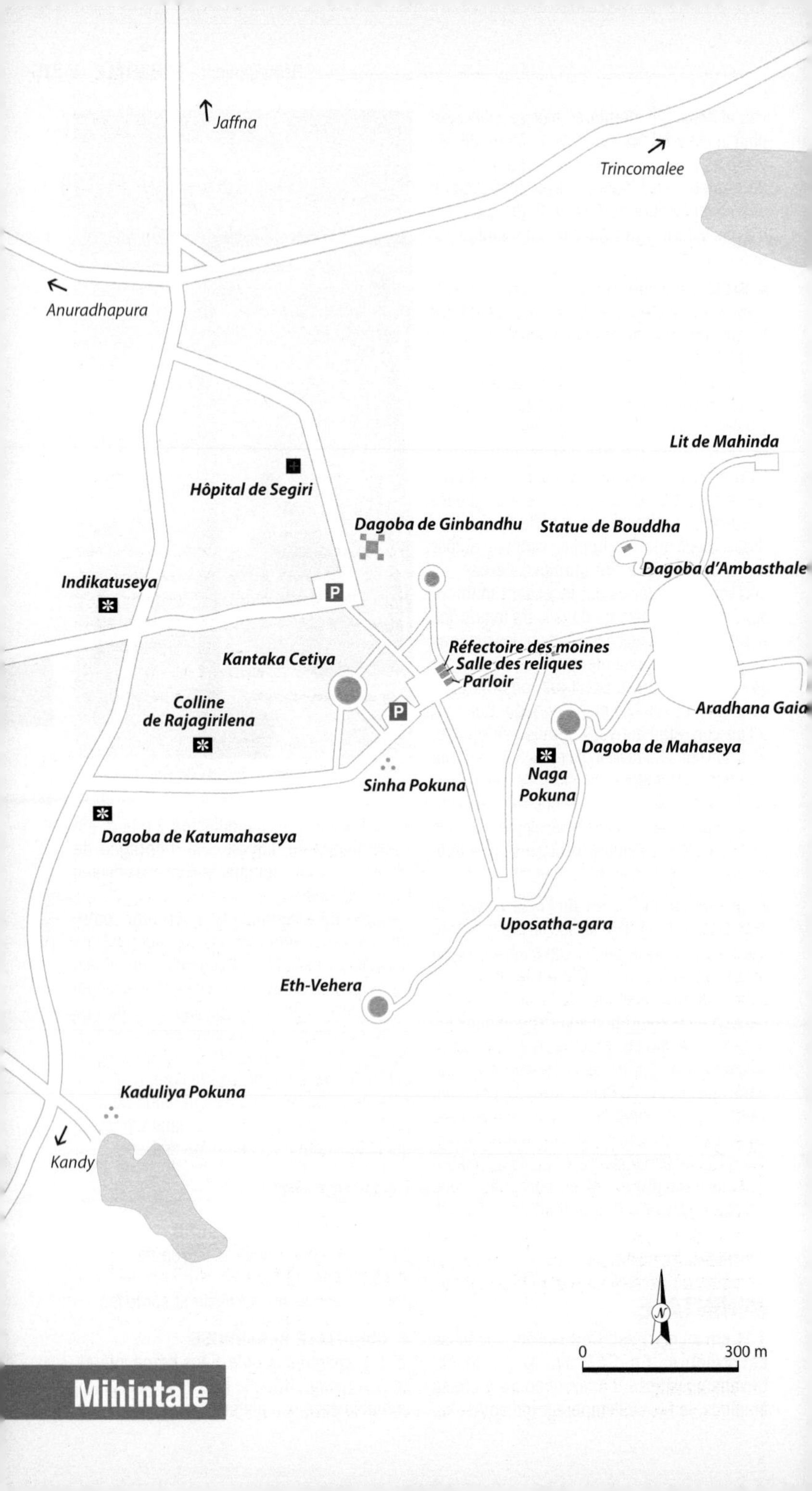
Jaffna
Trincomalee
Anuradhapura
Lit de Mahinda
Hôpital de Segiri
Dagoba de Ginbandhu
Statue de Bouddha
Dagoba d'Ambasthale
Indikatuseya
P
Réfectoire des moines
Salle des reliques
Parloir
Kantaka Cetiya
Colline
de Rajagirilena
P
Aradhana Gala
Dagoba de Mahaseya
Naga
Pokuna
Sinha Pokuna
Dagoba de Katumahaseya
Uposatha-gara
Eth-Vehera
Kaduliya Pokuna
Kandy
N
0
300 m
Mihintale

Mihintale

Points d'intérêt

Pour parvenir au sommet de la colline, il faut gravir 1 840 marches en pente douce. L'ascension vaut vraiment la peine, surtout si vous grimpez sur le rocher sacré d'où la vue est magnifique sur le chaos de pierres environnant. Les pèlerins accomplissent cette montée au moment de la pleine lune de Poson, en mai ou juin. En redescendant par le côté opposé à celui de votre arrivée, vous atteindrez le Sinha Pokuna (bassin du Lion). De très beaux bas-reliefs de lions et autres animaux ornent ses bords.

RITIGALA

A 25 km à l'est d'Aukana

Ouvert tous les jours de 8h à 17h. Entrée comprise dans le forfait du Triangle culturel. Sinon acquittez-vous de 500 Rs. 1 heure 30 de visite. Cet ancien monastère perdu en pleine forêt vaut davantage le détour pour la beauté de son paysage que pour la grandeur de ses ruines. Il est situé dans une zone naturelle, protégée, riche en éléphants sauvages. Attention, ceux-ci peuvent être dangereux, aussi ne vous aventurez pas dans la nature à la tombée de la nuit. D'ailleurs, évitez de vous y promener seul de manière générale. Le site a été fondé au IIIe siècle av. J.-C. par un groupe de moines ermites. Il est situé au cœur d'une jungle profonde que l'on pénètre en gravissant un chemin dallé datant du IXe siècle comme la plupart des vestiges encore visibles. Ceux-ci comprennent surtout des installations destinées à fabriquer les médicaments à base de plantes, domaine où excellaient particulièrement les moines.

Hébergement dans les environs

■ KALADIYA

Raja Rata Farm, Dambewatana,
Galkiriyagama
✆ (066) 567 02 51
www.kaladiya.com

Chambre double 105 $, maison entière 200 $ (le tout en hébergement seul). Pour la demi-pension, compter 350 $ tout le bungalow et 120 $ la chambre double. Exquise propriété située au cœur du pays : 3 chambres de caractère et spacieuses aux salles de bains colorées et stylées. Une véranda, un jardin bien entretenu et surtout un verger plein de manguiers ; tout cela pour une contenance de 8 personnes. On loue la chambre ou la maison entière.

Points d'intérêt

■ AUKANA BOUDDHA

Cette statue de Bouddha, taillée dans le granit, est l'une des plus finement œuvrées que l'on connaisse. S'il porte ce nom qui signifie « mange soleil », c'est parce qu'il resplendit aux premières lueurs de l'aube.

C'est une des plus belles statues de Bouddha de l'île, sculptée à même la falaise au Ve siècle de notre ère. Remarquablement conservée, elle se dresse à 12 m, mais est malheureusement abritée par un auvent en brique d'un goût douteux.

C'est l'une des pièces travaillées dans la pierre les plus délicates du Ier siècle de notre ère. A voir, c'est impressionnant.

■ KALAWEWA

Réservoir créé comme partout pour irriguer les champs, celui-ci a de particulier qu'il était voué à approvisionner Anuradhapura en eau il y a 1 000 ans de cela. Or, les meilleurs ingénieurs s'accordent à dire que, même aujourd'hui, il serait impossible de mettre en œuvre un chantier terrestre d'une telle ampleur à travers 60 km de longueur.

LE NORD ET LA CÔTE EST

Coucher de soleil

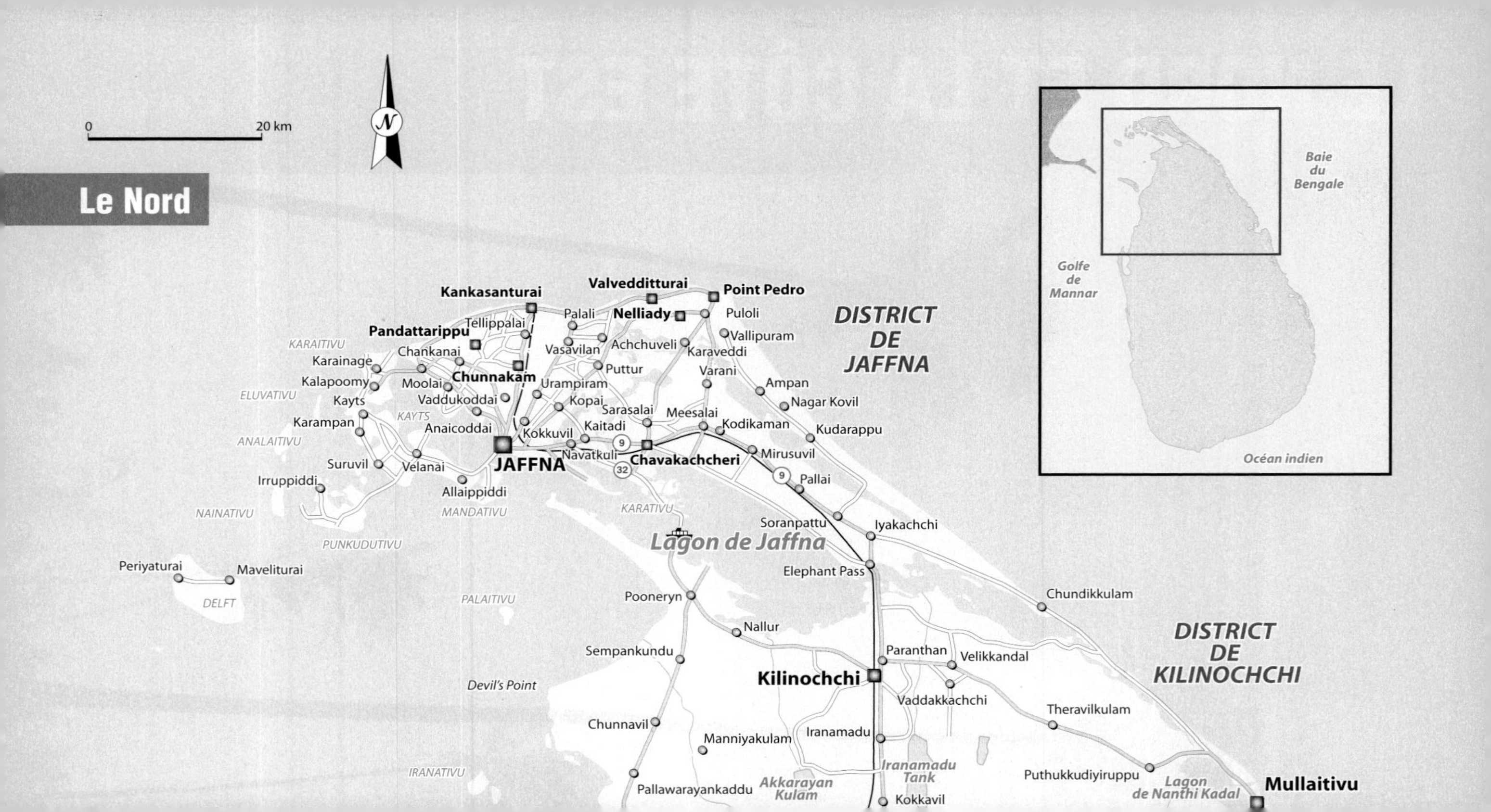
Le Nord
0
20 km
DISTRICT DE JAFFNA
DISTRICT DE KILINOCHCHI
Kankasanturai
Valvedditturai
Point Pedro
Nelliady
Pandattarippu
Tellippalai
Palali
Puloli
Vallipuram
Chankanai
Vasavilan
Achchuveli
Karaveddi
Chunnakam
Puttur
Varani
Karainage
Kalapoomy
Moolai
Urampiram
Ampan
Nagar Kovil
Kayts
Vaddukoddai
Kopai
Sarasalai
Meesalai
Kodikaman
Kudarappu
Karampan
Anaicoddai
Kokkuvil
Kaitadi
Mirusuvil
JAFFNA
Navatkuli
Chavakachcheri
Suruvil
Velanai
Pallai
Irruppiddi
Allaippiddi
Soranpattu
Iyakachchi
Elephant Pass
Lagon de Jaffna
Periyaturai
Maveliturai
Pooneryn
Chundikkulam
Nallur
Sempankundu
Paranthan
Velikkandal
Kilinochchi
Vaddakkachchi
Devil's Point
Theravilkulam
Chunnavil
Manniyakulam
Iranamadu
Iranamadu Tank
Puthukkudiyiruppu
Lagon de Nanthi Kadal
Mullaitivu
Pallawarayankaddu
Akkarayan Kulam
Kokkavil
KARAITIVU
ELUVATIVU
KAYTS
ANALAITIVU
NAINATIVU
MANDATIVU
KARATIVU
PUNKUDUTIVU
DELFT
PALAITIVU
IRANATIVU
9
32
Baie du Bengale
Golfe de Mannar
Océan indien

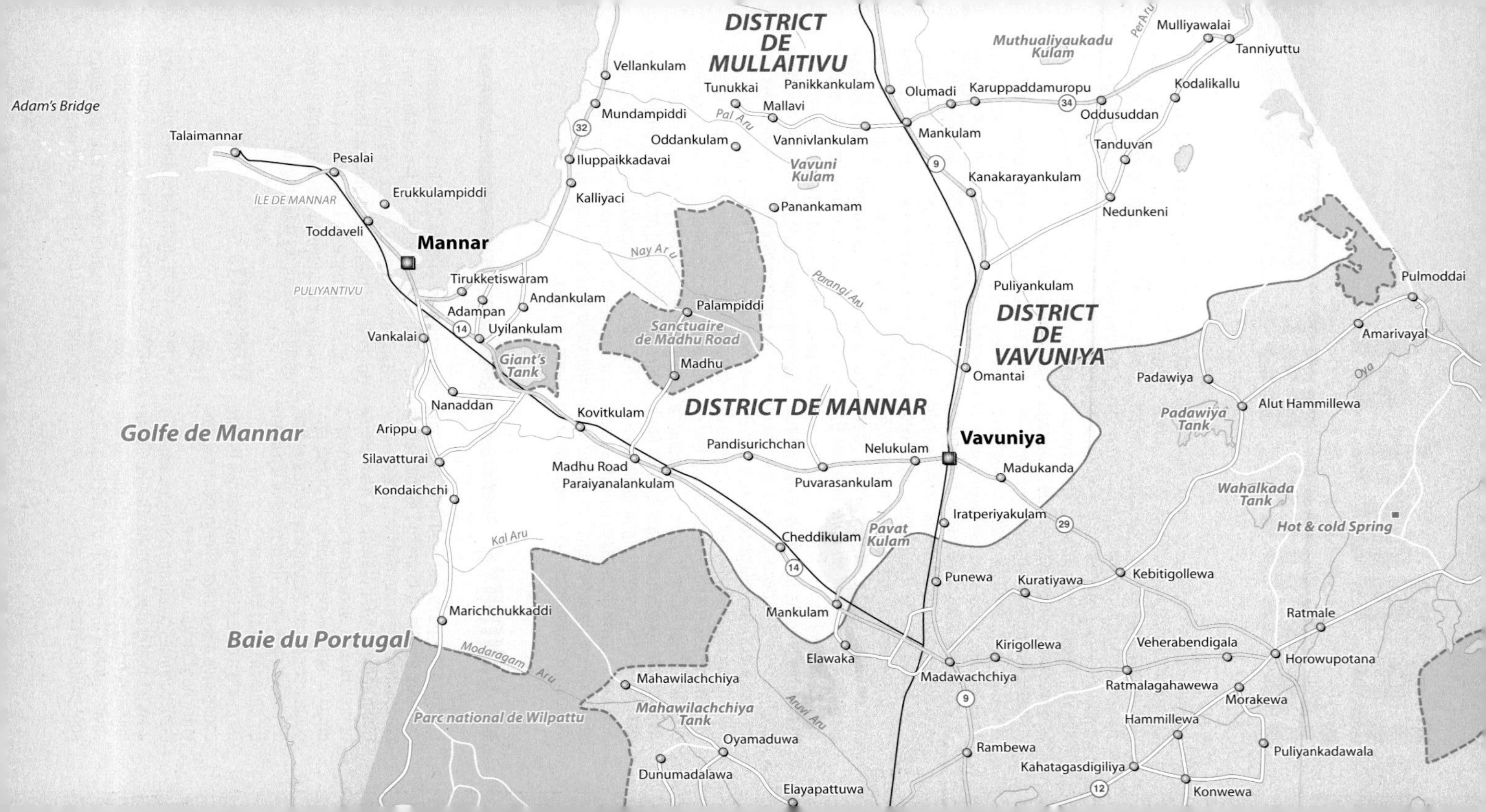
DISTRICT DE MULLAITIVU
DISTRICT DE VAVUNIYA
DISTRICT DE MANNAR
Adam's Bridge
Talaimannar
Pesalai
ÎLE DE MANNAR
Erukkulampiddi
Toddaveli
Mannar
PULIYANTIVU
Tirukketiswaram
Adampan
Andankulam
Uyilankulam
Vankalai
Giant's Tank
Nanaddan
Golfe de Mannar
Arippu
Silavatturai
Kondaichchi
Kal Aru
Marichchukkaddi
Baie du Portugal
Modaragam Aru
Parc national de Wilpattu
Mahawilachchiya
Mahawilachchiya Tank
Oyamaduwa
Dunumadalawa
Elayapattuwa
Vellankulam
Mundampiddi
Oddankulam
Iluppaikkadavai
Kalliyaci
Tunukkai
Pal Aru
Mallavi
Vannivlankulam
Panikkankulam
Vavuni Kulam
Panankamam
Nay Aru
Palampiddi
Sanctuaire de Madhu Road
Madhu
Parangi Aru
Kovitkulam
Madhu Road
Paraiyanalankulam
Pandisurichchan
Puvarasankulam
Nelukulam
Vavuniya
Cheddikulam
Pavat Kulam
Mankulam
Elawaka
Aruvi Aru
Olumadi
Mankulam
Karuppaddamuropu
Kanakarayankulam
Puliyankulam
Omantai
Muthualiyaukadu Kulam
Per Aru
Mulliyawalai
Tanniyuttu
Kodalikallu
Oddusuddan
Tanduvan
Nedunkeni
Pulmoddai
Amarivayal
Oya
Padawiya
Alut Hammillewa
Padawiya Tank
Wahalkada Tank
Hot & cold Spring
Madukanda
Iratperiyakulam
Punewa
Kuratiyawa
Kebitigollewa
Ratmale
Kirigollewa
Veherabendigala
Horowupotana
Madawachchiya
Ratmalagahawewa
Morakewa
Hammillewa
Rambewa
Kahatagasdigiliya
Puliyankadawala
Konwewa
9
14
29
32
34
12

Le Nord et la côte est

Le Nord et l'Est du Sri Lanka sont considérés comme la zone tamoule du pays, donc comme une région dangereuse. Elle n'est pourtant pas plus risquée qu'une autre si l'on reste dans les zones calmes (voir à ce sujet le site du ministère des Affaires étrangères) ; en revanche, elle présente le net avantage d'échapper au tourisme de masse et de proposer une plus grande authenticité. Pour preuve, vous serez souvent les seuls étrangers en ville, et l'on vous demandera souvent avec quelle ONG vous travaillez tant il paraîtrait incongru que vous soyez venu en simple visiteur. Pas de « ayubowan » ici, pas de harcèlement, et très peu de zones touristiques : Nilaveli au nord, Arugam Bay au sud, et c'est tout.

Mais en vous contentant des sites principaux, vous ne serez pas déçu. On dit que la région du Nord est la plus belle du pays, et la côte Est offre indéniablement les meilleures plages de l'île. Trincomalee et ses environs possèdent en effet un littoral intact et une eau translucide (encore pour combien de temps ?), et les fonds marins y sont bien moins dégradés que dans le Sud, ce qui ouvre de belles perspectives pour la plongée, à condition que les autorités se montrent intraitables sur la sauvegarde d'un environnement marin encore préservé.

Quant à Arugam Bay, c'est depuis longtemps l'un des meilleurs spots de surf du monde, très fréquenté par les amateurs de glisse du monde entier. Les lagons présents sur toute la côte offrent au visiteur un panorama réellement féerique.

Mais si l'Est est toujours praticable, il est des périodes où le passage vers Jaffna est interdit aux non-résidents, à moins de montrer patte blanche ; si vous souhaitez réellement aller à Jaffna, le mieux est encore de vous procurer une recommandation auprès du ministère de la Défense. Pour le moment, si nous ne conseillons pas de s'aventurer plus au nord que Vavuniya, un certain nombre de parcs et de réserves valent en revanche le détour.

Certaines agences de tourisme déconseillent d'aller dans les régions encore touchées par le conflit, le Nord et l'Est essentiellement. Les transports sont peu sûrs et certains chauffeurs refusent tout simplement d'y aller craignant pour leur vie. De plus, il n'y a pratiquement plus d'hébergement touristique, on dort chez l'habitant et il faut savoir que 22 ans de guerre, ça appauvrit énormément ! L'expérience humaine peut être belle mais risquée… à vous de juger.

VAVUNIYA

Le Nord du pays est souvent assimilé, dans les esprits, à la presqu'île de Jaffna, ce qui limite grandement les possibilités. Géographiquement parlant, la frontière de la province du Nord commence au-dessus du parc national de Wilpattu à l'ouest, pour continuer près de Vavuniya au centre et finir, à l'est, en plein cœur de la réserve d'oiseaux de Chundikula et Kokkilai.

On prendra donc comme postulat que le Nord commence à Vavuniya, ville jonction capitale entre nord et sud, est et ouest.

Etant donné les conditions politiques actuelles, il serait préférable de consulter le site du ministère français des Affaires étrangères pour savoir quelles zones sont sûres et lesquelles sont plutôt à éviter.

Vavuniya est situé à 254 km de Colombo, 97 km de Trincomalee, 77 km de Mannar et 53 km d'Anuradhapura, sur l'A9 en direction de Jaffna. Enorme jonction, certainement la plus importante de la moitié nord de l'île, Vavuniya est située au cœur du pays et relie les sites essentiels de la région.

Transports

Train

Terminus de la ligne ferroviaire qui reliait autrefois Colombo à Jaffna, c'est à partir de là que vous pourrez rejoindre la capitale du Nord, soit en voiture, soit par bus. Il n'y a plus aucune liaison par train partant ou arrivant à

Jaffna, les lignes ayant été depuis longtemps et à plusieurs reprises endommagées depuis le début de la guerre.
Ce n'est pas pour autant la frontière même avec la zone tamoule contrôlée par le LTTE, celle-ci se situant à quelques kilomètres de là, à Omantai.

Trains quotidiens allant à Vavuniya

- **Train n° 77** (Yadeve) Colombo-Vavuniya (par Anuradhapura) : départ 5h45, arrivée 11h50.
- **Train n° 85** (Rajarata Rajini) Matara-Vavuniya (par Colombo) : départ 9h15, arrivée 20h25 (avec un arrêt à Colombo à 14h).
- **Train n° 89** (train de nuit) Colombo-Vavuniya (par Anuradhapura) : départ 21h30, arrivée 4h30 (avec un arrêt à Anuradhapura à 2h45).
- **Train n° 96** (express) Colombo-Vavuniya (par Anuradhapura) : départ 15h55, arrivée 20h40 (avec un arrêt à Anuradhapura à 19h40).

Trains quotidiens partant de Vavuniya

- **Train n° 78** (Yadeve) Vavuniya-Colombo : départ 13h15, arrivée 19h20.
- **Train n° 86** (Rajarata Rajini) Vavuniya-Matara (par Colombo) : départ 3h15, arrivée 14h15 (avec un arrêt à Colombo à 10h30).
- **Train n° 90** (train de nuit) Vavuniya-Colombo (par Anuradhapura) : départ 21h30, arrivée 4h50 (avec un arrêt à Anuradhapura à 23h10).
- **Train n° 97** (express) Vavuniya-Colombo (par Anuradhapura) : départ 5h45, arrivée 10h25 (avec un arrêt à Anuradhapura à 6h40).

Bus

Pour rejoindre Jaffna à partir de Vavuniya, prendre un bus en direction d'Omantai (à dix kilomètres de là), où vous passerez (ou non) la frontière selon la situation politique du moment. On trouve toujours un bus pour n'importe quelle direction tant la demande est grande ici. C'est le lieu de passage par excellence.

En revanche, c'est une ville qui, par son importance stratégique dans le contrôle des routes au sein du conflit entre l'armée nationale et le LTTE, peut se révéler peu sûre, voire risquée. On conseille donc, dans le cas où vous n'avez pas d'autre choix que de passer par là, de rester près de la gare routière entre deux changements, les incidents survenant régulièrement ici.

Dernier bastion gouvernemental avant l'entrée dans la zone contrôlée par le LTTE, Vavuniya n'offre pas, ou si peu, d'hébergement pour les voyageurs. De plus, pour continuer plus au nord, il vous faudra avoir un pass obtenu à Colombo auprès du ministère de la Défense. Il est à noter que le ministère des Affaires étrangères déconseille toujours d'emprunter les bus et surtout en direction du nord et de l'est, où ils sont la cible des terroristes du LTTE. Ne prenez pas de risques inutiles.

Hébergement

Si vous devez tout de même passer la nuit dans les environs, préférez vous éloigner un peu. Sur l'A9 toujours, rendez-vous à Medawachchiya Resthouse, idéalement située à un rayon de 17 km de quatre points très populaires de la région : Vavuniya, Anuradhapura, Mihintale et Madhu. 25 $ la chambre double dans cette maison de type colonial ravalée en 2003.

Les immanquables du Nord et de la côte est

- **Visiter les ruines** du vatadage sacré de Tiriyayi.
- **Se promener au cœur du fort Frederick** de Trincomalee.
- **Passer une nuit spirituelle** dans le monastère de Buddhangala, près d'Ampara.
- **Admirer les fonds marins** près de Pigeon Island, à Nilaveli.
- **Ecouter le poisson chanteur** du lac de Batticaloa.
- **Surfer sur les rouleaux** d'Arugam Bay.
- **Voir Adam's Bridge** au point du Sri Lanka le plus proche de l'Inde, Talaimannar Pier.

L'endroit reste digne des établissements gérés par la Ceylon Hotels Corporation, mais la vue et l'emplacement valent le prix. Sinon, dans la ville même :

■ **VASANTHAN LODGE**
Kandy Road, Vavuniya
✆ (024) 225 81
Géré par M. Thiyagarajah, cet établissement très sommaire permet de passer la nuit dans une ville très peu fournie en hôtels, même pour les locaux.

■ **RESTHOUSE**
Station Road, Vavuniya
✆ (024) 220 99
Etablissement assez délabré à un prix trop élevé pour la prestation proposée. Mais a-t-on vraiment le choix ?

■ **VANNI INN HOTEL**
Gnana Vairavarkovil Road, 2nd Cross Street
✆ (024) 220 74 – 214 06

■ **SUVARKA HOTEL**
✆ (024) 222 21 08
Fait partie des établissements du Rotary Club. Accueille beaucoup de conférences, mais n'est pas toujours ouvert au public. Se renseigner avant de partir, donc.

Points d'intérêt dans les environs

■ **LE TEMPLE DE ISIVARU BESSA GALA**
A moins de vingt kilomètres de là, dans les environs de Medawachchiya, l'ancien temple de Isivaru Bessa Gala, construit au sommet d'un rocher appelé à présent du nom du temple, offre une vue spectaculaire sur les montagnes environnantes.

■ **GIANT'S TANK SANCTUARY**
Le réservoir du Géant est une ancienne source d'irrigation gigantesque avec ses 3 800 ha. Considéré comme l'une des créations du roi Parakramabahu Ier, ce réservoir ferait partie des premières installations hydrauliques humaines de l'île. Oublié pendant une longue période, quand le système d'irrigation fut abandonné, il fut réutilisé à l'arrivée des Britanniques. Il est aujourd'hui un point d'ancrage important d'oiseaux.

■ **MADHU CHURCH**
L'église de Madhu, à 25 km de la jungle, est un lieu spirituel important pour la communauté catholique.

MANNAR ISLAND

Mannar Island est, comme son nom l'indique, une île de 130 km² dont Mannar est le point d'ancrage. Située au nord-ouest sur la carte du Sri Lanka, elle est reliée au continent par un pont de 3 km de longueur. Le monument le plus important y est le fort portugais construit en 1560. Récupéré en 1658 par les Hollandais, il fut renforcé mais pas modifié dans sa structure originale. Il offre ainsi un panorama pittoresque assez instructif historiquement parlant. L'île fait partie de ces lieux totalement délaissés par le tourisme. Ce qui est fort dommage car c'est sur cette île que l'on trouve le point le plus proche de l'Inde, là où commence le légendaire Adam's-Rama's Bridge. En outre, et de par sa situation géographique unique, Mannar Island possède une histoire mouvementée, riche en légendes et autres péripéties rocambolesques ; ainsi, c'est par là qu'aurait débarqué Hanuman, le dieu-singe hindou venu à la recherche de la princesse Sita. De même, on considère que le Rama's Bridge aurait été « construit » pour permettre à Vijaya de rejoindre sa bien-aimée et l'arracher aux griffes du démon. Cette île, assez peu habitée, offre une des flores les plus riches au monde, et sa faune promet également de jolies surprises. Sa végétation est composée de mangroves, algues marines, marais, plages et barrières de corail; on y trouve des baobabs, dont les graines furent apportées par les Maures – les chameaux en appréciaient beaucoup les feuilles.

Quant aux animaux qui y vivent, on retiendra surtout le dugong (ou encore éléphant de mer) qui serait, à cet endroit notamment, à l'origine de la légende des sirènes : de par l'apparence vaguement humaine qu'il offre quand seule sa tête dépasse hors de l'eau, la similitude entre la moitié inférieure de son corps et celle des sirènes telles qu'elles sont représentées... Il est indéniable que les explorateurs européens passant par cette route, il y a quatre siècles, ont renforcé la légende occidentale de la sirène. C'est d'ailleurs l'absence de grandes métropoles ou autres zones touristiques qui a contribué à conserver cette biodiversité intacte.

District de Mannar

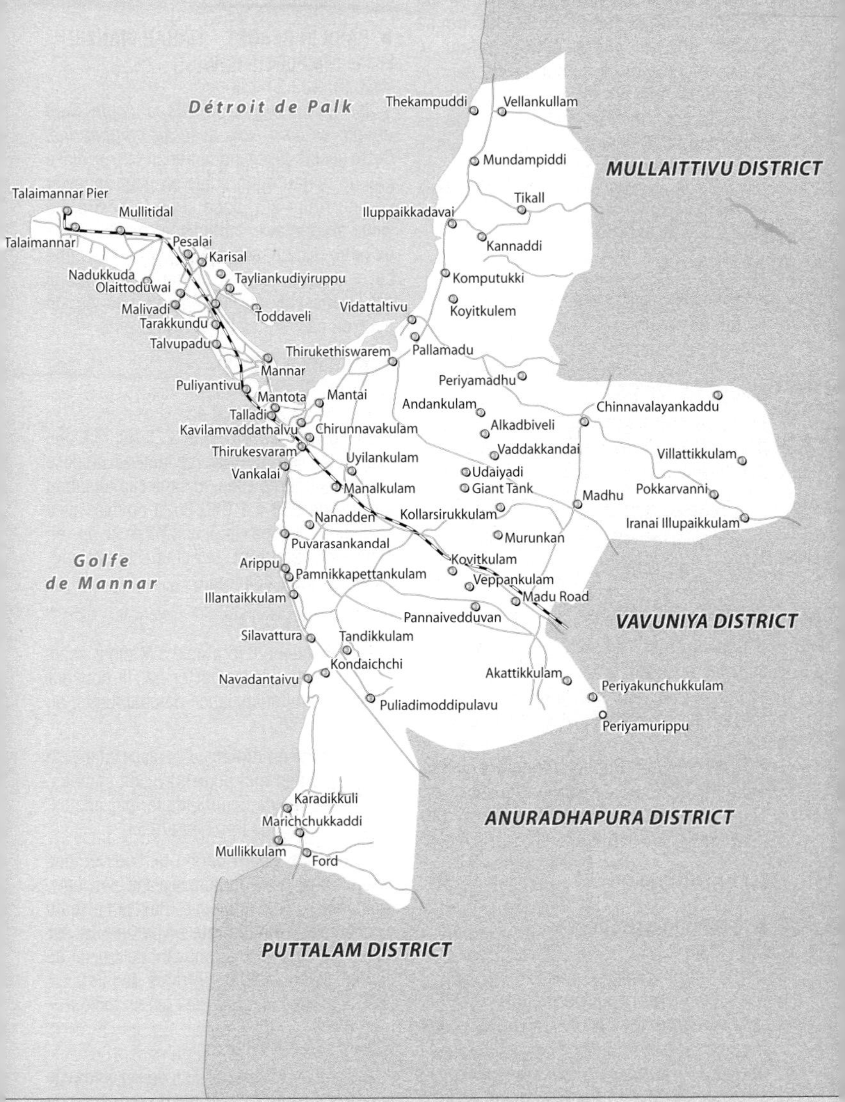

KILINOCHCHI DISTRICT
Détroit de Palk
Thekampuddi
Vellankullam
Mundampiddi
MULLAITTIVU DISTRICT
Tikall
Talaimannar Pier
Mullitidal
Iluppaikkadavai
Kannaddi
Talaimannar
Pesalai
Karisal
Nadukkuda
Olaittoduwai
Tayliankudiyiruppu
Komputukki
Malivadi
Tarakkundu
Toddaveli
Vidattaltivu
Koyitkulem
Talvupadu
Thiruketiswarem
Pallamadu
Mannar
Periyamadhu
Puliyantivu
Mantota
Mantai
Andankulam
Chinnavalayankaddu
Talladi
Alkadbiveli
Kavilamvaddathalvu
Chirunnavakulam
Thirukesvaram
Vaddakkandai
Villattikkulam
Uyilankulam
Vankalai
Udaiyadi
Giant Tank
Manalkulam
Madhu
Pokkarvanni
Nanadden
Kollarsirukkulam
Iranai Illupaikkulam
Murunkan
Puvarasankandal
Golfe de Mannar
Arippu
Kovitkulam
Pamnikkapettankulam
Veppankulam
Illantaikkulam
Madu Road
Pannaivedduvan
VAVUNIYA DISTRICT
Silavattura
Tandikkulam
Kondaichchi
Navadantaivu
Akattikkulam
Periyakunchukkulam
Puliadimoddipulavu
Periyamurippu
Karadikkuli
ANURADHAPURA DISTRICT
Marichchukkaddi
Mullikkulam
Ford
PUTTALAM DISTRICT

0 20 Km

Mannar Island abrite ainsi plus de 3 600 espèces de faune et flore, ce qui explique l'importance mondiale de sa biodiversité sur une si petite surface. A quelques kilomètres au sud de là, dans le golfe de Mannar, se trouve les très fameux Pearl Banks, sites de pêche à la perle les plus réputés de l'histoire. Ce n'est plus le cas aujourd'hui, mais plusieurs projets sont en cours pour réactiver la commercialisation des perles dans cette région.

MANNAR

A 312 km de Colombo, 111 km d'Anuradhapura, 77 km de Vavuniya. C'est la grande ville de l'île, le seul endroit véritablement où l'on trouvera un hébergement pour la nuit. Ailleurs, on ne fera que passer, ou bien il faudra s'adresser aux missions catholiques des environs, difficile de les rater, il y en a un peu partout. Et l'hospitalité sri lankaise n'est pas une vue de l'esprit. En revanche, notez bien les adresses ci-dessous, peu de gens parlent anglais ici, mais dans ces hôtels les propriétaires le maîtrisent parfaitement.

Transports

- **Bus :** la station se trouve, comme partout, au cœur de la ville : d'Anuradhapura à Mannar en bus, 72 Rs. Pour aller à Talaimannar, bus tous les quarts d'heure : 28 Rs. Pour Vavuniya, 52 Rs.

Cinq bus de nuit quotidiens pour Colombo entre 21h et 23h30. En journée, un départ par heure le matin, à partir de 7h jusqu'à 11h30, puis 13h45, 17h, 1h15, 3h15.

Hébergement

■ STAR GUESTHOUSE
298, Moor Street
© (023) 223 21 77
Les 3 chambres climatisées sont à 1 250 Rs (chambre triple à 1 500 Rs), chambre double avec ventilateur et salle de bains commune à 400 Rs. Rice and curry à 65 Rs avec six curries différents, café à 15 Rs. Téléphone, parking, salle commune avec TV. Petite guesthouse située à deux pas du centre, aux prix très abordables et à l'accueil vraiment adorable. On se mettra en quatre pour vous, non pas parce que vous êtes touriste mais par souci d'hospitalité. La maison est ancienne mais entretenue, les chambres vieilles mais propres, dotées de salle de bains, placard et ventilateur. Probablement l'hôtel le moins cher que l'on ait trouvé dans le pays, notamment au niveau de l'alimentation.

■ PARK IN RESORT – NAHAR MANZIL
Esplanade Road
© (023) 223 21 27
1 250 Rs la double, 950 Rs la single. Sept chambres dont trois avec air conditionné. Cette guesthouse cinquantenaire ne propose pas de restauration, mais on peut apporter sa nourriture sur place si on le désire. Le vieux propriétaire, catholique romain et fier de l'être, est un dynamique petit bonhomme assez heureux de voir de nouvelles têtes. Il est intarissable sur sa région ou sa vie, on pourrait passer des heures à l'écouter.

■ MANJULA INS
2nd Cross Street
© (023) 223 20 37/24 45
Petit déjeuner entre 125 et 225 Rs, rice and curry à 150 Rs. Cette auberge familiale propose quatre chambres avec ou sans climatisation à partir de 650 à 1 050 Rs la double, avec réduction pour les simples. *Coffee lounge* en plein air, restaurant, téléphone et parking. Excursions sur demande.

Points d'intérêt

Rien d'absolument inratable à Mannar, mais on aime à se laisser porter par la douceur ambiante, la nonchalance des habitants, au rythme de l'île.

- **Le marché quotidien** sur la place principale du village. Pas mal pour faire ses courses, mais prévoyez de communiquer par gestes, l'anglais n'est pas très courant ici.
- **Le baobab géant** datant de l'arrivée des Maures, situé juste derrière la place principale, on ne peut pas le manquer. C'est la fierté du village, tout le monde vous en parlera. Et, par ailleurs, il est toujours amusant de croiser un baobab (arbre venant d'Afrique de l'Est) sur une île perdue au cœur de l'océan Indien.

Dans les environs

Il suffit de sortir du chef-lieu de la région, de pénétrer plus profondément la campagne de l'île pour découvrir des sensations nouvelles : ces étendues marécageuses parsemées de points d'eau improbables, ces huttes disséminées comme sur un champ de bataille si calme, si paisible que c'en est presque effrayant...

La mélancolie profonde de ce paysage, la douceur de vivre qui président ici semblent irréels et font d'un séjour sur cette île un fantastique voyage hors du temps. On lâche son appareil photo pour observer, apprécier, goûter enfin les chefs-d'œuvre de Dame Nature.

PESALAI

En allant vers Talaimannar, on passera devant ce joli petit village dont la particularité est son très pittoresque marché en plein air où fruits et légumes locaux s'acquièrent au plus offrant. Les habitants y sont très accueillants et curieux de la venue d'un étranger sur leur île.

TALAIMANNAR

A 27 km de Mannar, 340 km de Colombo, 30 km de l'Inde. Connu pour être le point géographique du Sri Lanka le plus proche de l'Inde, Talaimannar est également l'endroit où commencerait Adam's Bridge, le pont virtuel qui aurait relié l'Inde et le Sri Lanka à une époque fort lointaine.

Transports

- **Bus.** Comme précisé plus haut, le bus reliant Mannar à Talaimannar coûte 28 Rs et part tous les quarts d'heure. Mais, attention, car Talaimannar est double. En effet, si vous demandez à aller là-bas, on vous demandera de préciser : Pier ou Village ? Sachez que la méprise n'est pas très grave non plus, les deux villages étant séparés de deux kilomètres.

Pratique

- **Station de police :** elle est située à la jonction des routes menant aux deux villages Pier et Village. Un hôpital à Pier et quelques bureaux d'ONG présentes, notamment l'UNHCR.

Village

C'est un village que les habitants considèrent comme central, mais qui ne l'est pas franchement, voire pas du tout. A dominante catholique, on y trouve des huttes mais aussi des maisons bâties en dur. Peu de commerces, seulement une ou deux échoppes qui se battent en duel à l'arrêt de bus, et c'est tout. C'est le terminus du bus où le chauffeur s'arrêtera quelques instants pour repartir de plus belle. Pas grand intérêt donc, la plage est plus loin ; seule une église, un peu perdue, un peu vert pastel aussi, trône ici au milieu de nulle part.

Pier

Pier est le véritable point d'orgue de l'île, peut-être même le lieu stratégique capital que se disputent LTTE et l'armée sri lankaise. La Navy y est particulièrement présente, surveillant les eaux internationales pour couper la route aux éventuels terroristes et refusant l'accès à une partie de la plage.C'est une *high zone* interdite en raison des mines encore présentes. Il est d'ailleurs de bon ton de ne pas trop s'aventurer hors des chemins balisés bien qu'ils soient, en cas de danger, délimités par des barbelés militaires. Toutes les mines n'ont donc pas encore été extraites, mais pas de panique, les routes sont tout à fait sûres. Cela mis à part, c'est à partir de là que l'on peut, virtuellement, essayer d'apercevoir les reliques d'Adam's Bridge. On sait l'Inde à une trentaine de kilomètres de là, ça fait rêver. Le village en lui-même, en plus d'être particulièrement paisible, ressemble au village de pêcheurs tel que l'on peut le fantasmer minot : la terre, c'est du sable, les maisons, de simples huttes construites entièrement à partir du cocotier, les feuilles pour le toit, le tronc pour les fondations, les feuilles d'autres types de palmier encore pour les finitions, etc. Bref, c'est véritablement l'arbre-roi utile pour tout (construction, cuisine, alimentation, alcool, etc.), et l'on n'oublie pas de l'utiliser ici aussi. Les gens y sont tranquilles, tous pêcheurs ou tailleurs, et leurs jolies barques échouées sur une plage de sable blanc sont, là aussi, très colorées. D'ailleurs, et de manière assez surprenante, on y parle un anglais parfait, eaux internationales obligent. Pas vraiment de dominante religieuse ici, hindouistes et musulmans vivant ensemble en bonne entente.

- **Le phare de Talaimannar,** en face duquel un ponton en bois se jette dans la mer, offrirait une vision tout simplement féerique si la Navy ne l'avait encerclé de barbelés et de panneaux « No trespassing ». La perspective n'en devient que plus surréaliste, et l'on finit par se faire à la présence, surprenante certes mais rassurante aussi, de ces militaires en planque sur la plage.

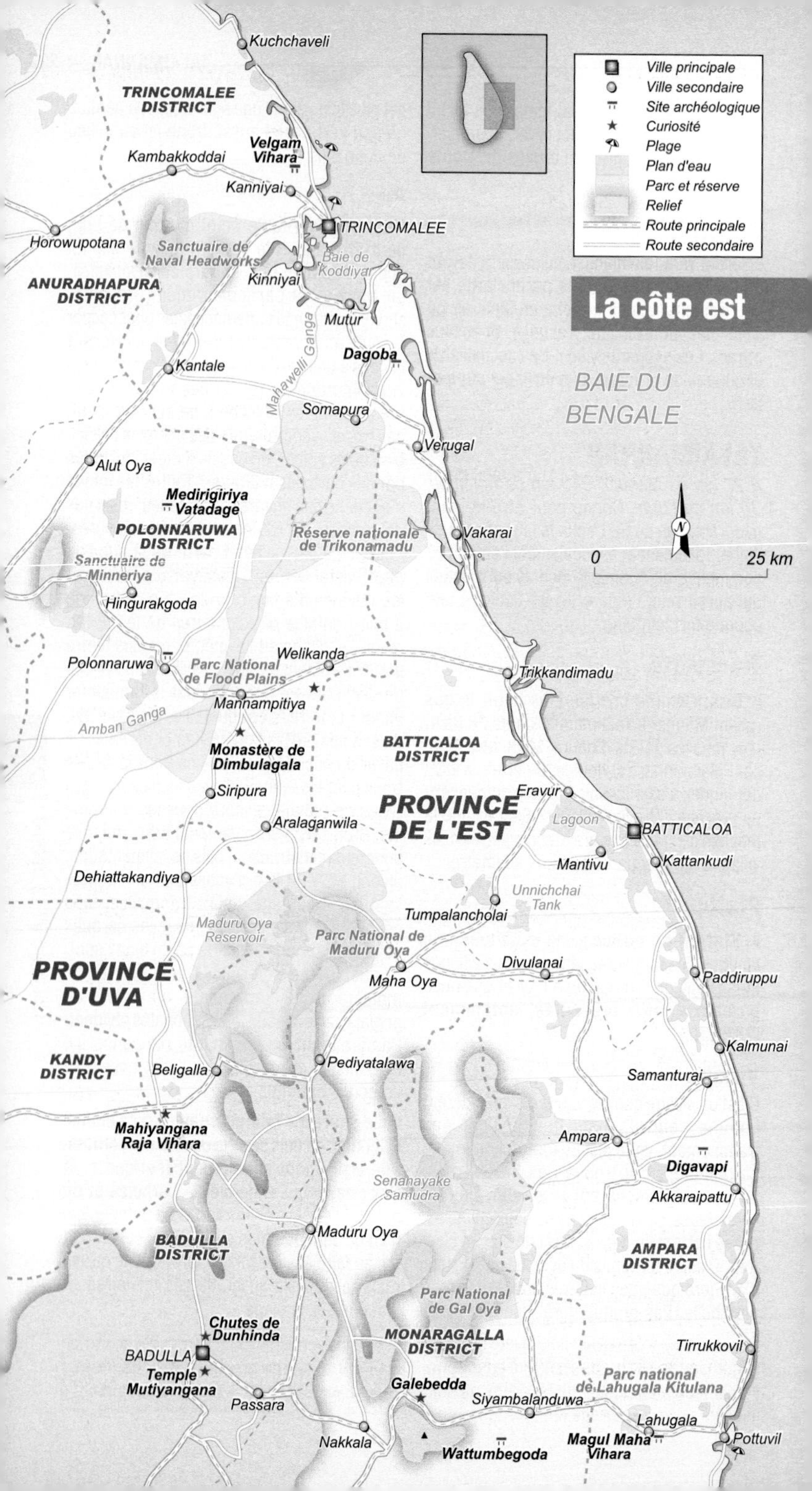
La côte est
Ville principale
Ville secondaire
Site archéologique
Curiosité
Plage
Plan d'eau
Parc et réserve
Relief
Route principale
Route secondaire
BAIE DU BENGALE
0
25 km
Kuchchaveli
TRINCOMALEE DISTRICT
Velgam Vihara
Kambakkoddai
Kanniyai
TRINCOMALEE
Horowupotana
Sanctuaire de Naval Headworks
Baie de Koddiyar
Kinniyai
ANURADHAPURA DISTRICT
Mutur
Mahawelli Ganga
Dagoba
Kantale
Somapura
Verugal
Alut Oya
Medirigiriya Vatadage
POLONNARUWA DISTRICT
Réserve nationale de Trikonamadu
Vakarai
Sanctuaire de Minneriya
Hingurakgoda
Polonnaruwa
Parc National de Flood Plains
Welikanda
Trikkandimadu
Mannampitiya
Amban Ganga
Monastère de Dimbulagala
BATTICALOA DISTRICT
Siripura
PROVINCE DE L'EST
Eravur
Lagoon
BATTICALOA
Aralaganwila
Mantivu
Kattankudi
Dehiattakandiya
Unnichchai Tank
Tumpalancholai
Maduru Oya Reservoir
Parc National de Maduru Oya
PROVINCE D'UVA
Maha Oya
Divulanai
Paddiruppu
Kalmunai
KANDY DISTRICT
Beligalla
Pediyatalawa
Samanturai
Mahiyangana Raja Vihara
Ampara
Digavapi
Senanayake Samudra
Akkaraipattu
Maduru Oya
BADULLA DISTRICT
AMPARA DISTRICT
Parc National de Gal Oya
Chutes de Dunhinda
MONARAGALLA DISTRICT
BADULLA
Tirrukkovil
Temple Mutiyangana
Parc national de Lahugala Kitulana
Galebedda
Passara
Siyambalanduwa
Lahugala
Pottuvil
Nakkala
Wattumbegoda
Magul Maha Vihara

LA CÔTE EST

KOKKILAI LAGOON SANCTUARY

A 60 km de Trincomalee. La réserve du lagon de Kokkilai est située à la frontière entre les provinces de l'Est et du Nord, qui la traverse de part en part. Assez peu protégée au niveau de sa vie marine, elle recèle pourtant de jolis fonds avec des lits d'algues marines, sa mangrove et des oiseaux aquatiques. On y trouve pélicans, canards sauvages et même des flamants roses ! La balade vaut le détour et la vue sur le lagon est tout simplement splendide.

TIRIYAYI

A 48 km au nord de Trincomalee. Ici se trouvent les ruines d'un temple bouddhiste de grande valeur, Giri Kandi Caitiya Shrine, car il aurait sans doute recueilli les reliques de Bouddha. C'est ce qu'on appelle ici un vatadage, c'est-à-dire un temple de forme circulaire. Ces types de monuments sont rares dans l'architecture bouddhique, et c'est un des attraits de ce lieu. Attention, on parle bien de ruines, donc le temple est plutôt délabré et abandonné. Mais sa valeur spirituelle est inestimable pour les habitants de la région.

NILAVELI – UPPUVELI

A 16 km au nord de Trincomalee. Accès en bus ou en three-wheeler. Sur la route, vous apercevrez, à droite, le cimetière du Commonwealth. Les soldats, morts au combat pendant la Seconde Guerre mondiale, y sont enterrés.
De décembre à mars, la mer agitée rend l'endroit peu attractif. Mais en dehors de cette période de mousson, Nilaveli est une plage de rêve... pour les touristes. Car les habitants du cru sont pour la plupart des réfugiés tamouls qui vivent dans des conditions de grande précarité. D'où le côté un peu ghetto des hôtels du coin. De nombreux check-points sur la route avec barrages militaires où les locaux sont identifiés et fouillés, aux étrangers, on ne demande que le passeport. La route annonce la couleur : désertique avec d'un côté les ruines des maisons détruites par le tsunami et de l'autre des getthos construits avec l'aide des dons du tsunami où les maisons aux toits orange sont marquées de sigle « NEHRP ». Dans la région, vous verrez quantité d'organisations humanitaires de toutes sortes : US AIDS, Action contre la faim, GZH, Save the Children, des centres médicaux, des organisations religieuses, des centres d'aides et beaucoup de bureaux administratifs.

Transports

- **Bus.** Sachez à l'avance à quel hôtel vous descendez, sinon on vous arrêtera directement au Nilaveli Beach Hotel. Or, les établissements étant séparés de plusieurs kilomètres à chaque fois (la route est située à un kilomètre de la plage, donc des hôtels), la balade en sac à dos peut s'avérer pénible sous le soleil brûlant. Bus pour/ou venant de Trinco toutes les vingt minutes.

Hébergement

Seulement deux grands hôtels, le reste sont des guesthouses parfois glauques. Entre le tsunami et la guerre, cette partie du Sri Lanka a du mal à faire revenir les touristes, ce qui explique que certaines adresses soient un peu laissées à l'abandon.

SHAHIRA HOTEL
10th, Mile post
✆ (026) 322 24
✆ portable 075 550 589
Dix-huit chambres sans air conditionné, 1 500 Rs la double, 2 000 la triple en chambre seule. Bon repas à 500 Rs le menu. L'accueil y est adorable et la nourriture excellente. Avant le tsunami, le charme de l'établissement, avec ses fresques murales, permettait de changer des grands hôtels un peu impersonnels. Aujourd'hui, l'hôtel est ravagé mais se reconstruit doucement en proposant des chambres toutes neuves, propres et correctes sur la plage, un accueil vraiment charmant et une attention toute particulière.

CORAL BAY
389, Fishermans Line
✆ (026) 322 78/02
Une bonne adresse, fort courue des voyageurs (enfin tout est relatif il n'y a plus aucun touriste dans le Nord !). Non seulement on y mange bien, mais les chambres, pour 2 000 Rs, sont très correctes et bien situées, à quelques mètres de la plage. Comptez un peu plus cher pour profiter de la climatisation.

Vatadage, un héritage en perdition ?

Le Wata Dagaou, la « maison des Images », ou *vatadage*, est une structure architecturale circulaire, présente uniquement au Sri Lanka et dans certains temples bouddhistes. Il se présente comme une rotonde reposant sur deux, trois ou quatre disques selon les endroits, et les matériaux de construction sont la pierre, le bois et la brique. Mais, avec le temps et le délabrement, les charpentes et toitures de bois ont fait place à la pierre, voire à rien du tout. On a généralement une porte faisant face à chaque point cardinal, avec quatre statues de Bouddha (les images, donc) postées. On pense que les *vatadages* se distinguaient des autres temples du fait qu'ils contenaient des reliques ou objets de Bouddha, ce qui expliquerait leur popularité inégalée. Ils se font très rares aujourd'hui, et l'on n'en trouve que dix dans tout le Sri Lanka, principalement dans les hauts lieux de l'archéologie et de l'histoire ceylanaise : Thuparama et Lankarama à Anuradhapura, Ambasthale à Mihintale, Ratnagiri à Polonnaruwa, et les six autres se situent à Medirigiriya, Attanagalla, Rajangana, Menikdena, Devundara et Tiriyayi. C'est d'ailleurs cette rareté qui laisse à penser que, effectivement, ces lieux spirituels étaient vraiment sacrés.

Piscine donnant sur la mer, pas d'alcool, balcon ou véranda pour chacune des dix chambres, et une aire de repos face à la plage. Une pelouse bien entretenue entre les chambres et la piscine contraste joliment avec le paysage de sable habituel.

■ **NILAVELI GARDEN INN**
11th Mile Post
27 $ la chambre double climatisée, 17 $ sans air conditionné. Restaurant, *coffee lounge*, bar en brique, la guesthouse a été sauvegardée du tsunami car située derrière les murs du NBH (à côté du Navy Camp aussi, qui a renforcé sa structure). Pas tout à fait sur la plage, donc, mais offre un agréable carré de verdure où se reposer. Accès à la plage à pied par un petit chemin.

■ **NILAVELI BEACH HOTEL**
11th, Mile Post
✆ (026) 222 62 94 – Fax : (026) 322 97
www.tangerinetours.com
45 $ la chambre double (100 $ avant le tsunami !), 55 $ avec petit déjeuner, 73 $ half board (tout compris). Très fréquenté par les riches Sri Lankais, cet hôtel qui n'a jamais fermé pendant la guerre a été totalement détruit par le tsunami, et 6 touristes et un membre du personnel sont morts. L'établissement a enfin rouvert en septembre 2007, c'est le meilleur hôtel du coin. Restaurant extérieur face à Pigeon Island. Transat en bois et belle piscine… Un endroit agréable où savourer ses vacances en profitant d'une plage magnifique mais surtout déserte ! Notre coup de cœur à Trincomalee.

■ **MAURO BEACH HOTEL**
14th, Mile Post
✆ 078 879 16 39 – Fax : (026) 492 06 33
Trente chambres, un restaurant en plein air, un bar et une piscine avec son bar. Directement situé en face de Pigeon Island, c'est à celle-ci que le Mauro doit son salut : la vague du tsunami s'est en effet écrasée sur le rocher qui l'a divisée en deux et a ainsi épargné cet hôtel. Les chambres, correctes et assez spacieuses, coûtent 2 400 Rs sans climatisation, 3 000 Rs avec, en chambre double sans petit déjeuner. Le repas, à 500 Rs, est bon, et la vue sur la mer plutôt reposante.

Dans les environs (Uppuveli, entre Trinco et Nilaveli)

A 3 km de la gare routière, sur la route de Nilaveli. On trouvera à Uppuveli beaucoup de guesthouses de qualité et de prix équivalents : Avila, Alles Garden, Shivas, etc. Beaucoup ont malheureusement été emportées par le raz-de-marée, mais celles-ci tiennent encore debout. Généralement l'accueil y est agréable et le confort plutôt simple, mais c'est le seul endroit où se loger à bas prix sur le littoral. Et aussi le seul où trouver un établissement de luxe signé John Keells.

■ **CLUB OCEANIC**
✆ (026) 222 23 07
Autour de 62 $ la chambre double avec petit déjeuner et 93$ pour un chalet sur la plage. Le premier hôtel de Nilaveli en venant de Trinco ou le dernier d'Uppuveli est le plus luxueux du coin. 16 chalets, 20 chambres supérieures et 20 chambres standard dont la quasi-totalité (sauf 6) ont vue sur la plage.

Elles sont dotées de tout le confort moderne, l'accueil est très professionnel, le restaurant, face à la mer, agréable et propose une cuisine tout à fait correcte.

■ **LOTUS PARK HOTEL**
33, Alles Garden
✆ (026) 222 52 50/45 66
www.lotustrinco.com
Entre le Club Océanic et Trincomalee, cet hôtel propose 25 chambres dont des chalets avec vue sur la plage pour 2 300 à 2 700 Rs. L'endroit est plutôt agréable avec piscine et plage.

Points d'intérêt

▶ **La plage de sable blond** bordée de cocotiers est quasi-déserte, c'est l'endroit idéal pour se reposer dans le calme. Bon à savoir : Nilaveli étant entièrement vouée à l'hébergement touristique – et uniquement à ça –, on ne trouvera aucun endroit où sortir ou faire la fête.

▶ **Pigeon Island,** l'îlot situé à quelques encablures, où l'on peut découvrir de très beaux fonds marins à quelques mètres du rivage, est propice au snorkeling, voire à la plongée si l'on souhaite en faire. La majorité des hôtels proposent une excursion vers l'île, mais vous pouvez aussi vous adresser directement aux pêcheurs des environs. L'avantage, avec les pêcheurs, c'est qu'ils connaissent d'autres coins de snorkeling encore plus beaux. A vous de négocier.

▶ **Le lagon d'irakkandy.** En effet, Nilaveli fait partie de ces villes sri lankaises qui bénéficient de la proximité d'un lagon : on pourra y prendre de pittoresques clichés et admirer la faune environnante.

TRINCOMALEE

A 85 km de Habarana, 106 km d'Anuradhapura et 257 km de Colombo. Presqu'île entourée de trois baies (Inner Harbour au sud, Dutch Bay au nord-est et Back Bay au nord-ouest), son point d'orgue est sans aucun doute Fort Frederick, le fort portugais repris et amélioré par les Hollandais, juché sur la pointe orientale de la ville. Sa situation géographique offre des points de vue uniques et spectaculaires.
Pendant près de 2 000 ans, Trincomalee fut réputée et enviée pour la beauté de sa rade naturelle, connue sous différents noms – Gokarna, Kona Malai, Tiru Kona Malai –, tous plus populaires les uns que les autres. Trinco est surnommée « la Montagne sacrée des trois temples ».
Elle attira des voyageurs comme Marco Polo, Ptolémée et bien d'autres. Les Indiens l'utilisèrent jusqu'à l'arrivée des Portugais, puis des Hollandais et finalement des Britanniques. Ce lieu stratégique, considéré comme le meilleur port naturel en eaux profondes à l'est du canal de Suez, servit de base à la flotte royale britannique orientale pendant la Seconde Guerre mondiale. C'est là que lord Louis Mountbatten établit son quartier général pendant la période allant de 1941 à 1945.
Avec la guerre interethnique qui a ravagé le pays pendant plus de vingt ans, Trincomalee est tombée en léthargie. L'état de paix étant assez précaire, les tensions demeurent dans cette région, entre Tamouls et musulmans, et si les touristes ne sont pas visés, la région n'est tout de même pas encore très sûre. Par ailleurs, l'état des routes y est épouvantable, ce qui rend la découverte de cette région encore plus aléatoire. Cependant, après des années de misère et souffrance, la ville a soudainement retrouvé vie et vibrionne d'activité, avec ses innombrables boutiques. Nous vous déconseillons cependant de loger sur place, car la cité ne présente qu'un intérêt limité, les plages se trouvant à une quinzaine de kilomètres dans les secteurs de Nilaveli.

Transports

▶ **Train.** La gare ferroviaire se situe sur la route de Nilaveli. Il y a deux trains par jour pour Colombo Fort à 8h45 et 20h avec couchettes (8 heures de trajet).

▶ **Bus.** La gare routière est dans le centre-ville. Bus pour Anuradhapura (5 heures de trajet) et Colombo (8 heures de trajet), via Habarana (2 heures 30 de trajet). La liaison avec Batticaloa (6 heures de trajet pour faire 138 km) est à déconseiller. Pour Kandy, trois départs (5 heures de trajet). Les routes, tsunami oblige, sont réellement désastreuses. En venant de Vavuniya, nids de poules, ornières se succèdent sur tout le trajet ; en direction du sud, c'est la même chose, on irait presque plus vite à pied. En voiture, passe encore, mais en bus, c'est tout bonnement chaotique.

▶ **Voiture.** Vous rencontrerez plusieurs check-points sur la route, avec des militaires en armes, mais le passage ne pose pas de problème.

Pratique

- **Indicatif téléphonique :** 026.
- **Hatton National Bank.** A 100 m de la Clock Tower. Distributeur de billets (ATM).
- **Téléphone/Internet :** Comet. 325, Court Road – comtnet@smt.net.lk – Propose des connexions Internet et des communications longue distance à prix raisonnables.
- **Edge Techno World.** 81A, Rajavarothayam Street ✆ (026) 222 53 08. Internet à 50 Rs/h, appel local à 5 Rs/min sur Trinco, 10 Rs/min sur le Sri Lanka, et près de 50 Rs/min vers l'étranger, selon la destination.

Hébergement – Restaurants

Peu d'hébergements corrects ou agréables sur Trincomalee. Il vaudra mieux chercher sur Nilaveli ou Uppuveli. En dehors des bouis-bouis, on ne trouvera pas non plus pléthore d'endroits où se sustenter.

■ **THE SUNSHINE HOTEL**
Green Road
A partir de 400 Rs la chambre. Un des endroits les plus déprimants de la Terre. Mais un des moins chers de la ville aussi. Evitez les chambres avec salles de bains communes, celles-ci sont plutôt épouvantables. On est casé comme des chevaux, dans des box avec cadenas, et les clients peuvent regarder la télévision, située dans la cour (et avec un peu de chance devant votre chambre), toute la nuit. De toute façon, les moustiques vous auraient tenus éveillés sans cela, autant avoir un peu de compagnie... Vraiment pour les fauchés.

■ **SUNDRALINGHAM LODGE**
Anciennement Votre Maison
45, Green Road
✆ (026) 202 88
A n'utiliser qu'en cas de nécessité absolue ou si vous êtes totalement fauché. Les chambres à 300 Rs sont sombres et peu ragoûtantes.

■ **THE MANSION HOTEL**
23, Main Street
✆ (026) 227 45
Entre 500 et 1 500 Rs la chambre double. Sept chambres en plein cœur du centre-ville. Seul établissement à bas prix un peu correct. Restaurant très abordable : 70 Rs le *rice and curry.*

■ **NEW SILVER STAR**
27, College Street
✆ (026) 223 48 – Fax : (026) 218 89
40 chambres correctes avec ou sans air conditionné. Entre 600 et 1 000 Rs la chambre avec ventilateur, comptez dans les 2 500 Rs pour une climatisée. Restaurant, téléphone, salle de conférence. Hôtel correct, sans plus.

■ **WELCOME HOTEL**
Orr's Hill Lower Road
✆ (026) 223 73
Une belle demeure, qui était autrefois le Bureau général de l'armée britannique, récemment restaurée. Les chambres à 2 500 Rs avec climatisation donnent sur la baie, sont claires et confortables. Agréable beer garden en terrasse. Piscine. Le meilleur établissement en ville.

■ **SEA ANGLEIRS**
China Bay
✆ portable : (077) 778 17 51
Cette vieille demeure de pêcheurs date de 1942, elle était utilisée par les Anglais. 11 chambres sont proposées à 5 500 Rs avec petit déjeuner et les repas du midi et du soir. Fameux pour ses fruits de mer, c'est l'endroit où il faut goûter au Jambo crabe absolument ! Près du port naturel, sur la China Bay, un bel endroit rempli d'histoire.

■ **GREEN PARK BEACH HOTEL**
312, Dyke Street
✆ (026) 222 23 69/75 18
lathu@sltnet.lk
Un hôtel très vert ! Et l'on ne parle pas des plantes mais bien de la couleur du bâtiment. Si vous arrivez à y rentrer sans la nausée, l'accueil y est plutôt bon. 2 500 Rs la chambre double, 3 000 Rs avec petit déjeuner. Les chambres sont spacieuses mais kitchs. Accès à la plage, mais ce n'est pas vraiment l'endroit où l'on enfile son maillot de bain !

Manifestation

- **Maha Shiva Ratri** est célébrée fin février ou début mars dans le temple de Shiva, à la pointe de Fort Frederick. Les festivités, dont le but est de célébrer le dieu hindou qui revient à Trincomalee, durent trois jours entiers pendant lesquels on brisera le plus grand nombre de noix de coco : celles-ci renferment les vœux des habitants qui ne pourront se voir réaliser que s'ils sont libérés dans un fracas salvateur. Le spectacle est impressionnant et se déroule dans une bonne humeur vraiment festive. On peut rester perplexe face au gâchis de nourriture, mais les noix sont ramassées pour être données en pâture aux animaux.

Trincomalee

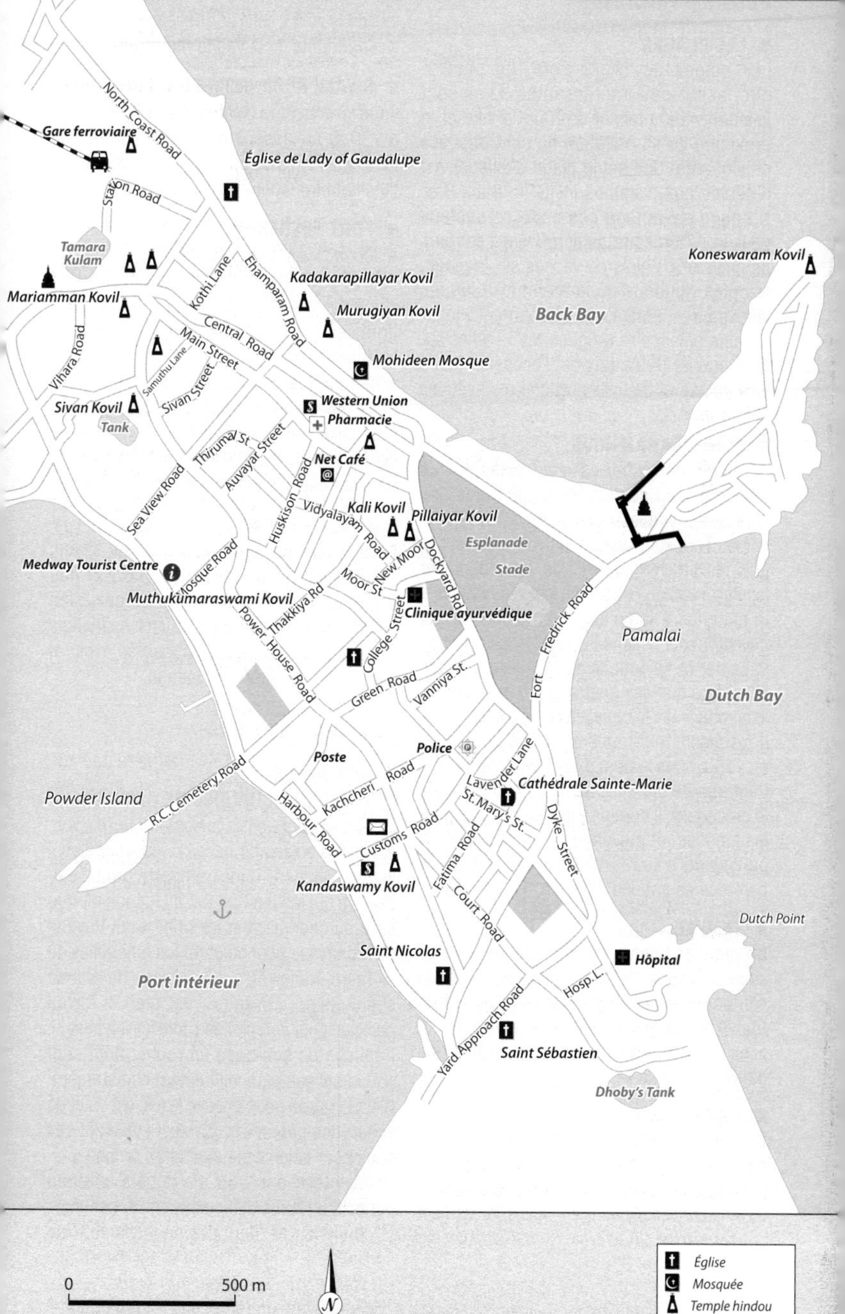
North Coast Road
Gare ferroviaire
Église de Lady of Gaudalupe
Station Road
Tamara Kulam
Mariamman Kovil
Kothi Lane
Ehamparam Road
Kadakarapillayar Kovil
Murugiyan Kovil
Koneswaram Kovil
Back Bay
Central Road
Main Street
Vihara Road
Samuthu Lane
Sivan Street
Mohideen Mosque
Sivan Kovil
Tank
Western Union
Pharmacie
Thiruma St
Auvayar Street
Net Café
Sea View Road
Huskison Road
Vidyalayam Road
Kali Kovil
Pillaiyar Kovil
Esplanade
Stade
Medway Tourist Centre
Mosque Road
Moor St
New Moor
Dockyard Rd
Muthukumaraswami Kovil
Thakkiya Rd
Clinique ayurvédique
Fort Fredrick Road
Pamalai
Power House Road
College Street
Green Road
Vanniya St.
Dutch Bay
Police
Poste
Kachcheri Road
Lavender Lane
Cathédrale Sainte-Marie
Powder Island
R.C. Cemetery Road
Harbour Road
St. Mary's St.
Customs Road
Dyke Street
Fatima Road
Kandaswamy Kovil
Court Road
Dutch Point
Saint Nicolas
Hôpital
Port intérieur
Hosp. L.
Yard Approach Road
Saint Sébastien
Dhoby's Tank

0 500 m

Église
Mosquée
Temple hindou
Temple bouddhiste

Points d'intérêt

■ LES PLAGES

Les plages de Trinco sont, on peut le dire, assez peu intéressantes. Elles sont jolies, certes, mais le bruit de la ville et la proximité de sa pollution ne sont pas très engageants. Une seule plage d'ailleurs est réservée aux plagistes, celle de Back Bay. On aime davantage ces espaces sableux pour le pittoresque qu'ils offrent : bateaux de pêcheurs, daims ou vaches sur la plage, temples (hindous généralement) tous les vingt mètres, enfants qui s'acharnent à jouer sur une balançoire fatiguée, etc. Flâner sur le littoral de Dutch Bay est l'occasion d'une jolie balade et de belles rencontres avec les habitants.

■ KONESWARAN KOVIL

La pointe du rocher est couronnée par un temple hindou dédié à Shiva, où règne une intense activité les jours de poya. Le temple hindou Thirukonesvaram, qui attirait jadis des pèlerins à travers toute l'Asie, fut anéanti par les Portugais en 1624 dans le but de réutiliser le matériau à la construction d'un fort, qui deviendra par la suite Fort Frederick. On peut imaginer la splendeur du monument si l'on considère que ses destructeurs eux-mêmes le nommaient « le temple aux mille colonnes ». Il fut reconstruit, mais en moins grandiose, en 1963, sous le nom de Koneswaram Kovil. Bien que de dimensions plus modestes que le précédent, il demeure un lieu de culte pour les hindous, et également de visite pour les pratiquants d'autres religions. Les principales cérémonies ont lieu à 5h, 9h, 11h et 12h.

■ TEMPLE

Un premier temple, bouddhiste celui-ci, se situe à l'entrée de Fort Frederick, à ne pas confondre avec le Koneswaran Kovil. On y trouve une grande statue de Bouddha debout ainsi qu'un autel en hommage à l'Eveillé. Joli panorama sur la Dutch Bay.

■ INNER HARBOUR

La rade offre véritablement un très joli spectacle : le port est immense, avec une jetée que l'on meurt d'envie de parcourir, et un îlot perdu en plein milieu. Malheureusement sous contrôle de la Navy, il est impossible pour le moment de visiter l'île, ou de flâner tranquillement sur le bord du port. Mais le point de vue vaut le détour. Point intéressant, contrairement à Galle où le fort, de par son architecture, condamna la population de la ville lors du tsunami, celui de Trincomalee préserva ses habitants de la vague meurtrière.

■ SWAMI ROCK (ROCHER DU SEIGNEUR)

Situé au bout de la pointe, Swami Rock s'élève à 130 m au-dessus des flots et offre une perspective très pittoresque sur les deux baies qui l'entourent comme sur la ville.

■ FORT FREDERICK

A 500 m au sud de la gare routière. La citadelle du XVIIe a été aménagée par les Hollandais et abrita par la suite l'administration britannique dont les bâtiments du XVIIIe siècle sont toujours debout. Les jardins environnants sont le « refuge » de dizaines de daims vivant dans des enclos entourés de barbelés. On vous laisse imaginer leur taux de probabilité de décéder de mort naturelle… L'endroit est toujours une zone militaire.

■ LOVERS'S LEAP

Cette appellation d'un point situé sur Swami Rock, pour le moins romantique, est due à une anecdote datant de la colonisation hollandaise : la fille d'un officier hollandais se serait jetée dans les flots après avoir vu son amant la quitter par bateau.

Dans les environs

■ HOT WELLS
LES SOURCES CHAUDES DE KANNIYAI

A 8 km au nord-ouest. Pas grand-chose à voir, sinon des sortes de bacs où les « curistes » locaux viennent faire trempette dans l'eau chaude qui jaillit à 30 °C. La légende dit que ces sources furent créées par le roi Ravana du Ramayana pour célébrer les funérailles de sa mère, Kanniyai, à une période de grande sècheresse. « Créées » est bien le terme puisque, pour obtenir l'eau dont il avait besoin, il toucha de son épée un rocher dont sept sources d'eau pure jaillirent immédiatement. C'est la raison pour laquelle le lieu est objet de vénération pour les hindous qui utilisent ces eaux pour célébrer la mort d'un proche.

Point intéressant, on n'a jamais entendu parler d'un arrêt d'écoulement de ces eaux et ce, même pendant des périodes de forte canicule.

On vous en parlera beaucoup si vous êtes à Trinco, mais n'en faites pas une montagne, ça n'a rien d'impressionnant.

BATTICALOA

A 303 km de Colombo, 138 km de Trincomalee et 70 km d'Ampara. Seulement 138 kilomètres séparent Trinco de Batticaloa, et il vous faudra pourtant passer une bonne demi-journée, voire plus, pour faire la liaison entre les deux villes ! En effet, la route côtière les joignant via un ferry a été mise hors d'état de fonctionner par des bombardements. Il faut à présent faire le tour par l'intérieur des terres, en passant par Polonnaruwa. Il y a toujours moyen de se débrouiller autrement et de raccourcir la déviation si l'on est en voiture privée mais, en bus, vous passerez votre temps dans les changements.

Evidemment, pas de liaison ferroviaire avec la capitale de la province orientale.

Les touristes ont déserté cette ville touchée gravement par la guerre.

Pratique

- **Indicatif téléphonique :** 065.
- **Internet/téléphone.** On trouvera un grand nombre de Communication Centers sur la rue principale (Trincomalee Road) conduisant du lagon à la rade.
- **Banques :** deux Hatton National Bank, une sur Central Road, l'autre sur Nalliah Road. Commercial Bank sur Bar Road. Bank of Ceylon sur Covington Road.
- **Hôpital.** Central Hospital, Bar Road.
- **Poste de police.** Sur Trinco Road.

Hébergement – Restaurants

Très peu d'hébergements dans la capitale de province, il n'y a quasiment jamais de visiteurs ici. Quant aux restaurants, on en trouve un peu partout sur Trinco Road, des gargotes pas chères du tout où l'on pourra manger local.

■ HOTEL ROYAL LANKA

135, Trincomalee Road

550 Rs la chambre single, 650 Rs la double et 850 Rs la triple, pas de climatisation. Un peu plus du double pour avoir l'air conditionné. Sept chambres dont une climatisée, cinq avec salle de bains privée et deux avec salle de bains commune. Parking délabré, matelas épuisés, moustiques enragés, mais vaut toujours mieux que l'affreux Cop-Inn du début de la rue.

■ HOTEL BRIDGE VIEW

63/24 Bar Road

✆ (065) 222 37 23

600 Rs la chambre double sans air conditionné, on double les prix pour la climatisation. Hôtel récent et assez sympathique avec son joli jardin et sa vue sur le pont.

■ LAKE VIEW INN

6B Lloyds Avenue

✆ (065) 222 23 39

Ce vieil établissement un peu délabré est plutôt à éviter, notamment pour une femme seule, fait rare au Sri Lanka. Il est d'ailleurs probable qu'on vous déconseille d'y aller. On préfère, au même prix, le Riviera qui offre une prestation nettement supérieure.

■ RIVIERA RESORT

Kallady

✆ (065) 231 98

www.riviera-online.com

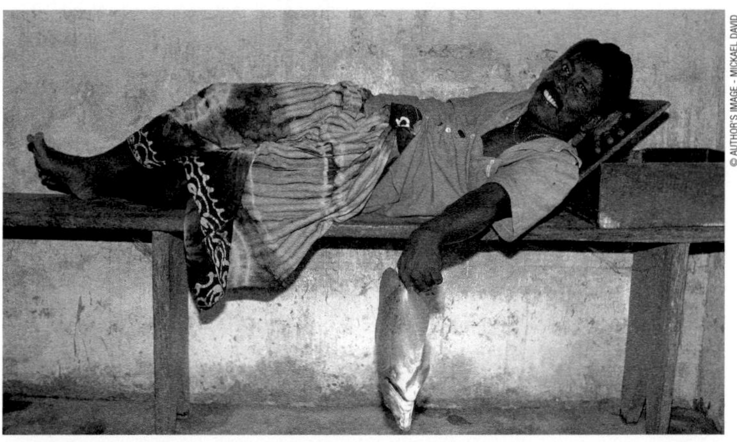

Chambre simple à 1 000 Rs, double à 1 500 Rs. On peut aussi louer la villa familiale, conçue pour six adultes et quatre enfants au maximum à 3 500 Rs par jour. Très jolie demeure à la sri lankaise qui propose le meilleur rapport qualité-prix dans les environs. Les chambres sont jolies, on est sur le lagon, le confort et la douceur de vivre y sont. Le jardin, bien entretenu, est fort plaisant. Notre hôtel préféré à Batticaloa.

■ **SUBARAJ INN**
2 000 Rs la chambre double avec air conditionné. Le restaurant propose une cuisine plutôt bonne (chinoise, sri lankaise, occidentale, etc.), les chambres sont propres et bien entretenues, le personnel accueillant. Bonne adresse à Batti.

■ **HAMSHA RESTAURANT**
Cet hôtel, un peu bousculé par le tsunami, a rouvert les portes de son restaurant, aux prix très abordables et à la cuisine correcte.

■ **SUSHINE CAFE**
Un bon endroit pour se nourrir sur le pouce. Pour preuve, la foule qui y afflue. D'ailleurs, à partir d'une certaine heure, c'est simple, il n'y a plus rien !

Points d'intérêt

■ **SINGING FISH**
Batticaloa est réputée pour son lagon, notamment pour le poisson chantant qui y sévit dès la nuit tombée, lors des jours proches de la pleine lune. Un prêtre du nom de père Lang enregistra cette mélodie naturelle si particulière et la commercialisa dans les années 1960. Si l'on se trouve près du lagon (ou encore mieux, sur un bateau) lors d'une nuit sans vent, entre avril et septembre, on peut entendre le chant de l'animal.

■ **LE FORT HOLLANDAIS**
Planté à la pointe de la rade de Batticaloa, le fort est actuellement inaccessible car investi par l'armée sri lankaise ; on peut cependant toujours tenter d'entamer la conversation avec un officier, ce qui est assez facile finalement, et lui demander une visite guidée. Comme la majorité des forts présents au Sri Lanka, celui-ci fut construit par les Portugais puis récupéré et amélioré en 1638 par les Hollandais. A l'entrée, on peut encore admirer l'emblème de la Compagnie hollandaise des Indes orientales.

AMPARA

350 km de Colombo, 70 km de Batticaloa. Le disctrict d'Ampara est tristement célèbre pour avoir connu le plus grand nombre de décès pendant le terrible raz-de-marée. Plus de 120 000 personnes (sur 300 000 au Sri Lanka) ont perdu la vie dans cette seule zone. Les habitants, encore choqués par l'événement, ont besoin de tourner la page et tentent de revivre, tout simplement.
Cette ville, pourtant capitale de district, offre davantage d'intérêt au niveau de ses environs que de la cité elle-même. Dévastée par les pluies torrentielles qui ont succédé au tsunami, elle ne propose ni hébergement ni folklore. Ampara se reconstruit doucement et panse ses blessures.

Hébergement

■ **LE MONASTÈRE DE BUDDHANGALA**
22, Kanatta Road
Calme et tranquille, c'est la retraite idéale pour qui veut goûter aux plaisirs de la méditation.

Points d'intérêt

L'attrait numéro un de cette région est le sanctuaire qui se situe aux portes mêmes d'Ampara. On trouvera dans ce seul district quelque soixante-dix ruines plus ou moins délabrées, plus ou moins intéressantes, mais les plus instructives sont situées à l'intérieur même du Buddhangala Sanctuary.

■ **BUDDHANGALA SANCTUARY**
Cette réserve, située à l'ouest d'Ampara et couvrant une surface de 1 841 ha, fut ordonnée Sanctuaire national en 1974. L'endroit héberge une centaine d'espèces d'animaux, dont oiseaux et mammifères.
Capital en tant que zone naturelle protégée, Buddhangala a aussi son importance en tant que site archéologique. S'il est peu connu des visiteurs étrangers, les Sri Lankais, eux, connaissent bien la valeur du sanctuaire. En son cœur, on trouvera un ermitage qui a donné son nom au parc : le Buddhangala Aranya Senasanaya Hermitage, qui se situe sur la route vers Ampara.

■ **SANGAMANKANDA POINT**
La pointe orientale de l'île offre un joli panorama sur l'océan, mais rien de plus. 225 km séparent Sangamankanda de Colombo.

POTTUVIL

Pottuvil n'a rien de bien passionnant ; sur une carte du Sri Lanka, aussi grande soit-elle, on aura du mal à trouver ce village si l'on ignore qu'il se trouve à 3 km au nord d'Arugam Bay. Et pourtant, on peut aussi y découvrir quelques points d'intérêt, et pas si négligeables que ça !

Pratique

- **Internet.** Ici, Internet coûte cher, voire très cher. C'est simple, un seul opérateur dispose d'une liaison avec le Web. Et il en profite clairement. Seulement voilà, on est déjà bien content de pouvoir surfer ailleurs qu'à Arugam Bay où Internet n'existe quasiment pas. Sur la route de Pottuvil à Arugam Bay, près de la gare routière.
- **Banques.** People's Bank et la Bank of Ceylon, que l'on trouvera côte à côte près de la gare routière.

Points d'intérêt

- **Arugam Bay,** bien entendu, avec Pottuvil Point dont les rouleaux font des envieux.
- **Des ruines** supposées d'un ancien temple sur la plage de Pottuvil même. Elles seraient à moitié enfouies sous le sable. De nombreux chercheurs pensent que les structures originelles sont toujours recouvertes par la plage. Voilà qui promet une jolie promenade.

ARUGAM BAY

A 3 km au sud de Pottuvil. Accès en bus possible depuis Badulla et Wellawaya (*voir chapitre « Les Hautes Terres »*) avec arrêt obligatoire à Pottuvil, ensuite, on continue à pied ou en *three-wheeler.* Tout au sud de la côte Est, La Mecque des surfeurs connaît son pic de visites entre avril et octobre. C'est désormais un endroit totalement ravagé par le tsunami, et qui, de par sa situation géopolitique, n'a que très peu profité des aides extérieures. Arugam Bay s'est donc débrouillée par elle-même et avec les ONG qui ont bien voulu se déplacer jusque-là. Les signes du raz-de-marée sont bel et bien là, mais force est de constater que, lentement mais sûrement, le village reprend du poil de la bête. La seule vraie destination touristique de la côte Sud-Est, où l'on vient de loin profiter des vagues d'une belle intensité. Arugam Bay recèle bien des merveilles, entre le surf, la plage, la réserve naturelle où l'on peut voir au cours d'un safari des éléphants, des crocodiles et parfois même des léopards. Le petit village est très agréable et la plage de sable doré magnifique. Il fait bon y rester quelques jours pour apprécier ces beautés de la nature dans un endroit encore sauvage et préservé du tourisme.

Transports

- **Bus.** Arriver à Arugam Bay, ça se mérite. Il est inutile d'essayer de descendre le long de la côte depuis Trincomalee. Le plus pratique est d'arriver par Pottuvil, après être redescendu depuis les stations d'altitude du centre du pays (de toute façon, vous n'aurez pas le choix). Armez-vous de patience, prévoyez de changer de bus fréquemment et emmenez un bouquin. A peu près 5 check-points où les bus sont obligé de s'arrêter, tous les passagers descendent pour être contrôlés. Prévoyez selon la situation politique près de 2 heures rien qu'en contrôle.

Les bus en direction de Monoragala et de Colombo partent tôt le matin de Ullae (un des trois villages qui composent Arugam Bay). Onze à douze heures de trajet vers la capitale.

De Colombo, départ tous les matins à 4h45 (10 heures de trajet) de la gare de Pettah à Colombo avec le bus n° 98. Le bus s'arrête à Pottuvil. Après… on marche ! Non, on trouve facilement un *three-wheeler*, mais ils ont légèrement tendance à profiter de leur monopole sur le marché.

Pour l'instant il est déconseillé de prendre le bus, la région récupérée par le gouvernement il y a à peine un an n'est pas encore bien sécurisée pour preuve les militaires et les nombreux check-points le long de la route. Si attaque il y a, c'est les bus locaux qui sont visés. Evitez ce risque inutile ! Une fois arrivé à Arugam Bay, il n'y a aucun problème.

Hébergement

On trouve à Arugam Bay et ce, malgré les ravages causés par le tsunami, un nombre et une diversité d'hôtels assez surprenants. Nos préférés : les petites huttes typiquement sri lankaises (Beach Hut, Aloha, etc.) proposées par d'anciens propriétaires d'hôtels partis en fumée. Mais un grand choix s'offrira à vous, impossible de ne pas trouver d'hébergements qui vous conviennent. A noter que certains établissements ont été reconstruits grâce à l'aide des clients habitués. On apprend en parlant avec les gens que les aides humanitaires n'ont pas été efficaces ici.

Bien et pas cher

■ ALOHA CABANAS

✆/Fax : (063) 483 79

Pour jouer au Robinson. C'est un Suisse du bout du monde mordu de surf, comme il se doit, qui gère ce lieu fort simple mais accueillant où on loge pour pas cher. Aujourd'hui rétabli, cet établissement est ouvert au public, bien que les stigmates du tsunami soient encore visibles, comme un peu partout d'ailleurs. 8 cabanes à 14, 16 et 20$.

■ BEACH HUT

✆ (063) 224 82 02

C'est un endroit vraiment sympathique tenu par Ranga, tamoul originaire de Jaffna, qui donne à son hôtel un air de chez soi fort agréable. Accueil très chaleureux donc, à un prix très abordable. Comptez de 500 à 1 500 Rs les bungalows. Le restaurant est très populaire, sûrement la meilleure cuisine d'Arugam Bay.

Confort ou charme

■ TSUNAMI HOTEL

www.tsunamihotel.com

Cet hôtel, dont le nom date de bien avant la vague qui s'est écrasée sur la région, est plutôt plaisant, situé sur la plage. Chambres correctes dont une en hauteur, fort agréable, restaurant. Sympathique petit hôtel tranquille et abordable. Seul problème : les propriétaires ne parlent pas anglais, communication très limitée donc.

■ GALAXY LOUNGE

✆ (063) 224 84 15

www.galaxysrilanka.com

6 bungalows sur la plage, dont certains en duplex, comptez de 1 500 à 2 000 Rs. Restaurant sur la plage. Très bonne adresse vraiment très sympathique.

■ HILLTON GUESTHOUSE

✆ portable : 774 061 011

www.arugambay.lk

A ne pas confondre avec son homonyme, celui-ci est assez réputé dans le coin, d'une part pour son ambiance plutôt chaleureuse, d'autre part pour les excursions qu'on y organise sur la mangrove. 1 000 Rs la chambre avec ventilateur, mais on préfère les cabanons à 600 Rs, plus proches de la mer et où l'absence de clim n'est donc pas un problème.

■ ROCK VIEW BEACH SIDE

✆ portable : (077) 642 46 16

Petite guesthouse tenue par Ifam et Roger, un Australien tombé amoureux du lieu il y a trois ans. Au bord de la plage comptez de 1 000 à 2 000 Rs pour les bungalows. Côté jardin, c'est moins cher mais moins sympathique aussi (*400Rs*). L'ambiance est très sympathique, on mange le *rice and curry* sur des petits tabourets. Notre coup de cœur pour l'ambiance reposante.

■ SIAM VIEW HOTEL

✆ (063) 224 81 95

✆ portable : (077) 320 02 01

A partir de 1 000 Rs la chambre double et jusqu'à 9 000 Rs, propre et correct. Accès à Internet : en payant votre connection, vous permettez aux locaux d'y accéder gratuitement. Autrefois, un des hôtels les plus sympathiques du coin, il n'a pu rebâtir que six chambres sur vingt-six, mais conserve son fabuleux accueil et sa philosophie. Le personnel du SVH a en effet préféré venir en aide à la population locale avant de se reconstruire, fidèle à ses principes d'entraide et de solidarité. Il fabrique sa propre bière, et le restaurant thaïlandais à l'étage est pas mal. L'attraction de l'endroit, c'est... Layla, la fille des propriétaires. Un an et une joie de vivre incomparable.

■ MAMBO

Tout au bout de la plage
✆ (060) 263 18 59
www.mambo.nu
Le même établissement qu'à Hikaduwa tenu par Mambo, passionné de surf et de reggae. Un endroit très *peace* juste en face du spot de surf. Entre le village de pêcheurs et le lagon, l'hôtel est inaccessible en voiture, il faut traverser à pied. De 2 600 à 4 500 Rs les bungalows tout confort. Une bonne adresse pour les surfeurs.

■ SURF N SUN

Coté route
✆ (060) 263 10 44
✆ portable : (077) 606 50 99
www.thesurfnsun.com
L'adresse incontournable pour les surfeurs. Saman et Minna, couple mixte (suédoise-sri lankais), tiennent cet endroit très convivial qui vit au gré des barbecues et des soirées, où autour d'une biere les dompteurs de vagues partagent leurs exploits du jour. Saman ne vit que pour sa passion : le surf. Son grand-père était le premier d'Arugam Bay à s'essayer à ce sport et sa planche trône fièrement au-dessus du bar. Des bungalows propres, le long d'une allée fleurie, de 2 000 à 2 500 Rs. Boutique de surf à l'entrée, bar, restaurant, location de planches, safaris pour observer les éléphants et les crocodiles dans la mangrove. Une bonne adresse.

Luxe

■ STARDUST BEACH HOTEL

✆/Fax : (063) 224 81 91
www.arugambay.com
De 60 à 70 $ la chambre double et de 22 $ à 48 $ les cabanes. L'hôtel le plus connu et le plus ancien du coin est tenu par une Danoise, qui a reconstruit l'hôtel malgré la perte de son mari dans le tsunami. Au début de la plage, le lieu en lui-même est assez sympathique, les bungalows très agréables et les lits confortables, mais les prix sont largement surévalués, surtout pour le restaurant, petit déjeuner à 7 $! Attention pas de logement pour les chauffeurs.

■ KUDAKALLIYA

Energie solaire, réchaud, eau du puits. 120 $ pour 2 personnes, en sachant que la maison peut en contenir 8 au maximum. 150 $ en haute saison, avec un supplément de 15 $ par personne supplémentaire. Séjour de trois nuits au minimum requis. Sur une plage déserte au sud d'Arugam Bay, on peut louer une villa pour jouer à Robinson Crusoé. L'endroit, plutôt simple, permet d'admirer les éléphants qui viennent se baigner dans la rivière toute proche, ou encore les dauphins qui s'amusent souvent dans les environs.

Points d'intérêt

▶ **Les spots de surf.** The Point, situé à la pointe d'une langue de terre qui lèche l'océan est LE meilleur spot de l'île, et donc est souvent bondé. Non seulement les vagues y sont hautes, mais également très étendues, parfois jusqu'à 400 m de longueur. Pottuvil Point est cependant plus apprécié, sans doute pour le paysage idyllique qu'il offre et du fait qu'il ne soit pas réservé aux professionnels. En outre, il n'est pas aussi fréquenté que le premier (c'est à une heure en *three-wheeler* d'Arugam Bay), ce qui permet de surfer tranquille. En revanche, attention aux rouleaux trop proches du rivage, ils pourraient vous laisser un goût de sable dans la bouche. Crocodile Rock et Elephant Rock, ainsi nommés car les rochers ressemblent à ces animaux, sont un peu plus loin encore vers le sud. Ce sont des plages idéales pour les débutants qui s'y régaleront.
Kudumbigalla, le rocher des moines. Une belle excursion à faire. Renseignez-vous sur place.

▶ **Conseil futé :** pour ceux qui vont surfer loin de leur hôtel par *three-wheeler*, demandez au chauffeur de revenir vous chercher à l'heure qui vous convient, mais ne payez les deux courses qu'au retour. Ainsi, vous êtes sûr qu'il n'oubliera pas de vous récupérer.

▶ **Le lagon.** Une mangrove étonnante, une vie animale très riche et un panorama à tomber par terre : voici ce qu'offre le lagon de Pottuvil. On ne compte pas le nombre d'excursions possibles dans les environs : trek dans la jungle, balade en bateau, observation d'oiseaux, etc. Renseignez-vous auprès des hôtels et guesthouses.

LA CÔTE OUEST

Negombo,
retour de pêche

La côte ouest
Baie du Bengale
Golfe de Mannar
Océan indien
Baie du Portugal
Marichchukkaddi
Mahawilachchiya
Mahawilachchiya Tank
Parc national de Wilpattu
Oyamaduwa
Dunumadalawa
Elayapattuwa
Mardan Maduwa
Pomparippu
Anuradhapura
Maha Bulankulama
Aruvakalu
Sinharagama
Nocnchiyagama
Talawa
Pahala Halmillewa
Karaitivu
Kala Oya
Ottapuwa
Vannativillu
Palugassegama
Tambuttegam
Réservoir de Rajangane
Lagon de Puttalam
Karadipuval
Kumbukwewa
Tabbowa Wewa
Karuwalagaswewa
Puttalam
DISTRICT DE PUTTALAM
Tammannawetiya
Navattegama
Kalladi
Mahanneriya
Galgamuwa
Palavi
Maha Uswewa
Réservoir d'Inpinimitiya
Kottukachchiya
Madurankuli
Ambanpola
Tonigala
Mahakumbukkadawala
Dangaswewa
Anamaduwa
Ihalagama
Daladagama
Lagon de Mundal
Mundal
Kanuketiya
Managirilla
Balalla
Kiriyankaliya
Andigama
Udappuwa
Nikaweratiya
Battulu Oya
Witikuliya
Pallama
DISTRICT D'HURUNNEGALA
Arachchikattuwaa
Kobeigane
Bangadeniya
Wariyapom
Hettipola
Talgahapitiya
Bingiriya
Chilaw
Bowatta
Bamunakotuwa
Kokkawila
Pyrandawa
Munamaldeniya
Padiwela
Moragane
Koshena
Dummalasuriya
Udubaddawa
Kurunegala
Madampe
Kuliyapitiya
Kudawewa
Kadahapola
Kalugamuwa
Mahawewa
Dandagamuwa
Pugalla
Walapitiya
Weralugama
Narammala
Marawila
Dunukedeniya
Kekulakada
Nattandiya
Dampelessa
Yakwila
Katuneriya
Koswatta
Dambadeniya
Maharachchmulla
Wennappuwa
Pannala
Ginulla
Makandura
Polgahawella
Bolawatta
Sandalankawa
Dankotuwa
Kotadeniyawa
Alawwa
Kochchikade
Katana
Kegalla
Welihena
Godigomuwa
Mirigama
Ambepussa
Negombo
Galigomu
Dunagaha
Warakapola
Nelundeniya
Dewulapitiya
Minuwangoda
Dedigama
Katunayaka
DISTRICT DE GAMPAHA
DISTRICT DE KEGALLE
0
10 km
N
14
12
28
10
3
6
19

La côte ouest

Le littoral occidental du Sri Lanka s'étire de Colombo à Jaffna, à la pointe nord de l'île. Plusieurs éléments le distinguent du reste du pays : c'est sur la côte Ouest que l'on trouve la plus grande concentration de catholiques (roman catholic comme les gens vous le préciseront d'entrée de jeu), à partir de Negombo jusqu'à Mannar, où les quartiers, voire les villages entiers, se distinguent par leur appartenance religieuse. C'est d'ailleurs une des raisons qui explique la telle rapide reconstruction des zones détruites par le tsunami : le gouvernement italien s'est énormément investi pour réparer les dommages causés dans cette région. Dans le reste du pays, les Tamouls sont généralement laissés à leur propre sort.

Autre point intéressant, c'est aussi le début de la région tamoule, où l'on pourra avoir une perspective différente, selon les rencontres, de la vie politique du pays ; davantage de différences intercommunautaires fortement marquées, contrairement à la zone cinghalaise où le bouddhisme prédomine et efface donc quelque peu les particularismes identitaires des minorités. Ici, Cinghalais et Tamouls vivent ensemble, pas forcément en harmonie totale eu égard à la situation politique actuelle, mais paisiblement, démontrant ainsi que les deux ethnies peuvent cohabiter sans heurt dans un même espace.

On appréciera aussi le fait de ne pas voir beaucoup de touristes, voire aucun étranger hormis le personnel des ONG ; le littoral a toujours bénécifié d'une assez mauvaise presse malgré le peu d'attentats qui s'y sont produits. Que cela ne vous empêche pas d'être vigilant sur place, les conditions politiques sont très changeantes en ces périodes troubles. Cependant, à notre passage, le littoral était désert, paisible et les gens extrêmement chaleureux.

Enfin les plages sont agréables, par endroits, même bordées de lagons, mais attention car la baignade y est dangereuse.

NEGOMBO

A 35 km au nord de Colombo. Si l'aéroport international de Colombo n'existait pas, nul doute que cette petite ville ne verrait passer aucun voyageur. Les plages, le fort ou les églises de l'époque hollandaise ne méritent pas vraiment le détour.

En revanche, le marché aux poissons, qui se déroule chaque matin sauf le dimanche, mérite que vous vous leviez avant le lever du soleil car c'est le plus important du pays et il n'est pas rare d'y voir de gros requins et toutes sortes de poissons étranges. La proximité avec les pistes d'atterrissage explique la présence de quelques groupes de touristes fraîchement arrivés ou en partance.

Il arrive donc fréquemment de trouver les hôtels et surtout les guesthouses complets. Ici comme ailleurs, on fera attention à ne pas se faire accompagner par un local (rencontré dans la rue, chauffeur de *three-wheeler*, etc.) vers son hôtel, où le tarif se verra automatiquement majoré de la commission que le gérant devra verser à votre accompagnateur. Certains jeunes ayant sûrement vu passer trop de touristes peuvent vite devenir agressifs, évitez les. A voir : Neil, un artiste qui réalise de jolies peintures sur Lewis Place (près du Silver Sands) au 219/4.

Les immanquables de la côte ouest

- **Faire une cure de médecine** traditionnelle à Negombo.
- **Se balader sur le littoral** lagunaire de Puttalam, entre océan et lagon.
- **Dormir dans un écolodge** (Mud House, Ranweli ou autre).
- **Profiter du marché aux poissons** de Negombo, le plus important du pays.
- **Piquer une tête** dans la plus grande piscine du pays à Marawila.
- **Voir les ruines** de Taprobane, près de Puttalam.
- **Voir les dauphins** dans la Dutch Bay de Puttalam.

Transports

Taxi. Comptez 1 500 Rs en taxi pour faire le trajet entre l'aéroport et Negombo ou pour vous rendre à Colombo.

Bus et train. Le bus n° 240 est moins cher : 30 Rs seulement, 40 Rs en bus climatisé. Les trains pour Colombo sont très fréquents. En bus comme en train, on en aura pour 24 Rs pour rejoindre Chilaw.

Pratique

Indicatif téléphonique : 031.

INTERNET
Sun Video. 156, Lewis Place
4 Rs la minute, ce qui est vraiment cher, mais le propriétaire a promis l'ADSL (donc des tarifs plus raisonnables) pour bientôt.

Hébergement

Vous trouverez des hôtels pour toutes les bourses. Vous ne pouvez pas vous tromper, les guesthouses (comme les restaurants) sont situées le long de Lewis Place qui, contrairement à ce que son nom indique, est une route qui longe la mer. Au nord, le long de la plage d'Ethukala, se succèdent les établissements pour groupes. Les prix varient entre 500 et 1 000 Rs pour les établissements les plus simples. On trouve des hôtels très corrects avec piscine pour 2 500 Rs.

Negombo

Bien et pas cher

SILVAS'S BEACH HOTEL
16, Poruthota Road
© (031) 227 94 08
© portable : (077) 602 11 33
www.negombohotels.com
Un hôtel sympathique à la décoration très « catholique ». 25 chambres à 35 $, situées de l'autre côté de la route et desquelles on voit la mer. 12 bungalows à 600 $ autour de la piscine.

OCÉAN BEACH HOTEL
© portable : (077) 755 54 55
Joli petit hôtel sur la plage. Piscine et restaurant agréables. L'accueil y est chaleureux. Chambres correctes à partir de 3 000 Rs. L'établissement possède aussi une petite guesthouse plus loin beaucoup moins chère (pas côté plage). Une bonne adresse.

BEACH VILLA GUESTHOUSE
3/2, Senaviratna Road
© (031) 228 33 – Fax : (031) 341 34
Comptez de 400 à 1 000 Rs pour une double. Ce n'est pas le grand confort et l'air conditionné ne fonctionne pas même si vous payez le supplément. Mais l'endroit est bien situé face à la plage et le patron M. Nissanka possède une mine de renseignements pour organiser la suite de votre séjour.

JEERO GUESTHOUSE
239, Lewis Place
© (031) 223 42 10
Fax : (031) 222 28 80
silversands@dialogsl.net
Une petit guesthouse tenue par Terence Ferando au premier étage de la maison familiale. 4 chambres doubles sont à louer à partir de 800 Rs. Le cadre est simple mais l'ambiance très agréable.

SUNFLOWER BEACH HOTEL
289, Lewis Place
© (031) 222 43 08
www.sunflowerbeachhotel.com
Un hôtel fréquenté surtout par les locaux mais pas désagréable. Restaurant et piscine côté plage. Les chambres sont simples et confortables. Comptez 3 000 Rs la chambre double.

DEPHANI HOTEL-RESTAURANT
189/15, Lewis Place
© (031) 343 59 – Fax : (031) 382 25
dephani@sct.lk

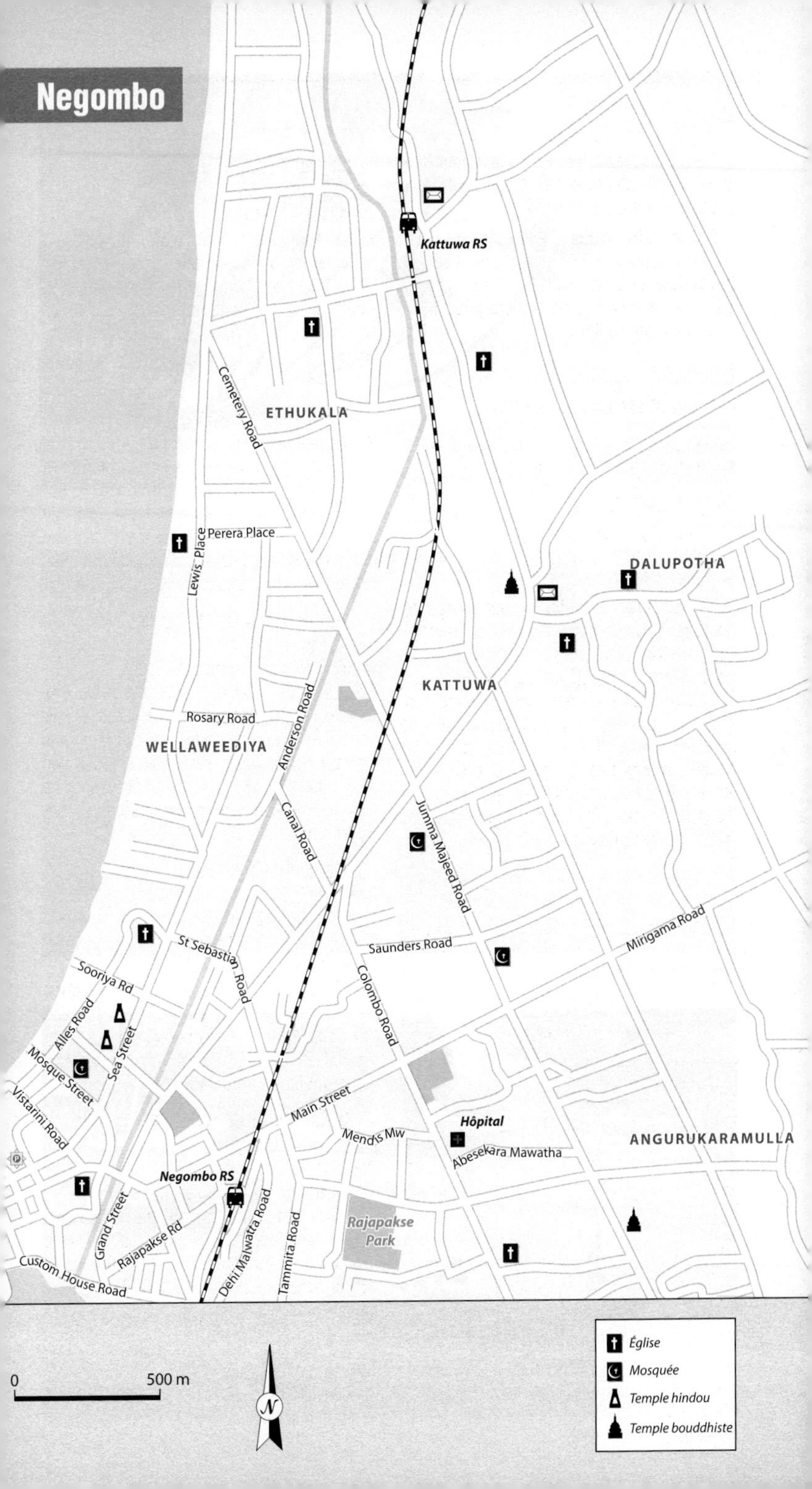
Negombo
Kattuwa RS
ETHUKALA
Cemetery Road
Perera Place
Lewis Place
DALUPOTHA
KATTUWA
Rosary Road
WELLAWEEDIYA
Anderson Road
Canal Road
Jumma Majeed Road
Mirigama Road
Saunders Road
St Sebastian Road
Sooriya Rd
Alles Road
Sea Street
Mosque Street
Colombo Road
Vistarini Road
Main Street
Hôpital
Mendis Mw
Abesekara Mawatha
ANGURUKARAMULLA
Negombo RS
Grand Street
Rajapakse Rd
Dehi Malwatta Road
Tammita Road
Rajapakse Park
Custom House Road
0
500 m
N
Église
Mosquée
Temple hindou
Temple bouddhiste

Negombo, plage

Negombo, catamarans

Negombo, retour de pêche

Bonne adresse très fréquentée par les petits budgets. Winny propose des chambres doubles à 1 500 Rs (1 000 Rs la simple) propres, disposant d'une moustiquaire, d'un ventilo et d'une douche. La terrasse, fort agréable, permet de bronzer tranquillement en prenant un verre ou en mangeant un bout. D'autant que l'endroit est réputé pour sa cuisine, en revanche, il ne faut pas être pressé.

■ **ICE BEAR**
103/2 Lewis Place
✆ (031) 223 38 62
www.icebearhotel.com
A partir de 37 $ la chambre double. Guesthouse de qualité supérieure, dans un lieu très original et artistique. Tenu par un Suisse, l'Ice Bear est avant tout un lieu de repos sis au cœur d'un jardin tropical où il n'y a qu'à lever le bras pour cueillir mangues, papayes et autres fruits tropicaux. L'excentricité de l'hôtel n'a d'égal que sa chaleureuse ambiance plébiscitée par tous : les chambres y sont confortables, la plage agréable et les petits déjeuners gargantuesques servis jusqu'à midi. C'est d'ailleurs considéré comme la meilleure guesthouse de la région.

Confort ou charme

■ **GOLDEN STAR**
165, Lewis Place
✆ (031) 335 64 – Fax : (031) 382 66
goldenst@cga.slt.lk
Au milieu des cocotiers, un hôtel confortable avec des chambres climatisées et l'eau chaude pour 28 à 36 $.

■ **SUNSET BEACH HOTEL**
5, Carron Place
✆ (031) 223 50 – Fax (031) 870 623
sunset@eureka.lk
Comptez entre 43 et 53 $ pour de vastes chambres claires et élégantes dans un grand hôtel moderne avec tout le confort.

■ **CATAMARAN BEACH HOTEL**
✆ (031) 568 43 42
La chambre double est entre 1 200 et 2 000 Rs sans climatisation. Etablissement sur la plage, avec des chambres confortables et propres à un prix correct. Accueil aimable.

Luxe

■ **BROWNS BEACH HOTEL**
175, Lewis Place
✆ (031) 220 32 – 230 84 08
Fax : (031) 870 572
brownsbh@slt.lk
Les chambres doubles, confortables mais sans charme, sont à 113 $ en saison, avec le petit déjeuner. Un centre de réflexologie chinoise, un spa ayurvédique. Deux restaurants sur la plage, un night-club, cet hôtel permet à ses résidents de se reposer confortablement à l'intérieur sans avoir à en sortir.

■ **AYURVEDA PAVILLIONS**
Le nec plus ultra de la côte, le sens du détail à l'état pur. Ici, vous n'êtes pas dans un hôtel, mais dans un centre de cure ayurvédique, comme son nom l'indique. Chaque villa dispose d'une salle de soins personnelle, une salle de bains en plein air, les repas sont adaptés au régime alimentaire de chaque client en fonction des prescriptions du médecin. Il y a même une piscine avec Jacuzzi. Bien sûr tout ceci se paie, dans les 300 $ l'une des douze villas, mais vous en sortirez comblé.

Restaurants

Nombreux restaurants pour tous les goûts le long de Lewis Place ou au buffet des grands hôtels. Notre coup de cœur, le restaurant Ruwini, situé au 170 Lewis Place, offre une cuisine copieuse et délicieuse pour pas cher dans une ambiance familiale vraiment chaleureuse. Vous y discuterez avec les fillettes des propriétaires en dégustant un excellent *fried rice* ou des fruits de mer frais. Le décor, bois et plantes, a un côté tropical pas désagréable, ce qui fait oublier que le restaurant donne sur la route. On peut aussi y loger. Le Sana's Sri Lankan n'est pas mal non plus (il propose aussi des chambres à 1 200 Rs).

WAIKKAL

A 56 kilomètres de Colombo, 18 km seulement de l'aéroport international, on trouvera dans ce village de pêcheurs une atmosphère de plénitude et d'authenticité rarement égalée. Baladez-vous le long de la côte, vous apercevrez une multitude d'églises de toutes les couleurs enjolivant le panorama. Au retour, si vous avez de la chance, vous verrez rentrer les catamarans et autres bâteaux de pêche, qui ramènent le fruit de leur journée de labeur.

Hébergement

■ **GING OYA LODGE**
Kamala North
Sympathique petit hôtel de dix chambres, le moins cher des environs.

■ **RANWELI HOLIDAY VILLAGE**

✆ 227 73 59

Cet établissement, rattaché à plusieurs organisations de sauvegarde de la faune et de la flore sri lankaises et internationales, offre aux amoureux de la nature un havre de paix où pêche, observation de différentes espèces et détente se pratiquent paisiblement. L'écolodge, tout de bois bâti, propose un hébergement de qualité, entre le lagon, l'océan Indien et les deux rivières environnantes. Toutefois, le lieu est réservé aux bourses bien remplies : 90 $ la chambre double entre mai et octobre, 120 $ le reste du temps. Prix dégressif à partir de quatre nuits.

■ **LE CLUB DOLPHIN**

✆ 537 33 05

Pour ceux qui aiment « farnienter » au bord de deux piscines dont l'une, énorme, dans le jardin. Cet endroit est tout sauf un club tel qu'on l'entend : décor digne des 5-étoiles de la capitale, ambiance chaleureuse et tout le confort nécessaire, voire superflu. Pas de plage en revanche. Les cottages, aux tarifs plus abordables, offrent un isolement bien appréciable pour les amateurs. Standard (cottages ou chambres) : de 50 à 100 $ (selon la saison) l'un, avec petit déjeuner. Deluxe : entre 80 et 160 $, également avec petit déjeuner. Tout cela en chambre double.

MARAWILA

A 20 km au nord de Negombo. Cette petite localité très marquée par le christianisme possède une belle plage aux rouleaux malheureusement dissuasifs et une intéressante église catholique très fréquentée par les pèlerins le vendredi. Entourée de la mangrove environnante, le lagon et l'océan Indien, elle dispose pourtant d'une situation exceptionnelle, et les oiseaux qui en ont fait leur habitat l'ont, eux, bien compris.

■ **CLUB PALM BAY HOTEL**

Thoduwawa

Entre 100 et 150 $ la chambre double.

Entre mangrove, lagon et océan, cet hôtel proche de l'aéroport offre plus que l'on ne demande à un établissement hôtelier. En outre, les chambres en chalets possèdent une véranda privée, la télévision et tout le confort moderne. Quant aux activités, la piscine est probablement la plus grande de l'île (elle est tout simplement énorme), on peut passer la nuit à la discothèque de l'hôtel puis se lever tôt pour faire un pitch and put ou encore une partie de tennis.

CHILAW

A 12 km au nord de Marawila. 20 Rs en bus depuis Negombo. Le trajet en train est plutôt sympathique, mais long, surtout si on ne trouve pas de place assise. Compter 2 heures pour 24 Rs.

Chilaw est un joli village de province. L'absence totale de touristes lui confère une authenticité fort appréciable. La plage y est non seulement déserte – si l'on excepte les quelques chèvres qui s'y reposent tranquillement – mais également très agréable. Un seul établissement, le Chilaw Resthouse permet de loger sur la plage, avec vue sur l'océan depuis les chambres du haut, correctes, ainsi que du restaurant-bar : 16 $ la chambre double climatisée, 10 $ sans climatisation. A la sortie de la ville, sur Puttalam Road, l'hôtel Green Valley, tout de vert vêtu, offre un repos paisible pour à peine plus cher. Quelques huttes éparses sur la plage sont propices à de jolis clichés. Bridge Street est l'artère principale de la ville, qui rejoint Colombo Road et Puttalam Road. C'est à partir de ce carrefour que l'on trouvera où se restaurer, acheter les produits de base après avoir fait un tour sur le très pittoresque marché aux poissons.

■ **SANDUN ENTERPRISES**

25th, Bridge Street. Près de la Bank of Ceylon

Accueil adorable, cuisine maison dans ce petit boui-boui familial qui propose également un service de téléphone IDD.

■ **TEMPLE DE MUNNESWARAM**

A l'extérieur de la ville, le temple de Munneswaram dédié à Shiva est un haut lieu du culte hindouiste qui possède de beaux vestiges datant du XIVe siècle et mérite une visite pour son ambiance chargée de mystère.

PUTTALAM

A 142 km au nord de Colombo, 74 km d'Anuradhapura.

Au XIVe siècle, Puttalam était la capitale du royaume d'Arya Chakravarty, un roi tamoul qui régnait sur la partie nord-ouest de l'île ; c'est là qu'Ibn Batuta, le Maure venu de Tanger, accosta. Il y découvrit le règne de la cannelle et de toutes sortes d'épices qui, bien avant l'introduction du thé, firent la renommée de

Ceylan.La ville de Puttalam est sise sur le lagon qui porte son nom, le deuxième plus important de l'île après celui de Jaffna. Elle offre donc un paysage assez fantasmagorique selon l'heure du jour, et une perspective unique sur l'île. Beaucoup de check-points à partir de là, on sent que l'on pénètre vraiment au cœur de la région tamoule.
La ville en elle-même ne présente pas d'intérêt particulier, c'est plutôt ses environs, les panoramas pittoresques que l'on peut avoir sur le lagon, qui sont intéressants. En outre, c'est à quelques kilomètres de là que l'on trouve les ruines de la fameuse **Taprobane** où Vijaha établit son royaume, le premier de l'île. Enfin, on y appréciera aussi la perspective assez surprenante d'une plage parsemée d'arbres tordus par le vent. Les villes de Puttalam et de Kalpitya sont aussi les destinations phares pour les pèlerins catholiques lors de la fête de Sainte-Anne en juillet. Kalpitya n'offre pas vraiment d'autre intérêt touristique mais peut valoir, si vous avez le temps, un détour pour le trajet sur cette bande de terre entre lagon et océan Indien.

Transports

- **Bus.** 30 Rs depuis Chilaw, 50 Rs depuis Negombo, 68 Rs depuis Puttalam-Anuradhapura (plutôt rapide, cette route étant une des plus importantes du pays).

Hébergement

■ RESTHOUSE

✆ (032) 226 52 99
Huit chambres, 2 000 Rs la chambre double climatisée et 1 500 Rs celle avec ventilateur. Une quadruple avec ventilo à 1 800 Rs. Elle propose une prestation correcte sans plus à un prix correspondant. On pourra aussi déguster à son restaurant des fruits de mer, profiter de son bar et de son *coffee lounge*.

■ DAMMIKA HOLIDAY RESORT

31, Good Shed Road
✆ (032) 226 51 92
Hôtel-restaurant près de la gare routière, plutôt agréable tout en étant vraiment simple.

Point d'intérêt

■ WILPATTU NATIONAL PARK

Voir « Parcs nationaux » dans la rubrique « Découverte »
Wilpattu est un parc de 800 km², constellé d'une trentaine de lacs d'eau douce, où pêchent hérons cendrés et cormorans et où viennent boire daims, cochons sauvages et éléphants et surtout des panthères tachetées (léopards) dont c'est la région de prédilection. Il est fermé depuis une quinzaine d'années. La vie sauvage a repris ses droits dans cette région ravagée par la guerre civile.

Pêcheurs

ORGANISER SON SÉJOUR

Mihintale, pêcheurs

Pense futé

ARGENT

Monnaie et change

La monnaie nationale est la roupie sri lankaise. Vous aurez entre les mains des pièces de 50 cents, 1, 2, 5 et 10 Rs et des billets de 10, 20, 50, 100, 200, 500 et 1 000 Rs. Quand vous changez de l'argent, demandez des coupures de 100 Rs plus pratiques à écouler que les valeurs supérieures. Le code ISO pour la devise du Sri Lanka est LKR. A savoir que 1 roupie = 100 cents et que 1 lakh = 100 000 roupies.

Il faut faire attention à l'utilisation des billets.

Pour la LKR, il existe des restrictions à l'import comme à l'export sur la devise.

Vous devez vous rendre en arrivant au bureau du contrôle des changes signalé par un « D » dans l'enceinte de l'aéroport.

Seulement 5 000 LKR sont autorisées à l'entrée comme à la sortie.

Toutes les autres devises majeures (USD, SAR, etc.) sont en entrée libre. En revanche pour les montants supérieurs à 10 000 USD, vous devez déclarer le montant.

Attention ! Si vous avez des LKR et que vous souhaitez les échanger contre des dollars ou autres devises, vous pourrez uniquement réaliser l'opération à l'aéroport de Colombo.

Taux de change

Il varie en fonction du cours du dollar. A l'automne 2008, il fallait compter environ 165 Rs pour 1 $ et 103 Rs pour 1 $.

Chèques de voyages et cartes bancaires

Il est inutile d'emporter une grosse somme d'argent liquide.

Vous pouvez utiliser des traveller's chèques sans problème, mais le faible taux de criminalité-délinquance et les facilités de paiement vous permettent d'utiliser cartes de crédit et liquidités un peu partout.

MasterCard

Pour ce qui est de la MasterCard, attention à s'approvisionner régulièrement dans les grandes villes, les banques qui permettent le retrait au distributeur avec cette carte étant peu nombreuses : Commercial Bank (que l'on trouve seulement dans les grandes villes), Sampath Bank et HSCB (que l'on trouve encore moins souvent). Les banques les plus présentes géographiquement sont People's Bank et Bank of Ceylon, où l'on ne peut retirer qu'avec une Visa.

A titre informatif, un certain nombre de villes sont sans ATM (distributeur de billets) utilisable avec une MasterCard : Arugam Bay, Bentota, Ella, Giritale, Habarana, Kataragama, Mirissa, Nilaveli, Polonnaruwa, Pottuvil, Puttalam, Tangalle, Weligama, Yala, etc.

S'informer donc à l'avance sur le site www.mastercard.com des villes où le retrait au distributeur est possible avec cette carte de crédit.

Cependant, rien ne vous empêche de payer avec votre MasterCard, ni de demander au guichet à retirer de l'argent. Cette information est notamment utile dans le cas où la banque serait fermée, en raison des horaires ou des jours fériés (ce qui est très fréquent au Sri Lanka !).

- **En cas de perte ou vol de votre carte,** numéro du centre d'opposition de MasterCard : + 33 (0)1 45 67 84 84

Carte Visa

La carte Visa vous permettra plus aisément de retirer de l'argent aux guichets automatiques de toutes les banques et reste une valeur sûre pour les achats, paiements à l'hôtel, etc.

- **En cas de perte ou de vol de votre Visa,** appelez au ✆ + 1 410 581 9994 – ✆ + 1 410 581 3836.

Numéros d'opposition selon votre banque

Les numéros en 08 sont facturés 0,15 €/min. pour un appel en France.

- **Banque Populaire** ✆ 0 825 082 424
- **Banque Privée Européenne** ✆ 01 45 67 84 84
- **Barclays Bank** ✆ 0 825 000 777
- **BNP Paribas** ✆ 0 825 032 424
- **BRED** ✆ 01 44 61 67 25
- **Caisse d'Epargne** ✆ 0 825 39 39 39
- **CIC** ✆ 0 825 000 444
- **Citibank** ✆ 01 49 05 49 05
- **Crédit Agricole** ✆ 01 45 67 84 84
- **Crédit Lyonnais** ✆ 01 44 61 39 39
- **Crédit Mutuel** ✆ 01 45 67 84 84
- **La Poste** ✆ 0 825 809 803
- **Société Générale** ✆ 0 825 070 070
- **Pour les autres banques,** composez le ✆ 0 892 705 705 (0,34 €/min.)

Précautions

Si vous partez dans la jungle ou même simplement dans un petit village, faites provision de roupies, vous les dissimulerez dans une poche à zip – si vous en avez – de votre pantalon. A proscrire : la banane trop voyante et proie facile des pickpockets, notamment dans la bousculade des gares, et les porte-monnaie que vous accrochez autour de votre cou, sauf si vous avez une épaisseur par-dessus (pull, gilet, sac à dos) qui neutralise les risques de strangulation par vol à l'arrachée. Mais en règle générale, il y a très peu de vols ou de criminalité.

Budget

Si vous avez un budget serré et que le confort n'est pas votre priorité, comptez de 400 à 700 Rs pour une chambre sommaire et de 50 à 100 Rs pour un repas local (donc pimenté, palais sensibles s'abstenir !). Ajoutez les insignifiants frais de transport et vous obtenez une dépense journalière maximale de 1 000 Rs, en comptant large. Ajoutez à cela le prix d'entrée des musées et sites archéologiques. Pour ces derniers, il est vivement conseillé d'acheter le forfait du Triangle culturel qui vous donne accès à un grand nombre de sites – mais pas tous malheureusement – pour environ 40 $. L'entrée des parcs nationaux, avec un véhicule tout terrain, est assez chère, dans les 30 à 40 $.

Si, en plus, vous avez décidé d'offrir des souvenirs (masques, tissus, bijoux...), les dépenses s'allongeront. Dernier détail, pour les fumeurs assidus : le prix d'un paquet de cigarettes (*200 Rs*) étant très élevé par rapport au niveau de vie sri lankais, ne vous étonnez donc pas de le voir grever sérieusement votre budget. On trouve difficilement des cigarettes étrangères, si ce n'est des Benson & Hedges, généralement aux comptoirs de certains hôtels. Les Gold Leaf (*210 Rs*) sont tout à fait correctes, les Bristol (*180 Rs*) également et celles-ci se présentent dans un paquet souple ; de toute façon, vous n'aurez pas vraiment le choix. On peut les acheter par paquet de vingt, douze (Gold Leaf) ou dix cigarettes (Bristol).

ASSURANCE ET SÉCURITÉ

Assurance

Si vous payez votre billet d'avion avec votre carte Visa ou MasterCard, vous bénéficiez d'une assurance qui couvre votre voyage. Si vous souhaitez la compléter afin de partir l'esprit tranquille, n'oubliez pas de vérifier si vous n'avez pas déjà une assurance complémentaire dispensée par un autre organisme (banque, mutuelle, organisme de crédit, etc.).

Sécurité

Le Sri Lanka est un pays sûr. La délinquance y est très faible et, malgré la grande différence de niveau de vie, les touristes sont rarement importunés. Les femmes seules peuvent voyager en toute sécurité, y compris dans les transports en commun et sont sans doute moins importunées qu'en Europe. On rencontre encore quelques barrages militaires sur les routes, mais les soldats sont très courtois et laissent passer les touristes sans problème.

Les seuls vrais dangers sont la mer et la circulation routière. Abstenez-vous donc de vous baigner seul sur une plage dont vous ne connaissez rien, les accidents arrivent fréquemment et ce, même à quelques mètres du rivage. Méfiez-vous particulièrement des courants si vous pratiquez le *snorkeling*.

Pour la route, les seuls conseils que nous pouvons vous donner sont, d'une part de prendre un chauffeur, et d'autre part de vous abstenir totalement de rouler la nuit. Pour le reste, remettez-vous-en à la grâce de… qui vous voulez.

Voyager seule

Une femme seule, même dans son pays et dans des lieux qu'elle connaît parfaitement, n'est jamais à l'abri d'une rencontre ou d'une situation malheureuse. Alors à l'étranger ! La première chose à savoir et à conserver à l'esprit lorsqu'on part seule en voyage, c'est de s'informer des mœurs locales, relatives à la femme en particulier, et de s'y conformer le plus possible. Non seulement vous avez plus de chances de vous fondre dans la masse (en apparence seulement, il est impossible que vous ne soyiez tout de suite remarquée pour votre différence), mais surtout les gens apprécient qu'on respecte leur culture et vous respecteront donc en retour. Vous aurez peu ou prou de problèmes avec les Sri Lankais : c'est un peuple courtois et bienveillant où la criminalité est plutôt absente. Cependant, comme partout, il y a des endroits à éviter et des comportements de base à adopter. Quelques repères de départ :

- **Il est très rare qu'un homme vous aborde directement** sans vous connaître, sauf à partir d'un certain âge ou dans un but commercial. En revanche, les gens sont ravis de vous aider dès lors que vous vous adressez à eux.
- **Ne touchez jamais un homme pour lui exprimer votre amitié.** Les démonstrations de sympathie font partie du langage verbal, le toucher étant réservé aux rapports plus intimes. Vous remarquerez d'ailleurs que là-bas, aucune personne de sexe masculin ne vous approchera de trop près sans une très bonne raison.
- **Si une personne se conduit de manière inconvenante,** deux solutions : soit vous êtes dans un lieu fréquenté et vous pouvez créer un esclandre sur la place publique, soit il n'y a personne et le mieux à faire est encore d'ignorer la personne et de continuer son chemin comme si de rien n'était. C'est pénible, voire frustrant, mais c'est aussi le meilleur moyen de ne pas vous retrouver dans une situation délicate.

Kandy, pendant la Perahera, spectatrice

© ICONOTEC - ÉRIC MARTIN

Nuwara Eliya, récolte du thé

Soyez sûre de vous : vous savez comment et où vous allez. Si vous ne savez pas ou que vous recherchez votre chemin, demandez à un commerçant, pas à une personne choisie au hasard dans la rue (et qui peut-être vous suit depuis une demi-heure). A la limite, inventez-vous mari et pléthore d'enfants qui vous attendent à vingt kilomètres, c'est généralement le plus simple. Quitte à s'offrir une bague en toc avant de partir pour officialiser votre union imaginaire !

Quel que soit le standing de votre hôtel, ne laissez pas le personnel masculin s'attarder dans votre chambre. Autant vous ne pouvez les empêcher d'entrer pour apporter votre casse-croûte, autant vous n'êtes pas tenue d'accepter qu'il y reste plus longtemps que nécessaire. Si on veut discuter, proposez de le faire plus tard. De même, si on veut juste vous demander un renseignement, ne faites pas entrer la personne dans votre chambre.

On ne saura le dire assez, évitez les endroits glauques et mal famés ou, pire, le camping sauvage. Arriver tôt dans la ville où vous comptez dormir vous permet de chercher tranquillement un établissement correct. Débarquer de nuit ou presque vous fait prendre des risques élevés de finir dans un hôtel de passe ou de routiers, pas terrible pour une femme seule.

De même, on ne squatte pas un bout de trottoir pour faire une sieste, encore moins une plage pour y passer une nuit à la belle étoile. Sachez que partout où vous irez, même en France, les bords de mer sont assez dangereux dès le soir venu.

Forcément, ceci demande un minimum de confort financier, vous ne pouvez compter sur l'hospitalité des locaux sans prendre d'énormes risques quant à votre intégrité physique. Car aucune femme ne vous invitera à dormir chez elle, pas dans une société de type patriarcal.

Enfin, il y a aussi bon nombre d'avantages à voyager seule, ne serait-ce que celui d'un rapport privilégié avec les femmes. Mais vous aurez tout le temps de découvrir cela sur place. En attendant, ces précautions sont nécessaires le temps de vous familiariser avec le pays et les mœurs locales. Mais les Sri Lankais demeurent un peuple très doux, ouvert et surtout extrêmement respectueux d'autrui, en particulier des femmes. C'est d'ailleurs probablement l'un des pays les plus sûrs pour ce qui est de la sécurité des femmes.

En anglais, le premier site consacré aux voyageuses solo – www.journeywoman.com

© ICONOTEC - ÉRIC MARTIN

Buduruwagala, site bouddhique

SANTÉ

Il convient d'être vigilant sur quelques points afin de ne pas subir des désagréments de santé au cours de son voyage. Le Sri Lanka oblige à prendre des précautions face à certaines maladies bien qu'il ne présente pas de risques majeurs au plan sanitaire.

Eau

Au Sri Lanka, bien qu'elle soit consommée, il est fortement déconseillé de boire l'eau du robinet. Elle n'est, la plupart du temps, pas potable. N'utilisez que des bouteilles d'eau minérale après avoir vérifié qu'elles sont bien scellées. Dans le cas contraire, filtrez-la soigneusement car il n'est pas toujours facile de savoir si l'eau a été purifiée ou non. Vous pouvez ainsi purifier votre eau avec des comprimés désinfectants (Aquatabs®, Drinkwell Chlore®, Micropur®) que vous aurez eu soin d'emporter. Mais attention, les différents désinfectants ne protègent pas contre tous les microbes transmis par l'eau à moins que celle-ci ait été filtrée au préalable. Evitez les glaçons, même dans les hôtels, ainsi que les glaces et sorbets achetés dans la rue. Le thé, s'il est suffisamment bouilli, ne présente aucun danger. Il vous faudra dans tous les cas faire preuve de la plus grande vigilance.

Dans de très nombreux pays, et en particulier au Sri Lanka, l'eau est le principal ennemi du voyageur. Statistiquement, un voyageur sur deux est touché par la turista au cours des quarante-huit premières heures et 80 % des maladies contractées en voyage sont directement imputables à une eau contaminée. Certes, une turista est heureusement souvent bénigne mais une diarrhée contractée en zone à risques peut aussi dissimuler des amibes, la giardia, des bactéries ou des virus, qui peuvent être vecteurs de maladies graves (typhoïde, choléra, par exemple). La plus grande prudence s'impose donc. Il ne suffit pas d'éviter de boire de l'eau du robinet : les glaçons, les aliments lavés avec de l'eau impure ou le brossage des dents avec l'eau du robinet – même dans un hôtel 4-étoiles – sont des vecteurs de contamination. Mieux vaut donc prévenir que guérir : acheter si possible des bouteilles d'eau capsulées. Mais attention il ne faut pas qu'elles arrivent décapsuler sur la table car certains petits malins n'hésitent pas à remplir la bouteille avec l'eau du robinet ! Faites bouillir l'eau (le café et le thé sont des boissons « sûres »), évitez de manger des crudités ou des fruits non pelés (suivre la devise : « lavés, pelés, bouillies ou rejetés ! »), bannissez les glaçons. et un bon conseil : ayez toujours sur vous des comprimés désinfectants. Rien n'est plus simple : un comprimé dans votre gourde ou dans votre bouteille d'un litre et vous êtes tranquilles pour votre trek. Utilisez-les pour vous brosser les dents ou pour boire un peu d'eau en pleine nuit ou même pour laver vos fruits. Selon le lieu, les circonstances ou le type de voyage, on ne trouve pas de partout des bouteilles capsulées et on ne peut pas toujours faire bouillir son eau.

Avant de partir, vous pouvez acheter du Micropur Forte DCCNa® – seul produit sur le marché qui purifie l'eau rapidement, élimine bactéries, virus, giardia et amibes, et permet à l'eau de rester potable. Il existe aussi Aquatabs® ou Hydroclonazone® (le moins cher mais le goût de chlore est très prononcé et seules les bactéries sont éliminées). Pour les aventuriers, un filtre à eau est indispensable pour filtrer l'eau boueuse. Les filtres Katadyn® répondent aux attentes de ces baroudeurs avec plusieurs modèles, dont le célèbre filtre-bouteille qui permet d'avoir de l'eau potable instantanément, sans pomper, et qui élimine aussi les virus.

Hygiène alimentaire

Les maux les plus courants restent les troubles intestinaux. Le fait de changer de régime alimentaire est déjà source de perturbations, mais lorsque s'ajoute à cela une nourriture épicée parfois préparée dans des conditions d'hygiène sans rapport avec celles auxquelles nous sommes habitués, cela se traduit la plupart du temps par de fortes diarrhées, également connues sous le nom de turista. Pour l'éviter, attention aux fruits déjà pelés et aux mets crus. Aussi, évitez de manger des fruits ou légumes qui auraient été lavés avec de l'eau non bouillie. Si vous avez la possibilité de faire votre cuisine, lavez bien les fruits et légumes avec de l'eau à laquelle vous ajoutez du permanganate ou quelques gouttes d'eau de Javel. Les viandes et crustacés sont également à proscrire, sauf s'ils sont bien cuits, en raison des problèmes rencontrés dans le respect de la chaîne du froid.

Si les diarrhées sont plus désagréables que dangereuses, il faut savoir qu'elles ont pour effet de déshydrater. C'est pourquoi il faut penser à boire beaucoup d'eau purifiée lorsqu'on est atteint par ce type de désagrément. Quelques jours d'adaptation ou un léger traitement à l'Imodium® et à l'Intétrix® ou à l'Ercéfuryl® devraient en venir à bout. Pour les diarrhées plus sévères (amibiases), consultez un médecin pour un traitement plus adéquat (se soigner au Flagyl®).

Piqûres et morsures

Le paludisme, ou malaria, est une maladie assez répandue au Sri Lanka, classée zone 2 par les autorités sanitaires françaises. Il est donc primordial de se protéger convenablement contre les piqûres de moustiques. Les risques varient néanmoins considérablement d'une région à une autre. Sur place, utilisez de puissants répulsifs et portez des vêtements adaptés (pantalon, sweat à manches longues, chaussettes). La nuit, la moustiquaire est de mise, complétée pour plus de sécurité par l'utilisation de sprays antimoustiques.

Pour ce qui est des morsures, de chiens notamment, la rage étant toujours active dans certaines zones rurales du pays, désinfectez immédiatement la plaie et consultez rapidement un médecin. L'espèce qui pourrait vous donner le plus de fil à retordre sera probablement la sangsue. Ver carnivore, hermaphrodite, elle se nourrit essentiellement de sang. On la rencontre principalement en milieu humide – étangs, mares, lacs – comme dans la forêt de Sinharaja. Avec ses trois mandibules, elle injecte dans un premier temps un anesthésique ainsi qu'un anticoagulant. Elle se nourrit ensuite par un effet de succion, de trente minutes à 24 heures selon les espèces.

Si vous êtes mordus, ne paniquez pas. La sangsue ne transmet pas de parasites affectant l'homme. Il s'agit simplement de l'ôter convenablement. Il est fortement déconseillé d'utiliser du sel, un mégot de cigarette ou de tirer dessus. Soit vous attendez qu'elle soit repue (elle tombera alors d'elle-même), soit vous pouvez utiliser de l'eau savonneuse ou de l'alcool. Sous l'effet de l'anticoagulant, les plaies peuvent saigner abondamment, rien d'anormal. A noter : la plaie peut démanger mais il ne faut pas y toucher sous peine de l'infecter. Il convient donc de les traiter le plus rapidement possible avec un antiseptique et de les laisser le plus souvent possible à l'air libre plutôt que de les couvrir d'un pansement.

Soleil

Attention aux brûlures dues au soleil ! Au Sri Lanka, malgré un climat humide, il frappe fort et peut entraîner quelques surprises. Il faut donc se montrer extrêmement prudent et éviter les expositions longues et répétitives. Dans tous les cas et quelque soit la durée de l'exposition, il est impératif d'utiliser un écran solaire avec un indice très élevé et de ne pas hésiter à se couvrir avec des vêtements en toile légère et des chapeaux à larges bords. Les enfants à peau claire sont particulièrement vulnérables.

A court terme, les coups de soleil et autres allergies solaires n'ont aucune conséquence sur la santé si ce n'est quelques douleurs intempestives. Au contraire, les rayonnements UV provoquent à long terme un vieillissement accéléré de la peau, voire des cancers.

Assurance assistance médicale

Il vaut mieux être bien assuré ! Une assurance médicale vous sera indispensable pour couvrir vos éventuelles dépenses (remboursement des médicaments, des frais de consultation ou d'hospitalisation, rapatriement sanitaire, etc.). Bien souvent, les sociétés de cartes de crédit (Visa, Carte bleue, etc.) et les mutuelles incluent dans leurs contrats un service d'assurance valable à l'étranger lorsque le séjour ne dépasse pas une certaine durée. Renseignez-vous. Et lisez attentivement les conditions de prise en charge ainsi que les clauses d'exclusion avant d'arrêter votre choix.

Assurances rapatriement liées aux cartes bancaires

Si vous possédez une carte bancaire Visa, EuroCard MasterCard®, vous bénéficiez automatiquement d'une assurance médicale et d'une assistance rapatriement sanitaire valables pour tout déplacement à l'étranger de moins de 90 jours (le paiement de votre voyage avec la carte n'est pas nécessaire pour être couvert, la simple détention d'une carte valide vous assure une couverture).
Si vous n'êtes pas couvert par l'une de ces cartes, n'oubliez surtout pas de souscrire une assistance médicale, avant de partir. En cas de pépin, celle-ci vous assurera le remboursement des frais de rapatriement et médicaux. Il peut s'avérer judicieux, en cas de vol de vos bagages notamment, d'inscrire les coordonnées d'assurances et autres informations bancaires (numéros de chèques de voyage, numéro de carte bancaire, sauvegarde par fichier Internet, etc.) en différents endroits ou d'en déposer un double chez une personne de confiance.

Type de maladies

Si certaines consignes de sécurité doivent être respectées, le Sri Lanka ne présente pas particulièrement de danger. Pour vous informer de l'état sanitaire du pays et recevoir quelques conseils, vous pouvez vous adresser à la Société de médecine des voyages du Centre médical de l'Institut Pasteur (✆ 08 90 71 08 11).

Chikungunya

Maladie infectieuse sévissant sous les tropiques, le chikungunya est un arbovirus transmit d'homme à homme par l'intermédiaire de moustiques du genre aedes. C'est un vecteur diurne ayant un pic d'activité en début et en fin de journée. Après une courte période d'incubation (de quatre à sept jours), une forte fièvre apparaît brutalement, suivie dans certains cas d'éruptions cutanées. Elle s'accompagne de douleurs articulaires intenses touchant principalement les extrémités (poignets, chevilles, phalanges).
Cette « maladie de l'homme courbé » évolue le plus souvent favorablement et ne laisse aucune séquelle. Elle peut néanmoins persister chez certains individus et provoquer une incapacité de plusieurs semaines, voire plusieurs mois. Le chikungunya sévit épisodiquement dans plusieurs régions rurales ainsi que dans la ville de Colombo. La solution consiste, comme souvent à utiliser des répulsifs et autres insecticides.

Dengue

Sans poser de grave problème sanitaire, cette maladie est assez répandue à Sri Lanka, particulièrement pendant la période de la mousson et dans les grandes villes comme celle de Colombo. Cette fièvre, qui sévit habituellement dans les pays tropicaux, est transmise par une variété de moustiques (aedes) différente de celle responsable du paludisme. Et ceux-ci piquent tout au long de la journée. La dengue se traduit par un syndrome grippal (fièvre, maux de tête, douleurs articulaires et musculaires) et ne peut être évitée par un traitement préventif ou par un vaccin. Aucun remède n'étant disponible sur le marché, seule la prévention (répulsifs et insecticides)

Bouddha assis

pourra vous éviter ce désagrément. Cette maladie pouvant s'aggraver et conduire à la mort (la forme hémorragique est malgré tout assez rare), il est fortement recommandé de consulter un médecin en cas de fièvre et, surtout, de ne pas prendre d'aspirine lorsque l'on présente ces symptômes (risque de fièvre hémorragique mortelle).

Diarrhée du voyageur (turista)

La diarrhée est un problème de santé rencontré fréquemment par les voyageurs lorsqu'ils voyagent dans des pays où l'hygiène est insuffisante. Il s'agit généralement de troubles bénins dus à des infections contractées lors de la consommation d'eau ou d'aliments contaminés. Ces troubles disparaissent en général spontanément en un à trois jours. Le traitement curatif est souvent une automédication pour laquelle il est pratique de disposer de médicaments dont on se sera muni avant le départ. Vous pouvez aussi boire de l'eau salée et sucrée, du Coca-Cola® dégazéifié (le remuer simplement) et mangez très léger (un peu de miel, du riz).
Si la diarrhée persiste ou s'accompagne de pertes de sang ou de glaires, consultez un médecin à l'hôpital le plus proche. Et il n'est pas inutile d'emporter avec soi de l'Imodium® (qui stoppe effectivement la diarrhée, mais sans en combattre les causes) ou certains antibiotiques comme l'Intétrix®, prescrits avec réserves.

Maladies sexuellement transmissibles

Les MST, ou maladies sexuellement transmissibles, sont bien évidemment présentes à Sri Lanka. Toutes les précautions habituelles restent ainsi de mise, rien ne valant la peine de prendre des risques inutiles. Le sida ne doit pourtant pas faire oublier qu'il n'est pas la seule MST, loin de là. Herpès, blennorragie, syphilis, hépatite B, chlamydia sont autant de maladies préjudiciables pour votre santé. La protection qui s'impose est valable pour le Sri Lanka comme pour toutes les parties du monde, aucune zone n'étant épargnée par ces fléaux. Vous trouverez des préservatifs fiables sur place, le mieux étant toujours d'en avoir toujours sur soi. Dans tous les cas, ils restent le moyen le plus sûr pour se protéger et protéger les autres.

Paludisme

Le Sri Lanka compte quelques zones à risque pour la transmission du paludisme, surtout lors de la période des moussons. L'échelle sanitaire employée par la France classifie d'ailleurs le pays en zone 2. Les régions principalement touchées par la « malaria » sont les Northern Province et Eastern Province ainsi que dans une moindre mesure les zones de la partie sud de l'île située à basse altitude. Colombo, l'ensemble de la côte ouest, le district de Nuwara Eliya et plus généralement les régions au-dessus de 1 500 m ne présentent pas de risques sérieux.
Un traitement préventif adapté à la région, à la période du voyage et à la personne est donc vivement recommandé. Il est impératif de consulter son médecin avant son départ (notez qu'en France, les médicaments

antipaludiques ne sont délivrés que sur ordonnance). La prévention conseillée diffère selon les régions : la méfloquine (Lariam®), l'association d'atovaquone et de proguanil (Malarone®), ou encore l'association de la chloroquine et du proguanil (Savarine®). La doxycycline (Doxypalu®) est également une alternative possible.
Mais l'on peut tout à fait se passer de traitement si le voyage est inférieur à sept jours, sous réserve de pouvoir consulter un médecin en cas de fièvre dans le mois qui suit le retour. La première précaution contre le « palu » reste l'emploi permanent de répulsifs et d'insecticides contre les moustiques ainsi que le port de vêtements longs et couvrants, la meilleure parade contre ces insectes.

Rage

Il est conseillé d'éviter le contact direct avec les chiens, les chats, en règle générale, tous les mammifères pouvant être porteur du virus. La rage est une infection mortelle transmise par morsure, griffure ou léchage. Elle ne se transmet pas entre les hommes. L'apparition des premiers symptômes varie entre trente et quarante-cinq jours après contact avec un animal infecté. La maladie se manifeste par une phobie de l'air et de l'eau, traduisant une infection du cerveau. Une fois ces symptômes constatés, le décès intervient en quelques jours, dans 100 % des cas. En cas de doute, il faut absolument consulter un médecin, lequel vous administrera un vaccin antirabique associé à un traitement adapté.

Tuberculose

Avec plus de deux millions de décès chaque année, cette maladie reste l'une des premières causes de mortalité dans le monde. Des cas sont fréquemment recensés parmi la population locale. La tuberculose est une maladie infectieuse et contagieuse causée par le bacille de Koch. Cette micro-bactérie, transmise par l'air, attaque le plus souvent les poumons, mais d'autres organes peuvent être atteints. De la fièvre, une toux grasse, des expectations (crachats), une perte de poids et d'énergie sont les symptômes caractéristiques de cette infection. La tuberculose nécessite un traitement lourd qui peut s'étendre sur 8 mois.

Vaccins recommandés

Aucun vaccin n'est obligatoire pour entrer sur le territoire sri lankais. Seul un certificat antiamaril est demandé aux voyageurs en provenance de zones infectées. Des précautions doivent portant être prises. Il est ainsi recommandé de se vacciner contre certaines maladies comme les hépatites A et B.

Diphtérie

La diphtérie est extrêmement contagieuse et la vaccination est le seul moyen de la combattre. Mortelle dans 10 % des cas, elle se transmet de manière directe par les sécrétions salivaires, ou de manière indirecte par la consommation d'aliments contaminés, et se traduit par de la fièvre et des difficultés respiratoires. Obligatoire en France, la vaccination contre la diphtérie est souvent associée chez les enfants à celle contre le tétanos et la poliomyélite.

Encéphalite japonaise

Sévissant pendant la période de la mousson, l'encéphalite japonaise se transmet par une piqûre de moustique mais jamais d'homme à homme. Le Sri Lanka connaît régulièrement des épidémies. Les symptômes, communs à plusieurs maladies la rendent difficiles à diagnostiquer dans un premier temps. Fièvre élevée, frissons, céphalées ponctuées de malaises et, pour les formes les plus graves, une atteinte cérébrale (encéphalite). L'évolution est imprévisible et peut être fatale.
Il est conseillé de se vacciner en cas de séjour de plus d'un mois, pendant la période critique que constitue la saison des pluies. Le vaccin

est disponible en France, dans les centres de vaccination contre la fièvre jaune, sous le nom de Jevax®. Cette vaccination ne s'effectue que sur rendez-vous. Contactez le centre médical de l'Institut Pasteur (✆ 08 90 71 08 11).

Hépatite A

Pour l'hépatite A, l'existence d'une immunité antérieure (dans ce cas, la vaccination est inutile) est d'autant plus fréquente que vous avez des antécédents de jaunisse, de séjour prolongé à l'étranger ou êtes âgés de plus de 45 ans. L'hépatite A est le plus souvent bénigne. Cependant elle peut être parfois grave, notamment au-delà de 45 ans et en cas de maladie hépatique préexistante. Elle s'attrape par l'eau ou les aliments mal lavés.
Si vous êtes porteur d'une maladie du foie, la vaccination contre l'hépatite A est hautement recommandée avant tout type de voyage où l'hygiène est précaire. Le vaccin contre l'hépatite A doit théoriquement être effectué en deux fois, mais la première injection, un mois avant le départ, suffit à assurer une protection pour un voyage de courte durée. La deuxième, le rappel (six mois à un an plus tard) renforce la durée de l'immunité pour des dizaines d'années.

Hépatite B

Maladie nettement plus grave que l'hépatite A, elle se contracte lors de rapports sexuels non protégés ou par voie sanguine. Le vaccin contre l'hépatite B est à faire en deux fois à un mois d'intervalle (mais il existe des vaccinations accélérées en un mois pour les voyageurs pressés), plus un rappel six mois plus tard pour renforcer la durée de la protection.

Poliomyélite

Après une infection, fièvre et maux de tête apparaissent sous 15 jours. Le mode de transmission est féco-oral (contamination par les selles ou la salive). Infection virale de l'intestin, la « polio » peut parfois atteindre le système nerveux central, et entraîner la mort si les muscles respiratoires et de la déglutition sont atteints. Si vous êtes déjà vacciné contre la poliomyélite, un simple rappel sera suffisant. Dans le cas contraire, un cycle de vaccination doit être débuté avant le départ et terminé après le retour.

Rage

Le vaccin antirabique, indispensable seulement pour les séjours prévus en situation d'isolement, s'administre par voie intramusculaire à titre préventif. La vaccination ne dispense pas d'un traitement curatif qui doit être pris dans les plus brefs délais en cas d'exposition avérée ou suspectée.

Tétanos

Le tétanos est une maladie qui est encore mortelle si elle n'est pas traitée ou si l'on n'est pas vacciné. Obligatoire en France depuis 1952, le vaccin contre le tétanos est aujourd'hui administré de manière systématique. Donc impossible de passer entre les mailles du filet, mais en cas de doute ou de blessure provoquée par un objet métallique et/ou rouillé, contacter votre médecin qui vous fera un rappel.

Typhoïde

La fièvre typhoïde est une infection bactérienne strictement humaine. Elle se traduit par de fortes fièvres, une diarrhée fébrile accompagnée de troubles de la conscience. Les formes les plus graves peuvent engendrer des complications digestives, neurologiques, ou cardiaques. La période d'incubation de la maladie varie entre dix et quinze jours. La vaccination est recommandée pour les séjours se déroulant dans des conditions d'hygiène précaire.

Pharmacie de base

Bien que les médicaments communs soient accessibles dans les pharmacies locales il est préférable de prévoir son nécessaire avant son départ. En cas d'achat, vérifiez bien la provenance de ceux-ci. Privilégiez les médicaments certifiés par les grands groupes pharmaceutiques. Dans tous les cas, les médicaments vendus en dehors des officines sont à proscrire. Mieux vaut donc préparer sa pharmacie avant le départ. Les incontournables sont l'aspirine (dans ces régions du monde, évitez de consommer de l'aspirine qui, en cas d'infection par la dengue, risquerait de provoquer une fièvre hémorragique mortelle), le paracétamol, des antidiarrhéiques, des antibiotiques (contre la diarrhée, les infections pulmonaires, ORL et cutanées), un antiallergique et tout le nécessaire pour se protéger des piqûres d'insectes. Des pansements adhésifs et un désinfectant peuvent aussi être utiles.

■ **OSU SALA**
255, Dharmapala Mawatha

Pinnawala, orphelinat pour éléphants

Colombo 7
✆ + (94) 011 2694 716

Urgences, hôpital et médecin

■ **URGENCES**
✆ + (94) 011 118

■ **APOLLO LANKA HOSPITAL**
578, Elvitigala Mawatha
Colombo 5
✆ + (94) 011 4530 000 ou
✆ + (94) 011 4400 577

■ **DR. NAVARATNAM**
Généraliste
117, Inner Flower Road
Colombo 3
✆ + (94) 011 2573 577

Sources :

www.diplomatie.gouv.fr
www.ambafrance-lk.org
www.cimed.org – www.pasteur.fr

AVANT DE PARTIR

Quand partir ?

La haute saison touristique se situe entre la mi-décembre et la mi-mars. On est alors en saison sèche et les prix des hébergements grimpent en flèche. Ils baissent assez vite, selon l'affluence et selon le lieu, à partir d'avril. Avril est donc, sauf pour la ville de Nuwara Eliya qui connaît là son pic touristique, un des meilleurs moments pour partir. On peut aussi visiter le pays durant l'été. Les prix des hôtels sont au plus bas, mais il ne faut pas craindre la mousson.

Manifestations culturelles et religieuses

▶ **Pleine lune de janvier :** Duruthu Perahera, commémoration de la visite du Bouddha à Kelaniya à l'époque préchrétienne. Grande perahera à Kelaniya Raja Maha pour célébrer cet anniversaire.

▶ **14 janvier :** Thai Pongal, fête des Récoltes chez les hindouistes.

▶ **4 février :** fête de l'Indépendance (1948).

▶ **Pleine lune de février :** Navam est le jour de la pleine lune qui commémore la nomination des deux disciples principaux de Bouddha à l'époque préchrétienne. A cette occasion, une perahera colorée a lieu au Gangaramaya, un temple sublime sur les bords d'un lac à Colombo.

▶ **Fin février :** Maha Shivarathri, les hindous célèbrent les noces de Shiva et Parvati.

▶ **Pâques :** célébrée avec faste par les chrétiens de la côte ouest.

▶ **12-15 avril :** Nouvel An célébré par Cinghalais et Tamouls.

▶ **1er mai :** férié.

▶ **Pleine lune de mai :** Vesak, célébration de la naissance, l'illumination et le décès de Bouddha et donc de son arrivée au nirvana. Cette poya est la plus importante de l'année pour les bouddhistes.

▶ **22 mai :** fête nationale des Héros.

▶ **Pleine lune de juin :** Poya Poson. Fête de l'arrivée du bouddhisme dans l'île. Pèlerinages à Mihintale et Anuradhapura.

▶ **Juillet-août :** Esala Perahera. Marque traditionnellement le début des grandes processions ; Esala commémore le premier sermon de Bouddha, donc le commencement de l'enseignement du bouddhisme dans le pays. Dix jours de célébration à Kandy pour vénérer la dent de Bouddha. A Kataragama, on s'enfonce des aiguilles dans la bouche ou le corps et l'on court pieds nus sur des braises ardentes. A Mahiyangane, ce sont les tribus veddas qui se regroupent à cette occasion.

▶ **Juillet-août :** à Colombo en particulier, les hindous fêtent Vel, victoire d'un dieu guerrier.

▶ **Novembre :** Deepaveli, dite fête de la Lumière, célèbre chez les hindous la victoire du bien contre le mal.

▶ **Décembre :** début des pèlerinages vers Adam's Peak et célébration de l'arrivée de l'arbre Bo dans l'île. Noël est fêté avec ferveur dans toute l'île.

Que mettre dans ses bagages ?

Avant de partir, faites une copie de tous vos papiers, passeport, assurance et billet d'avion. Si vous pouvez les scanner puis vous les envoyer sur une boîte mail gratuite, cela vous permettrait d'y avoir accès de partout à tout moment. Sinon vous pouvez en conserver une copie sur vous pendant votre voyage, voire déposer ces papiers dès votre arrivée à la réception d'un hôtel ou de votre agence de voyages. Si en plus vous disposez d'un billet d'avion électronique, vous n'avez plus de souci à vous faire : vous avez simplement besoin de la convocation électronique (imprimable à volonté) et de votre passeport pour monter à bord.

Matériel de voyage

■ **AU VIEUX CAMPEUR**

A Paris, Quartier Latin : 23 boutiques autour du 48 rue des Ecoles, Paris Ve
A Lyon, Préfecture-université : 7 boutiques autour du 43 cours de la Liberté, Lyon IIIe
A Thonon-les-Bains :
48 avenue de Genève
A Sallanches : 925 route du Fayet
A Toulouse Labège :
23 rue de Sienne, Labège Innopole
A Strasbourg : 32 rue du 22-novembre
A Albertville : 10 rue Ambroise Croizat
✆ 03 90 23 58 58
www.auvieuxcampeur.fr

Qui ne connaît pas le fameux Vieux Campeur ? Vous qui partez en voyage, allez y faire un tour : vous y trouverez cartes, livres, sacs à dos, chaussures, vêtements, filtres à eau, produits anti-insectes, matériel de plongée... Et pour tout le reste, n'hésitez pas à leur demander conseil !

Kandy, pendant la Perahera

■ **BAGAGES DU MONDE**
102 rue du Chemin Vert 75011 Paris
✆ 01 43 57 30 90 – Fax : 01 43 67 36 64
www.bagagesdumonde.com
Une véritable agence de voyage pour vos bagages : elle assure le transport aérien de vos effets personnels depuis Orly ou Roissy-Charles de Gaulle à destination de tout aéroport international douanier, et vous offre une gamme complète de services complémentaires : enlèvement, emballage, palettisation, stockage (à l'aéroport), assurance, garantie... Vous pouvez déposer vos effets au bureau de l'agence à Paris. Une idée futée pour voyager l'esprit serein et échapper aux mauvaises surprises que réservent les taxes sur les excédents de bagages.

■ **DECATHLON**
Informations par téléphone
au ✆ 0 810 08 08 08
wwww.decathlon.com
Le grand spécialiste du matériel de sport (plongée, équitation, pêche, randonnée...) offre également une palette de livres, cartes et CD-rom pour tout connaître des différentes régions du monde.

■ **www.inuka.com**
Ce site vous permet de commander en ligne tous les produits nécessaires à votre voyage : vous recevrez ensuite vos achats chez vous, en quelques jours. Matériel d'observation (jumelles, télémètre, lunettes terrestres...), instruments outdoor (alimentation lyophilisée, éclairage, gourde, montres...) ou matériel de survie (anti-démangeaison, hygiène). Tout ce qu'il vous faut pour préparer votre séjour que vous partiez dans les montagnes ou dans le désert.

■ **LOWE ALPINE**
Inovallee, 285 rue Lavoisier
38330 Montbonnot Saint Martin
✆ 04 56 38 28 29 – Fax : 04 56 38 28 39
www.lowealpine.com
En plus de ses sacs à dos techniques de qualité, Lowe Alpine étoffe chaque année et innove avec ses collections de vêtements haut de gamme consacrés à la randonnée et au raid, mais aussi à l'alpinisme et à la détente.

■ **NATURE & DECOUVERTES**
Pour obtenir la liste des 45 magasins
✆ 01 39 56 70 12 – Fax : 01 39 56 91 66
www.natureetdecouvertes.com
Retrouvez dans ces magasins une ambiance unique dédiée à l'ouverture sur le monde et à la nature. Du matériel de voyage, mais aussi des livres et de la musique raviront celles et ceux qui hésitent encore à parcourir le monde.... Egalement vente par correspondance.

■ **TREKKING**
BP 41, 13410 Lambesc
✆ 04 42 57 05 90 – Fax : 04 42 92 77 54
www.trekking.fr
Partenaire incontournable, Trekking propose dans son catalogue tout ce dont le voyageur a besoin : trousse de voyage, ceinture multipoche, sac à dos, sacoches, étuis... Une mine d'objets de qualité pour voyager futé et dans les meilleures conditions.

Vêtements

Ne vous encombrez pas trop si vous voyagez en bus, vous aurez à en souffrir. Contentez-vous de vêtements légers. Ayez un rechange pour chaque habit.
Si vous lavez vous-même votre linge, il sera sec en moins d'une heure si vous n'êtes pas malchanceux au niveau du climat. Vous pouvez aussi le faire laver dans votre hôtel pour une somme modique.

▶ **A mettre dans son sac :** un vêtement de pluie léger en cas de mousson, une petite laine pour les séjours en montagne, une paire de sandales solides, une paire de chaussures de marche (si elles sont neuves, n'oubliez pas de les faire avant de partir, ça vous évitera bien des désagréments pouvant gâcher votre voyage), des chaussettes. Un tee-shirt à manches longues pour éviter les piqûres de moustiques en soirée, un pyjama, deux pantalons au moins, si possible avec des poches à zip pour y mettre vos documents importants. Certains treillis dotés de grandes poches basses à fermeture Eclair permettent de conserver vos objets de valeur (argent, carte de crédit, billets d'avion et autres papiers) à l'abri pendant tout votre séjour. Un maillot de bain, serviettes (de plage et de toilette), tee-shirts, chemises et autres hauts ; sachez tout de même que le port de débardeur vous interdira l'entrée aux sites sacrés, les épaules devant être couvertes. Sous-vêtements en coton, ce qui permettra à votre peau de respirer, détail important dans une région du globe au climat si différent du nôtre.

▶ **Pour les femmes,** seules ou pas, plusieurs éléments doivent être ajoutés : un carré d'étoffe pour se couvrir les épaules avant de pénétrer dans une enceinte sacrée. Eventuellement une bombe lacrymogène à conserver à portée de main si l'on voyage seule : même si on ne s'en sert pas, il est rassurant de savoir que l'on peut se défendre en cas d'agression. Une contraception orale pour la durée de votre séjour, il y a très peu de chances que vous puissiez vous procurer votre marque habituelle sur place, tampons et serviettes hygiéniques (on n'en trouve pas partout, notamment les tampons qui sont totalement inusités là-bas). Sans vous cacher pour autant derrière vos habits pendant votre séjour, évitez les tenues provocantes ou trop sexy ; respectez les mœurs sri lankaises en portant des jupes arrivant au minimum au genou. Les décolletés plongeants et autres mini-shorts sont également à proscrire, en revanche, les pantalons à taille basse, brassières et autres tee-shirts courts sont tout à fait acceptables, la région du ventre et du nombril étant très souvent découverte au Sri Lanka. Si c'est possible, gardez chez vous bijoux et autres objets de valeur visibles, cela pourrait attiser la convoitise, même dans un pays aussi sûr que le Sri Lanka.

- **Pour tous,** conservez à l'esprit qu'épaules et genoux doivent être couverts pour pénétrer dans une enceinte sacrée. Enfin, un couvre-chef est indispensable.
- **Pour les voyageurs privilégiant les petits établissements,** un drap pour se couvrir la nuit peut s'avérer d'autant plus utile que la quasi-totalité des guesthouses ainsi que des hôtels non classés n'en proposent pas. Et à moins de faire tourner le ventilateur à fond toute la nuit, difficile d'échapper aux piqûres de moustiques dans ces conditions !

Trousse de toilette

Là aussi, une liste – non exhaustive – pouvant servir de base pour ceux qui ont peur d'oublier des éléments importants de leur valise :
Vos médicaments si vous suivez un traitement (parlez de votre voyage à votre médecin, il aura sûrement des conseils avisés à vous donner). Brosse à dents et dentifrice. Déodorant (pas facile à trouver sur place, sauf dans les magasins gérés par Cargills). Préférez-les à bille sans alcool et sans parfum, moins agressifs pour votre peau déjà sujette à beaucoup de changements, aux déo en spray qui n'aiment pas la chaleur et prennent d'ailleurs une place considérable dans votre sac.
Brosse à cheveux, crème hydratante, savon et shampooing, si vous tenez à vos produits habituels, sinon vous pourrez en trouver absolument partout. Un conseil futé : munissez-vous d'un soin après-shampooing, le soleil sri lankais ayant tendance à assécher sévèrement les cheveux. Pour ceux qui portent des lentilles, emportez des produits ophtalmologiques pour les entretenir méticuleusement ; la sècheresse de l'air et la présence accrue de poussière et de sable vous demanderont un soin tout particulier, soyez donc très vigilant. Préférez d'ailleurs les verres de contact jetables lorsque vous êtes en voyage. Rasoir, jetable ou non, ainsi que la crème à raser allant avec.

Mihintale, enfants

Accessoires

Les accessoires ne sont pas toujours secondaires, loin de là, voici une liste de ceux qui pourront s'avérer très utiles :

- **Une lampe de poche,** indispensable eu égard aux multiples coupures de courant ainsi que pour visiter les nombreuses grottes archéologiques.
- **Un couteau** que vous laisserez dans votre bagage de soute au moment de prendre l'avion (si vous conservez un objet contondant en cabine, vous risquez fort de vous le voir confisquer définitivement).

▶ **Ayez toujours à portée de main des mouchoirs en papier,** voire du papier hygiénique, si vous n'êtes pas familiarisé avec les salles d'eau.

▶ **Un répulsif antimoustiques** ainsi qu'une pommade apaisante en cas de piqûre.

▶ **Des lunettes de soleil.**

▶ **Un adaptateur pour les prises électriques.**

▶ **Un deuxième sac** pour voyager plus léger après avoir posé les valises à l'hôtel.

▶ **Appareil photo et pellicules** ou cartes mémoire selon ; pensez à les préserver de la chaleur et de l'humidité.

▶ **Une paire de jumelles.**

▶ **Des épingles à nourrice.**

▶ **Quelques sacs en plastique** peuvent s'avérer bien utiles pour servir de poubelle, de sac à linge sale ou encore en cas de vomissements.

▶ **Vous pouvez prendre quelques gadgets** pour offrir aux gens que vous rencontrerez sur place, mais nous déconseillons vivement de faire l'aumône aux enfants de stylos, autres ustensiles ou pire, d'argent ou encore de bonbons (bonjour les caries !). C'est le meilleur moyen de leur enseigner que tendre la main est plus lucratif que travailler. Si vous souhaitez apporter votre aide à la population défavorisée, prenez contact avant de partir avec une ONG ou une association travaillant sur place, et qui saura répartir vos dons selon les besoins.

Trousse à pharmacie

Pensez à prendre avec vous votre carnet de vaccinations à jour et votre carte de groupe sanguin.

▶ **Essentiel :** une boîte de paracétamol, une crème d'écran total, une solution antiseptique sans alcool et incolore, du coton, une bande de gaze, des pansements de différentes tailles et en nombre, une pince à épiler (afin de retirer une écharde, entre autres), des préservatifs, un antidiarrhéique, un médicament contre les nausées (Primperan), de la Biafine, un collyre en cas de sècheresse oculaire, un antihistaminique (on peut se découvrir des allergies au pollen, au chat, à la poussière dans un autre pays), emportez aussi une ou deux seringues, elles pourraient être fort utiles au cas où l'on devrait vous faire une piqûre.

▶ **Au cas où :** une boîte de Malarone (*voir « Vaccins »*), une seringue antivenin, un thermomètre incassable, une crème adoucissante en cas de piqûres d'insecte (Eurax), des tablettes de sel, des boules antibruit, une couverture de survie.

Pour les hypocondriaques et les autres, emportez l'ouvrage *Les Maladies en voyage* du Dr Eric Caumes (Points Planète). C'est un précieux petit livre, fort utile avant le départ.

Trousse de survie

Eh oui, on ne sait jamais ! Il peut être bien utile d'avoir sous la main le nécessaire en cas d'accident. Si vous êtes perdu, seul au milieu d'un bois ou hors des sentiers si rassurants de la civilisation, voici quelques éléments qu'il vous faut avoir absolument. Dans un premier temps, la trousse de survie minimale doit tenir dans la poche, tout bonnement parce que sinon elle risque de rester au fond de votre valise pendant que vous arpenterez des paysages inconnus.

▶ **Donc, le minimum :** une boussole (pour retrouver son chemin, ou du moins s'orienter), un couteau (type couteau suisse, donc multifonctions), un Zippo ou un briquet tempête (des briquets qui ne s'éteignent pas sous l'effet du vent) permettront non seulement de s'éclairer, mais aussi de faire du feu ou encore d'éloigner les animaux sauvages, de la ficelle.

Ces quatre éléments légers devront toujours être à portée de main, ou plutôt sur vous, parce qu'on ne peut pas prévoir un incident.

▶ **On pourra ajouter également :** des épingles à nourrice (qui peuvent servir d'hameçon, entre autres), une couverture de survie, un récipient, un miroir (pour signaler votre présence en jouant avec les reflets du soleil).

Le mieux serait encore d'apprendre quelques fondamentaux de morse, mais il y a fort à parier que peu de gens savent le déchiffrer. Néanmoins, sachez que le signal international de détresse pour le signe SOS (Save Our Souls, littéralement « Sauvez nos âmes », simplifié par « Au secours ! ») est le suivant : trois coups-sons brefs (pour le S) – trois coups-sons longs (pour le O) – trois coups-sons brefs à nouveau (pour le dernier S).

Décalage horaire

L'heure au Sri Lanka est en avance de 5 heures par rapport à l'heure de Paris en hiver et de 4 heures en été. Quand il est midi au Sri Lanka, il est 7h ou 8h du matin en France.

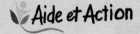

Formalités

Un passeport valable au minimum trois mois après la date de retour est exigé à l'entrée au Sri Lanka. Un visa de trente jours est attribué automatiquement à tout ressortissant de la Communauté européenne lors de l'arrivée à l'aéroport. Pour quelques jours de plus, il vous suffira de demander un visa à votre arrivée ou au moins huit jours avant son expiration, au service d'immigration de l'aéroport.

▶ **Si vous devez prolonger votre séjour au-delà de trente jours,** il faut aller le faire renouveler à Colombo auprès du Department of Immigration and Emigration. Galle Road, Bambalapitiya, Colombo 4 ✆ (011) 597 510/511. On vous accordera, contre règlement de 2 500 Rs, un visa de trois mois. (Attention ! le premier mois accordé dès votre arrivée dans le pays est compris dans cette durée de trois mois.)

Douanes

Vous pouvez entrer dans le pays avec 1,5 l d'alcool, 2 bouteilles de vin, 200 cigarettes ou 50 cigares, du parfum et des souvenirs pour un montant inférieur à 250 $. Seules les sommes supérieures à 10 000 $ doivent faire l'objet d'une déclaration. Vous pouvez sortir du pays avec 3 kg de thé ainsi que des souvenirs et pierres précieuses, quel qu'en soit le montant, mais à condition que ceux-ci aient été achetés avec des devises changées officiellement. Sont interdits à l'exportation : les peaux, l'ivoire, les antiquités, les plantes, les reptiles ou tout type d'animal sauvage.

Célébration parisienne

■ **SRI MANIKA VINAYKAR ALAYAM**
72, rue Philippe-de-Girard 75018 Paris
✆ 01 40 34 21 89. Métro : La Chapelle.
Temple consacré au culte du dieu Ganesh.

Little Jaffna : un « Petit Jaffna » entre les stations de métro Gare du Nord et La Chapelle

Il est facile de repérer les Tamouls de la capitale : ils sont tous (ou presque) rue du Faubourg-Saint-Denis. Les premiers arrivés dans les années 1970 ont investi cette rue à sens unique, peu lucrative sur le plan commercial. Petit à petit, de rachat en location, les immigrés ont ouvert, qui une boutique de saris, qui une épicerie, qui un magasin de cassettes ou de films. Aujourd'hui, les trottoirs fleurent bon l'encens et l'on parle tamoul aux arrêts de bus ou aux abords des restaurants. On trouve même en sortant du métro La Chapelle la rédaction du journal tamoul *Eelanadu*. Si les plus jeunes se sont mis au français, ils parlent en revanche le tamoul à la maison. La solidarité est grande au sein de cette communauté discrète mais très structurée. L'objectif pour tous est de s'intégrer le plus rapidement possible. Les parents, qui se sont lancés dans le commerce ou la restauration, nourrissent de grandes ambitions : leurs enfants doivent poursuivre leurs études à l'université et devenir impérativement ingénieur ou médecin pour les garçons et avocate pour les filles.

Une communauté soudée

Plusieurs centaines de milliers de réfugiés tamouls sont installés en Europe. Cette communauté a particulièrement besoin de se sentir reliée et informée. Un Tamoul anglophone et un Pondichéryen francophone ont répondu à cette attente en lançant, en juin 1997, *La Lumière tamoule*. Il s'agit d'une chaîne de télévision conçue par les Tamouls pour les Tamouls. Elle est installée dans un immeuble de La Courneuve. Les studios rudimentaires de cette télé diffusée sur le satellite Eutelsat Hot Bird 1 partagent les locaux avec Radio Asia lancée un an auparavant, toujours à destination de la communauté tamoule. Au programme : des informations sur le pays et en particulier sur les combats dans la péninsule de Jaffna, des films tournés au Tamil Nadu et des adaptations kitsch du Ramayana – www.abctamiloli.com. Si vous êtes parisien et que vous connaissez le quartier tamoul situé à proximité de la station de métro La Chapelle, vous êtes sûrement passé devant la devanture d'une boutique qui ne paye pas de mine, la rédaction du journal *Eelanadu*.

Pour la fête de Ganesh Chatturti (fin août et début septembre), les Tamouls de Paris organisent, depuis quatre ans, une procession joyeuse et colorée dans les rues du Xe arrondissement.

Photos et vidéos

Les Sri Lankais se laissent volontiers prendre en photo, à condition que vous le fassiez avec tact, en échangeant au préalable un sourire et quelques mots. Il est mal vu en revanche de photographier les bonzes, à moins de le leur demander. On ne se prend pas en photo en tournant le dos à une statue de Bouddha, c'est irrespectueux envers l'image sacrée. Cela vaut pour les vidéos comme pour les photos. La plupart des musées et sites demandent un droit de photographier ou de se servir du Caméscope. Ce droit est variable, mais le mieux est généralement de ne pas poser la question du droit à la photo et de prendre simplement garde à ne pas abîmer des fresques par des flashs trop puissants. A Sigiriya, il est en principe interdit de photographier au flash, mais les gardiens vous font discrètement comprendre qu'ils fermeront les yeux contre un bakchich.

Astuces pour prendre de belles photos

- **Eviter les horaires où le soleil est à son zénith,** son rayonnement écrase les perspectives, tandis que les lumières du matin ou de fin d'après-midi offrent une mise en valeur des lignes plus intéressantes.

Weligama, pêcheur

- **Pour économiser de l'énergie,** éviter de garder l'écran de votre numérique allumé en permanence, c'est une des plus grosses dépenses en énergie subies par votre appareil. Jetez-y un coup d'œil après votre cliché puis éteignez-le, c'est une bonne solution pour les voyageurs en panne de batterie ou qui n'auraient pas accès à une prise de courant avant plusieurs jours. Enfin, si vous n'avez vraiment plus beaucoup de batterie, sachez qu'effacer les photos dévore aussi l'énergie. Conservez donc vos photos ratées en attendant de pouvoir les supprimer plus tard.

- **Attention : plus il y a de pixels** au niveau des capteurs et plus les capacités théoriques augmentent, mais cela consommera surtout beaucoup de place en mémoire, en temps de transfert ou de chargement. Soyez vigilant, avant de mitrailler, à bien configurer la taille de vos clichés qui n'ont pas toujours besoin de six millions de pixels pour être lisibles : la réduire à trois millions devrait amplement faire l'affaire, à moins que vous ne souhaitiez en faire des posters géants à votre retour. L'avantage est que vous pourrez produire beaucoup plus de photos (jusqu'à deux fois plus) et donc rapporter encore plus de souvenirs.

- **Si la lumière du jour est trop forte,** vous pouvez l'atténuer par un filtre ou, si vous n'en possédez pas, en mettant un des verres de vos lunettes de soleil entre l'appareil et le sujet. Le résultat est assez surprenant et généralement réussi.

Médias

Journaux

Inutile de chercher des journaux français. Ils sont en vente nulle part. Les accros de l'info devront se rabattre sur l'Alliance française ou l'ambassade de France à Colombo. On trouve trois quotidiens d'information en anglais : *The Daily News, Evening Observer et The Island.* Les éditions du dimanche sont très riches et passionnantes pour les anglicistes.

Radio et télévision

- **Radio.** Sri Lanka Broadcasting Corporation (SLBC), sur le modèle de la BBC, est la radio nationale. Il y a aussi quelques radios privées émettant en anglais sur la bande FM.

Les deux chaînes nationales de télévision sont Rupavahini et Independent Television Network (ITN) et les quatre chaînes privées MTV, Sirsa TV TNL, ETV et Swarnavahini diffusent des informations et des programmes en anglais.

Bibliographie

Si vous ne deviez emporter qu'un seul livre dans vos bagages, choisissez *Le Poisson-Scorpion,* l'incontournable récit de voyage de Nicolas Bouvier. Publié chez Payot, ce classique du genre évoque l'île de Ceylan au début des années 1950.

Le Que sais-je : *Ceylan,* écrit par Eric Meyer, un des meilleurs connaisseurs du pays, constitue une excellente introduction à l'histoire de l'île.

Nous vous conseillons une intéressante anthologie, *Quand les écrivains s'arrêtaient à Ceylan,* parue chez l'éditeur franco-pondichéryen Kailash. On y retrouve les récits de voyages de Pierre Loti et d'Octave Mirbeau.

Nous vous signalons également trois ouvrages publiés chez L'Harmattan. Le premier, intitulé *La Question tamoule au Sri Lanka 1977-1994,* de Lionel Paul tente de mieux cerner l'identité tamoule et sa radicalisation dans la violence.Le deuxième, un très sérieux ouvrage d'Elizabeth Bopearachchi, est consacré à *L'Education bouddhique dans la société traditionnelle au Sri Lanka.* Enfin, l'histoire de *Puspurami, une enfant du Sri Lanka,* écrite par Béatrice Imperman, a pour cadre la vie d'une jeune fille employée comme ouvrière dans les plantations de thé.

Nous vous recommandons la lecture de l'excellent *Reaping the Whirlwind,* écrit par K. M. de Silva. Il est publié chez Penguin (en vente uniquement au Sri Lanka). L'auteur y analyse les causes du conflit ethnique et politique qui ensanglante le pays depuis près de vingt ans.

Librairies

Les librairies du voyage proposent de nombreux guides, récits de voyages et autres manuels du parfait voyageur. Bien se préparer au départ et affiner ses envies permet d'éviter les mauvaises surprises. Le voyage commence souvent bien calé dans son fauteuil, un récit de voyage ou un guide touristique à la main. Voilà pourquoi nous vous proposons une liste de librairies de voyage à Paris et en province.

Paris

ESPACE IGN
107 rue La Boétie (8e)
✆ 01 43 98 80 00 – 0820 20 73 74
www.ign.fr
M°Franklin D. Roosevelt. Ouvert du lundi au vendredi de 9h30 à 19h, et le samedi de 11h à 12h30 et de 14h à 18h30. Les bourlingueurs de tout poil seraient bien inspirés de venir faire un petit tour dans cette belle librairie sur deux niveaux avant d'entamer leur périple. Au rez-de-chaussée se trouvent les documents traitant des pays étrangers : cartes en veux-tu en voilà (on n'est pas à l'Institut Géographique National pour rien !), guides de toutes éditions, beaux livres, méthodes de langue en version Poche, ouvrages sur la météo, conseils pour les voyages. L'espace est divisé en plusieurs rayons consacrés chacun à un continent. Tous les pays du monde sont représentés, y compris les mers et les océans. Les enfants ont droit à un petit coin rien que pour eux avec des ouvrages sur la nature, les animaux, les civilisations, des atlas, des guides de randonnée… Ils ne manqueront pas d'être séduits, comme leurs parents sans doute, par l'impressionnante collection de mappemondes, aussi variées que nombreuses, disposées au centre du magasin. Les amateurs d'ancien, quant à eux, pourront se procurer des reproductions de cartes datant pour certaines du XVIIe siècle !

GITES DE FRANCE
59 rue Saint-Lazare (9e)
✆ 01 49 70 75 75 – Fax : 01 42 81 28 53
www.gites-de-france.fr
Ouvert du lundi au vendredi de 10h à 18h30 et le samedi de 10h à 13 h et de 14h à 18h30 (sauf en juillet-août). Pour vous aider à choisir parmi ses 55 000 adresses de vacances, Gîtes de France a conçu une palette de guides comportant des descriptifs précis des hébergements. Mais vous trouverez également dans les boutiques d'autres guides pratiques et touristiques, ainsi que des topo-guides de randonnée, des cartes routières et touristiques. Commande en ligne possible.

ITINERAIRES, LA LIBRAIRIE DU VOYAGE
60 rue Saint-Honoré (1er)
✆ 01 42 36 12 63 – Fax : 01 42 33 92 00
www.itineraires.com
M° Les Halles. Ouvert le lundi à 11h et du mardi au samedi de 10h à 19h. Cette charmante librairie vous réserve bien des surprises.

Logée dans un bâtiment classé des Halles, elle dispose d'un ravissant patio et de caves dans lesquelles sont organisées de multiples rencontres. Le catalogue de 15 000 titres est disponible sur le site Internet. Dédié à « la connaissance des pays étrangers et des voyages », cette librairie offre un choix pluridisciplinaire d'ouvrages classés par pays. Si vous désirez connaître un pays, quelques titres essentiels de la littérature vous sont proposés, tous les guides de voyage existants, des livres de recettes, des précis de conversation, des études historiques... Dans la mesure du possible, les libraires mettent à votre disposition une sélection exhaustive, un panorama complet d'un pays, de sa culture et de son histoire. La librairie organise régulièrement des expositions de photos. On peut toujours passer commande, grâce à des délais de livraison très courts (1 à 3 jours pour des livres qui ont été édités aux quatre coins du globe, et 3 semaines pour ceux qui arrivent de chez nos amis britanniques...).

■ LA BOUTIQUE MICHELIN

32 avenue de l'Opéra (1er)
✆ 01 42 68 05 00 – www.michelin.com
M° Opéra. Ouvert le lundi de 13h à 19h, du mardi au samedi de 10h à 19h. Avis à tous les sillonneurs des routes de France, de Navarre et même d'ailleurs, puisque les guides et les cartes Michelin couvrent le monde entier. Dans cette boutique, ils trouveront de nombreux documents pour préparer leur voyage d'un point de vue touristique mais aussi logistique. Un espace Internet les invite à établir (gratuitement) leur itinéraire et à le calculer (en euros, en kilomètres, en temps...). A part cela, toute la production Michelin est en rayon, des guides verts (en français, en anglais, en allemand) aux guides rouges en passant par les collections Escapade, Néos et les cartes France et étranger. Et ce n'est pas tout, une bibliothèque propose aussi les ouvrages des éditeurs concurrents : Lonely Planet, Gallimard, Petit Futé... Notez que des beaux livres et des essais sur la saga Michelin sont en vente ainsi que de vieilles affiches publicitaires. En plus de tout cela, les amateurs du Bibendum pourront acheter un grand nombre de produits dérivés comme des serviettes, vêtements, jouets...

■ AU VIEUX CAMPEUR

2 rue de Latran (5e) ✆ 01 53 10 48 48
A Paris, Quartier Latin : 23 boutiques autour du 48 rue des Ecoles, Paris Ve
M° Maubert-Mutualité
ou Cardinal-Lemoine
A Lyon, Préfecture-université : 7 boutiques autour du 43 cours de la Liberté, Lyon IIIe
A Thonon-les-Bains :
48 avenue de Genève
A Sallanches : 925, route du Fayet
A Toulouse Labège :
23 rue de Sienne, Labège Innopole
A Strasbourg : 32 rue du 22-Novembre
www.au-vieux-campeur.fr
Ouvert du lundi au vendredi de 10h30 à 19h30, le mercredi jusqu'à 21h, le samedi de 9h30 à 19h30. Les magasins du Vieux

Nuwara Eliya, cueillette du thé

Campeur disposent d'une librairie dédiée au tourisme sportif en France. Vous y trouverez de nombreux guides mais aussi des cartes, des beaux livres, des revues et un petit choix de vidéo. Quelques pays d'Europe et d'autres contrées plus lointaines (comme l'Himalaya) sont également évoqués, mais ce sont surtout les régions de France qui sont ici représentées. Le premier étage met à l'honneur le sport, les exploits, les découvertes. Vous pourrez vous y documenter sur l'escalade, le VTT, la plongée sous-marine, la randonnée, la voile, le ski... Commande possible par Internet.

LIBRAIRIE ULYSSE

26 rue Saint-Louis-en-l'île (4e)
✆ 01 43 25 17 35 – www.ulysse.fr
M° Pont-Marie. Ouvert du mardi au samedi de 14h à 20h. Comme Ulysse, Catherine Domain a fait un beau voyage. Un jour de 1971, elle a posé ses valises sur l'île Saint-Louis où elle a ouvert une petite librairie. Depuis, c'est elle qui incite les autres au départ. Ne soyez pas rebutés par l'apparent fouillis des bibliothèques : les bouquins s'y entassent jusqu'au plafond, mais la maîtresse des lieux sait exactement où trouver ce qu'on lui demande. Car ici, il faut demander, le panneau accroché devant la porte de l'entrée vous y encourage franchement : « Vous êtes dans une librairie spécialisée à l'ancienne, au contraire du self-service, de la grande surface ou du bouquiniste. Ce n'est pas non plus une bibliothèque, vous ne trouverez pas tout seul. Vous pouvez avoir des rapports humains avec la libraire qui elle aussi a ses humeurs. » Vous voilà prévenus ! La boutique recèle plus de 20 000 ouvrages (romans, beaux livres, guides, récits de voyage, cartes, revues) neufs et anciens sur tous les pays. Un service de recherche de titres épuisés est à la disposition des clients. Laissez-vous donc conter fleurette par cette globe-trotteuse insatiable : l'écouter, c'est déjà partir un peu.

LA BOUTIQUE DU PETIT FUTÉ

44 rue des Boulangers (5e)
✆ 01 45 35 46 45 – www.lepetitfute.com
librairie@petitfute.com
M° Cardinal-Lemoine. Ouvert du mardi au samedi inclus de 10h30 à 14h et de 14h45 à 19h. Le Petit Futé fait dans le guide de voyage, vous l'ignoriez ? Et saviez-vous qu'il possédait sa propre librairie ? S'il porte bien son nom, celui-là ! La Boutique du Petit Futé accueille une large clientèle de Parisiens en partance, ou rêvant de l'être. Outre tous les Petits Futés de France, de Navarre et d'ailleurs (Country Guides, City Guides, Guides Régions, Guides Départements, Guides thématiques, en tout près de 350 titres), vous trouverez ici des recueils de recettes exotiques, des récits de voyages ou romans ayant trait à cette saine activité (parus chez Actes Sud ou Payot), des ouvrages sur l'art de vivre en Papouasie, des beaux livres sur la Patagonie ou l'Alaska (éditions Transboréal), de nombreux ouvrages pratiques commis par les confrères (cartes routières IGN, éditions Assimil, beaux livres régionaux Déclics, guides Michelin, Lonely Planet en français et en anglais) ainsi qu'une collection de livres sur la découverte de Paris (de la série « Paris est à nous » au *Paris secret et insolite*...).

LIBRAIRIE DE VOYAGEURS DU MONDE

A Paris : 55 rue Sainte-Anne (2e)
✆ 01 42 86 17 37 – Fax : 01 42 86 17 89
www.vdm.com
M° Pyramides ou Quatre Septembre. Ouvert du lundi au samedi de 9h30 à 19h sans interruption. Située au sous-sol de l'agence de voyages Voyageurs du Monde, cette librairie est logiquement dédiée aux voyages et aux voyageurs. Vous y trouverez tous les guides en langue française existants actuellement sur le marché, y compris les collections relativement confidentielles. Un large choix de cartes routières, de plans de villes, de régions vous est également proposé ainsi que des méthodes de langue, des ouvrages truffés de conseils pratiques pour le camping, trekking et autres réjouissances estivales. Rayon littérature et témoignages, récits d'éminents voyageurs et quelques romans étrangers.

LIBRAIRIE MARITIME OUTREMER

55 avenue de la Grande-Armée (16e)
✆ 01 45 00 17 99 – Fax : 01 45 00 10 02
www.librairie-outremer.com
M° Argentine. Ouvert du lundi au samedi de 10h à 19h. La librairie de la rue Jacob dans le 6e a rallié les locaux de la boutique avenue de la Grande-Armée. Des ouvrages sur l'architecture navale, des manuels de navigation, des ouvrages de droit marin, les codes Vagnon, les cartes du service hydrographique et océanique de la marine, des précis de mécanique pour les bateaux, des récits et romans sur la mer, des livres d'histoire de la marine... tout est là. Cette librairie constitue la référence dans ce domaine. Son catalogue est disponible sur Internet et en format papier à la boutique.

■ **L'ASTROLABE**
46 rue de Provence (9e) ✆ 01 42 85 42 95
M° Chaussée-d'Antin. Ouvert du lundi au samedi de 9h30 à 19h. Une des plus importantes librairies de Paris consacrées exclusivement au voyage. On trouve ici sur deux niveaux un choix énorme d'ouvrages : 40 000 références ! A l'étage, les guides, les beaux livres et les cartes d'Europe, et au rez-de-chaussée le reste du monde avec guides touristiques, récits de voyage, les plans des grandes villes… Car la grande spécialité de l'Astrolabe, c'est la cartographie : 35 000 cartes toutes échelles et tous pays, mais aussi des cartes maritimes et aéronautiques, routières, administratives, de randonnées… On peut même les choisir pliées ou roulées ; ce n'est pas du luxe, ça ? En outre, on peut aussi y acheter des guides et des livres en langue étrangère (anglais et espagnol), des atlas et des globes, des cartes murales, des boussoles et plein d'objets concernant le sujet. Disposant de services de qualité (commandes à l'étranger, recherches bibliographiques…), L'Astrolabe est l'endroit rêvé pour organiser ses voyages.

Bordeaux

■ **LA ROSE DES VENTS**
40 rue Sainte-Colombe
✆/Fax : 05 56 79 73 27
rdvents@hotmail.com
Ouvert du lundi au samedi de 10h à 12h30 et de 14h à 19h. Dans cette librairie, le livre fait voyager au sens propre comme au figuré. Les cinq continents y sont représentés à travers des guides et des cartes qu'il sera possible de déplier sur une table prévue à cet effet, et décorée… d'une rose des vents. Des ouvrages littéraires ainsi que des guides de nature garnissent également les étagères. Le futur aventurier pourra consulter gratuitement des revues spécialisées. Lieu convivial, La Rose des vents propose tous les jeudis soir des rencontres et conférences autour du voyage. Cette librairie fait maintenant partie du groupe géothèque (également à Tours et Nantes).

Brest

■ **MERIDIENNE**
31 rue Traverse ✆ 02 98 46 59 15
Ouvert de 9h30 à 12h30 et de 14h à 19h du mardi et le samedi de 9h30 à 12h et de 14h à 19h. Spécialisée dans les domaines maritimes et naturalistes, cette librairie est aussi une boutique d'objets de marins, de décoration et de jeux où il fait bon faire escale. Les curieux y trouveront des ouvrages de navigation, d'astronomie, des récits, des témoignages, des livres sur les sports nautiques, les grands voyages, l'ethnologie marine, la plongée, l'océanographie, les régions maritimes…

Caen

■ **HEMISPHERES**
15 rue des Croisiers
✆ 02 31 86 67 26 – Fax : 02 31 38 72 70
www.aligastore.com
hemispherescaen@aol.com
Ouvert du mardi au samedi de 9h à 19h sans interruption. Dans cette librairie dédiée au voyage, les livres sont classés par pays : guides, plans de villes, littérature étrangère, ethnologie, cartes et topo-guides pour la randonnée. Les rayons portent aussi un beau choix de livres illustrés et un rayon musique. Le premier étage allie littérature et nourriture, et des expositions photos y sont régulièrement proposées.

Lille

■ **AUTOUR DU MONDE**
15 rue Saint-Jacques ✆ 03 20 78 19 33
www.autourdumonde-lille.com
autourdumonde.lille@wanadoo.fr
Comme son nom l'annonce, cette librairie lilloise vous fera découvrir les quatre coins de notre planète à travers ces nombreux guides de voyages, cartes, plans, atlas et mappemondes qui remplissent les étagères. Autour du monde propose également des méthodes de langue pour préparer vos voyages et des posters, cartes postales, CD de musiques du monde

pour vous mettre dans l'ambiance avant le grand départ !

■ LIBRAIRIE DE VOYAGEURS DU MONDE

147 bd de la Liberté
✆ 03 20 06 76 30 – Fax : 03 20 06 76 31
www.vdm.com
Ouvert du lundi au samedi de 10 h à 19h. La librairie des voyageurs du monde lilloise est située dans le centre-ville. Elle compte pas moins de 14 000 références, livres et cartes, uniquement consacrées à la découverte de tous les pays du monde, de l'Albanie au Zimbabwe en passant par la Chine.

Lyon

■ RACONTE-MOI LA TERRE

Angle des rues Thomassin et Grolée (2e)
✆ 04 78 92 60 20 – Fax : 04 78 92 60 21
www.raconte-moi.com
bienvenue@raconte-moi.com
Ouvert du lundi au samedi de 10h à 19h30. La librairie des explorateurs de notre siècle. Connexion Internet, restaurant « exotique », cette libraire s'ouvre sur le monde des voyages. Des guides aimables nous emmènent trouver l'ouvrage qu'il nous faut pour connaître tous les pays du globe. Ethnographes, juniors, baroudeurs, tous les genres gravitent autour de cette Terre-là.

■ LIBRAIRIE DE VOYAGEURS DU MONDE

5 quai Jules Courmont (2e)
✆ 04 72 56 94 50 – Fax : 04 72 56 94 55
www.vdm.com
Ouvert du mardi au samedi de 10h à 12h et de 13h à 19h. Tout comme ses homologues de Paris, Marseille ou Toulouse, la librairie propose un vaste choix de guides en français et anglais, de cartes géographiques et atlas, de récits de voyage et d'ouvrages thématiques... Egalement pour les voyageurs en herbe : des atlas, des albums et des romans d'aventures.

Marseille

■ LIBRAIRIE DE VOYAGEURS DU MONDE

25 rue Fort Notre Dame (1er)
✆ 04 96 17 89 26 – Fax : 04 96 17 89 18
www.vdm.com
Ouvert le lundi de 12h à 19h et du mardi au samedi de 10h à 19h sans interruption. Sur le même site sont regroupés les bureaux des conseillers Voyageurs du monde et ceux de Terre d'aventures. La librairie détient plus de 5 000 références : romans, ouvrages thématiques sur l'histoire, spiritualité, cuisine, reportages, cartes géographiques, atlas, guides (en français et en anglais). L'espace propose également une sélection d'accessoires incontournables : moustiquaires, bagages…

■ LIBRAIRIE MARITIME OUTREMER

26 quai Rive Neuve (1er)
✆ 04 91 54 79 40 – Fax : 04 91 54 79 49
www.librairie-maritime.com
Ouvert du mardi au vendredi de 9h à 12h30 et de 14h à 18h30, le samedi de 10h à 12h30 et de 15h à 18h30. Que vous ayez le pied marin ou non, cette librairie vous ravira tant elle regorge d'ouvrages sur la mer. Ici, les histoires sont envoûtantes, les images incroyables... De quoi se mettre à rêver sans même avoir jeté l'encre !

Montpellier

■ LES CINQ CONTINENTS

20 rue Jacques-Cœur
✆ 04 67 66 46 70 – Fax : 04 67 66 46 73
Ouvert de 13h à 19h15 le lundi et de 10h à 19h15 du mardi au samedi. Cette librairie fait voyager par les mots et les images, elle est le passage obligé avant chaque départ vers… l'ailleurs.

Kandy, temple de la Dent, mère et fille

ORGANISER SON SÉJOUR

Ambalangoda

Les libraires sont des voyageurs infatigables qui submergent leurs rayons de récits de voyages, de guides touristiques, de livres d'art, de cartes géographiques et même de livres de cuisine et de musique. Régions de France, pays du monde surtout, rien ne leur échappe et ils sont capables de fournir nombre de renseignements. A fréquenter avant de partir ou pour le plaisir du voyage immobile. Régulièrement, la librairie organise des rencontres et animations (programme trimestriel disponible sur place).

Nantes

■ LA GEOTHEQUE

10 place du Pilori
✆ 02 40 47 40 68 – Fax : 02 40 47 66 70
geotheque-nantes@geotheque.com
Ouvert le lundi de 14h à 19h et du mardi au samedi de 10h à 19h. Vous trouverez des centaines de guides spécialisés et plus de 2 000 cartes IGN. Pour savoir où l'on va et, en voyageur averti, faire le point avant que de s'y rendre… une bonne adresse. Cartes, guides et magazines sur tous les pays du monde.

Nice

■ MAGELLAN

3 rue d'Italie
✆ 04 93 82 31 81 – Fax : 04 93 82 07 46
Ouvert de 14h à 19h le lundi et de 9h30 à 13h et 14h à 19h du mardi au samedi. Avant de partir, pour vous procurer un guide ou une carte, pour organiser une expédition, aussi bien au Sri Lanka que tout simplement dans l'arrière-pays, mais aussi pour rêver, pour vous évader le temps d'un livre. Bienvenue dans la librairie du Sud-Est.

■ LIBRAIRIE DE VOYAGEURS DU MONDE

4 rue du Maréchal Joffre
✆ 04 97 03 64 65 – Fax : 04 97 03 64 60
www.vdm.com
Ouvert de 10h à 19h du lundi au samedi. Elle propose tous les ouvrages utiles pour devenir un voyageur averti ! Il faut d'ailleurs savoir que les librairies des Voyageurs du monde travaillent en partenariat avec plusieurs instituts géographiques à travers le monde, et également quelques éditeurs privés.

Rennes

■ ARIANE

20 rue du Capitaine-Alfred-Dreyfus
✆ 02 99 79 68 47 – Fax : 02 99 78 27 59
www.librairie-voyage.com
Le voyage commence dès le pas de la porte franchi. En France, en Europe, à l'autre bout du monde. Plutôt montagne ou résolument mer, forêts luxuriantes ou déserts arides… quelle que soit votre envie, vous trouverez de quoi vous documenter en attendant de partir. Cartes routières et marines, guides de voyages, plans… vous aideront à préparer votre voyage et vous accompagneront sur les

chemins que vous aurez choisis. Articles de trekking, cartes et boussoles sont également vendus chez Ariane.

■ LIBRAIRIE DE VOYAGEURS DU MONDE

31 rue de la Parcheminerie
✆ 02 99 79 30 72 – Fax : 02 99 79 10 00
www.vdm.com
Ouvert de 10h à 19h du lundi au samedi. Comme toutes les librairies des voyageurs du monde, celle de Rennes possède tout ce qu'il faut pour faire de vous un professionnel du voyage ! Guides en français et en anglais, cartes géographiques, atlas, récits de voyage, littérature étrangère, ouvrages thématiques, livres d'art et de photos, et pour les voyageurs en herbe : atlas, albums et romans d'aventures... Les librairies de Voyageurs du monde vendent également des photos anciennes, retirées à partir des négatifs originaux.

Strasbourg

■ GEORAMA

20 rue du Fossé-des-Tanneurs
✆ 03 88 75 01 95 – Fax : 03 88 75 01 26
Ouvert le lundi de 14h à 19h et du mardi au samedi de 9h30 à 19h. Le lieu est dédié au voyage et les guides touristiques voisinent avec les cartes routières et les plans de ville. Des accessoires indispensables au voyage (sac à dos, boussole) peuplent aussi les rayons de cette singulière boutique. Notez également la présence (et la vente) de fascinants globes lumineux et de cartes en relief.

Toulouse

■ LIBRAIRIE PRESSE DE BAYARD – LA LIBRAIRIE DU VOYAGE

60 rue Bayard
✆ 05 61 62 82 10 – Fax : 05 61 62 85 54
Ouvert du lundi au samedi de 7h30 à 19h. Pour passer de bons moments en voyage sans tourner trente-six heures dans une région inconnue, cette librairie offre toutes sortes de cartes IGN (disponibles aussi en CD ROM), Topos Guides, Guides touristiques, cartes du monde entier et plans de villes (notamment de villes étrangères)... Cette surface de vente – la plus importante de Toulouse consacrée au voyage – possède également un rayon consacré à l'aéronautique (navigation aérienne), à la navigation maritime et aux cartes marines. Pour ne pas se perdre dans cette promenade littéraire, suivez les bons conseils de l'équipe de Toulouse presse. Dès qu'on pousse les portes de cette indispensable librairie, le voyage commence... Pour les futés qui n'ont pas envie de se paumer, une des librairies où vous trouverez le plus grand choix de *Petit Futé*.

■ OMBRES BLANCHES

50 rue Gambetta
✆ 05 34 45 53 33 – Fax : 05 61 23 03 08
www.ombres-blanches.com
Ouvert du lundi au samedi de 10h à 19h. On entre et on tombe sur une tente de camping. Pas de panique, ceci est bien une librairie, la petite sœur de la grande Ombres Blanches d'à côté. Mais une librairie spécialisée dans les voyages et le tourisme, donc dans le camping également ! Beaux livres, récits de voyage, cartes de rando et de montagnes, livres photos... La marchandise est dépaysante et merveilleuse tandis que l'accueil est aussi agréable que dans la librairie jumelle. Comment ne pas y aller, ne serait-ce que pour voyager virtuellement ?

■ LIBRAIRIE DE VOYAGEURS DU MONDE

26 rue des Marchands
✆ 05 34 31 72 72/55
Fax : 05 35 31 72 73 – www.vdm.com
Ouvert le lundi de 13h à 19h et du mardi au samedi de 10h à 19h sans interruption. Cette librairie propose l'ensemble des guides touristiques en français et en anglais, un choix exceptionnel de cartes géographiques et d'atlas, des manuels de langue et des guides de conversation. Mais on trouve également des récits de voyage, de la littérature étrangère, des ouvrages thématiques sur l'histoire, la spiritualité, la société, la cuisine, des reportages, des livres d'art et de photos... Pour les voyageurs en herbe, des atlas, des albums et des romans d'aventures.

Tours

■ LA GEOTHEQUE, LE MASQUE ET LA PLUME

14 rue Néricault-Destouches
✆ 02 47 05 23 56 – Fax : 02 47 20 01 31
geotheque-tours@geotheque.com
Totalement destinée aux globe-trotters, cette librairie possède une très large gamme de guides et de cartes pour parcourir le monde. Et que les navigateurs des airs ou des mers sautent sur l'occasion : la librairie leur propose aussi des cartes, manuels, CD-Roms et GPS...

SUR PLACE

Visite des sites religieux

Tout site religieux est accessible, quelle que soit votre religion, à condition d'observer certaines règles, vestimentaires notamment : on se déchausse systématiquement dans tous les sites sacrés de toutes les confessions, églises comprises. Epaules et genoux doivent être couverts. Bermuda admis pour les hommes. Donation conseillée, même symbolique, dans les temples bouddhistes, surtout si vous photographiez. On ne prend jamais de photo d'une personne se tenant dos à une représentation bouddhique. On évite de déranger les moines entre 11h30 et 12h30. Dans les temples bouddhistes, les cérémonies d'offrande ont lieu à 6h, 11h et 18h30. Dans les temples hindous, elles ont lieu à 7h, 12h et 17h.

Poids et mesures

On utilise le système métrique sur l'île mais, sur certaines routes, les distances sont encore indiquées en *miles* (à ne pas confondre avec le *mille* nautique) comme le compteur de certaines voitures d'ailleurs. On rencontre aussi des commerçants qui utilisent encore l'once et la livre. *Voir l'encadré pour s'y retrouver.*

Guides

Les guides du Ceylon Tourist Board ont une carte professionnelle. On peut trouver des guides francophones par l'intermédiaire du Sri Lanka Tourist Board – 80d, Galle Rd, Colombo ✆ (011) 43 70 59 – ou du National Tourist Guide Lecturers Association of Sri Lanka – 37-35 Temple Rd, Colombo 10 ✆ (011) 68 12 41. Il n'y a pas de barème officiel. Soyez généreux si vous êtes satisfait de leur prestation, ce que vous leur donnez est leur seul revenu.

- **1 mile =** 1,6 km.
- **1 km =** 0,621 mile.
- **1 livre =** 0,453 kg.
- **1 kg =** 2,2 livres.
- **1 once =** 28,3 g.
- **1 g =** 0,04 once.

Poste et télécommunications

Timbres. Il n'est guère onéreux d'envoyer du courrier depuis le Sri Lanka. Il vous en coûtera 25 Rs pour une lettre, 17 Rs pour une carte postale, environ 200 Rs pour un paquet jusqu'à 500 g.

Téléphone. Pour appeler un correspondant depuis le Sri Lanka, vous pouvez acheter une carte téléphonique de compagnies privées (Lanka Pay et Metrocard). Coût des cartes : 250 Rs, 500 Rs et 800 Rs selon la durée. Le coût d'une minute vers l'Europe est variable : de 40 à 100 Rs selon les endroits. Evitez absolument de téléphoner depuis les hôtels où c'est le coup de bambou. Il existe dans toutes les localités des petites boutiques : International Direct Dial (IDD) où vous pouvez à la fois téléphoner et envoyer des mails. Parfois, mais pas toujours, vous pourrez composer directement votre numéro en surveillant ensuite le compteur d'un œil. La plupart du temps, en effet, vous devez écrire sur un morceau de papier votre numéro et attendre qu'on le compose pour vous. Si « ça sonne », vous entrez dans une cabine, vous décrochez et, si tout va bien, vous parlez à votre correspondant.

Portable. Si vous séjournez assez longtemps dans le pays, vous pouvez louer un portable. Quatre opérateurs se partagent l'agglomération de Colombo et de ses environs ainsi que la ville de Kandy. Les plus fiables sont Celltel – 385, Landmark Building, Colombo 3, ✆ (011) 541 541 – www.celltel.lk – et Dialog GSM – 502 Sublication road, Colombo 3 ✆ (011) 594 331 – www.dialog.lk

Internet. Internet est omniprésent avec des petites boutiques appelées « Communication Center ». On paye généralement par quart d'heure ou demi-heure (entre 50 et 100 Rs de l'heure), mais il peut arriver que les tarifs soient insécables et que vous soyez tenu de payer l'heure entière.

Fax. Avec la généralisation du mail électronique, le fax est un peu en perte de vitesse. Mais pour les adeptes de la sonnerie stridente, sachez que la minute pour l'Europe se facture 165 Rs. Quant à dire combien de temps va mettre votre feuille de papier écrite patiemment à l'encre noire pour arriver sur le bureau de votre correspondant, allez savoir !

Colombo, temple hindou

Negombo, ananas

Jours fériés

Les jours de pleine lune (*poya*) sont systématiquement fériés chaque mois dans le pays. Cinémas et bars sont fermés, et il est impossible d'acheter de l'alcool pendant la journée (d'où l'attroupement dans les magasins la veille pour faire des provisions !). Sachez aussi que chaque village a son jour de fermeture dans la semaine et que, bien entendu, ce n'est jamais le même pour tous. Attendez-vous donc, si vous changez de ville quotidiennement et si vous tombez mal, à trouver plusieurs jours de suite porte close dans les banques et autres administrations.

Horaires d'ouverture

Mieux vaut les connaître si vous ne voulez pas vous casser le nez en allant confirmer votre retour ou si vous voulez retirer de l'argent. Dans l'administration, on travaille de 8h30 à 16h30. Les boutiques sont ouvertes de 10h à 19h. Les banques reçoivent les clients de 9h à 13h, parfois jusqu'à 14h ou 15h mais c'est plus rare. Attention au *lunch break* qui s'étale parfois de 13h à 15h dans certains commerces.

Électricité

Pour vous sécher les cheveux ou recharger les batteries de votre vidéo, sachez que le courant distribué est de 230-240 volts, 50 cycles. Prévoyez d'emporter un adaptateur – les prises ont trois fiches comme d'ailleurs en Inde. Vous pouvez en trouver aussi sur place. Nous déconseillons vivement de planter le capuchon d'un stylo dans le troisième trou, d'une part pour éviter les courts-circuits malheureux, mais aussi pour ne pas endommager le matériel.

Magasins

La petite boutique du coin de la rue où l'on trouve un peu de tout reste la règle. Le cran au-dessus, ce sont les *Food City* assez présents aussi, mais plus chers. Dans la capitale, on trouve des grandes surfaces. A Colombo, Kandy et Nuwara Eliya, les magasins Cargills valent le détour pour leur côté suranné, leurs jolies boîtes à thé et toute la symbolique britannique qui les auréole. Mais ne vous y trompez pas, c'est bien Cargills qui gère tous les supermarchés (Food City, Wines and Spirits, KFC et Big City compris) du pays, et vous ne cesserez de voir ce nom partout où vous irez.

Marchés

C'est surtout un régal pour les yeux, et il y a différents types de marchés : de poissons sur les côtes, de confection d'osier par exemple, de fruits et légumes (ça, on les trouve partout). Cela permet de se nourrir à bas coût, en faisant sa cuisine soi-même. Il n'y a pas un plus beau marché, chaque petit étalage de fruits et légumes ou d'artisanat dans le plus petit village est toujours très pittoresque. C'est d'ailleurs plutôt dans les grandes villes que l'on s'ennuie le plus : le marché de Kandy par exemple n'a aucun intérêt en soi, mais on peut trouver dans la ville ou juste à sa sortie des véritables lieux de vie et de commerce, loin du tourisme et du folklore créé de toutes pièces.

Achats

Les épices sont la grande attraction pour touristes, mais soyez bien sûr que vous aurez l'usage, en rentrant, d'une livre de muscade ou de girofle vendue au même prix que chez Ducros. Ce sont surtout les batiks qui sont intéressants. Il y en a un bon choix, ainsi que d'autres tissus. Colombo et Kandy offrent un grand choix d'objets divers pour touristes, mais l'artisanat de qualité est rare, ou très cher. A Polonnaruwa, vous trouverez un très bon choix d'artisanat en bois et de masques fabriqués sur place dans des ateliers vers lesquels vous serez inexorablement rabattus. Le mieux est donc de vous diriger vers les villes moins connues et donc moins fréquentées par les touristes. Cependant, à Hikkaduwa par exemple, vous pourrez trouver des boutiques d'artisanat sur bois à prix très raisonnables.N'oubliez pas de faire un tour à Dambana voir les Veddas : vous pourrez y acheter un objet sculpté par un aborigène.

CARNET D'ADRESSES

En France

OFFICE DE TOURISME
8, rue de Choiseul, 75002 Paris
✆ 01 42 60 49 99 – Fax : 01 42 86 04 99
www.srilanka.fr – info@srilanka.fr
Du lundi au vendredi de 9h à 18h.

CONSULAT DU SRI LANKA
16, rue Spontini, 75016 Paris
✆ 01 55 73 31 31 – Fax : 01 55 73 18 49
sl.france@wanadoo.fr
Du lundi au vendredi de 9h à 12h30, mais permanence téléphonique jusqu'à 17h.

Centres culturels

ASSOCIATION FRANÇAISE DES AMIS DE L'ORIENT (AFAO)
Annexe musée Guimet, 19, avenue d'Iéna, 75016 Paris ✆ 01 47 23 64 85
Fax : 01 49 52 01 29 – www.afao-asso.fr
Organisation de journées d'études, de conférences et de voyages à thème.

LES ROUTES DE L'ASIE
7, rue d'Argenteuil, 75002 Paris
✆ 01 42 60 46 46
Voyagiste, spécialiste de l'Asie du Sud, organise des conférences sur les destinations.

BIBLIOTHÈQUE DE L'INALCO (LANGUES' O)
4, rue de Lille, 75007 Paris
✆ 01 44 77 87 20 – www.inalco.fr
Lundi de 13h à 19h, du mardi au vendredi de 9h à 19h, samedi de 10h à 18h. Consultation d'ouvrages sur place.

LA MAISON DES ORIENTALISTES
76, rue Bonaparte, 75006 Paris
✆ 01 40 51 95 24
www.orientalistes.com
Ce tour-opérateur organise des conférences et des initiations au voyage.

Librairies spécialisées

FENÊTRE SUR L'ASIE
49, rue Gay-Lussac, 75005 Paris
✆ 01 43 29 11 00.
RER : Luxembourg.

ULYSSE
26, rue Saint-Louis-en-l'Ile, 75003 Paris
✆ 01 43 25 17 35. Métro : Pont-Marie.

ITINÉRAIRES LIVRES VOYAGES
60, rue Saint-Honoré, 75001 Paris
✆ 01 42 36 12 63 – www.itineraires.com
Métro : Châtelet-les-Halles.

Dans les pays francophones

Représentations diplomatiques

EN BELGIQUE
Ambassade du Sri Lanka.
Rue Jules-Lejeune, 27, Bruxelles 1050
✆ (+ 32) 02 344 53 94/55 85
Fax : (+ 32) 02 344 67 37
sri.lanka@euronet.be
Du lundi au vendredi de 9h à 12h et de 14h à 16h. Sur place, office du tourisme ouvert de 9h à 17h.

EN SUISSE
Consulat du Sri Lanka.
Rue de Moillebeau, 56 (5e étage)
1209 Genève
✆ (+ 41) 022 919 12 50 (visas)
✆ 788 24 41 (passeports)
Fax : 022 734 90 84
consulate.sri-lanka@ties.itu.int
Du lundi au jeudi de 10h à 14h.

Au Sri Lanka

Présence française

AMBASSADE DE FRANCE
89, Rosmead Place, Colombo 7
✆ (011) 269 88 15/97 50/2
Numéro d'urgence ✆ 267 42 40
www.ambafrance.lk

ALLIANCE FRANCAISE
11, place Barnes, Colombo 7
✆ (011) 269 34 67 – (011) 269 41 62
www.alliancefr.lk – info@alliancefr.lk

Negombo

Partir en voyage organisé

Les spécialistes

ACME TRAVELS

246, Park Road, Colombo 5 (011) 452 75 75 – 255 45 38 – Fax (011) 255 45 39 – www.acmetravels.com – acmsl@sri.lanka.net

Cette petite agence, qui fut notre partenaire pour ce guide, privilégie (entre autres choses) le relationnel avec les clients. Les chauffeurs ne se bornent pas à conduire très prudemment les voitures et leurs passagers, mais se révèlent d'agréables compagnons de voyage, discrets et attentifs. L'agence, présente en Inde, aux Maldives et au Népal, a l'habitude des groupes et des voyageurs francophones et pourra vous constituer des itinéraires à la carte.

AQUAREV

2 rue du Cygne 75001 Paris
✆ 01 48 87 55 78 – Fax : 01 48 87 50 81
www.aquarev.com

Ce spécialiste de plongée propose une extension tourisme « Ayubowan » de huit jours. Ce séjour va vous mener de Colombo à Polonnaruwa, la 2e capitale du royaume de Ceylan, ainsi qu'au pied de la forteresse Sigiriya ou encore à Nuwara Eliya surnommée la « petite Angleterre ».

ATRIUM TRAVELS

113 rue du Faubourg Poissonnière
75009 Paris
✆ 06 85 96 50 18 – Fax : 01 56 02 64 65
www.atriumtravels.com

Professionnel des séjours sur mesure, Atrium Travels vous permet de concocter le voyage dont vous rêvez ! Partez à la découverte du Sri Lanka à travers une sélection d'hôtels ou un circuit de huit jours articulé autour des plus beaux sites naturels et culturels du royaume de Ceylan.

BEST TOURS

Rue Antoine Dansaert 114 B-1000 Bru
✆ 02/456 03 09
En France ✆ 01 42 21 99 52
www.besttours.be

Best Tours propose deux circuits pour le Sri Lanka. Le premier se nomme « Découverte du Sri Lanka » et dure 8 jours. Vous visiterez Colombo, Sigiriya et Kandy. Le second circuit s'intitule « Grand Tour » et dure 15 jours. Vous passerez par Colombo, Sigiriya, Kandy, Nuwara Eliya, Yala et Beruwala. Une extension aux Maldives est possible. Best Tours propose aussi des séjours balnéaires au Sri Lanka.

BLUE LAGOON INTERNATIONAL

81 rue Saint-Lazare 75009 Paris
✆ 01 44 63 64 10 – Fax : 01 40 23 01 43
www.blue-lagoon.fr

Chevronné ou débutant, parfaitement équipé ou armé d'un simple masque et d'un tuba, allez assister à l'extraordinaire ballet aquatique qui se déroule à quelques brasses des plages sri lankaises. Outre un forfait de 6 ou 10 plongées, vous pourrez découvrir les terres à travers des excursions organisées par l'agence.

■ CFA VOYAGES

16 bd de la Villette 75019 Paris
✆ 0 892 23 42 32 ou +33 1 40 03 98 45 (depuis l'étranger) – Fax : 01 40 03 82 85
www.cfavoyages.com
CFA Voyages vous propose des billets d'avion, des séjours et de nombreux circuits pour le Sri Lanka. Ainsi « Terres cinghalaises », un circuit de 8 jours, vous emmènera à la découverte du Sri Lanka. Kandy, Anuradhapura, Kalutara, Kithulgala, Dambulla, Nurawa Eliya et bien d'autres merveilles vous attendent. CFA Voyages vous propose de prolonger certains circuits avec un séjour dans une des stations balnéaires de la côte sud-ouest de l'île, stations réputées dans le mode entier pour leur plage de sable fin en pente douce.

■ CLUB AVENTURE

18 rue Séguier 75006 Paris
✆ 0 826 88 20 80 – www.clubaventure.fr
Cette agence spécialiste de la randonnée organise deux circuits de 15 jours pour arpenter le Sri Lanka à pied, en bateau ou à dos d'éléphant. Un des deux circuits convient tout particulièrement aux familles avec un passage par la ferme aux tortues et des baignades dans les cascades.

CLUB FAUNE

14 rue de Siam 75016 Paris
✆ 01 42 88 31 32 – Fax : 01 45 24 31 29
www.club-faune.com
Club Faune propose deux circuits de 13 et 14 jours pour vivre le Sri Lanka à votre rythme et deux combinés avec les Maldives. Vous pouvez aussi opter pour une formule à la carte. Que vous soyez plutôt séjour forme, nature, aventure ou encore golf, l'offre de cette agence comblera certainement vos envies.

COLLECTIONS DU MONDE – LVO

43 rue de la Condamine 75017 Paris
✆ 01 42 93 61 16
Agence en province ✆ 04 73 93 94 17
Fax : 01 42 93 79 92
www.collectionsdumonde.com
info@voyastore.com
Un des grands spécialistes du voyage à la carte vous fait découvrir le Sri Lanka en autotour individuel, en écotourisme ou encore dans le luxe. Si vous préférez vous laisser guider, Collections du Monde propose le circuit « Pierre de lune ». 9 jours de découverte entre Colombo, Polonnaruve, Lankatilake, Embekka et Kandy. Extension possible aux Maldives.

ESPACE MANDARIN

29 rue de Clichy 75009 Paris
✆ 0 825 850 859 – Fax : 01 42 97 43 58
www.espacemandarin.com
Espace Mandarin met à votre disposition des voyages à composer de 4 ou 5 jours (Cités royales, nature sauvage ou petit train et plantation), des séjours balnéaires sur la côte est et sud-ouest, et deux circuits individuels avec guide francophone ou anglophone. « Pure Ceylan » vous emmènera dans un périple de 11 jours à travers les sites historiques du Sri Lanka et les somptueux paysages de plantation de thé, la jungle et la montagne. « Nature et sensations » part à la découverte de deux réserves nationales encore fréquentées. Une descente en canoë de la rivière Kakulaganga et une nuit en bivouac vous feront aussi découvrir de plus près une nature encore très sauvage.

LA MAISON DES MALDIVES EXOTIKA

3 avenue Séverine 92400 Courbevoie
✆ 01 41 16 93 28 – Fax : 01 41 16 92 12
info@maldives.org – www.maldives.org
La maison des Maldives propose différents circuits au Sri Lanka. Parmi ceux-là, « Les charmes du Sri Lanka » d'une durée de 8 jours et 7 nuits. Entre autres excursions, ce tour vous permettra de visiter un orphelinat d'éléphanteaux, la citadelle de Sigiriya ou encore un des plus beaux jardins du Sri Lanka. Cette agence peut aussi vous proposer des séjours à la carte.

LA ROUTE DES VOYAGES

59 rue Franklin 69002 Lyon
✆ 04 78 42 53 58 – Fax : 04 72 56 02 86
www.route-voyages.com
2 bis, avenue de Brogny – 74000 Annecy
✆ 04 50 45 60 20 – Fax : 04 50 51 60 58
9, rue Saint-Antoine-du-T - 31000 Toulouse
✆ 05 62 27 00 68 – Fax : 05 62 27 00 86
Ce tour-opérateur est spécialisé dans le voyage sur mesure. Il propose aussi des séjours en hôtels de charme et un circuit individuel avec guide francophone de Colombo à Kandy en passant par Sigiriya et Nuwera Elya ou la réserve de Yala.

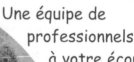

LE MONDE DE L'INDE ET DE L'ASIE

15 rue des Ecoles 75005 Paris
✆ 01 53 10 31 00
Fax : 01 43 26 87 77
www.mondeasie.com
www.votremonde-voyages.com

Le monde de l'Inde et de l'Asie propose des séjours et circuits à la carte et en individuel pour le Sri Lanka. Vous choisissez votre voyage en fonction de votre rythme, de votre budget et de ce que vous souhaitez voir. Des conseillers sont à votre disposition pour vous aiguiller dans votre préparation. Balnéaire, nature ou culture, tout peut être combiné pour réaliser le séjour de vos rêves.

LETS TRAVEL

(Pvt) Ltd. 64, Lotus Road
Colombo 01
✆ + 94 11 4736262 / 4736263
Fax : +94 11 2392295E -
mail : request@letstravel.lk.
Website : www.letstravel.ch

MAKILA VOYAGES

4 place de Valois 75001 Paris
✆ 01 42 96 80 00 – Fax : 01 42 96 18 05
www.makila.fr – info@makila.fr

Makila Voyages concocte des voyages sur mesure. Vous pouvez créer votre séjour de A à Z, vous inspirer des formules proposées ou opter pour le circuit « Vanille » déjà prédéfini. Ce voyage de 15 jours vous emmène de Colombo à Seeduwa en passant par Habarana, Kandy ou Galle. A vous de choisir la formule qui vous convient le mieux !

MELTOUR

103 avenue du Bac
94210 La Varenne Saint-Hilaire
✆ 01 48 89 85 85 – Fax : 01 48 89 41 59
www.meltour.com

Ce véritable spécialiste de la destination vous propose de découvrir « L'ancien Royaume de Ceylan » à votre rythme et selon vos goûts. Laissez-vous guider par votre chauffeur particulier à travers l'île, à la découverte des temples, grottes et autres champs de thé. Hôtels de toutes catégories et pour tout budget, rencontres d'exceptions, plages paradisiaques... Profitez de la compétence et des connaissances de cette agence qui saura organiser le voyage que vous souhaitez.

NOMADE AVENTURE – ARGANE

40 rue de la Montagne Sainte Geneviève
75005 Paris
✆ 0 825 701 702 (0,15 € TTC/min)
Fax : 01 43 54 76 12
www.nomade-aventure.com

Nomade Aventure organise des voyages pour randonner au Sri Lanka. Avec « Au pays des fées », vous partez pour 15 ou 17 jours dont 7 jours de marche, une demi journée de safari et une demi-journée de vélo. Vous ferez l'ascension de l'Adam's pic et vous découvrirez la savane et ses éléphants. Un guide local francophone vous accompagnera et vous dévoilera les mystères de Sigiriya et de Kandy. Vous pourrez aussi opter pour « Au pays des éléphants » : 15 jours dont 3 à pied et une demi-journée de safari avec notamment baignade dans les lacs et l'océan indien et visite du marché aux épices de Kandy.

■ **NOSTALASIE**

19, rue Damesme 75013 Paris
✆ 01 43 13 29 29 Fax : 01 43 13 30 60
www.ann.fr – nostalatina@ann.fr
infos@ann.fr

Ce petit artisan du voyage a peaufiné de manière intelligente et créative, plusieurs suggestions de séjours pour vous permettre de dénicher les perles du Sri Lanka. Ici, le maître-mot est sur mesure. Chez Nostalasie, il n'y a pas de dates de départs fixes ou de voyages en groupe (à moins que vous et vos amis ne le constituiez !). On vous laisse libre de tout décider et si vous ne savez pas par quel bout commencer, le voyagiste propose un parcours de base qu'il modifie selon vos envies (sensations fortes, découverte culinaire, farniente...). Que vous soyez farouchement indépendant ou que vous ayez besoin d'être dorloté, Nostalasie répondra à vos attentes.

■ **ONE WAY BLEU**

Espace Gambetta – 2 rue Gambetta
77210 Avon ✆ 01 60 39 53 30
Fax : 01 60 39 53 32 - www.onewaybleu.fr

One Way Bleu propose des voyages au Sri Lanka sur le principe du sur mesure et du à la carte. Cette agence offre des voyages personnalisés pour tous les budgets. Balnéaire et visite sont souvent combinés. Il est aussi possible d'ajouter au séjour une extension Maldives. One Way offre également des séjours à thèmes, comme gastronomie, golf, famille ou villa privée.

■ **ROOTS TRAVEL**
17 rue de l'Arsenal 75004 Paris
✆ 01 42 74 07 07 – Fax : 01 42 74 01 01
www.rootstravel.com
Roots Travel organise trois séjours au Sri Lanka. « Panorama du Sri Lanka » est un circuit de 12 jours à travers le pays à la découverte des lieux incontournables comme Anuradhapra ou l'ancienne cité de Polonnaruwa. « Merveilles du Sri Lanka » et « Aventure et culture au Sri Lanka » vous offrent quant à eux en 14 jours des séjours culturels où se mêlent histoire et religion.

■ **ROUTE DE L'ASIE – ROUTE DE L'INDE**
7, rue d'Argenteuil 75001 Paris
✆ 01 42 60 60 90 – Fax : 01 42 61 11 70
www.laroutedesindes.com
Avec son catalogue proche du recueil d'idées, la Route des Indes invite à la découverte. Au Sri Lanka, l'agence propose un circuit intitulé « La route du thé ». L'occasion de parcourir à votre rythme la capitale, Colombo, mais aussi l'intérieur des terres, les vestiges historiques enfouis sous la jungle, des plages, grottes et des temples ou fresques. Vous pouvez également opter pour un voyage à la carte.

■ **TCH – TOURISME CHEZ L'HABITANT**
15, rue des Pas-Perdus BP 38338
95804 Cergy Saint-Christophe Cedex
✆ 0 892 680 336 (service privilège)
ou 01 34 25 44 72 – Fax : 01 34 25 44 45
informations@tch-voyage.fr
www.tch-voyages.com
www.asie-voyages.com
Ce voyagiste propose à travers un site Internet totalement dédié à l'Asie des voyages et séjours au Sri Lanka pour tous les goûts à des prix très « Web » : séjours classiques mais aussi hors des sentiers battus, balnéaires, culturels, aventures, randonnées, tourisme équitable, mais aussi autotours, réservations d'hôtels à la carte et vols vers le Sri Lanka à tarifs négociés. Egalement des hôtels à prix discount à réserver en ligne 24h sur 24 sur www.book-your-room.com.

■ **TERRES D'AVENTURE**
30 rue Saint Augustin 75002 Paris
✆ 0 825 700 825 – Fax 01 43 25 69 37
www.terdav.com
Terres d'Aventures propose un séjour de 10 jours intitulé « Pic Adam et merveilles du Sri Lanka » où vous serez plongé en pleine

montagne avec l'ascension du pic Adam et la visite de villes comme Kandy et Nuwara Eliya. Le second séjour de 12 jours s'intitule « Les bouddhas et les éléphants du Sri Lanka ». Vous visiterez les temples et l'intérieur des terres du Sri Lanka. Balade à dos d'éléphant et promenade en mer au programme. Vous pourrez aussi opter pour la randonnée de 11 jours « Plantations coloniales et évasion tropicale dans l'île souriante »

■ ULTRAMARINA

29 rue de Clichy 75009 Paris
✆ 0 825 02 98 02 (0,15 €/min)
Fax : 01 53 68 90 78
www.ultramarina.com

Ultramarina propose 3 circuits au Sri Lanka. Vous aurez le choix entre un tour de l'île en 5 jours ou deux circuits individuels en 8 : le temps de découvrir les villes impériales et un beau panorama du royaume de Ceylan.

■ VISIT LANKA LTD

No 504-4F Nawala road.
Fax :+94 11 2391803
✆ +94 11 2878749,878789
Email : visitlanka@sltnet.lk.

Nihal parle français et vous organisera un séjour personnalisé avec son équipe.

■ YOKETAI – ATELIERS DU VOYAGE

54-56 av Bosquet 75007 Paris
✆ 01 45 56 58 20 – Fax : 01 45 56 14 05
www.atlv.net

Yoketaï propose des voyages sur mesure, individuels ou en petit groupe. Vous pouvez vous inspirer des brochures et des circuits concoctés par Yoketai pour préparer votre voyage. Les circuits peuvent aller du simple au luxueux, avec les meilleurs hôtels ou un hydravion pour raccourcir la durée des transferts. Yoketaï répond à toutes les demandes, selon votre rythme de voyage, vos besoins. le tour-opérateur tend à faire découvrir différents aspects du pays et essaie de vous faire prendre d'autres routes pour davantage d'authentique. Descente d'une rivière et nuit en bivouac sont par exemple possibles.

Les généralistes

■ EXPEDIA FRANCE

✆ 0892 301 300 – www.expedia.fr

Expedia est le site français du n° 1 mondial du voyage en ligne. Un large choix de 500 compagnies aériennes, 14 000 hôtels, plus de 3 000 stations de prise en charge pour la location de voitures et la possibilité de réserver toute une série d'activités sur votre lieu de vacances. Cette approche sur mesure du voyage est enrichie par une offre très complète comprenant prix réduits, séjours tout compris, départs à la dernière minute...

■ GO VOYAGES

14 rue de Cléry 75002 Paris
www.govoyages.com
✆ 0 899 651 951 (billets) / 851 (hôtels, week-ends et location de voitures) / 650 242 (séjours/forfaits) / 650 246 (séjours Best Go) / 650 243 (locations/ski) / 650 244 (croisières) /650 245 (Thalasso) / 654 657 (circuits)

Go Voyages offre un comparateur qui vous permettra de trouver les meilleurs prix des vols secs, charters et réguliers au départ et à destination des plus grandes villes. Possibilité également d'acheter des packages sur mesure « vol + hôtel » permettant de réserver simultanément et en temps réel un billet d'avion et une chambre d'hôtel. Grand choix de promotions sur tous les produits, y compris la location de voitures. Réservation simple et rapide.

■ LAST MINUTE

✆ 0 899 78 5000 – www.lastminute.fr

Des vols secs à prix négociés, dégriffés ou publics sont disponibles sur Last Minute. On y trouve également des week-ends, des séjours, de la location de voiture... Mais Last Minute est surtout le spécialiste des offres de dernière minute pour voyager à petits prix. Que ce soit pour un week-end ou une semaine, une croisière ou simplement un vol, des promos sont proposées et renouvelées très régulièrement.

■ OPODO

✆ 0 899 653 656 – www.opodo.fr

Opodo vous permet de réserver au meilleur prix en comparant les vols de plus de 500 compagnies aériennes, les chambres d'hôtels parmi plus de 45 000 établissements et les locations de voitures partout dans le monde. Vous pouvez également y trouver des locations saisonnières ou des milliers de séjours tout prêts ou sur mesure. Opodo a été classé meilleur site de voyages par le banc d'essai Challenge Qualité – *L'Echo touristique* de 2004. Des conseillers voyages vous répondent 7 jours/7 au 0 899 653 656 (0,34 €/min) de 8h à 23h du lundi au vendredi, de 9h à 19h le samedi et de 11h à 19h le dimanche.

■ PROMOVACANCES

✆ 0 892 232 626
✆ 0892 230 430 (thalasso, plongée, ou lune de miel) – www.promovacances.com

Promovacances propose de nombreux séjours touristiques, des week-ends, locations, hôtels à prix réduits ainsi qu'un très large choix de billets d'avion à tarifs négociés sur vols charters et réguliers. Vous y trouverez également des promotions de dernière minute, les bons plans du jour et des informations pratiques pour préparer votre voyage (pays, santé, formalités, aéroports, voyagistes, compagnies aériennes.)

■ THOMAS COOK

✆ 0 826 826 777 (0,15 €/min)
www.thomascook.fr

Tout un éventail de produits pour composer son voyage : billets d'avion, location de voitures, chambres d'hôtel... Thomas Cook propose aussi des séjours dans ses villages-vacances et les « 24h de folie » : une journée de promos exceptionnelles tous les vendredis. Leurs conseillers vous donneront une mine de conseils utiles sur les diverses prestations des voyagistes.

CARLSON WAGONLIT VOYAGES

✆ 0 826 828 824
travelonweb@carlsonwagonlit.fr
www.cwtvoyages.fr
C'est l'agence de voyages virtuelle de la société Carlson Wagonlit. Le site propose plus d'un million de tarifs négociés au départ de l'Europe. La recherche est bien guidée et plutôt efficace. A noter, une catégorie exclusivement réservée aux départs de province et une rubrique de location de voitures, reliée, au choix, au site d'Avis, d'Europcar ou de Holiday Autos.

VIVACANCES

✆ 0899 653 654 (1,35 €/appel et 0,34 €/min)
www.vivacances.fr
Vivacances est une agence de voyages en ligne créée en 2002 et rachetée en 2005 par Opodo, leader du voyage en ligne. Vous trouverez un catalogue de destinations soleil, farniente, sport ou aventure extrêmement riche : vols secs, séjours, week-ends, circuits, locations... Les prix sont négociés sur des milliers de destinations et des centaines de compagnies aériennes. Vous pourrez aussi effectuer vos réservations d'hôtels et vos locations de voitures à des tarifs avantageux. Le site propose des offres exclusives sans cesse renouvelées : à visiter régulièrement.

© ALAMER

Anuradhapura, moine bouddhiste

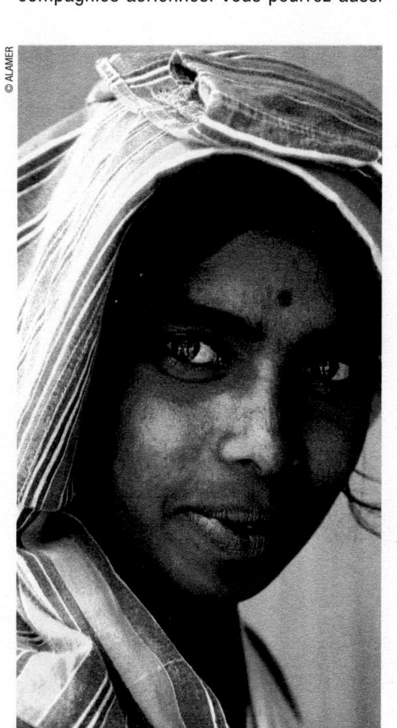
© ALAMER

Plantation de thé, cueilleuse Tamoule

Les réceptifs

LION ROYAL

45, Braybrook Street, Colombo 2
✆ (011) 471 59 96
www.lionroyaltourisme.com
Bonne adresse francophone au service attentif et aux prix raisonnables. Demandez Nilhan ou Virginie, ils vous organiseront un sejour memorable.

RED DOT TOUR
RED DOT TOURS (PVT) LIMITED

30/84, Perera Gardens,
Off Perera Mawatha
Pelawatte, Battaramulla, Sri Lanka
Sri Lanka Sales: +94 114 444622
Operations: +94 112 432178
www.reddottours.com
Agence professionnelle bénéficiant d une gamme d'hôtels assez impressionnante sur l'île. Séjour organise en jeep, avec guide et chauffeur... un service de qualité pour découvrir le Sri Lanka.

Polonnaruwa, moine

Compagnies aériennes

AIR FRANCE
✆ 36 54 (0,34 €/mn d'un poste fixe)
www.airfrance.fr
Air France propose plusieurs vols par semaine entre Paris et Colombo via Bombay, Singapour ou Hong-Kong.
Il est possible de réserver ou acheter un billet par téléphone, ainsi que de choisir son siège ou de s'informer sur l'actualité des vols en temps réel. Air France propose une gamme de tarifs attractifs accessibles à tous : Tempo 1 (le plus souple) au Tempo 5 (le moins cher) selon les destinations. Pour les moins de 25 ans, Air France propose des tarifs Tempo Jeunes, ainsi qu'une carte de fidélité (Fréquence Jeunes) gratuite et valable sur l'ensemble des lignes d'Air France et des autres compagnies membres de Skyteam. Tout comme la carte Flying Blue, cette carte permet de cumuler des *miles* et de bénéficier d'avantages chez de nombreux partenaires. Tous les mercredis dès minuit, sur www.airfrance.fr, Air France propose aussi les tarifs « Coups de cœur », une sélection de destinations en France pour des départs de dernière minute. Sur Internet, possibilité de consulter les meilleurs tarifs du moment, rubrique « offres spéciales », « promotions »...

EMIRATES
69 bd Haussmann 75008 Paris
✆ 01 53 05 35 35 – Fax : 01 53 05 35 25
www.emirates.com
Emirates offre des liaisons quotidiennes entre la France et le Sri Lanka avec une escale à Dubaï. Le vol part de Roissy Charles de Gaulle à 15h30 pour une arrivée le lendemain aux alentours de 9h

QATAR AIRWAYS
24/26 place de la Madeleine 75008 Paris
✆ 01 55 27 80 80 – Fax : 01 55 27 80 81
www.qatarairways.com
Qatar Airways offre un vol quotidien pour Colombo au départ de Paris. Il y a toujours un changement d'avion à Doha, au Qatar. L'avion décolle de Charles de Gaulle à 15h, 15h15 ou 22h15 pour une arrivée à Colombo à 8h15 ou 16h.

SRILANKAN AIRLINES
113, rue Réaumur 75002 Paris
✆ 01 42 97 43 44 – Fax : 01 42 86 83 20
reservations.paris@srilankan.aero
www.srilankan.lk
Srilankan Airlines assure 3 vols hebdomadaires sans escale entre Paris et Colombo. Les mercredi, vendredi et dimanche, départ à 14h30 de Charles de Gaulle pour une arrivée au Sri Lanka à 04h25. Retour les mêmes jours avec un départ à 00h15 ou 1h30 pour une arrivée à 7h45 ou 9h.

THAI AIRWAYS INTERNATIONAL
Tour Opus 12
77 esplanade du Général de Gaulle
92914 La Défense Cedex
✆ 01 55 68 80 70 (Paris)
✆ 04 93 13 80 80 (Nice)
www.thaiairways.fr
Thaï Airways offre plusieurs vols par semaine pour le Sri Lanka avec une escale à Bangkok.

Location de voitures

AUTO ESCAPE
✆ 0 800 920 940 – 04 90 09 28 28
www.autoescape.com
En ville, à la gare ou dès votre descente d'avion. Les meilleures solutions et les meilleurs prix de location de voitures sont sur le site d'Auto Escape. Cette compagnie qui réserve de gros volumes auprès des grandes compagnies de location de voitures vous fait bénéficier de ses tarifs négociés. Grande flexibilité. Pas de frais de dossier, pas de frais d'annulation, même à la dernière minute. Des conseils et des informations précieuses, en particulier sur les assurances.

AUTO EUROPE
✆ 0 800 940 557 (appel gratuit)
www.autoeurope.fr
Réservez en toute simplicité votre voiture aux meilleurs tarifs avec la garantie de service exceptionnel sur plus de 4 000 stations dans le monde entier. Auto Europe négocie toute l'année des tarifs privilégiés auprès des loueurs internationaux et locaux afin de proposer à ses clients des prix compétitifs. Les conditions Auto Europe : le kilométrage illimité, les assurances et taxes incluses dans leurs tout petits prix et des surclassements gratuits dans certaines destinations. N'hésitez pas à consulter le site www.autoeurope.fr pour profiter de leurs offres promotionnelles.

Portrait d'un Sadhou

■ **AVIS**

✆ 0 820 05 05 05 – www.avis.fr

Décidé à faire « mille fois plus », Avis a installé ses équipes dans plus de 5 000 agences réparties dans 163 pays. De la simple réservation d'une journée à plus d'une semaine, Avis s'engage dans plusieurs critères sans doute les plus importants. Proposition d'assurance, large choix de véhicules de l'économique au prestige avec un système de réservation rapide et efficace.

■ **BUDGET FRANCE**

122 Avenue du Général Leclerc
92100 Boulogne Billancourt
✆ 0 825 00 35 64 – Fax : 01 70 99 35 95
www.budget.fr

Budget France est le troisième loueur mondial, avec 3 200 points de vente dans 120 pays. Le site www.budget.fr propose également des promotions temporaires. Si vous êtes jeune conducteur et que vous avez moins de 25 ans, vous devrez obligatoirement payer une surcharge.

■ **EUROPCAR FRANCE**

3, avenue du Centre
Immeuble Les Quadrants
78881 Saint-Quentin-en-Yvelines cedex
✆ 0 825 358 358 – Fax : 01 30 44 12 79
www.europcar.fr

Chez Europcar, vous aurez un large choix de tarifs et de véhicules : économiques, utilitaires, camping-cars, prestige, et même rétro. Vous pouvez réserver votre voiture via le site Internet, et voir les catégories disponibles à l'aéroport, il faut se baser sur une catégorie B, les A étant souvent indisponibles.

■ **HERTZ**

✆ 01 39 38 38 38 – www.hertz.com

Dans cette agence de location, vous pouvez obtenir différentes réductions si vous possédez la carte Hertz ou celle d'un partenaire Hertz. Le prix de la location comprend un kilométrage illimité, des assurances en option, ainsi que des frais si vous êtes jeune conducteur. Toutes les gammes de voitures sont représentées.

Weligama, pêcheurs

Sites Internet futés

■ **www.diplomatie.fr**
Un site pratique et sûr pour tout connaître de votre destination avant de partir : informations de dernière minute, sécurité, formalités de séjour, transports et infos santé.

■ **www.douane.gouv.fr**
Le site de la douane propose une rubrique spécialement dédiée aux voyageurs, permettant de collecter tous les renseignements nécessaires à la préparation d'un séjour : infos sur les contrôles douaniers, achats à distance, estimations des droits et taxes sur les achats effectués à l'étranger, conditions de détaxe au départ de France, formulaires douaniers pour les déclarations, etc.

■ **www.easyvoyage.com**
Le concept de Easyvoyage.com peut se résumer en trois mots : s'informer, comparer et réserver. Gros plan sur cette triple fonction. Des infos pratiques sur quelque 255 destinations en ligne (saisonnalité, visa, agenda...) vous permettent de penser plus efficacement votre voyage. Après avoir choisi votre destination de départ selon votre profil (famille, budget...), easyvoyage.com vous offre la possibilité d'interroger plusieurs sites à la fois concernant les vols, les séjours ou les circuits. Enfin, grâce à ce méta-moteur performant, vous pouvez réserver directement sur plusieurs bases de réservation (Lastminute, Go Voyages, Directours, Anyway... et bien d'autres).

■ **www.guidemondialdevoyage.com**
Tous les pays du monde sont répertoriés grâce à une fiche donnant des informations générales. Un guide des aéroports est aussi en ligne, avec toutes les coordonnées et infos pratiques utiles (services, accès, parcs de stationnement...). Deux autres rubriques complètent le site : météo et horloge universelle.

■ **www.meteo-consult.com**
Pratique, ce site Internet vous donne des prévisions météorologiques pour le monde entier.

■ **www.nationalchange.com**
Le premier site français de vente de devises en ligne avec un paiement sécurisé par carte bancaire et le plus qui caractérise cette offre est la livraison à domicile. Les taux proposés sont meilleurs que ceux des banques et le choix des devises est important (39 devises et 7 travellers chèques). Vous aimerez la convivialité du site ainsi que la rapidité pour commander la devise de son choix. Après validation de votre commande, vous la recevrez très rapidement à votre domicile ou sur votre lieu de travail (24h à 72h). Un site à utiliser sans modération !!!

■ **www.travelsante.com**
Un site intelligent qui vous donne des conseils santé selon votre destination : vaccinations, trousse de secours, précautions à prendre sur place.

■ **www.uniterre.com**
« Le voyage par les voyageurs » : le premier annuaire des carnets de voyage présente des dizaines de récits sur toutes les destinations, des liens vers des sites consacrés au voyage et un forum pour partager ses expériences et impressions.

SE LOGER

Les formules sont nombreuses dans un pays qui vit essentiellement du tourisme : grands hôtels avec piscine pour tour-opérateurs, établissements de catégorie moyenne et petites guesthouses sans prétention. Dans les villes et sur le lieu des principales destinations touristiques, vous trouverez de grands hôtels de type international avec piscine et air conditionné. Ailleurs, l'hébergement est parfois plus sommaire, mais on trouve toujours à se loger dans des conditions de confort acceptables.
D'ailleurs, les tarifs varient à la hausse (multipliés par deux ou trois) ou à la baisse selon que vous réservez ou non pendant la saison touristique : celle-ci s'étend généralement de la mi-décembre à la fin mars. Attention, avril est la période la plus chère à Nuwara Eliya.

▸ **Les 5-étoiles** sont présents dans les grandes villes (Colombo, Kandy) mais aussi à proximité des sites historiques dans le centre du pays. Comptez entre 50 et 250 $ selon que vous louez une chambre de base ou une suite. Ce type d'établissement, prisé par les groupes, offre un confort irréprochable : on y trouve le plus souvent une piscine, parfois des courts de tennis, de grands restaurants et une galerie commerçante. Vous aurez l'assurance d'un séjour agréable mais aussi de côtoyer beaucoup de monde. Bien évidemment, les tarifs sont bien plus avantageux si l'on passe par un tour-opérateur.

▸ **Nous vous recommandons les tea estate bungalows.** Vous logerez dans une plantation de thé et vous assisterez à la cueillette des précieuses feuilles. Comptez 4 000 Rs au minimum la nuit.

▸ **Sur la côte sud-ouest, vous trouverez également de nombreux beach resorts** qui, moyennant des tarifs s'étalant entre 3 500 Rs et 6 000 Rs, vous offriront un séjour confortable ainsi qu'un certain nombre d'activités sportives. Pour un établissement de catégorie moyenne, il vous en coûtera entre 700 Rs et 2 000 Rs. Vous aurez alors une chambre pourvue d'une salle de bains. Ne vous attendez pas à un cadre luxueux ni à des prestations de premier ordre, mais ils sont en général bien tenus. Pas de drap généralement, donc pensez à vous fournir en linge si vous comptez passer au moins une nuit dans un petit hôtel.

▸ **Les resthouses** sont de plus en plus prisées par les voyageurs qui recherchent un cadre convivial et un intérieur cosy. Ce sont d'anciennes maisons coloniales qui hébergeaient les officiels hollandais et britanniques. Idéalement situées dans un parc, en haut d'une colline, en retrait d'une plage, elles sont prises d'assaut pendant la saison touristique. Elles appartiennent pour la plupart au gouvernement et le service y est souvent très « fonctionnarisé » et surtout les prix très élevés pour les facilités proposées. Nous vous conseillons plutôt de vous diriger vers les hôtels non classés et autres guesthouses.

■ **THE CEYLON HOTELS CORPORATION**
Il centralise les demandes de réservation de resthouses en ligne sur le site Internet – www.ceylonhotels.lk – A Colombo, l'adresse est 411, Galle Road, Bambalapitiya, Colombo 4 ✆ 112 503 497 – 259 8923 – Fax : (+ 94) 112 503 504 – info@ceylonhotels.lk

Nuwara Eliya, plantations de thé

Solidarité Laïque, pour un monde plus juste

Solidarité Laïque est une association régie par la loi 1901, reconnue d'utilité publique le 23 août 1990. Ses programmes en France et dans le monde permettent l'accès aux droits fondamentaux. Solidarité Laïque agit contre les inégalités et les exclusions qui touchent des milliers d'hommes et de femmes en France et sur tous les continents. Dans un monde miné par les replis identitaires et le recours à l'irrationnel, Solidarité Laïque, composée d'associations, de coopératives, de mutuelles et de syndicats, appuie ses actions sur les valeurs universelles de la laïcité.

De janvier à avril 2005, à la suite du raz-de-marée en Asie du Sud, les organisations membres de Solidarité Laïque ont lancé un appel à projet à leurs partenaires locaux, présents sur le terrain. Suite à deux missions sur place et l'élaboration d'un cadre commun aux divers projets, le programme a débuté en mai 2005. Il bénéficie de la collecte exceptionelle (plus d'un million d'euros) réalisée par Solidarité Laïque grâce à une mobilisation des acteurs de l'enseignement public. Il a obtenu le soutien de la campagne « Des écoles pour revivre » menée par la CASDEN, la MAIF et la MGEN.

Travaillant en collaboration avec des associations sur place mais également en France et en Europe, Solidarité Laïque apporte fonds, soutien et compétences à différents projets d'aide à la reconstruction du secteur éducatif sri lankais. Cette collaboration s'effectue sur les domaines suivants : appui au secteur éducatif, formation d'enseignants, construction et équipements pédagogiques d'écoles, équipement de bibliothèques scolaires, etc.

Le réseau de Solidarité Laïque, composé de plusieurs syndicats d'enseignants sri lankais et d'autres associations locales mais aussi d'une quinzaine d'organisations françaises et européennes, lutte chaque jour pour rétablir une structure éducative viable dans tout le pays.

Au nord du Sri Lanka, le projet consiste dans le soutien et développement des structures éducatives au sein des trois nouveaux villages reconstruits par le consortium Solidar : dans les communautés de Chempianpattu, Vathirayan et Uduthurai, dans le district de Kilinochchi, contrôlé par les Tigres tamouls de la libération. 1 125 familles sont accueillies dans les nouveaux villages. Ces familles sont toutes d'origine tamoule, et principalement musulmanes ou chrétiennes. La plupart des enfants ont souffert à la fois du tsunami et des conséquences du conflit singhalo-tamoul. Au sud du pays, Solidarité Laïque œuvre pour la construction d'écoles maternelles, le soutien scolaire (formation des enseignants, lutte contre le travail des enfants, etc.) et la reconstruction de structures éducatives. Sur l'ensemble de la côte sinistrée, le travail consiste à soutenir la reconstruction du secteur éducatif et plus particulièrement des écoles primaires et secondaires touchées par le tsunami.

Dans tout le pays, l'intervention prend en compte les facteurs et les acteurs multiples. La guerre entre le gouvernement et les Tigres tamouls rend complexe le travail des ONG, obligées de composer avec les deux autorités pour les démarches administratives. De plus, les villages sont relativement isolés et difficiles d'accès. La mise en place des projets a été longue et malaisée dans le processus à cause, notamment, des constants changements législatifs. Un an après le lancement du programme de Solidarité Laïque, certains projets avaient abouti, comme la construction et la mise en route de l'école de Pransawatta Gama (Habaraduwa). D'autres projets restaient en cours de réalisation pour être finalisés à l'automne 2006.

▶ **Si vous souhaitez en savoir plus** sur les actions menées par Solidarité Laïque au Sri Lanka ou ailleurs dans le monde ou tout simplement donner pour participer à la reconstruction du pays www.solidarite-laique.asso.fr

Negombo

Hikkaduwa

Si vous rêvez de nature, vous pouvez passer la nuit dans bon nombre d'écolodges et autres établissements situés dans la jungle ou dans un parc animalier, sachez que les réservations sont impératives. Recherchez leurs coordonnées dans notre guide selon la région qui vous intéresse ou adressez-vous directement au Department of Wildlife Conservation.

Meilleur marché, les guesthouses ne proposent généralement que quelques chambres dans des maisons surtout connues par le bouche-à-oreille. Le confort reste sommaire, mais c'est convivial. Là aussi, pas de drap, mais le confort n'est pas forcément moins bon que dans un hôtel de classe moyenne. Comptez entre 500 Rs et 800 Rs pour une chambre double avec ventilateur et moustiquaire.

Les paying-guests offrent les mêmes prestations ; de plus, vous partagerez les repas d'une famille. La formule est particulièrement recommandée à ceux qui souhaitent mieux connaître les habitants.

Enfin, le terme hotel est le plus souvent employé pour désigner un boui-boui où l'on peut se restaurer pour pas cher. Ce n'est qu'à partir d'une certaine catégorie d'hébergements que l'on parlera d'hôtel proprement dit. Ne pas confondre, donc, sauf si vous avez faim.

SE RESTAURER

Véritable fourre-tout, l'appellation « restaurants » recouvre une réalité multiple dans le pays. Au gré de vos voyages, vous trouverez aussi bien les petites gargotes où l'on ne sert que du *rice and curry* pour 50 Rs que les établissements chics et chers de Colombo où l'on peut déguster les mets les plus exotiques en provenance de tous les coins du monde pour 500 à 2 000 Rs, boisson comprise. Entre ces deux extrêmes, vous vous régalerez de poissons frits ou de plats à l'occidentale dans les petits établissements qui pullulent sur la côte Sud-Ouest de l'île. Moyennant 150 Rs, vous pourrez faire de bons repas sans pour autant vous arracher la gorge avec des épices. Il est plus difficile de faire ce genre de repas dans le Triangle culturel constitué par les villes de Kandy, de Polonnaruwa et d'Anuradhapura, car les grands hôtels et leurs buffets pantagruéliques constituent souvent l'unique choix. Si vous êtes dans une *paying-guest*, on vous proposera de partager les repas de la famille. Bon à savoir : de temps en temps, on vous servira trois fois par jour du riz et des épices.

Petit déjeuner

Ancienne colonie britannique, le Sri Lanka propose généralement des petits déjeuners à base d'œufs, bacon, saucisses, tartines et fruits. Si vous vous aventurez vers un repas plus local, vous découvrirez avec délice *string hoppers*, *hoddha*, *roti* et *pol sambol*.

On est aussi au pays du thé, et le café n'est pas le fort du Sri Lanka. Mais si vos hôtes ont l'habitude de recevoir des étrangers, ils vous proposeront éventuellement du café soluble ou du thé avec des toasts. Les plus audacieux vous serviront des crêpes au miel. Pour les personnes suivant un régime sans sel, prenez garde au beurre qui est systématiquement demi-sel. Vous pouvez demander du beurre doux mais sans grande chance d'en trouver.

Kandy, fête de la Perahera, procession

SE DÉPLACER

Il est très facile de se déplacer sur toute l'île qui dispose d'un dense réseau ferroviaire hérité de la période coloniale. Les trains sont un peu vétustes et lents mais très pratiques et traversent de magnifiques paysages au centre du pays. Les autobus sont plus chaotiques (beaucoup de monde, lenteur, conduite style Formule 1, etc.), mais certains ont l'air conditionné et sont plus rapides que le train. La meilleure solution consiste à louer une voiture avec chauffeur pour un prix modique, voire équivalent au tarif d'une voiture de location sans chauffeur, car l'utilisation des transports publics peut s'avérer périlleuse : trains en retard, bus surchargés. Prévoyez toujours du temps pour récupérer entre deux trajets, sinon vous aurez l'impression de consacrer tout votre séjour aux transports.

Avion

Les seuls vols directs entre Paris et Colombo sont proposés par SriLankan Airlines. L'accueil est agréable et le vol confortable : écran personnel pour visionner une quantité de films, suivre le cheminement du vol par les caméras fixées à l'extérieur de l'avion, écouter la radio, etc. D'autres compagnies comme Qatar Airways, Emirates Airlines permettent à ceux qui veulent faire une pause à Dubaï, Doha ou Oman de relier la capitale sri lankaise en deux temps.

Il n'y a pas de vols intérieurs au Sri Lanka. Le seul aéroport, à part celui de Negombo, se trouve à Jaffna et il n'y a, conflit oblige, aucune liaison entre les deux aéroports.

Bateau

Pour l'instant, les trajets en ferry entre la ville de Rameshwaram au Tamil Nadu indien et le port de Talaimannar sont interrompus. Par ailleurs, évitez de louer un bateau pour faire une croisière, il y a en ce moment une recrudescence d'actes de piraterie sur les eaux sri lankaises et environnantes. En revanche, vous pouvez toujours trouver des pêcheurs pour vous amener faire un tour en bateau.

Train

Au Sri Lanka, les distances sont courtes, mais les trains peuvent être très lents. Trois lignes principales traversent le pays au départ de Colombo : la première, vers le sud et la gare de Matara ; la deuxième, vers le centre et la gare de Nanu Oya (à 7 km de Nuwara Eliya) ; c'est le trajet le plus pittoresque que vous ferez en train, surtout à partir de Kandy vers Ella et Nanu Oya. A faire absolument ! Enfin, la troisième, qui remonte vers le nord et la cité historique d'Anuradhapura. Vous avez le choix entre la première classe, la deuxième classe ou la troisième classe. La troisième classe est, évidemment, prise d'assaut et offre seulement des banquettes en bois. En deuxième classe, les sièges sont un peu plus rembourrés et les compartiments bénéficient (généralement) d'un air brassé par des ventilateurs poussifs. La première classe se décline en trois catégories toutes climatisées : une classe assise, une classe appelée *observation saloon*, en raison des baies vitrées qui permettent de profiter du paysage, et enfin une classe couchette.

Kandy, temple de la Dent

Tableau des distances

	Colombo	Galle	Tangalla	Kataragama	Nuwara Eliya	Kandy	Dambulla	Sigiriya	Polonnaruwa	Anuradhapur	Vavuniya	Negombo
Colombo		125	175	200	125	115	160	180	200	210	260	35
Galle	125		75	155	140	175	250	260	270	310	360	160
Tangalla	175	75		90	130	170	250	260	270	315	370	200
Kataragama	200	155	90		100	150	210	220	215	290	330	225
Nuwara Eliya	125	140	130	100		50	120	130	130	190	240	130
Kandy	115	175	170	150	50		75	90	100	140	190	110
Dambulla	160	250	250	210	120	75		10	50	70	120	140
Sigiriya	180	260	260	220	130	90	15		35	70	110	155
Polonnaruwa	200	270	270	215	130	100	50	35		95	130	180
Anuradhapur	210	310	315	290	190	140	70	70	95		50	170
Vavuniya	260	360	370	330	240	190	120	110	130	50		220
Negombo	35	160	200	225	130	110	140	155	180	170	220	

Les tarifs sont évidemment en rapport avec la catégorie choisie. Par exemple, un aller pour Badulla depuis Colombo en première classe coûte environ 290 Rs ; en deuxième classe, 170 Rs ; en troisième classe, 60 Rs. Le coût moyen du kilomètre revient à environ 1,50 Rs.

Bus

Là aussi, vous aurez l'embarras du choix. Sur un même trajet, vous pouvez utiliser les bus de la Ceylon Transport Board (CTB), la compagnie nationale (dans lesquels vous aurez un confort rudimentaire) aux horaires parfois fantaisistes et ceux des compagnies privées (plus rapides, plus confortables, généralement pourvus de la climatisation, donc plus chers). Mais une même règle s'applique aux compagnies : les premiers arrivés sont les premiers servis. Attendez-vous à une foire d'empoigne pour l'obtention d'un siège, même s'il arrive assez fréquemment qu'un voyageur vous propose spontanément sa place. Prévoyez tout de même de prendre un bus à partir de son terminus car si vous montez en cours de route, vous risquez fort d'effectuer votre trajet debout. Les tarifs sont très abordables : 35 Rs entre Colombo et Kandy par la CTB et 70 Rs sur des compagnies privées. Comptez 3 heures pour couvrir les 117 km.

Voiture

Au Sri Lanka, on roule à gauche, et les limitations de vitesse sont fixées à 56 km/h dans les villes et à 75 km/h dans les campagnes. De toute façon, vu l'état de certaines routes, il est difficile d'atteindre ces limitations, alors faire des excès de vitesse... Contrairement à l'Inde, les routes n'y sont pas embouteillées, exception faite de la sortie de Colombo vers Galle au sud, vers Negombo ou vers Kandy à l'est.

Il faut être très expérimenté ou casse-cou pour prendre le volant. La meilleure solution consiste à louer un véhicule avec chauffeur, si possible anglophone (le français est assez peu répandu, mais on trouve des personnes parfaitement bilingues). Rien de plus facile, tous les hôtels vous en proposent. Les tarifs varient selon la durée. Comptez en moyenne 3 000 Rs par jour pour une semaine, quel que soit le nombre de passagers. Le chauffeur va où vous voulez et se débrouille pour manger et dormir, mais vous pouvez aussi l'inviter à déjeuner. Il est d'usage de laisser un pourboire équivalent à une journée de service, mais rien ne vous empêche de donner ce qui vous chante, selon vos moyens et votre degré de satisfaction.

Si vous préférez tenter l'aventure en louant une voiture sans chauffeur, il vous faut connaître plusieurs règles de base :

- **On roule à gauche,** à l'anglaise, donc soyez sûrs de votre conduite avant de vous risquer sur les routes.
- **On double en côte,** dans les virages aussi. On double un peu partout en fait.
- **Personne n'utilise de clignotants,** notamment les bus qui freinent violemment mais sans prévenir lors de leurs très fréquents arrêts.
- **Priorité aux plus gros véhicules.**
- **Beaucoup de poussière,** sable et vieux engins expectorant leur pollution dans l'atmosphère, les motards et autres cyclistes devront donc prévoir un masque.
- **On communique énormément par klaxon interposé,** et presque jamais pour exprimer son énervement finalement : un coup pour demander à la voiture précédente de se pousser dans le cadre d'un dépassement, un autre pendant qu'on double, enfin un petit merci sonore pour la fin. Bien sûr, cela peut aussi se décliner à l'infini, mais ces trois signes sont nécessaires pour s'entendre avec les autres conducteurs et éviter de fâcheuses situations en cas de malentendu. Ne pas réagir violemment face aux klaxons incessants, ce sont uniquement les composantes d'un langage, et pas d'une agression comme c'est le cas dans les pays civilisés.
- **Les Sri Lankais sont très courtois** et, au volant comme ailleurs, ne sont jamais grossiers ou agressifs. Même si la route est longue, lente et mauvaise, ils gardent toujours leur calme. A nous de nous adapter et de conserver notre sang-froid.

Permis

Si vous avez l'intention de louer une voiture et de conduire vous-même, procurez-vous un permis international avant votre départ et n'oubliez pas de le faire valider par :

■ **AUTOMOBILE ASSOCIATION OF CEYLON**
40, Sir Macan Markar Mawatha, Galle Face, Colombo 3 ✆ (011) 242 15 28

Location de voitures

Dans le cas où vous souhaiteriez louer une voiture privée auprès d'une agence internationale, sachez que c'est à l'aéroport, au Mount Lavinia Beach Hotel ou au Mount Lavinia Head Office que vous en trouverez, et nulle part ailleurs.

Pour ce qui est des agences sri lankaises, vous en trouverez partout sur votre chemin, mais il est plus sûr de s'adresser aux réceptifs que nous avons cités, d'autant que leurs prix sont tout à fait raisonnables.

■ **AUTO ESCAPE**
✆ 0 800 920 940, appel gratuit en France ou 00 33 4 90 09 28 28 depuis l'étranger
www.autoescape.com
Une centrale de réservation qui ne propose que de la location de voiture. Spécialiste dans ce domaine, Auto Escape offre les meilleurs tarifs parmi les plus grands loueurs. Les agences gèrent les tarifs, la réservation et le service relation-client. Vous pouvez modifier ou annuler à tout moment sans frais. Ils ont des solutions très compétitives dans 92 pays. Solution de location de voiture prépayée depuis la France. Avantage : disponibilité et élimination des surprises.

Moto

C'est une façon agréable de découvrir le pays. On peut louer des motos à Colombo, à Kandy ou dans le Sud à Hikkaduwa. Comptez 700 Rs par jour pour une 125 cc, et 1 000 Rs pour une 500 cc. Vous devrez laisser une caution, une photocopie de votre passeport ou celle de votre billet d'avion. Une seule adresse à Colombo que tous les motards s'échangent :

■ **GOLD WING MOTORS**
364, Deans Road, Colombo 10
✆ (011) 268 57 50 – Fax (011) 269 87 87

Vélo

C'est le mode idéal pour sillonner les routes côtières dans le Sud-Ouest, un peu moins pour s'attaquer aux pentes ardues des collines du centre. Vous pouvez louer des vélos pour la journée ou pour la semaine dans les petits villages qui jalonnent la route qui part de Colombo à Galle. Comptez environ 150 Rs par jour. Vérifiez l'état de l'engin avant de l'enfourcher !

Auto-stop

On ne peut pas dire que cela fasse partie des us et coutumes des Sri Lankais de s'arrêter en cours de route pour prendre des voyageurs sur le bord de la route ; ils ne comprennent pas cette démarche étant donné le prix très abordable des transports en commun. Préférez à cette solution l'utilisation des bus locaux ou des three-wheelers.

Three-wheelers

Appelés à tort *tuk-tuk* (on n'est pas à Bangkok !) ou *rickshaws* (nom indien), ici les *three-wheelers* sont le meilleur moyen, et le plus rapide, de joindre une destination jusqu'à 5 à 10 km. Ils sont très pratiques pour des petits trajets dans la campagne ou dans les grandes villes. Négociez toujours la course avant de vous installer à bord. Comptez environ 20 Rs par km, 250 Rs de l'heure ou 1 500 Rs la journée. Evitez de monter dedans sans discuter le prix, ou la note sera salée à l'arrivée !

Sigiriya, fresque des Demoiselles

Index

Plage de la côte sud-ouest

G

H

I

Weligama, bateau de pêche

© AUTHOR'S IMAGE - MICKAEL DAVID

Hikkaduwa

J

K

L

■ P ■

Hikkaduwa

■ Q ■

■ R ■

Weligama, pêcheurs

U

V

W

Y

Collaborez à la prochaine édition

Sri Lanka

Collaborez à la prochaine édition
Sri Lanka

Pour compléter la prochaine édition du Petit Futé de Sri Lanka, améliorer les guides du Petit Futé qui seront utilisés par de futurs voyageurs et touristes, nous serions heureux de vous compter parmi notre équipe afin d'augmenter le nombre et la qualité des enquêtes.

Pour cela, nous devons mieux vous connaître et savoir ce que vous pensez, très objectivement, des guides du Petit Futé en général et de celui que vous avez entre les mains en particulier. Nous répondrons à tous les courriers qui nous seront envoyés dès qu'ils seront accompagnés d'au moins une adresse inédite ou futée qui mérite d'être publiée.

Dès lors que vous nous adressez des informations, bonnes adresses... vous nous autorisez par le fait même à les publier gracieusement en courrier des lecteurs dans les guides correspondants.

■ Qui êtes-vous ?

Nom et prénom ....

Adresse ....

....

E-mail .... Quel âge avez-vous ? ....

Avez-vous des enfants ? ❑ Oui (combien ?)......... ❑ Non

Comment voyagez-vous ? ❑ Seul ❑ En voyage organisé

Profession : ❑ Etudiant ❑ Sans profession ❑ Retraité
❑ Profession libérale ❑ Fonctionnaire ❑ Commerçant
❑ Autres ....

■ Comment avez-vous connu les guides du Petit Futé ?

❑ Par un ami ou une relation ❑ Par un article de presse
❑ Par une émission à la radio ❑ A la TV
❑ Dans une librairie ❑ Dans une grande surface
❑ Par une publicité, laquelle ? ....

■ Durant votre voyage,

Vous consultez le Petit Futé environ .... fois

Combien de personnes le lisent ? ....

■ Vous utilisez ce guide surtout :

❑ Pour vos déplacements professionnels ❑ Pour vos loisirs et vacances

■ Comment avez-vous acheté le Petit Futé ?

❑ Vous étiez décidé à l'acheter ❑ Vous n'aviez pas prévu de l'acheter
❑ Il vous a été offert

■ Utilisez-vous d'autres guides pour voyager ?

❑ Oui Si oui, lesquels ? ....
❑ Non

■ Le prix du Petit Futé vous paraît-il ?

❑ Cher ❑ Pas cher ❑ Raisonnable

■ Comptez-vous acheter d'autres guides du Petit Futé ?

❏ Oui, lesquels :

❏ City Guides ❏ Guides Département ❏ Guides Région ❏ Country Guides

❏ Non Si non, pourquoi ? ....

■ Quels sont, à votre avis, ses qualités et ses défauts ?

Qualités ....

Défauts ....

■ Date et lieu d'achat ....

Testez vos talents de critique

Faites-nous part de vos expériences et découvertes. N'oubliez pas, plus particulièrement pour les hôtels, restaurants et commerces, de préciser avant votre commentaire détaillé (5 à 15 lignes) l'adresse complète, le téléphone et les moyens de transport pour s'y rendre ainsi qu'une indication de prix.

Nom de l'établissement ....

Adresse exacte et complète ....

....

Téléphone .... Fax ....

■ Votre avis en fonction de l'établissement :

	Très bon	Bon	Moyen	Mauvais
Accueil :	❏	❏	❏	❏
Cuisine :	❏	❏	❏	❏
Rapport qualité/prix :	❏	❏	❏	❏
Confort :	❏	❏	❏	❏
Service :	❏	❏	❏	❏
Calme :	❏	❏	❏	❏
Cadre :	❏	❏	❏	❏
Ambiance :	❏	❏	❏	❏

■ Remarques et observations personnelles, proposition de commentaire :

....

....

....

....

....

....

....

Afin d'accuser réception de votre courrier, merci de retourner ce document avec vos coordonnées

LE PETIT FUTE COUNTRY GUIDE

18, rue des Volontaires • 75015 Paris • FRANCE

soit par fax : 01 53 69 70 62 ou par E-mail : infopays@petitfute.com

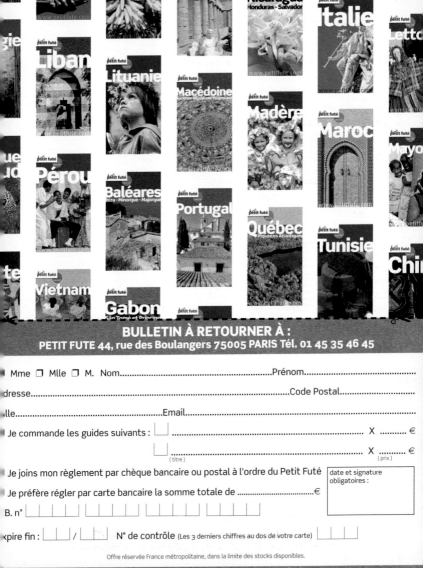